A ERA DOS IMPÉRIOS

ERIC HOBSBAWM
A ERA DOS IMPÉRIOS
1875-1914

Tradução
Sieni Maria Campos e
Yolanda Steidel de Toledo

2ª edição

Paz & Terra

Rio de Janeiro
2025

© Eric J. Hobsbawm, 1988

Título original em inglês:
The Age of empire 1875-1914
First published in Great Britain by Weidenfeld & Nicolson

Revisão técnica: Maria Celia
Projeto gráfico de box e capa: Leonardo Iaccarino

CIP-BRASIL. CATALOGAÇÃO NA PUBLICAÇÃO
SINDICATO NACIONAL DOS EDITORES DE LIVROS, RJ

H599e   Hobsbawm, E. J. (Eric J.), 1917-2012
A era dos impérios : 1875-1914 / Eric J. Hobsbawm ; tradução Sieni Maria
Campos, Yolanda Steidel de Toledo. - 2. ed. - Rio de Janeiro : Paz e Terra, 2025.

Tradução de: The age of empire: 1875 - 1914
ISBN 978-65-5548-091-7

1. História moderna - Séc. XIX. I. Campos, Sieni Maria. II. Toledo, Yolanda
Steidel de. III. Título.

23-86443   CDD: 909.81
CDU: 94(100)

Meri Gleice Rodrigues de Souza - Bibliotecária - CRB-7/6439

Todos os direitos reservados. Proibida a reprodução, armazenamento ou transmissão de partes
deste livro, através de quaisquer meios, sem prévia autorização por escrito.

Reservam-se os direitos desta edição à
EDITORA PAZ E TERRA LTDA.
Rua Argentina 171 – 3º andar – São Cristóvão
20921-380 – Rio de Janeiro, RJ
Tel.: (21) 2585-2000.

Seja um leitor preferencial Record.
Cadastre-se no site www.record.com.br
e receba informações sobre nossos
lançamentos e nossas promoções.

Atendimento e venda direta ao leitor:
sac@record.com.br

Impresso no Brasil
2025

SUMÁRIO

LISTA DE ILUSTRAÇÕES   7

PREFÁCIO   11

INTRODUÇÃO   13

1. A Revolução Centenária   31
2. Uma economia mudando de marcha   63
3. A era dos impérios   97
4. A política da democracia   139
5. Trabalhadores do mundo   181
6. Bandeiras desfraldadas: nações e nacionalismo   225
7. Quem é quem ou as incertezas da burguesia   259
8. A nova mulher   299
9. As artes transformadas   339
10. Certezas solapadas: as ciências   373
11. Razão e sociedade   401
12. Rumo à revolução   421
13. Da paz à guerra   459

EPÍLOGO   499

TABELAS   517

MAPAS   527

NOTAS   533

BIBLIOGRAFIA COMPLEMENTAR   549

ÍNDICE REMISSIVO   567

LISTA DE ILUSTRAÇÕES

1. O czar Nicolau II e o rei George V (foto: BBC Hulton Picture Library).
2. *The Wyndham Sisters*, por Sargent, Metropolitan Museum of Art, Nova York.
3. *A La Bourse* por Degas. Museu do Louvre. Paris (foto: Giraudon/ Bridgeman).
4. John D. Rockefeller (foto: BBC Hulton Picture Library).
5. Chá na Ilha de Wight (foto: Mrs. J. R. Ede, Arquivos da Editora Weidenfeld and Nicolson).
6. Uma criada (foto: Coleção Mansell).
7. *Le Jour de Première Communion* por Toulouse-Lautrec. Musée des Augustins, Toulouse (foto: Giraudon/Bridgeman).
8. Piquenique camponês na França (foto: Roger-Yiollet).
9. Conselho de aldeia russo, *c.* 1900 (foto: Victoria and Albert Museum).
10. Trabalhadores em Wandsworth. Londres (foto: Greater London Council).
11. Imigrantes italianos nos EUA (foto: Arquivos da Editora Weidenfeld and Nicolson).
12. Imigrantes a caminho da América (foto: Arquivos da Editora Weinfeld and Nicolson).
13. Wilhelm von Rontgen (foto: BBC Hulton Picture Library).
14. Duas meninas com uma bicicleta (foto: Coleção Mansell).
15. Central telefônica na França, Paris (foto: Musée de La Poste).
16. Instruções para uma câmera Kodak, 1889, Londres (foto: Science Museum).
17. Cartaz para o cinema Lumière (foto: Mary Evans Picture Library).
18. Propaganda para o gramofone HMY (foto: Coleção Mansell).
19. Desenho de mulher com carro (foto: John Freeman).
20. Blériot aterrissando em Dover, 1909 (foto: Mary Evans Picture Library).
21. Propaganda do sabonete Pears (foto: Coleção Mansell).
22. Missão britânica na Rodésia (foto: Arquivos da Editora Weidenfeld and Nicolson).

A ERA DOS IMPÉRIOS

23. A expedição europeia contra os Boxers, desenhado por Hermann Paul (foto: BBC Hulton Picture Library).
24. Visitantes na Exposição de Paris, em 1900 (foto: Fondazione Primoli, Roma).
25. Colonizador francês com seus guarda-costas na Costa do Marfim (foto: Roger-Yiollet).
26. Chá na Índia, Londres (foto: India Office Library).
27. Um cartão-postal missionário (foto: Arquivos da Editora Weidenfeld and Nicolson).
28. Página de índice do *The Indian Ladies Magazine*, 1901 (foto: Arquivos da Editora Weidenfeld and Nicolson).
29. *Lord* Lugard (foto: BBC Hulton Picture Library).
30. Emiliano Zapata (foto: BBC Hulton Picture Library).
31. Lenin (foto: BBC Hulton Picture Library).
32. Friedrich Nietzsche (foto: BBC Hulton Picture Library).
33. Albert Einstein (foto: BBC Hulton Picture Library).
34. Rosa Luxemburgo (foto: BBC Hulton Picture Library).
35. Bernard Shaw (foto: BBC Hulton Picture Library).
36. Pablo Picasso (foto: Arquivos da Editora Weidenfeld and Nicolson).
37. Sala de estar no estilo Liberty, 1906 (foto: Coleção Mansell).
38. Exterior de uma favela em Hamburgo (foto: Museum für Hamburgische Geschichte Bildarchiv).
39. Mulher golfista (foto: Mary Evans Picture Library).
40. Fazendo caixas de fósforo, *c.* 1905, Londres (foto: National Museum of Labour History).
41. Propaganda de Harry Boulter, alfaiate socialista, Londres (foto: National Museum of Labour History).
42. *Haute Couture* parisiense, 1913 (foto: Arquivos da Editora Weidenfeld and Nicolson).
43. O Parlamento (Reichstag) em Berlim (foto: BBC Hulton Picture Library).
44. A principal estação ferroviária em Helsinki (foto: BBC Hulton Picture Library).
45. Propaganda do sabonete Pears, anos 1880 (foto: Coleção Mansell).
46. A nova mulher nos novos escritórios dos anos 1880 (foto: John Freeman).

LISTA DE ILUSTRAÇÕES

47. *Ambrose Vollard* por Pablo Picasso, Grand Palais. Paris (foto: Giraudon).
48. Gravura de autoria de Walter Crane, 1895 (foto: Herr Udo Achten).
49. Gravura social-democrata alemã, 1897 (foto: Herr Udo Achten).
50. Primeira página de *La Lanterne*, 1898 (foto: Collection Alain Gesgon, CIRIP, Paris).
51. Trabalhadores alemães e russos apertam-se as mãos, gravura, 1906 (foto: Herr Udo Achten).
52. O *Olympic* e o *Titanic* em construção, 1910 (foto: The Ulster Museum, Belfast).
53. Estatueta de uma militante do voto feminino, Londres (foto: National Museum of Labour History).
54. Soldados britânicos na Victoria Station, 1914 (foto: BBC Hulton Picture Library).

PREFÁCIO

Embora escrito por um historiador profissional, este livro não se dirige a outros acadêmicos, mas a todos que desejam entender o mundo e que acreditam na importância da história para tanto. Seu objetivo não é contar aos leitores exatamente o que aconteceu no mundo ao longo dos quarenta anos que precederam a Primeira Guerra Mundial, embora eu espere que lhes dê uma ideia do período. Se quiserem descobrir mais, basta consultar, com facilidade, uma vasta — e, em geral, excelente — bibliografia, em sua grande maioria, facilmente acessível em língua inglesa a qualquer pessoa que se interessar por história. Uma parte dela foi relacionada na Bibliografia complementar.

O que tentei fazer neste volume, bem como nos dois que o precederam (*A era das revoluções* 1789-1848 e *A era do capital* 1848-1875), foi entender e explicar o século XIX e seu lugar na história, entender e explicar um mundo em processo de transformação revolucionária, localizar as raízes de nosso presente no solo do passado e, talvez sobretudo, ver o passado como um todo coerente e não (como a especialização histórica tantas vezes nos força a vê-lo) como uma montagem de tópicos isolados: a história de diferentes Estados, da política, da economia, da cultura ou outros. Desde que comecei a me interessar por história, sempre quis saber como se articulam todos esses aspectos da vida passada (ou presente) e por quê.

Assim, este livro não é (a não ser eventualmente) um relato ou exposição sistemática, e ainda menos uma demonstração de erudição. A melhor maneira de lê-lo é como o desenrolar de uma argumentação, ou antes, o delineamento de um tema básico através de vários capítulos. Os leitores devem julgar se a tentativa teve êxito, embora eu tenha feito o máximo para torná-lo acessível aos que não são historiadores.

Não há como reconhecer tudo o que devo aos inúmeros escritores cujas obras pilhei, mesmo se muitas vezes em desacordo com eles, e ainda menos o que devo às ideias recolhidas ao longo dos anos, em conversas com colegas e alunos. Caso reconheçam suas próprias ideias e observações, podem ao menos me responsabilizar por tê-las usado mal, ou aos fatos, o que sem dúvida fiz uma ou outra vez. Posso, contudo, reconhecer os que me possibilitaram concentrar uma extensa preocupação com esse período num único livro. O Collège de France me permitiu produzir o que pode ser considerado um primeiro esboço, sob a forma de um curso de 13 palestras em 1982; agradeço a essa respeitável instituição e a Emmanuel Le Roy Ladurie, que sugeriu o convite. O Leverhulme Trust me concedeu uma bolsa (*Emeritus Fellowship*) em 1983-1985, o que me permitiu conseguir ajuda durante a pesquisa; a Maison des Sciences de l'Homme e Clemens Heller, de Paris, bem como o World Institute for Development Economics Research da Universidade das Nações Unidas e a Fundação Macdonnell me propiciaram algumas semanas de tranquilidade em 1986 para terminar o texto. Dentre as pessoas que me ajudaram na pesquisa, quero expressar meu particular agradecimento a Susan Haskins, Vanessa Marshall e à dra. Tenna Park. Francis Haskell leu o capítulo sobre artes, Alan Mackay os que abordam as ciências, Pat Thane o que trata da emancipação da mulher; e eles me preservaram de alguns erros, mas temo que não de todos. André Schiffrin leu o manuscrito inteiro como amigo e como exemplo do não especialista culto, a quem este livro se dirige. Durante muitos anos dei aulas de história da Europa aos alunos do Birkbeck College, Universidade de Londres, e não sei se teria sido capaz de pensar a história do século XIX no contexto da história mundial sem essa experiência. Assim, este livro é dedicado a eles.

INTRODUÇÃO

"Memória é vida. Seus portadores sempre são grupos de pessoas vivas e, por isso, a memória está em permanente evolução. Ela está sujeita à dialética da lembrança e do esquecimento, inadvertida de suas deformações sucessivas e aberta a qualquer tipo de uso e manipulação. Às vezes fica latente por longos períodos, depois desperta subitamente. A história é a sempre incompleta e problemática reconstrução do que já não existe. A memória sempre pertence à nossa época e está intimamente ligada ao eterno presente; a história é uma representação do passado."

Pierre Nora, 1984[1]

"Não é provável que um mero relato do desenrolar dos acontecimentos, mesmo em escala mundial, resulte numa melhor compreensão das forças em jogo no mundo hoje, a não ser que, ao mesmo tempo, estejamos conscientes das mudanças estruturais subjacentes. O que precisamos, antes de mais nada, é de um novo quadro analítico e de novos termos de referência. É o que este livro procurará oferecer."

Geoffrey Barraclough, 1964[2]

1.

No verão de 1913, uma jovem se formou na escola secundária em Viena, capital do Império Austro-Húngaro. Ainda era uma façanha bastante incomum entre as moças da Europa central. Para comemorar o acontecimento, seus pais decidiram presenteá-la com uma viagem ao exterior, e

A ERA DOS IMPÉRIOS

como era impensável que uma moça de família de 18 anos fosse exposta ao perigo e à tentação sozinha, procuraram um parente que conviesse. Felizmente, entre as várias famílias interligadas que haviam saído de várias cidades pequenas da Polônia e da Hungria nas gerações anteriores e avançado para o Ocidente rumo à prosperidade e à educação, havia uma que fora mais bem-sucedida que a média. Tio Albert construíra uma rede de lojas no Levante — Constantinopla, Esmirna, Alepo, Alexandria. No início do século XX não faltavam negócios a serem feitos no Império Otomano e no Oriente Médio, e a Áustria havia muito era a janela comercial da Europa central para o Oriente. O Egito era ao mesmo tempo um museu vivo, próprio para o aprimoramento cultural, e uma comunidade sofisticada da classe média cosmopolita europeia, com quem era fácil se comunicar por meio da língua francesa, que a moça e suas irmãs haviam aperfeiçoado num internato, nas vizinhanças de Bruxelas. O país continha também, é claro, os árabes. O tio Albert ficou feliz em acolher sua jovem parenta, que viajou para o Egito num navio a vapor do Lloyd Triestino, saindo de Trieste, então o principal porto do Império Habsburgo e também, coincidentemente, o lugar onde residia James Joyce. A moça viria a ser a mãe do autor deste livro.

Alguns anos antes, um rapaz também viajou para o Egito, mas de Londres. Os antecedentes de sua família eram consideravelmente mais modestos. Seu pai, que emigrara da Polônia russa para a Grã-Bretanha na década de 1870, marceneiro profissional, ganhava seu precário sustento na zona leste de Londres e Manchester, criando, o melhor possível, uma filha de seu primeiro casamento e oito filhos do segundo, a maioria deles já nascida na Inglaterra. Só um de seus filhos teve talento ou interesse pelos negócios. Apenas um dos mais novos teve acesso a uma escolaridade mais prolongada, tornando-se engenheiro de minas na América do Sul, que então fazia informalmente parte do Império Britânico. Todos, contudo, procuravam apaixonadamente dominar a língua e a cultura

INTRODUÇÃO

inglesas e se anglicizaram com entusiasmo. Um foi ser ator, outro levou avante os negócios da família, um se tornou professor primário, outros dois entraram para o funcionalismo público em expansão, trabalhando nos Correios. Acontece que a Grã-Bretanha ocupara o Egito pouco antes (1882) e, assim, um irmão acabou representando uma pequena parte do Império Britânico — os correios e telégrafos egípcios — no delta do Nilo. Ele sugeriu que o Egito conviria a mais um de seus irmãos, cujas principais qualificações para ganhar seu sustento lhe teriam sido muitíssimo úteis se ele não se visse realmente obrigado a ganhá-lo: era inteligente, agradável, musical e um bom esportista versátil, além de pugilista peso-leve de nível de campeonato. Na verdade, ele era exatamente o tipo de inglês que conseguiria e manteria um cargo num escritório de navegação muito mais facilmente "nas colônias" que em qualquer outro lugar.

Esse rapaz viria a ser o pai do autor, que conheceu, desse modo, sua futura esposa ali onde a economia e a política da Era dos Impérios os reuniu, sem falar de sua história social — presumivelmente no Esporte Clube dos arredores de Alexandria, perto de onde instalariam sua primeira casa. É extremamente improvável que esse encontro tivesse acontecido num lugar assim, ou que tivesse levado ao casamento entre duas pessoas em qualquer outro período da história anterior ao abordado neste livro. Os leitores devem ser capazes de descobrir por quê.

Entretanto, há um motivo mais sério para começar o presente volume com um fato autobiográfico. Para todos nós há uma zona de penumbra entre a história e a memória; entre o passado como um registro geral aberto a um exame mais ou menos isento e o passado como parte lembrada ou experiência de nossas vidas. Para os seres humanos individuais essa zona se estende do ponto onde as tradições ou memórias familiares começam — digamos, da foto de família mais antiga que o familiar vivo mais velho pode identificar ou explicar — ao fim da infância, quando se reconhece que os destinos público e privado são inseparáveis e se determinam mutuamente ("Eu o conheci um pouquinho antes do fim da guerra"; "Kennedy deve ter morrido em 1963, porque foi quando eu ainda estava em Boston"). A extensão dessa zona pode variar, bem como a obscuridade e a imprecisão que a caracterizam. Mas sempre há essa terra de ninguém no tempo. É a parte da história cuja compreensão é mais árdua para os historiadores, ou para quem quer que seja. Para o autor, nascido quando a Primeira Guerra Mundial chegava ao fim e cujos pais tinham 33 e 19 anos respectivamente em 1914, a Era dos Impérios fica nessa zona de penumbra.

Mas isso não se aplica só aos indivíduos, mas também às sociedades. O mundo em que vivemos é ainda, em grande medida, um mundo feito por homens e mulheres que cresceram no período de que trata este livro, ou imediatamente antes. À medida que o século XX vai chegando ao fim, talvez isso esteja deixando de ocorrer — quem pode ter certeza? —, mas sem dúvida era o caso durante os dois primeiros terços de nosso século.

Considere, por exemplo, a lista de nomes de personalidades políticas que devem ser contadas entre os que impulsionaram e deram forma ao século XX. Em 1914, Vladimir Ilyitch Ulyanov (Lenin) tinha 44 anos; Joseph Vissarionovich Dzhugashvili (Stalin), 35; Franklin Delano Roosevelt, 30; J. Maynard Keynes, 32; Adolf Hitler, 25; Konrad Adenauer (construtor da República Federal da Alemanha no pós-1945), 38; Winston Churchill tinha 40, Mahatma Gandhi 45, Jawaharlal Nehru 25, Mao Tsetung 21, Ho Chi Minh 22, a mesma idade que Josip Broz (Tito) e Francisco Franco Bahamonde (o general Franco da Espanha), dois anos mais novos que Charles de Gaulle e nove mais novos que Benito Mussolini. Considerem-se os significativos números no terreno da cultura. Uma amostra extraída do *Dictionary of Modern Thought*,[*] publicado em 1977, nos diz o seguinte:

---

[*] *Dicionário do Pensamento Moderno.* (N.T.)

INTRODUÇÃO

Pessoas nascidas em 1914 e após	23%
Pessoas ativas em 1880-1914 ou adultas em 1914	45%
Pessoas nascidas em 1900-1914	17%
Pessoas ativas antes de 1880	15%

É patente que os homens e mulheres que elaboraram esse compêndio ainda consideravam, depois de transcorridos três quartos do século XX, a Era dos Impérios como de longe a mais significativa na formação do pensamento moderno em curso. Quer concordemos com sua avaliação ou não, esta é historicamente significativa.

Assim, não são apenas os poucos indivíduos ainda vivos com uma vinculação direta aos anos anteriores a 1914 que enfrentam o problema de como olhar a paisagem de sua zona nebulosa particular, mas também, de modo mais impessoal, todos os que vivem no mundo da década de 1980, na medida em que sua forma foi moldada pela era que nos levou à Primeira Guerra Mundial. Não quero dizer que o passado mais remoto não tenha significado para nós, porém suas relações conosco são diferentes. Ao lidarmos com períodos remotos, sabemos que os encaramos essencialmente como estranhos e distantes, mais como os antropólogos ocidentais empreendendo uma pesquisa sobre os povos montanheses de Papua. Se esses períodos estiverem muito distantes — geográfica, cronológica ou emocionalmente —, podem sobreviver exclusivamente através das relíquias inanimadas dos mortos: palavras e símbolos, escritos, impressos ou gravados, objetos materiais, imagens. Ademais, sendo historiadores, sabemos que o que escrevemos só pode ser julgado e corrigido por outros estranhos como nós, para quem, também, "o passado é outro país". Por certo, partimos dos pressupostos de nossa própria época, lugar e situação, até mesmo da tendência a reler o passado nos nossos termos, a ver o que ele nos preparou para discernir e apenas o que nossa perspectiva nos permite reconhecer. Não obstante, vamos lançar mão das ferramentas

A ERA DOS IMPÉRIOS

e materiais habituais de nosso ofício, trabalhando em arquivos e outras fontes primárias, lendo uma enorme quantidade de literatura secundária, abrindo nosso caminho através dos debates e desavenças acumuladas de gerações de nossos predecessores, dos modos e fases mutáveis de interpretação e interesse, sempre curiosos, sempre (esperemos) fazendo perguntas. Mas o único obstáculo com que nos deparamos são outros contemporâneos nossos discutindo, como estranhos, sobre um passado que não é mais parte de memória. Afinal, até o que pensamos lembrar sobre a França de 1789 ou a Inglaterra de George III é o que aprendemos de segunda ou quinta mão através de pedagogos, oficiais ou informais.

Ali onde os historiadores tentam se defrontar com um período para o qual existem testemunhas oculares vivas, dois conceitos de história bem diferentes se chocam ou, no melhor dos casos, completam-se mutuamente: o acadêmico e o existencial, o arquivo e a memória pessoal. Pois todo mundo é historiador de sua própria vida passada consciente, na medida em que elabora uma versão pessoal dela: um historiador nada confiável, sob a maioria dos pontos de vista, como bem sabem todos os que se aventuraram pela "história oral", mas um historiador cuja contribuição é essencial. Os acadêmicos que entrevistam velhos soldados ou políticos já terão adquirido informação mais vasta e mais confiável sobre os acontecimentos, em publicações e documentos, do que a guardada na memória de sua fonte, mas mesmo assim pode interpretá-la mal. Ademais, ao contrário do historiador, digamos, das Cruzadas, o historiador da Segunda Guerra Mundial pode ser corrigido por aqueles que, lembrando dela, meneiam a cabeça e lhe dizem: "Mas não foi nada disso." Não obstante, as duas versões da história em confronto são, em sentidos diferentes, construções coerentes do passado, conscientemente defendidas como tais e, ao menos, potencialmente passíveis de serem definidas.

Mas a história da zona de penumbra é diferente. Ela constitui, em si, uma imagem incoerente e incompletamente percebida do passado,

INTRODUÇÃO

por vezes mais obscura, outras vezes aparentemente nítida, sempre transmitida por uma mescla de aprendizado e memória de segunda mão moldada pela tradição pública e particular. Pois ela ainda faz parte de nós, mas não está mais inteiramente dentro de nosso alcance pessoal. Ela é como aqueles mapas antigos multicoloridos, cheios de contornos improváveis e espaços brancos, emoldurados por monstros e símbolos. Os monstros e símbolos são ampliados pelos meios modernos de comunicação de massa, porque o próprio fato de a zona de penumbra ser importante para nós coloca-a numa posição central também em suas preocupações. Graças a eles essas imagens fragmentárias e simbólicas perduraram, ao menos no mundo ocidental: o *Titanic*, que conserva todo seu poder de ocupar as manchetes três quartos de século depois de seu naufrágio, é um exemplo notável. Quando essas imagens que aparecem em nossas mentes se referem, por uma razão ou outra, ao período que terminou na Primeira Guerra Mundial, é muito mais difícil interpretá-las de modo ponderado do que o seria com outras imagens e relatos que costumavam pôr os não historiadores em contato com o passado remoto: Drake jogando bocha enquanto a Armada se aproximava da Grã-Bretanha, o colar de diamantes ou o "Que comam brioches" de Maria Antonieta, Washington atravessando o Delaware. Nenhuma delas afetará um só instante o historiador sério. Elas são exteriores a nós. Mas poderemos ter certeza de que, mesmo como profissionais, olhamos as imagens mitificadas da Era dos Impérios com um olhar igualmente frio: o *Titanic*, o terremoto de São Francisco, Dreyfus? É evidente que não, haja vista o centenário da Estátua da Liberdade.

Mais que qualquer outra, a Era dos Impérios exige desmistificação precisamente porque nós — inclusive os historiadores — não vivemos mais nela, mas não sabemos quanto dela ainda vive em nós. Isso não quer dizer que ela precise ser desmascarada ou denunciada (atividade em que foi pioneira).

2.

A necessidade de algum tipo de perspectiva histórica é ainda mais urgente pelo fato de as pessoas do final do século XX ainda estarem, de fato, apaixonadamente envolvidas com o período que se encerrou em 1914, provavelmente porque agosto de 1914 é uma das "rupturas naturais" mais inegáveis da história. Foi sentido como o fim de uma era em seu tempo, e ainda o é. É bem possível rebater essa opinião insistindo-se na continuidade e nas situações inconclusas que se prolongaram através dos anos da Primeira Guerra Mundial. Afinal, a história não é como uma linha de ônibus em que todos — passageiros, motorista e cobrador — são substituídos quando se chega ao ponto final. Não obstante, se há datas que obedecem a algo mais que à necessidade de periodização, agosto de 1914 é uma delas: foi considerada o marco do fim do mundo feito por e para a burguesia. Assinala o fim do "longo século XIX" com o qual os historiadores aprenderam a trabalhar, e que foi objeto de três volumes dos quais o presente é o último.

Não há dúvida de que foi por esse motivo que ele atraiu um número assombroso de historiadores, amadores e profissionais, autores que escreveram sobre cultura, literatura e artes, biógrafos, realizadores de filmes e programas de televisão e, não menos importantes, criadores de moda. Eu estimaria que no mundo anglófono foi publicado nos últimos 15 anos, ao menos um título significativo por mês — livro ou artigo — sobre os anos entre 1880 e 1914. A maioria visava a um público de historiadores ou outros especialistas, pois esse período, como vimos, não é crucial apenas para o desenvolvimento da cultura moderna, mas dá margem a um grande número de debates acalorados na área da história, nacional ou internacional, em sua grande maioria iniciados nos anos que precederam 1914: sobre o imperialismo, sobre o desenvolvimento dos movimentos trabalhistas e socialistas, sobre o problema do declínio econômico britâ-

INTRODUÇÃO

nico, sobre a natureza e a origem da Revolução Russa — para citar apenas alguns. Por motivos óbvios, o mais conhecido desses temas é a questão das origens da Primeira Guerra Mundial, que já gerou vários milhares de volumes e continua a produzir literatura em quantidades impressionantes. A questão permaneceu viva porque o problema das origens das guerras mundiais infelizmente tem-se recusado a desaparecer desde 1914. De fato, em nenhum outro ponto a vinculação entre preocupações passadas e presentes é mais evidente que na história da Era dos Impérios.

Deixando de lado a literatura puramente monográfica, a maioria dos autores que escreveram sobre o período pode ser dividida em duas classes: os que se voltam para o passado e os que se voltam para o futuro. Cada um deles tende a se concentrar em um dos dois traços mais óbvios do período. Por um lado, este parece extraordinariamente remoto e sem volta, quando visto por sobre o abismo intransponível de agosto de 1914. Ao mesmo tempo, paradoxalmente, a origem de boa parte do que ainda caracteriza o final do século XX ainda são os trinta anos que antecederam a Primeira Guerra Mundial. O *best-seller* de Barbara Tuchman, *The Proud Tower*, um "retrato do mundo anterior à guerra (1890-1914)", talvez seja o exemplo mais conhecido do primeiro gênero; o estudo de Alfred Chandler sobre a gênese da administração empresarial moderna, *The Visible Hand*, pode representar o segundo.

Em termos de quantidade de títulos e de exemplares editados, os que se voltam para o passado quase certamente prevalecem. O passado irrecuperável constitui um desafio aos bons historiadores, cientes de que ele não pode ser entendido em termos anacrônicos, mas encerra, também, a enorme tentação da nostalgia. Os menos observadores e mais sentimentais tentam constantemente retomar os encantos de uma era em que as lembranças das classes alta e média tenderam a ver através de uma névoa dourada: a assim chamada *belle époque*, ou "bela época". Naturalmente, esse enfoque agradou aos produtores de espetáculos e da mídia, os figurinistas e outros

A ERA DOS IMPÉRIOS

fornecedores dos consumidores muito ricos. Talvez seja esta a versão do período com mais chances de ser conhecida do público do cinema e da televisão. Ela é totalmente insatisfatória, embora sem dúvida capte um aspecto altamente visível do período que, afinal de contas, introduziu termos como "plutocracia" e "classe ociosa" no discurso público. Pode-se debater sobre se essa abordagem é mais ou menos inútil que a dos autores ainda mais nostálgicos, porém intelectualmente mais sofisticados, que esperam provar que o paraíso perdido poderia não ter sido perdido, se não fosse por erros evitáveis ou acidentes impossíveis de prever, sem os quais não teria havido Guerra Mundial, Revolução Russa ou qualquer dos acontecimentos considerados responsáveis pela perda do mundo anterior a 1914.

Outros historiadores estão mais preocupados com o oposto dessa grande descontinuidade, com o fato de boa parte do que continua sendo característico de nossa época ter sua origem, às vezes muito súbita, nas décadas que precederam 1914. Eles procuram essas raízes e antecipações de nossa época, que, de fato, são óbvias. Na política, os partidos trabalhistas e socialistas que governam ou lideram a oposição na maioria dos Estados da Europa ocidental são filhos da era de 1875 a 1914, bem como outro ramo de sua família, os partidos comunistas que dirigem os regimes da Europa oriental.* De mesma filiação são as políticas de governos eleitos por voto democrático, o partido de massa moderno e o sindicato operário de massa organizado em nível nacional, bem como a legislação moderna relativa ao bem-estar social.

Com o nome de "modernismo", a *avant-garde* desse período dominou a maior parte da produção cultural erudita do século XX. Mesmo hoje, quando algumas *avant-gardes* ou outras escolas já não aceitam essa tradição, elas ainda se definem nos termos daquilo que rejeitam ("pós-mo-

---

* Os partidos comunistas no poder, no mundo não europeu, foram construídos segundo esse modelo, mas após o período que abordamos aqui.

INTRODUÇÃO

dernismo"). Enquanto isso, a cultura da vida cotidiana ainda é dominada por três inovações desse período: a indústria publicitária em sua versão moderna, os modernos jornais e revistas de circulação de massa e (diretamente ou através da televisão) a fotografia em movimento ou filme. A ciência e a tecnologia podem ter percorrido um longo caminho de 1875-1914 a nossos dias, mas nas ciências há uma continuidade evidente entre a era de Planck, Einstein e do jovem Niels Bohr e a atual. Em relação à tecnologia, os automóveis movidos a gasolina que percorrem as ruas e as máquinas voadoras, que surgiram no período que estudamos, pela primeira vez na história, ainda dominam nossos cenários urbano e rural. As comunicações por telefone, telégrafo e sem fio, inventadas à época, foram aperfeiçoadas, mas não superadas. É possível que, retrospectivamente, as derradeiras décadas do século XX não sejam mais vistas como cabendo no quadro estabelecido antes de 1914, mas na maioria das vezes este ainda servirá de referência.

Mas não é suficiente apresentar a história do passado nesses termos. Não há dúvida de que a questão da continuidade e descontinuidade entre a Era dos Impérios e o presente ainda é importante, pois nossas emoções ainda estão diretamente comprometidas com essa parte do passado histórico. Não obstante, do ponto de vista do historiador, continuidade e descontinuidade, consideradas isoladamente, são questões de pouca monta. No entanto, como devemos situar esse período? Pois, afinal, a relação do passado com o presente ocupa lugar central nas preocupações tanto dos que escrevem como dos que leem história. Ambos querem, ou deveriam querer, entender como o passado se tornou o presente, e ambos querem entender o passado; e o maior obstáculo para tanto é o fato de este *não* ser igual ao presente.

A era dos impérios, embora um livro independente, é o terceiro e último volume do que acabou sendo um estudo geral do século XIX na história mundial — quer dizer, o "longo século XIX" dos historiadores, que vai de, digamos, 1776 a 1914. Não era a intenção original do autor embarcar em algo tão loucamente ambicioso. Mas existe coerência entre os três volumes — escritos com intervalos de anos e, à exceção do último, não concebidos intencionalmente como partes de um projeto único —, na medida em que partilham de uma convicção comum quanto ao que foi o século XIX. E como essa concepção comum conseguiu interligar *A era das revoluções* e *A era do capital*, e ambos, por sua vez, à *A era dos impérios* — espero que sim —, ela também deve ajudar a relacionar *A era dos impérios* ao que veio depois dela.

O eixo central em torno do qual tentei organizar a história do século foi, basicamente, o triunfo e a transformação do capitalismo na forma historicamente específica de sociedade burguesa em sua versão liberal. A história começa com a dupla e decisiva irrupção da primeira revolução industrial na Grã-Bretanha, que estabeleceu a capacidade ilimitada do sistema produtivo, criado pelo capitalismo, em promover crescimento econômico e penetração mundial, e da revolução política franco-americana, que estabeleceu os modelos dominantes das instituições públicas da sociedade burguesa, completadas pela emergência praticamente simultânea de seus sistemas teóricos mais característicos — e inter-relacionados: a economia política clássica e a filosofia utilitarista. O primeiro volume dessa história, *A era das revoluções* 1789-1848, está estruturado em torno desse conceito de "revolução dual".

Ela levou à conquista audaciosa do planeta pela economia capitalista, conquista realizada por sua classe característica, a "burguesia", e sob a bandeira de sua expressão intelectual característica, a ideologia do liberalismo. Este é o principal tema do segundo volume, que abarca o breve período entre as revoluções de 1848 e o início da Depressão da década de 1870, quando as perspectivas da sociedade burguesa e sua economia pareciam relativamente tranquilas, pois seus triunfos reais eram notáveis. Pois ou bem a resistência política dos *anciens régimes*, contra os quais fora

INTRODUÇÃO

feita a Revolução Francesa, havia sido superada, ou esses mesmos regimes pareciam aceitar a hegemonia econômica, institucional e cultural de um progresso burguês triunfante. Economicamente, as dificuldades de uma industrialização e de um crescimento econômico limitados pela estreiteza de sua base inicial foram superadas pela disseminação da transformação industrial e pela enorme ampliação dos mercados mundiais. Socialmente, os descontentamentos explosivos dos pobres da Era das Revoluções foram dissipados em consequência. Em suma, os principais obstáculos que se opunham ao progresso burguês contínuo e presumivelmente ilimitado pareciam ter sido removidos. As possíveis dificuldades derivadas das contradições internas desse progresso ainda não pareciam ser motivo de inquietude imediata. Houve menos socialistas e social-revolucionários na Europa nesse período do que em qualquer outro.

Mas, por outro lado, a Era dos Impérios é marcada e dominada por essas contradições. Foi uma era de paz sem paralelo no mundo ocidental que gerou uma era de guerras mundiais igualmente sem paralelo. Apesar das aparências, foi uma era de estabilidade social crescente dentro da zona de economias industriais desenvolvidas que forneceram os pequenos grupos de homens que, com uma facilidade que beirava a insolência, conseguiram conquistar e dominar vastos impérios; mas uma era que gerou, inevitavelmente, em sua periferia, as forças combinadas da rebelião e da revolução que a tragariam. Desde 1914 o mundo tem sido dominado pelo medo, e às vezes pela realidade, de uma guerra mundial e pelo medo (ou esperança) de uma revolução — ambos baseados nas condições históricas que emergiram diretamente da Era dos Impérios.

Foi a era em que movimentos de massa organizados da classe dos trabalhadores assalariados, característica do capitalismo industrial e por ele criada, emergiram subitamente, exigindo a derrubada do capitalismo. Mas emergiram em economias altamente prósperas e em expansão e, nos países onde eram mais fortes, em um momento em que o capitalismo lhes oferecia condições ligeiramente menos miseráveis que antes. Foi uma era em que as instituições políticas e culturais do liberalismo burguês foram estendidas, ou estavam em vias de se estender, às massas operárias que viviam em sociedades burguesas, até mesmo (pela primeira vez na história) às suas mulheres; mas para isso foi preciso forçar sua classe central, a burguesia liberal, a ocupar uma posição marginal no poder político. Isto porque as democracias eleitorais, produto inevitável do progresso liberal, liquidaram o liberalismo burguês enquanto força política na maioria dos países. Para uma burguesia cujos alicerces morais tradicionais ruíram sob o peso de sua própria acumulação de riqueza e conforto, foi uma era de profunda crise de identidade e de transformação. Sua existência mesma como classe dirigente foi solapada pela transformação de seu próprio sistema econômico. As pessoas jurídicas (ou seja, grandes organizações empresariais ou sociedades anônimas), de propriedade de acionistas, que empregavam administradores e executivos assalariados, começaram a substituir as pessoas concretas e suas famílias na propriedade e na administração de suas próprias empresas.

São incontáveis os paradoxos como esse. A história da Era dos Impérios está repleta deles. Na verdade, seu perfil característico, como será visto neste livro, é o avanço da sociedade e do mundo burgueses rumo ao que foi chamado de "morte estranha" ao atingir seu apogeu, vítima justamente das contradições inerentes a seu avanço.

Ademais, a vida cultural e intelectual do período evidencia uma curiosa consciência desse padrão de inversão, da morte iminente de um mundo e da necessidade de outro. Mas o tom e o sabor peculiares do período derivam do fato de que os cataclismas vindouros eram a um tempo esperados, mal compreendidos e desacreditados. A guerra mundial viria, mas ninguém, nem sequer o melhor dos profetas, entendeu realmente que tipo de guerra seria. E quando o mundo por fim chegou à beira do abismo, os responsáveis pela tomada das decisões, incrédulos, lançaram-se a ele. Os grandes e novos movimentos socialistas eram revolucionários; mas, para a

INTRODUÇÃO

maioria deles, a revolução era de certa forma o resultado lógico e necessário da democracia burguesa, que deu a uma parcela da população cada vez mais numerosa o poder de decidir sobre outra, cada vez mais reduzida. E, para os que esperavam a verdadeira insurreição, tratava-se de uma batalha cujo objetivo só podia ser, num primeiro momento, instituir a democracia burguesa como etapa preliminar de algo mais avançado. Assim, os revolucionários permaneceram no quadro da Era dos Impérios, mesmo se preparando para superá-la.

Nas ciências e nas artes, as ortodoxias do século XIX estavam sendo demolidas, mas nunca um número maior de homens e mulheres, cujo acesso à cultura era recente e que eram intelectualmente conscientes, acreditou mais firmemente no que as pequenas *avant-gardes* estavam rejeitando. Se os pesquisadores da opinião pública, no mundo desenvolvido pré-1914, tivessem comparado o percentual de esperança ao de mau agouro, o dos otimistas ao dos pessimistas, a esperança e o otimismo com toda certeza teriam prevalecido. Paradoxalmente, é provável que tivessem obtido mais votos nessa direção no novo século, quando o mundo ocidental se aproximava de 1914, do que nas últimas décadas do anterior. Mas, é claro, esse otimismo incluía não só os que acreditavam no futuro do capitalismo, mas também os que aguardavam, esperançosos, sua superação.

O padrão histórico de reversão em si, de desenvolvimento que solapa seus próprios alicerces, não tem nada de novo ou peculiar nesse período em relação a qualquer outro. É assim que as transformações históricas endógenas operam. Continuam operando assim. Peculiar ao longo século XIX é o fato de as forças titânicas e revolucionárias desse período, que transformaram o mundo a ponto de torná-lo irreconhecível, terem sido conduzidas por um veículo específico, historicamente peculiar e frágil. Exatamente como a transformação da economia mundial se identificou, durante um período crucial porém necessariamente breve, à sorte de um

A ERA DOS IMPÉRIOS

único Estado de porte médio — a Grã-Bretanha —, o desenvolvimento do mundo contemporâneo identificava-se temporariamente com o da sociedade liberal burguesa do século XIX. A própria extensão na qual as ideias, os valores, pressupostos e instituições a ela associados pareceram triunfar na Era do Capital indica a natureza historicamente transitória desse triunfo.

O presente livro estuda o momento histórico no qual ficou claro que a sociedade e a civilização criadas por e para a burguesia liberal ocidental representavam não a forma permanente do mundo industrial moderno, mas apenas uma fase de seu desenvolvimento inicial. As estruturas econômicas sobre as quais repousa o mundo do século XX, mesmo quando capitalistas, não são mais as da "empresa privada" na acepção consensual entre os homens de negócios de 1870. A revolução presente na memória do mundo desde a Primeira Guerra Mundial já não é a Revolução Francesa de 1789. A cultura que o perpassa já não é a cultura burguesa, como teria sido entendida antes de 1914. O continente que então concentrava a esmagadora maioria de seu poderio econômico, intelectual e militar não é mais assim. Nem a história em geral nem a história do capitalismo em particular se encerraram em 1914, embora uma parte bastante grande do mundo tenha adotado um tipo de economia fundamentalmente diferente. A Era dos Impérios ou, como Lenin a chamou, o imperialismo, não foi, evidentemente, "a etapa final" do capitalismo; mas, à época, Lenin nunca afirmou realmente que fosse. Simplesmente a denominou, na primeira versão de seu influente escrito, "a última etapa" do capitalismo.[*] Contudo, é compreensível que observadores — e não apenas observadores hostis à sociedade burguesa — tenham sentido a era da história mundial em que eles viveram nas últimas décadas anteriores à Primeira Guerra Mundial como algo mais que apenas outra fase de desenvolvimento. De uma forma ou de outra, o período parecia antecipar e preparar um mundo qualita-

---

[*] Título mudado para "etapa superior" após sua morte.

INTRODUÇÃO

tivamente diferente do passado. E assim acabou sendo a partir de 1914, mesmo se não da maneira esperada ou prevista pela maioria dos profetas. Não há como voltar ao mundo da sociedade liberal burguesa. Os próprios apelos conclamando a reviver o espírito do capitalismo do século XIX no final do século XX testemunham a sua impossibilidade. Bem ou mal, desde 1914 o século da burguesia pertence à história.

1. A REVOLUÇÃO CENTENÁRIA

> "Hogan é um profeta... Um profeta, Hinnissy, é um homem
> que antevê problemas... Hogan é hoje o homem mais feliz do mundo,
> mas algo vai acontecer amanhã."
>
> Mr. Dooley Says, 1910[1]

1.

Os centenários foram inventados no fim do século XIX. Em algum momento entre o centésimo aniversário da Revolução Americana (1876) e o da Revolução Francesa (1889) — ambos comemorados com as exposições internacionais de praxe — os cidadãos instruídos do mundo ocidental tomaram consciência do fato de que aquele mundo, nascido entre a Declaração de Independência, a construção da primeira ponte de ferro do mundo e a tomada da Bastilha, estava completando cem anos. Qual seria o resultado de uma comparação entre o mundo dos anos 1880 e o dos anos 1780?*

Em primeiro lugar, em 1880 ele era genuinamente global. Quase todas as suas partes agora eram conhecidas e mapeadas de modo mais ou menos adequado ou aproximado. Com mínimas exceções, a exploração já não consistia em "descoberta", mas numa forma de esforço atlético, muitas vezes mesclado a importantes elementos de competição pessoal ou

---

* *A era das revoluções*, capítulo 1, estuda esse mundo mais antigo.

nacional; tipicamente a tentativa de dominar os ambientes físicos mais duros e inóspitos do Ártico e da Antártida. O norte-americano Peary chegaria em primeiro lugar ao Polo Norte, em 1909, vencendo nesse desafio seus competidores britânico e escandinavo; o norueguês Amundsen atingiu o Polo Sul em 1911, um mês antes do desafortunado britânico capitão Scott. (Tais façanhas não tinham nem pretendiam ter a menor consequência prática.) A ferrovia e a navegação a vapor haviam reduzido as viagens intercontinentais ou transcontinentais a uma questão de semanas, em vez de meses — salvo na maior parte do território da África, da Ásia continental e de partes do interior da América do Sul —, e em breve as tornariam uma questão de dias: com a conclusão da Ferrovia Transiberiana, em 1904, seria possível viajar de Paris a Vladivostok em 15 ou 16 dias. Com o telégrafo elétrico, a transmissão de informação ao redor do mundo era agora uma questão de horas. Em decorrência, homens e mulheres do mundo ocidental — mas não só eles — viajaram e se comunicaram por grandes distâncias com facilidade e em número sem precedentes. Vejamos apenas um exemplo do que seria considerado uma fantasia absurda na época de Benjamin Franklin. Em 1879, quase um milhão de turistas visitaram a Suíça. Mais de 200 mil deles eram norte-americanos: o equivalente a mais de um em cada vinte habitantes da totalidade dos EUA, considerando-se seu primeiro censo (1790).[2*]

Ao mesmo tempo, o mundo era muito mais densamente povoado. As cifras demográficas são tão especulativas, sobretudo em relação ao final do século XVIII, quando a precisão numérica é inútil e perigosa; mas não deve ser muito equivocado supor que os aproximadamente 1,5 bilhão de seres humanos vivos nos anos 1880 representavam o dobro da população mundial dos anos 1780. Os mais numerosos eram, de longe, os asiáticos, como sempre o foram, mas enquanto em 1800 eles consti-

---

* Para um cômputo mais completo desse processo de globalização, veja *A era do capital*, caps. 3 e 11.

A REVOLUÇÃO CENTENÁRIA

tuíam quase dois terços da humanidade (segundo estimativas recentes), em 1900 talvez fossem 55%. O segundo maior grupo era o dos europeus (incluindo a Rússia asiática, esparsamente povoada). A população europeia era, em 1900 (430 milhões), mais que o dobro dos 200 milhões de 1800. Ademais, sua emigração em massa para outros continentes foi responsável pela mudança mais drástica que sofreu a população mundial: o aumento dos habitantes das Américas de cerca de 30 para quase 160 milhões entre 1800 e 1900; e, especialmente, a América do Norte, que aumentou de cerca de 7 para mais de 80 milhões de habitantes. O devastado continente africano, sobre cujos dados demográficos, como se sabe, há pouca informação, cresceu mais lentamente que qualquer outro, talvez no máximo um terço nesse século. No final do século XVIII havia, talvez, três vezes mais africanos do que americanos (do norte e latinos), ao passo que no fim do século XIX é provável que houvesse substancialmente mais americanos do que africanos. A reduzida população das ilhas do Pacífico, incluindo a Austrália, embora reforçada por uma migração europeia de hipotéticos 2 a talvez 6 milhões de pessoas, tinha pouco peso demográfico.

Contudo, enquanto em um sentido o mundo estava se tornando demograficamente maior e geograficamente menor e mais global — um planeta ligado cada vez mais estreitamente pelos laços dos deslocamentos de bens e pessoas, de capital e comunicações, de produtos materiais e ideias —, em outro sentido este mundo caminhava para a divisão. Nos anos de 1780, como em todos os outros períodos da história de que se tem registro, houve regiões ricas e pobres, economias e sociedades avançadas e atrasadas, unidades com organização política e força militar mais fortes e mais fracas. E é inegável que um abismo profundo separava a grande faixa do mundo que fora, tradicionalmente, o reduto das sociedades de classe e de Estados e cidades mais ou menos estáveis, administrados por minorias cultas e — felizmente para o historiador

— gerando documentação escrita, das regiões ao norte e ao sul, sobre as quais se concentrou a atenção dos etnógrafos e antropólogos do final do século XIX e começo do século XX. Não obstante, dentro dessa ampla faixa onde vivia a maior parte da humanidade — que se estendia do Japão a leste ao litoral norte e central do Atlântico e, através da conquista europeia, ao território americano —, as disparidades, embora já acentuadas, ainda não pareciam insuperáveis.

Em termos de produção e riqueza, para não falar de cultura, as diferenças entre as principais regiões pré-industriais eram, pelos padrões modernos, espantosamente mínimas: de, digamos, 1 a 1,8. De fato, uma estimativa recente calcula que, entre 1750 e 1800, o produto nacional bruto *per capita* nos países hoje conhecidos como "desenvolvidos" era basicamente o mesmo que na região agora conhecida como "Terceiro Mundo". Embora isso provavelmente se deva ao enorme tamanho e peso relativo do Império Chinês (com cerca de um terço da população mundial), cujo padrão médio de vida à época devia ser superior ao europeu.[3] No século XVIII, os europeus podem ter achado o Celeste Império um lugar realmente muito estranho, mas nenhum observador inteligente o teria considerado, em qualquer sentido, uma economia ou civilização inferiores à europeia, e menos ainda um país "atrasado". Mas, no século XIX, a defasagem entre os países ocidentais, base da revolução econômica que estava transformando o mundo, e os demais se ampliou, primeiro devagar, depois cada vez mais rápido. Pelos anos 1880 (segundo o mesmo cálculo), a renda *per capita* do mundo "desenvolvido" era cerca do dobro da do Terceiro Mundo; em 1913 seria mais do que o triplo, e continuava aumentando. Em torno de 1950 (para destacar o contraste), a diferença era de 1 para 5; em 1970, de 1 para 7. Ademais, a defasagem entre o Terceiro Mundo e as áreas realmente desenvolvidas do mundo "desenvolvido", ou seja, os países industrializados, começou mais cedo e se ampliou ainda mais acentuadamente. O PNB *per capita* já era mais

A REVOLUÇÃO CENTENÁRIA

que o dobro que o do Terceiro Mundo em 1830: em 1913, cerca de sete vezes maior.*

A tecnologia era uma das principais causas dessa defasagem, acentuando-a não só econômica como politicamente. Um século após a Revolução Francesa, tornava-se cada vez mais evidente que os países mais pobres e atrasados podiam ser facilmente vencidos e (salvo se fossem muito grandes) conquistados, devido à inferioridade técnica de seus armamentos. Tratava-se de um fato relativamente novo. A invasão do Egito por Napoleão, em 1798, opôs os exércitos francês e mameluco com equipamento comparável. As conquistas coloniais das forças europeias haviam sido realizadas não por causa de armas milagrosas, mas devido a uma maior agressividade, crueldade e, acima de tudo, organização disciplinada.[4] Contudo, a revolução industrial, que se fez presente nos conflitos armados em meados do século (cf. *A era do capital*, capítulo 4), fez a balança pender mais ainda a favor do mundo "avançado" graças aos explosivos potentes, às metralhadoras e ao transporte a vapor (veja o capítulo 13). Eis por que o meio século transcorrido entre 1880 e 1930 seria a idade de ouro, ou melhor, de ferro, da diplomacia de canhoneira.

Portanto, ao abordar 1880, estamos menos diante de um mundo único do que de dois setores que, combinados, formam um sistema global: o desenvolvido e o defasado, o dominante e o dependente, o rico e o pobre. Mesmo esta descrição é enganosa. Enquanto o (menor) Primeiro Mundo, apesar de suas consideráveis disparidades internas, era unido pela história e por ser o portador conjunto do desenvolvimento capitalista, o Segundo Mundo (muito maior) não era unido senão por suas relações com

---

* A cifra que exprime o PNB *per capita* é uma construção puramente estatística: produto nacional bruto dividido pelo número de habitantes. Embora seja útil para efeitos de comparações gerais do crescimento econômico de diferentes países e/ou períodos, não nos diz nada sobre a renda ou padrão de vida reais de qualquer de seus habitantes, ou sobre a distribuição da renda na região, a não ser que, teoricamente, em um país com renda *per capita* alta haveria mais a distribuir que em outro onde essa cifra fosse mais reduzida.

A ERA DOS IMPÉRIOS

o Primeiro, quer dizer, por sua dependência potencial ou real. O que tinha o Império Chinês em comum com o Senegal, o Brasil, as Novas Hébridas, o Marrocos e a Nicarágua, além do fato de pertencerem todos à espécie humana? O Segundo Mundo não era unido por sua história, cultura, estrutura social nem instituições, nem sequer pelo que hoje consideramos a característica mais marcante do mundo dependente: a pobreza em massa. Pois a riqueza e a pobreza, como categorias sociais, aplicam-se apenas a sociedades estratificadas de um certo modo e a economias estruturadas de uma certa maneira, e algumas partes do mundo dependente não tinham nem uma nem outra. Todas as sociedades humanas conhecidas na história encerram algumas desigualdades sociais (além da desigualdade entre os sexos) e, embora os marajás da Índia, em visita ao Ocidente, pudessem ser tratados como se fossem milionários no sentido ocidental, não era possível assimilar desta forma os homens importantes ou chefes da Nova Guiné, nem mesmo hipoteticamente. E, mesmo as pessoas comuns de qualquer lugar do mundo normalmente transformando-se em operários, e portanto em membros da categoria dos "pobres", ao serem transladadas para longe de seus países, era descabido descrevê-las dessa maneira em seu ambiente de origem. De qualquer modo, havia partes privilegiadas do mundo — sobretudo nos trópicos — em que ninguém sentia falta de moradia, alimento ou lazer. De fato, ainda havia sociedades pequenas em que os conceitos de trabalho e lazer não tinham sentido, nem existiam palavras para dizê-los.

Se a existência dos dois setores do mundo era inegável, as fronteiras entre elas eram, no entanto, indefinidas, sobretudo porque o conjunto de Estados através dos quais e pelos quais foi feita a conquista econômica — e, no período que nos ocupa, a conquista política — do planeta, estava unido tanto pela história como pelo desenvolvimento econômico. Esse conjunto de Estados era a "Europa", constituída não só pelas regiões que formavam, claramente, o cerne do desenvolvimento capitalista mundial — sobretudo a Europa central e do noroeste e algumas colônias

A REVOLUÇÃO CENTENÁRIA

ultramarinas. A "Europa" englobava as regiões meridionais, que haviam tido um papel importante no início do desenvolvimento capitalista, mas que, desde o século XVI, haviam estagnado; e os conquistadores do primeiro grande império ultramarino europeu, ou seja, as penínsulas itálica e ibérica. Ela incluía também uma vasta zona fronteiriça a leste, onde, por mais de mil anos, a cristandade — quer dizer, os herdeiros e descendentes do Império Romano[*] — havia combatido as invasões periódicas de conquistadores militares provenientes da Ásia central. Os invasores da última leva, que criaram o grande Império Otomano, foram gradualmente expulsos das enormes áreas da Europa por eles controladas entre os séculos XVI e XVIII; era óbvio que seus dias na Europa estavam contados, embora em 1880 ainda controlassem uma faixa considerável, que atravessava a península balcânica (partes da Grécia, Iugoslávia e Bulgária, além de toda a Albânia), bem como algumas ilhas. Grande parte dos territórios reconquistados ou liberados só podiam ser considerados como "europeus" por cortesia: na verdade, a península balcânica ainda era comumente chamada de "Oriente Próximo": por isso, o sudoeste da Ásia veio a ser conhecido como "Oriente Médio". Por outro lado, os dois Estados que mais fizeram por repelir os turcos eram ou se tornaram potências europeias, apesar do atraso notório da totalidade ou de parcelas de seus povos e territórios: o Império Habsburgo e, acima de tudo, o Império dos Czares da Rússia.

Assim, grandes extensões da "Europa" estavam, na melhor das hipóteses, na periferia do centro do desenvolvimento econômico capitalista e da sociedade burguesa. Em alguns deles, a maioria dos habitantes vivia visivelmente num século diferente do de seus contemporâneos e governan-

---

[*] Entre o século V d.C. e 1453, a sobrevivência do Império Romano conheceu fortuna variável, com sua capital em Bizâncio (Istambul) e o cristianismo ortodoxo como religião oficial. O czar russo, como seu nome indica (czar = César; Tzarigrado — "cidade do imperador" ainda é o nome eslavo de Istambul), considerava-se o sucessor desse império, e Moscou como "a terceira Roma".

tes — como no litoral adriático da Dalmácia ou na Bukovina, onde, em 1880, 88% da população eram analfabetos, contra 11% na Baixa Austrália, que fazia parte do mesmo império.[5] Muitos austríacos cultos partilhavam da opinião de Metternich de que "a Ásia começa onde a estrada para o Oriente sai de Viena", assim como a maioria dos italianos do norte encaravam a maioria dos italianos do sul como uma espécie de bárbaros africanos; mas em ambas as monarquias as áreas atrasadas eram apenas uma parte do Estado. Na Rússia, a questão "europeia ou asiática?" calava muito mais fundo, pois praticamente toda a região que vai do leste da Bielorrússia e da Ucrânia até o Pacífico era igualmente distante da sociedade burguesa, a não ser por uma exígua camada culta. De fato, o tema foi objeto de acalorado debate público.

Contudo, a história, a política, a cultura, e não menos os séculos de expansão por terra e por mar sobre o Segundo Mundo ligaram até as parcelas atrasadas do Primeiro Mundo às avançadas, à exclusão de poucos enclaves isolados dos Bálcãs montanhosos e outros semelhantes. A Rússia era de fato atrasada, embora seus dirigentes tivessem voltado sistematicamente os olhos para o oeste e conseguido controlar os territórios fronteiriços ocidentais, como a Finlândia, os países bálticos e partes da Polônia, que eram claramente mais avançados. Contudo, economicamente, a Rússia pertencia sem sombra de dúvida "ao Ocidente", na medida em que seu governo estava obviamente empenhado numa política maciça de industrialização segundo o modelo ocidental. Politicamente, o Império Czarista era antes colonizador que colônia e, culturalmente, a pequena minoria culta da Rússia era um dos motivos de orgulho da civilização ocidental do século XIX. Talvez os camponeses da Bukovina,* no ponto mais remoto do nordeste do Império Habsburgo, ainda vivessem na

---

* Essa região passou a fazer parte da Romênia em 1918, e desde 1947 integra a República Soviética da Ucrânia.

A REVOLUÇÃO CENTENÁRIA

Idade Média, mas sua capital, Czernowitz, abrigava uma universidade europeia ilustre e sua classe média judaica, emancipada e assimilada, era tudo, menos medieval. No outro extremo da Europa, Portugal era pequeno, débil e atrasado segundo qualquer padrão da época, praticamente uma semicolônia britânica; e apenas o olhar da fé poderia discernir ali indícios significativos de desenvolvimento econômico. Mesmo assim, Portugal era não apenas membro do clube dos Estados soberanos, mas um grande império colonial, em virtude de sua história; conservava seu Império Africano não só porque as nações europeias rivais não conseguiam decidir como reparti-lo, mas porque, sendo "europeu", seus domínios não seriam considerados — pelo menos não totalmente — mera matéria-prima da conquista colonial.

Nos anos 1880, a Europa, além de ser o centro original do desenvolvimento capitalista que dominava e transformava o mundo, era, de longe, a peça mais importante da economia mundial e da sociedade burguesa. Nunca houve na história um século mais europeu, nem tornará a haver. Demograficamente, o mundo contava com uma proporção mais elevada de europeus no fim do século que no início — talvez um em cada quatro, contra um em cada cinco.[6] Apesar dos milhões de pessoas que o velho continente mandou para vários mundos novos, ele cresceu mais depressa. Embora a posição futura da América como superpotência econômica mundial já estivesse assegurada pelo ritmo e pelo ímpeto de sua industrialização, o produto industrial europeu ainda era duas vezes maior do que o americano, e os principais avanços tecnológicos ainda provinham basicamente do leste do Atlântico. Os automóveis, o cinema e o rádio foram inicialmente desenvolvidos com seriedade na Europa. (A participação do Japão na moderna economia mundial demorou a deslanchar, mas foi bem mais rápida na política mundial.)

Quanto à cultura erudita, o mundo das colônias brancas ultramarinas ainda continuava totalmente dependente do velho continente, de

A ERA DOS IMPÉRIOS

maneira ainda mais óbvia entre as ínfimas elites cultas das sociedades não brancas, na medida em que estas consideravam "o Ocidente" como modelo. Economicamente, a Rússia não sustentava, de forma alguma, a comparação com o crescimento arrojado e a riqueza dos EUA. Culturalmente, a Rússia de Dostoievski (1821-1881), Tolstoi (1828-1910), Tchecov (1860-1904), Tchaikovski (1840-1893), Borodin (1834-1887) e Rimski-Korsakov (1844-1908) era uma grande potência, e os EUA de Mark Twain (1835-1910) e Walt Whitman (1819-1892) não, mesmo incluindo aí Henry James (1843-1916), que havia muito emigrara para a atmosfera mais propícia da Grã-Bretanha. A cultura e a vida intelectual europeias ainda estavam majoritariamente nas mãos de uma minoria próspera e culta, admiravelmente adaptadas para funcionar nesse meio e para ele. A contribuição do liberalismo e, mais além, da esquerda ideológica foi exigir que todos passassem a ter livre acesso às realizações dessa cultura de elite. O museu e a biblioteca públicos foram suas conquistas características. A cultura americana, mais democrática e igualitária, assumiu uma posição própria apenas na era da cultura de massa do século XX. Por enquanto, até em áreas tão estreitamente articuladas ao progresso técnico como as ciências, a julgar pela distribuição geográfica dos prêmios Nobel ao longo de seus 15 primeiros anos de existência, os EUA ainda ficavam atrás não só dos alemães e dos britânicos, mas até da pequena Holanda.

Se uma parcela do Primeiro Mundo podia se enquadrar com a mesma propriedade à zona de dependência e atraso, praticamente todo o Segundo Mundo indubitavelmente a integrava, à exceção do Japão, que passava por um processo de "ocidentalização" sistemática desde 1868 (veja *A era do capital*, capítulo 8), e de territórios ultramarinos povoados por grande número de descendentes de europeus — em 1880 ainda basicamente provenientes da Europa central e do noroeste —, salvo, é claro, as populações nativas que eles não haviam conseguido eliminar.

A REVOLUÇÃO CENTENÁRIA

Foi essa dependência — ou mais exatamente a incapacidade de ou ficar afastado da rota do comércio e da tecnologia do Ocidente e encontrar um substituto para eles, ou resistir por intermédio de homens armados e organizados — que reuniu na mesma categoria, a de vítimas da história do século XIX em relação àqueles que a implementavam, sociedades que fora isto não tinham nada em comum. Como expressou o cruel humor ocidental, com um ligeiro excesso de simplificação militar:

> Aconteça o que acontecer, nós temos
> o fuzil Maxim, e eles não.[7]

Comparadas a essa diferença, as diferenças entre sociedades pré-históricas, como as das ilhas da Melanésia, e as sofisticadas e urbanizadas sociedades da China, da Índia e do mundo islâmico pareciam insignificantes. Que importava que suas artes fossem admiráveis, que os monumentos de suas culturas ancestrais fossem maravilhosos e que suas filosofias (sobretudo religiosas) impressionassem tanto como o cristianismo, e na verdade provavelmente mais que ele, alguns acadêmicos e poetas ocidentais? Basicamente, essas sociedades estavam todas igualmente à mercê dos navios que vinham do exterior com carregamentos de bens, homens armados e ideias diante das quais ficavam impotentes, e que transformaram seus universos como convinha aos invasores, independentemente dos sentimentos dos invadidos.

Isso não significa que a divisão entre os dois mundos fosse uma mera divisão entre países industrializados e agrícolas, entre civilizações urbanas e rurais. No Segundo Mundo havia cidades mais antigas e/ou tão grandes como no Primeiro: Pequim, Constantinopla. O mercado capitalista mundial do século XIX gerou, dentro dele, centros urbanos desproporcionalmente grandes através dos quais era canalizado o fluxo de suas relações econômicas: Melbourne, Buenos Aires e Calcutá tinham

A ERA DOS IMPÉRIOS

cerca de meio milhão de habitantes cada uma nos anos 1880, o que ultrapassava a população de Amsterdã, Milão, Birmingham ou Munique, ao passo que os três quartos de milhão de Bombaim só eram superados por meia dúzia de cidades da Europa. Embora as cidades fossem mais numerosas e tivessem um papel mais significativo nas economias do Primeiro Mundo, com poucas exceções especiais, o mundo "desenvolvido" permaneceu surpreendentemente agrícola. Apenas em seis países europeus a agricultura empregava menos que a maioria — geralmente uma ampla maioria — da população masculina, mas esses seis eram, caracteristicamente, o núcleo do desenvolvimento capitalista mais antigo: Bélgica, Grã-Bretanha, França, Alemanha, Holanda e Suíça. Entretanto, era só na Grã-Bretanha que a agricultura ocupava uma ínfima minoria de cerca de um sexto; nos outros países, empregava entre 30% e 45%.[8] Havia, de fato, uma diferença notável entre a comercializada e eficiente atividade agrícola das regiões "desenvolvidas" e a agricultura das regiões atrasadas. Os camponeses da Dinamarca e da Bulgária tinham pouco em comum, nos anos de 1880, a não ser o interesse por estábulos e terras. Contudo, a lavoura, como o antigo artesanato, era um estilo de vida cujas raízes mergulhavam num passado longínquo, como sabiam os etnólogos e folcloristas do final do século XIX, que procuravam antigas tradições e "remanescentes populares" basicamente no campo. Mesmo a agricultura mais revolucionária ainda as conservava.

Reciprocamente, a implantação da indústria não se restringia inteiramente ao Primeiro Mundo. À parte a construção de uma infraestrutura (isto é, portos e ferrovias), as atividades extrativas (mineração) — presentes em muitas economias dependentes e coloniais — e a produção familiar, presente em muitas áreas rurais atrasadas, algumas indústrias do tipo ocidental do século XIX tendiam a se desenvolver modestamente em países dependentes como a Índia, mesmo nesta etapa inicial, por vezes enfrentando forte oposição de interesses metropolitanos, sobretudo nos

A REVOLUÇÃO CENTENÁRIA

setores têxtil e alimentício. Mas até a metalurgia penetrou no Segundo Mundo. A grande empresa indiana de ferro e aço, Tata, iniciou suas operações nos anos 1880. Enquanto isso, a produção reduzida dos pequenos artesãos que trabalhavam em suas casas ou em oficinas "por peça" continuava sendo tão característica do mundo "desenvolvido" como da maior parte do mundo dependente. Este tipo de produção estava prestes a entrar num período de crise, apreensivamente acompanhado pelos acadêmicos alemães, ao se defrontar com a concorrência das fábricas e da distribuição moderna. Porém, em seu conjunto, ainda sobreviveu com força considerável.

Contudo, é aproximadamente correto fazer da indústria um critério de modernidade. Nos anos 1880, nenhum país fora do mundo "desenvolvido" (e do Japão, que se somou a ele) podia ser descrito como industrializado ou em vias de industrialização. Mas pode-se dizer que mesmo os países "desenvolvidos" que ainda eram essencialmente agrícolas ou, em todo caso, não associados imediatamente a fábricas e forjas, já estavam em sintonia com a sociedade industrial e a alta tecnologia. Fora a Dinamarca, os países escandinavos, por exemplo, eram, até pouco tempo atrás, notoriamente pobres e atrasados. Contudo, em poucas décadas eles teriam mais telefones por habitante que qualquer outra região da Europa,[9] incluindo a Grã-Bretanha e a Alemanha; ganharam um número de prêmios Nobel de Ciência consideravelmente mais elevado que os EUA, e estavam prestes a se tornar redutos de movimentos políticos socialistas organizados especificamente em virtude dos interesses do proletariado industrial.

E, o que é ainda mais óbvio, podemos descrever o mundo "avançado" como um mundo em rápido processo de urbanização e, em casos extremos, um mundo onde o número de moradores das cidades era sem precedentes.[10] Em 1800 havia apenas 17 cidades na Europa cuja população era de 100 mil habitantes ou mais, no total menos de 5 milhões. Em torno de 1890 havia 103 com uma população total mais de seis vezes superior. Desde 1789, o que o século XIX havia gerado não era tanto o gigantesco formigueiro urbano com seus milhões de habitantes apressados — embora entre 1800 e 1880 três outras cidades de mais de um milhão de habitantes tenham se somado a Londres (Paris, Berlim e Viena). Antes, esse século havia gerado uma rede de cidades grandes e médias bem espalhadas, especialmente grandes zonas ou conurbações bastante densas em razão desse desenvolvimento urbano e industrial, que iam gradativamente tomando conta do campo à sua volta. Alguns de seus exemplos mais dramáticos eram comparativamente novos, produtos do desenvolvimento da indústria pesada de meados do século, como Tyneside e Clydeside na Grã-Bretanha, ou apenas se desenvolvendo em escala maciça, como o Ruhr na Alemanha ou o cinturão carvão-aço da Pensilvânia. Essas regiões, tornamos a insistir, não continham necessariamente qualquer cidade maior, salvo se ali houvesse capitais, centros administrativos governamentais ou outras atividades terciárias ou portos internacionais importantes, que também tendiam a gerar populações excepcionalmente grandes. É bem curioso que, à exceção de Londres, Lisboa e Copenhague, em 1880 nenhum Estado europeu possuía uma cidade que fosse ambas as coisas.

2.

Por mais profundas e evidentes que fossem as diferenças econômicas entre os dois setores do mundo, é difícil descrevê-las em duas palavras; também não é fácil sintetizar as diferenças políticas entre elas. Existia claramente um modelo geral referencial das instituições e estrutura adequadas a um país "avançado", com algumas variações locais. Esse país deveria ser um Estado territorial mais ou menos homogêneo, internacionalmente soberano, com extensão suficiente para proporcionar a base de um desenvolvimento econômico nacional; deveria dispor de

A REVOLUÇÃO CENTENÁRIA

um corpo único de instituições políticas e jurídicas de tipo amplamente liberal e representativo (isto é, deveria contar com uma constituição única e ser um Estado de direito), mas também, em um nível mais baixo, garantir autonomia e iniciativa locais. Deveria ser composto de "cidadãos", isto é, da totalidade dos habitantes individuais de seu território que desfrutavam de certos direitos jurídicos e políticos básicos, antes que, digamos, de associações ou outros tipos de grupos e comunidades. As relações dos cidadãos com o governo nacional seriam diretas e não mediadas por tais grupos. E assim por diante. Essas eram as aspirações não só dos países "desenvolvidos" (todos os quais estavam, até certo ponto, ajustados a esse modelo nos anos 1880), mas de todos os outros que não queriam se alienar do progresso moderno. Nesse sentido, o modelo do Estado-nação liberal-constitucional não estava confinado ao mundo "desenvolvido". De fato, o maior contingente de Estados operando teoricamente segundo esse modelo, em geral o modelo federalista americano mais que a variante centralista francesa, seria encontrado na América Latina. Esta era composta, à época, de 17 repúblicas e um império, que não sobreviveu além dos anos 1880 (Brasil). Na prática, era notório que a realidade política latino-americana e, neste sentido, a de algumas monarquias nominalmente constitucionais do sudeste da Europa, tinha pouca relação com a teoria constitucional. Grande parte do mundo não desenvolvido não possuía Estados nem deste nem, por vezes, de nenhum tipo. Parte dele era composto de colônias das potências europeias diretamente administradas por elas: em pouco tempo esses impérios coloniais conheceriam enorme expansão. Alguns deles, no interior da África, por exemplo, consistiam de unidades políticas às quais o termo "Estado", no sentido então corrente na Europa, não podia ser rigorosamente aplicado, embora outros termos então correntes ("tribos") não fossem muito melhores. Alguns deles eram impérios, por vezes muito antigos, como o chinês, o persa e o otomano, sem paralelo na história

europeia, mas que evidentemente não eram Estados territoriais ("Estados-
-nação") do tipo dos do século XIX, e obviamente estavam (ao que parecia) se tornando obsoletos. Por outro lado, o mesmo raquitismo, senão a
mesma senilidade, afetava alguns dos impérios obsoletos que, ao menos
parcial ou marginalmente, se situavam no mundo "desenvolvido", quanto
mais não fosse devido a seu *status*, inegavelmente abalado, de "grandes
potências": os Impérios Czarista e Habsburgo (Rússia e Áustria-Hungria).

Em termos de política internacional (isto é, na avaliação dos governos
e Ministérios das Relações Exteriores da Europa), o número de entidades
tratadas como Estados soberanos no mundo inteiro era bastante modesto
para nossos padrões. Por volta de 1875, não passavam de 17 na Europa
(incluindo as seis "potências" — Grã-Bretanha, França, Alemanha,
Rússia, Áustria-Hungria e Itália — e o Império Otomano), 19 nas três
Américas (incluindo uma "grande potência" virtual, os EUA), quatro
ou cinco na Ásia (sobretudo o Japão e dois impérios antigos, o chinês
e o persa) e talvez três casos altamente marginais na África (Marrocos,
Etiópia e Libéria). Fora das Américas, que continham o maior conjunto
de repúblicas do globo, praticamente todos esses Estados eram monarquias — na Europa as únicas exceções eram a Suíça e (a partir de 1870)
a França — embora os países desenvolvidos fossem, em sua maioria,
monarquias constitucionais ou que, ao menos, acenavam com iniciativas
oficiais favoráveis a algum tipo de representação eleitoral. Os impérios
czarista e otomano — o primeiro à margem do "desenvolvimento",
o outro pertencendo nitidamente ao mundo das vítimas — eram as
únicas exceções europeias. Entretanto, fora a Suíça, a França, os EUA
e possivelmente a Dinamarca, nenhum desses Estados representativos
se baseava no direito de voto democrático[*] (à época, contudo, exclusi-

---

[*] O fato de os analfabetos não terem direito de voto, sem falar da tendência aos golpes militares,
torna impossível descrever as repúblicas latino-americanas como "democráticas" sob qualquer aspecto.

A REVOLUÇÃO CENTENÁRIA

vamente masculino), embora algumas colônias brancas, formalmente pertencentes ao Império Britânico (Austrália, Nova Zelândia e Canadá) fossem razoavelmente democráticas — de fato, mais que qualquer outra região fora dos estados das Montanhas Rochosas nos EUA. Contudo, nesses países extraeuropeus, a democracia política pressupunha a exclusão das populações autóctones anteriores à sua chegada — índios, aborígines etc. Mesmo ali, onde essas não podiam ser eliminadas através da expulsão para "reservas" ou do genocídio, não faziam parte da comunidade política. Em 1890, dos 63 milhões de habitantes norte-americanos, apenas 230 mil eram índios.[11]

Quanto aos habitantes do mundo "desenvolvido" (e dos países que procuravam ou eram forçados a imitá-lo), os adultos do sexo masculino cada vez mais se adequavam ao critério mínimo da sociedade burguesa: o de indivíduos juridicamente livres e iguais. A servidão legal já não existia em lugar algum da Europa. A escravidão legal, abolida em quase todo o mundo ocidental e dominado pelo Ocidente, vivia seus derradeiros anos até em seus últimos bastiões — Brasil e Cuba — onde não sobreviveu além dos anos 1880. A liberdade e igualdade jurídicas estavam longe de ser incompatíveis com a desigualdade real. O ideal da sociedade liberal burguesa foi sintetizado nesta frase irônica de Anatole France: "A lei, em sua majestática igualdade, dá a todos os homens o mesmo direito de jantar no Ritz e de dormir debaixo da ponte." Contudo, no mundo "desenvolvido", agora era essencialmente o dinheiro — ou a falta dele — antes do berço ou das diferenças de liberdade ou *status* jurídico, que regia a distribuição de tudo, salvo dos privilégios de exclusividade social. E a igualdade jurídica também não excluía a desigualdade política, pois além da riqueza pesava o poder *de facto*. Os ricos e poderosos não só eram mais influentes politicamente, como podiam exercer uma coerção extralegal considerável, como bem sabia qualquer habitante de áreas como o interior do sul da Itália e das Américas, sem falar dos negros americanos. Contudo, havia uma diferença nítida entre essas regiões do mundo, onde tais desigualdades oficialmente ainda faziam parte do sistema social e político, e aquelas nas quais elas eram, ao menos formalmente, incompatíveis com a teoria oficial. Essa diferença era análoga à que havia entre países onde a tortura ainda era um dispositivo legal do processo judicial (no Império Chinês, por exemplo) e aqueles em que não existia oficialmente, embora os policiais identificassem com toda clareza a diferença entre as classes "torturáveis" e as "não torturáveis" (nas palavras do romancista Graham Greene).

A diferença mais nítida entre os dois setores do mundo era cultural, no sentido mais amplo da palavra. Por volta de 1880, predominavam no mundo "desenvolvido" países ou regiões em que a maioria da população masculina e, cada vez mais, feminina era alfabetizada; onde a vida política, econômica e intelectual, de maneira geral, havia se emancipado da tutela das religiões antigas, baluartes do tradicionalismo e da superstição; e que praticamente monopolizavam o tipo de ciência que era cada vez mais essencial à tecnologia moderna. No final dos anos 1870, qualquer país ou região da Europa que contasse com uma maioria de analfabetos quase certamente podia ser classificado como não desenvolvido ou atrasado, e vice-versa. Itália, Portugal, Espanha, Rússia e os países balcânicos estavam, na melhor das hipóteses, à margem do desenvolvimento. Dentro do Império Austríaco (deixando de lado a Hungria), os eslavos dos territórios tchecos, os germanófonos e os italianos e eslovenos, com uma taxa de analfabetismo bem mais baixa, constituíam as partes avançadas do país, ao passo que os representantes das regiões atrasadas eram os ucranianos, romenos e servo-croatas, predominantemente analfabetos. Uma população urbana majoritariamente analfabeta, como em grande parte do que era então o Terceiro Mundo, seria um indicador ainda mais convincente de atraso, pois o índice de alfabetização das cidades costumava ser muito mais elevado que o do campo. Havia alguns elementos culturais bastante

A REVOLUÇÃO CENTENÁRIA

óbvios em tais discrepâncias, como por exemplo o incentivo acentuadamente maior à educação de massa entre os protestantes e judeus (ocidentais), ao contrário do que ocorria entre os católicos, muçulmanos e de outras religiões. Teria sido difícil imaginar um país pobre e predominantemente rural, como a Suécia, com apenas 10% de analfabetismo em 1850, fora da região protestante do mundo (integrada pela maioria dos países do litoral do Mar Báltico, mar do Norte e Atlântico Norte, com extensões à Europa central e à América do Norte). Por outro lado, a situação também refletia, e visivelmente, o desenvolvimento econômico e a divisão social do trabalho. Entre os franceses (1901), havia três vezes mais pescadores analfabetos que operários e trabalhadores domésticos; assim como havia duas vezes mais camponeses analfabetos; as pessoas envolvidas com o comércio formavam a metade, sendo, evidentemente, o funcionalismo público e as profissões liberais os mais instruídos de todos. Os camponeses que dirigiam suas próprias empresas eram *menos* analfabetos que os trabalhadores agrícolas (embora não muito), mas nos setores menos tradicionais da indústria e do comércio os empregadores eram mais instruídos que os operários (embora não mais que seus funcionários de escritório).[12] Os fatores culturais, sociais e econômicos não podem ser separados na prática.

A educação de massa — assegurada à época nos países desenvolvidos por um ensino primário cada vez mais universalizado, promovido ou supervisionado pelos Estados — deve ser distinguida da educação e da cultura das geralmente pequenas elites. Neste ponto, as diferenças entre os dois setores daquela faixa do planeta onde a alfabetização era conhecida mostravam-se menores, embora a educação superior de estratos como os intelectuais europeus, eruditos muçulmanos ou hindus e mandarins do Leste Asiático tivesse pouco em comum (a menos que também se adequassem ao padrão europeu). O analfabetismo de massa, como na Rússia, não excluía a existência de uma cultura esplêndida, embora

A ERA DOS IMPÉRIOS

restrita a uma ínfima minoria. Entretanto, certas instituições caracterizavam a região "desenvolvida" ou a dominação europeia, sobretudo a universidade essencialmente secular, que não existia fora dessa zona,* e a ópera, por motivos diferentes (veja o mapa em *A era do capital*). Ambas as instituições refletiam a penetração da civilização "ocidental" dominante.

3.

Definir a diferença entre partes avançadas e atrasadas, desenvolvidas e não desenvolvidas do mundo é um exercício complexo e frustrante, pois tais classificações são por natureza estáticas e simples, e a realidade que deveria se adequar a elas não era nenhuma das duas coisas. O que definia o século XIX era a mudança: mudanças em termos de e em função dos objetivos das regiões dinâmicas do litoral do Atlântico Norte, que eram, à época, o núcleo do capitalismo mundial. Com algumas exceções marginais e cada vez menos importantes, todos os países, mesmo os até então mais isolados, estavam, ao menos perifericamente, presos pelos tentáculos dessa transformação mundial. Por outro lado, até os mais "avançados" dos países "desenvolvidos" mudaram parcialmente através da adaptação da herança de um passado antigo e "atrasado", e continham camadas e parcelas da sociedade resistentes à transformação. Os historiadores quebram a cabeça procurando a melhor maneira de formular e apresentar essa mudança universal, porém diferente em cada lugar, a complexidade de seus padrões e interações e suas principais tendências.

A maioria dos observadores dos anos 1870 teria ficado muitíssimo mais impressionada por sua linearidade. Em termos materiais, em termos de conhecimento e de capacidade de transformar a natureza, parecia tão

---

* A universidade ainda não era necessariamente a instituição moderna para o avanço do conhecimento, segundo o modelo alemão do século XIX que estava se disseminando no Ocidente à época.

A REVOLUÇÃO CENTENÁRIA

patente que a mudança significava avanço, que a história — de todo modo a história moderna — parecia sinônimo de progresso. O progresso era medido pela curva sempre ascendente de tudo o que pudesse ser medido, ou que os homens escolhessem medir. O aperfeiçoamento contínuo, mesmo das coisas que obviamente ainda precisavam ser aperfeiçoadas, era garantido pela experiência histórica. Parecia difícil acreditar que, havia pouco mais de três séculos, europeus inteligentes tivessem considerado a agricultura, as técnicas militares e até a medicina da Roma antiga como modelo para suas próprias; que há escassos dois séculos pudesse ter havido um debate sério sobre se os modernos algum dia poderiam superar as realizações dos antigos; que no final do século XVIII especialistas pudessem ter duvidado que a população da Grã-Bretanha estava aumentando.

Era na tecnologia e em sua consequência mais óbvia, o crescimento da produção material e da comunicação, que o progresso era mais evidente. A maquinaria moderna era predominantemente movida a vapor e feita de ferro e aço. O carvão se tornara a fonte de energia industrial mais importante, fornecendo 95% do total da Europa (fora a Rússia). Os regatos de montanha da Europa e da América do Norte, que inicialmente determinavam a localização de tantos cotonifícios — cujo nome evoca, em inglês, a importância da energia hidráulica* —, voltaram à atividade rural. Por outro lado, as novas fontes de energia, eletricidade e petróleo ainda não eram muito significativas, embora por volta dos anos 1880 a geração de eletricidade em grande escala e o motor de combustão interna estivessem começando a ficar viáveis. Nem mesmo os EUA afirmaram ter mais que cerca de 3 milhões de lâmpadas elétricas em 1890, e no início dos anos 1880 a economia industrial europeia mais moderna, a Alemanha, consumia menos de 400 mil toneladas de petróleo por ano.[13]

---

* Cotonifício: *cotton mill*; a palavra *mill*, incluída no nome, significa moinho, daí a associação. (N.T.)

A ERA DOS IMPÉRIOS

Além de inegável e triunfante, a tecnologia moderna era extremamente visível. Suas máquinas de produção, embora não fossem muito potentes pelos padrões atuais — na Grã-Bretanha a média de 20 HP em 1880 —, costumavam ser grandes, ainda feitas principalmente de ferro, como se pode constatar nos museus de tecnologia.[14] Mas os maiores e mais potentes motores do século XIX eram os mais visíveis e audíveis de todos.

Eram as 100 mil locomotivas (200-450 HP) que puxavam seus quase 2,75 milhões de carros e vagões, em longas composições, sob bandeiras de fumaça. Elas faziam parte da inovação de maior impacto do século, sequer sonhada cem anos antes — ao contrário das viagens aéreas —, quando Mozart escreveu suas óperas. Vastas redes de trilhos reluzentes, correndo por aterros, pontes e viadutos, passando por atalhos, atravessando túneis de mais de 15 quilômetros de extensão, por passos de montanha da altitude dos mais altos picos alpinos, o conjunto das ferrovias constituía o esforço de construção pública mais importante já empreendido pelo homem. Elas empregavam mais homens que qualquer outro empreendimento industrial. Os trens alcançavam o centro das grandes cidades — onde suas façanhas triunfais eram festejadas com estações ferroviárias igualmente triunfais e gigantescas — e às mais remotas áreas da zona rural, onde não penetrava nenhum outro vestígio da civilização do século XIX. Por volta do início dos anos 1880 (1882), quase 2 bilhões de pessoas viajavam por ano pelas ferrovias, a maioria delas, naturalmente, na Europa (72%) e na América do Norte (20%).[15] À época, nas regiões "desenvolvidas" do Ocidente, poucos homens, talvez mesmo poucas mulheres, cuja mobilidade era mais restrita, deixaram de entrar em contato com a ferrovia em algum momento de suas vidas. É provável que o único outro subproduto da tecnologia moderna mais universalmente conhecido fosse a rede de linhas telegráficas em sua infindável sucessão de postes de madeira, com uma quilometragem três ou quatro vezes superior à da totalidade das ferrovias do mundo inteiro.

52

A REVOLUÇÃO CENTENÁRIA

Os 22 mil navios a vapor do mundo em 1882, embora provavelmente ainda mais potentes como máquinas que as locomotivas, além de serem muito menos numerosos e apenas visíveis pela pequena minoria de seres que chegavam até perto dos portos, eram num certo sentido muito menos típicos, pois ainda representavam (mas por margem mínima) uma tonelagem menor, mesmo na industrializada Grã-Bretanha, que os navios a vela. Quanto à navegação mundial como um todo, ainda havia, em 1880, quase três toneladas dependentes do vento para cada tonelada movida a vapor. Nos anos 1880, isto estava começando a mudar imediata e radicalmente, a favor do vapor. A tradição ainda reinava nas águas, especialmente em relação à construção, carga e descarga de navios, apesar da passagem da madeira ao ferro e da vela ao vapor.

Que atenção os observadores leigos sérios da segunda metade dos anos 1870 teriam dado aos avanços revolucionários da tecnologia que já estavam em gestação ou nascendo à época: os vários tipos de turbinas e motores de combustão interna, o telefone, o gramofone e a lâmpada elétrica incandescente (todos sendo inventados), o automóvel, que Daimler e Benz tornaram operacional nos anos 1880, sem falar do cinematógrafo, da aeronáutica e da radiotelegrafia, produzidos ou pesquisados nos anos 1890? Quase com certeza eles teriam esperado e previsto o desenvolvimento importante de qualquer coisa ligada à eletricidade, à fotografia e à síntese química, com as quais estavam bastante familiarizados, e não se surpreenderiam se a tecnologia conseguisse resolver um problema tão óbvio e tão urgente como a invenção de um motor móvel para a mecanização do transporte rodoviário. Não poderiam ter antecipado as ondas de rádio e a radioatividade. Certamente teriam feito especulações — e quando foi que os seres humanos não fizeram? — sobre as perspectivas de voo humano, e teriam ficado esperançosos, dado o otimismo tecnológico da época. Não há dúvida de que as pessoas estavam ávidas de novas invenções, quanto mais espetaculares melhor. Thomas Alva Edison,

A ERA DOS IMPÉRIOS

que montou o que foi provavelmente o primeiro laboratório privado de desenvolvimento industrial em 1876, em Menlo Park, New Jersey, tornou-se um herói americano com seu primeiro fonógrafo, em 1877. Mas eles provavelmente não teriam previsto as transformações efetivas que essas inovações acarretaram na sociedade de consumo, pois, na verdade, à exceção dos EUA, elas permaneceriam relativamente modestas até a Primeira Guerra Mundial.

Assim, o progresso era mais visível na capacidade de produção material e de comunicação rápida e ampla no mundo "desenvolvido". É quase certo que os benefícios dessa multiplicação da riqueza não tenham se estendido, nos anos 1870, à esmagadora maioria dos habitantes da Ásia, África e, à exceção de uma parte do Cone Sul, América Latina. Não é clara qual foi a proporção das pessoas das penínsulas do sul da Europa e do Império Czarista afetadas por eles. Mesmo no mundo "desenvolvido", tais benefícios eram distribuídos de maneira muito desigual numa população composta de 3,5% de ricos, 13-14% de classe média e 82-83% de classes trabalhadoras, segundo a classificação oficial francesa dos funerais da República, nos anos 1870 (veja *A era do capital*, capítulo 12). Entretanto, era difícil negar uma certa melhoria nas condições das pessoas comuns. O aumento da estatura humana, fazendo hoje cada geração ser mais alta que a de seus pais, provavelmente começara por volta de 1880 em diversos países — mas de modo algum em todos e de maneira muito modesta, quando comparado com o que teve lugar após 1880 ou mesmo mais tarde. A nutrição é, de longe, a razão mais decisiva para esse aumento da estatura humana.[16] A expectativa de vida média ao nascer ainda era bastante modesta nos anos 1880: 43-45 anos nas principais regiões "desenvolvidas",* embora menos de 40 na Alemanha e 48-50 na Escandinávia.[17] (Nos anos 1960, seria de cerca de 70 anos nestes países.) Contudo, a esperança de vida sem dúvida

---

* Bélgica, Grã-Bretanha, França, Massachusetts, Holanda, Suíça.

A REVOLUÇÃO CENTENÁRIA

aumentara bastante no decorrer do século, embora o declínio importante da mortalidade infantil, que afeta sobremaneira essa cifra, estivesse apenas começando.

Em suma, a maior esperança dos pobres, mesmo nas partes "desenvolvidas" da Europa, provavelmente, ainda era ganhar o suficiente para manter corpo e alma juntos, ter um teto sobre a cabeça e roupas suficientes, sobretudo nas idades mais vulneráveis de seu ciclo vital, quando os filhos ainda não estavam em idade de trabalhar e quando homens e mulheres envelheciam. Nas partes "desenvolvidas" da Europa, morrer de fome já não era uma contingência possível. Mesmo na Espanha, a última fome de grandes proporções ocorreu nos anos 1860. Entretanto, na Rússia a fome continuava representando um risco de vida significativo: haveria uma grande carestia em 1890-1891. No que mais tarde seria chamado de Terceiro Mundo, ela permaneceu endêmica. Era indubitável a emergência de um setor substancial de camponeses prósperos, como também, em alguns países, a de um setor de trabalhadores manuais "respeitáveis" que, devido à sua qualificação ou ao seu número reduzido, tinham a possibilidade de poupar dinheiro e comprar mais do que o essencial para a sobrevivência. Mas a verdade é que o único mercado cuja renda tentava os empresários e homens de negócios era o dos rendimentos médios. A inovação mais notável na distribuição foi a loja de departamentos, introduzida pioneiramente na França, América e Grã-Bretanha, e que começava a penetrar na Alemanha. O *Bon Marché*, o *Whiteley's Universal Emporium* ou o *Wanamakers* não visavam a um público de classe trabalhadora. Os EUA, com seu enorme potencial de consumidores, já tinham em vista um mercado de massa de bens padronizados de nível médio, mas até ali o mercado de massa dos pobres (o mercado *five-and-dime*)* ainda ficava entregue às pequenas empresas, que achavam que valia a pena ser fornecedor dos

---

* *Five-and-dime*: cinco e dez centavos de dólar. (N.T.)

A ERA DOS IMPÉRIOS

pobres. A moderna produção em massa e a economia do consumo de massa ainda não haviam chegado. Chegariam muito em breve.

Mas o progresso também parecia evidente no que as pessoas ainda preferiam chamar de "estatísticas morais". A alfabetização estava em franca expansão. Não seria indicativo de crescimento de civilização o fato de o número de cartas enviadas na Grã-Bretanha, no início das guerras contra Napoleão, talvez duas por ano por habitante, ter passado a cerca de 42 na primeira metade dos anos 1880? Que 186 milhões de exemplares de jornais e revistas fossem publicados por mês nos EUA de 1880, contra 330 mil, em 1788? Que em 1880 as pessoas que se dedicavam à ciência, associando-se às sociedades cultas, talvez fossem 44 mil, provavelmente 15 vezes mais que cinquenta anos antes?[18] Não há dúvida de que a moralidade, conforme medida pelos dados muito duvidosos das estatísticas criminais e pelas estimativas fantasiosas dos que desejavam (como tantos vitorianos) condenar o sexo fora do matrimônio, manifestava uma tendência menos certa ou satisfatória. Mas o progresso das instituições, que se encaminhavam ao constitucionalismo liberal e à democracia, visível em todas as partes nos países "avançados", não poderia ser considerado como um sinal de progresso moral, complementar aos extraordinários êxitos científicos e materiais da época? Quantos teriam discordado de Mandell Creighton, bispo anglicano e historiador, quando afirmou que "somos obrigados a reconhecer, como a hipótese científica a partir da qual a história tem sido escrita, um progresso nas questões humanas"?[19]

Poucos, nos países "desenvolvidos", embora, como alguns poderiam observar, esse consenso fosse relativamente recente até nessas regiões do mundo. No resto do mundo, a maioria das pessoas nem teria entendido a proposta do bispo, mesmo que tivessem pensado sobre ela. A novidade, especialmente quando trazida de fora por gente da cidade e estrangeiros, era algo que perturbava velhos hábitos arraigados, mais do que algo portador de progresso; de Cato, predominavam os indícios de que ela trazia

A REVOLUÇÃO CENTENÁRIA

perturbação, ao passo que os indícios de melhoria eram fracos e pouco convincentes. Nem o mundo progredia nem esperava-se que progredisse: posição também defendida vigorosamente no mundo "desenvolvido" por aquele firme opositor de tudo o que o século XIX representou, a Igreja Católica Romana (veja *A era do capital*, capítulo 6:1). No máximo, se a época era difícil por razões outras que os caprichos da natureza ou da divindade, como a fome, a seca e as epidemias, devia-se esperar a restauração da normalidade da vida humana através de um retorno à fé verdadeira, que de algum modo fora abandonada (por exemplo, os ensinamentos do Sagrado Corão) ou através de um retorno a um passado, real ou suposto, de justiça e ordem. Seja como for, a velha sabedoria e os velhos hábitos eram melhores, ao passo que o progresso implicava que os jovens podiam ensinar aos velhos.

Assim sendo, o "progresso" fora dos países avançados não era nem um fato óbvio nem uma suposição plausível, mas sobretudo um perigo e um desafio estrangeiros. Os que se beneficiavam com ele e o acolhiam favoravelmente eram as reduzidas minorias de governantes e citadinos que se identificavam com os valores adventícios e irreligiosos. Os que os franceses no norte da África chamavam, significativamente, de *évolués* — "evoluídos" — eram, a esta altura, justamente os que haviam rompido com seu passado e com seu povo; que foram às vezes coagidos a romper (abandonando a lei islâmica, por exemplo, como no norte da África), se quisessem desfrutar dos benefícios da cidadania francesa. Havia, ainda, poucos lugares, mesmo nas regiões atrasadas da Europa adjacentes às zonas avançadas ou circundadas por elas, onde os homens do campo ou os heterogêneos pobres urbanos estavam dispostos a aceitar a liderança de modernizadores abertamente antitradicionalistas, como descobririam muitos dos novos partidos socialistas.

O mundo estava, portanto, dividido numa parte menor, onde o "progresso" nascera, e outra, muito maior, onde chegara como conquistador estrangeiro, ajudado por minoria de colaboradores locais. Na primeira, até a massa das pessoas comuns agora acreditava que o progresso era possível e desejável e mesmo que, sob certos aspectos, estava ocorrendo. Na França, nenhum político sensato em campanha e nenhum partido significativo se definiam como "conservadores"; nos Estados Unidos, o "progresso" era uma ideologia nacional; até na Alemanha imperial — o terceiro grande país a adotar o sufrágio universal masculino nos anos 1870 — os partidos que se diziam "conservadores" receberam menos de um quarto dos votos nas eleições gerais daquela década.

Mas se o progresso era tão poderoso, tão universal e tão desejável, como explicar essa relutância em acolhê-lo ou mesmo em participar dele? Seria simplesmente o peso morto do passado, que gradual, desigual porém inevitavelmente seria tirado dos ombros daquelas parcelas da humanidade que ainda se dobravam sob seu peso? Em breve não seria erguida uma ópera, aquela catedral característica da cultura burguesa, em Manaus, 1.600 quilômetros acima da foz do Amazonas, no meio da floresta equatorial primitiva, com os lucros do *boom* da borracha, cujas vítimas indígenas sequer teriam, lamentavelmente, oportunidade de apreciar *Il Trovatore*? Grupos de paladinos dos novos hábitos já não estavam à frente dos destinos de seus países, como os chamados *científicos* no México, ou se preparando para isso, como o também significativamente chamado Comitê para a União e o Progresso (mais conhecido como Jovens Turcos) no Império Otomano? O próprio Japão não rompera séculos de isolamento para adotar hábitos e ideias ocidentais — e se tornar uma grande potência moderna, como seria demonstrado em breve pela prova conclusiva do triunfo e da conquista militares?

Contudo, a impossibilidade ou a recusa da maioria dos habitantes do mundo de viver à altura do exemplo dado pelas burguesias ocidentais era mais notória que os êxitos das tentativas de imitá-la. Talvez não se pudesse esperar senão que os habitantes conquistadores do Primeiro Mundo, ainda

A REVOLUÇÃO CENTENÁRIA

capazes de menosprezar os japoneses, concluíssem que amplas categorias da humanidade eram biologicamente incapazes de realizar aquilo que uma minoria de seres humanos de pele teoricamente branca — ou, mais restritamente, pessoas de cepa europeia — havia sido a única a se mostrar capaz. A humanidade foi dividida segundo a "raça", ideia que penetrou na ideologia do período quase tão profundamente como a de "progresso"; aqueles cujo lugar nas grandes celebrações internacionais do progresso, as Exposições Mundiais (veja *A era do capital*, capítulo 2), era nos *stands* do triunfo tecnológico e aqueles cujo lugar era nos "pavilhões coloniais" ou nos "povoados nativos" que agora os completavam. Até nos próprios países "desenvolvidos", a humanidade estava cada vez mais dividida na cepa enérgica e talentosa da classe média e nas massas indolentes, condenadas à inferioridade por suas deficiências genéticas. Apelava-se à biologia para explicar a desigualdade, em particular aqueles que se sentiam destinados à superioridade.

Ainda assim, o apelo à biologia também tornava mais dramático o desespero daqueles cujos planos para a modernização de seus países foram de encontro à incompreensão e à resistência silenciosas de seus povos. Nas repúblicas da América Latina, ideólogos e políticos, inspirados nas revoluções que haviam transformado a Europa e os EUA, pensaram que o progresso de seus países dependia da "arianização" — ou seja, do "branqueamento" progressivo do povo através de casamento inter-racial (Brasil) ou de um verdadeiro repovoamento por europeus brancos importados (Argentina). Suas classes dirigentes eram, por certo, brancas — ou ao menos assim se consideravam — e os sobrenomes não ibéricos dos descendentes de europeus eram e ainda são desproporcionalmente frequentes nos integrantes de suas elites políticas. Mas até no Japão, por menos provável que pareça hoje, a "ocidentalização" parecia suficientemente problemática nesse período, a ponto de sugerir que ela só poderia ser realizada com êxito por meio de uma injeção do que hoje chamaríamos de genes ocidentais (veja *A era do capital*, caps. 8 e 14).

Essas incursões no charlatanismo pseudocientífico (cf. capítulo 10) acentuaram ainda mais o contraste entre o progresso como aspiração universal, de fato real, e o caráter parcial de seu avanço concreto. Apenas alguns países pareciam estar-se transformando, a ritmos diferentes, em economias industrial-capitalistas, estados liberal-constitucionalistas e sociedades burguesas segundo o modelo ocidental. Mesmo dentro de países ou comunidades, a defasagem entre os "avançados" (que em geral eram também os ricos) e os "atrasados" (que em geral eram também os pobres) era enorme e acentuada, como a classe média judaica próspera, civilizada e assimilada dos países ocidentais e da Europa central descobririam muito em breve, quando confrontados com os 2,5 milhões de pessoas da mesma religião que emigraram para o oeste, saindo de seus guetos da Europa oriental. Esses bárbaros realmente podiam ser o *mesmo* povo "que nós"?

E será que a massa de bárbaros do interior e do exterior era grande a ponto de confinar o progresso a uma minoria, que garantia a civilização apenas porque conseguia manter os bárbaros sob controle? Não fora dito pelo próprio John Stuart Mill que "o despotismo é um modo de governo legítimo para se lidar com os bárbaros, desde que a finalidade seja seu avanço"?[20] Mas havia outro dilema, e mais profundo, no progresso. Aonde, na verdade, levava? Supondo que a conquista total da economia mundial e a marcha para a frente de uma ciência e uma tecnologia triunfantes, da qual a primeira dependia cada vez mais, fossem de fato inegáveis, universais, irreversíveis e, portanto, inevitáveis. Supondo que por volta dos anos 1870 as tentativas de contê-las ou mesmo de retardá--las ficavam cada vez mais irrealistas e enfraquecidas, e que até mesmo as forças dedicadas à conservação das sociedades tradicionais às vezes já tentavam atingir seu objetivo usando as armas da sociedade moderna, assim como os pregadores da verdade literal da Bíblia hoje usam os computadores e a mídia eletrônica. Supondo mesmo que o progresso político, sob a forma de governos representativos, e progresso moral, sob a forma

A REVOLUÇÃO CENTENÁRIA

de alfabetização e leitura amplamente disseminadas, continuariam ou até se acelerariam. Será que o progresso levaria a um avanço da civilização coincidente com as aspirações do século do progresso, como articuladas pelo jovem John Stuart Mill: um mundo, ou mesmo um país, "mais aperfeiçoado; mais notável nas melhores características do Homem e da Sociedade; mais à frente no caminho da perfeição; mais feliz, mais nobre, mais sábio"?[21]

Por volta dos anos 1870, o progresso do mundo burguês chegara a um ponto em que vozes mais céticas, ou mesmo mais pessimistas, começaram a ser ouvidas. E elas eram reforçadas pela situação em que o mundo se encontrava nos anos 1870, e que poucos haviam previsto. Os alicerces econômicos da civilização que avançava foram abalados por tremores. Após uma geração de expansão sem precedentes, a economia mundial estava em crise.

2. UMA ECONOMIA MUDANDO DE MARCHA

> "A combinação tornou-se gradualmente a alma dos sistemas comerciais modernos."
>
> A. V. Dicey, 1905[1]

> "O objetivo de qualquer fusão de capital e unidades de produção... deve ser sempre a maior redução possível dos custos de produção, administração e venda, visando a realizar os maiores lucros possíveis por meio da eliminação da concorrência destrutiva."
>
> Carl Duisberg, fundador de I. G. Farben, 1903-1904[2]

> "Há momentos em que o desenvolvimento está a tal ponto amadurecido em todas as áreas da economia capitalista — no terreno da tecnologia, dos mercados financeiros, do comércio, das colônias — que é preciso ocorrer uma expansão extraordinária do mercado mundial. O conjunto da produção mundial será aumentado a um nível novo e mais abrangente. Neste momento, o capital começa a entrar num período de avanço impetuoso."
>
> A. L. Helphand ("Parvus"), 1901[3]

1.

Ao estudar a economia mundial em 1889, ano da fundação da Internacional Socialista, um ilustre especialista americano observou que ela se caracterizara, desde 1873, por "agitação sem precedentes e depressão do comércio". "Sua peculiaridade mais digna de nota", escreveu ele,

A ERA DOS IMPÉRIOS

foi sua universalidade; afetando tanto nações que se envolveram em guerras como as que mantiveram a paz; tanto as que têm uma moeda estável com padrão ouro como as que têm moeda instável...; as que vivem em um sistema de livre comércio de matérias-primas e aquelas onde há restrições comerciais, maiores ou menores. Ela foi penosa em comunidades antigas como a Inglaterra e a Alemanha, bem como na Austrália, África do Sul e Califórnia, que constituíam as novas; ela se tornou uma calamidade excessivamente pesada tanto para os habitantes das terras estéreis da Terra Nova e do Labrador, como para as ensolaradas e férteis ilhas açucareiras das Índias Orientais e Ocidentais; e não enriqueceu as comunidades situadas nos centros comerciais do mundo, que normalmente ganham mais quando os negócios são flutuantes e incertos.[4]

Os observadores contemporâneos do autor partilhavam amplamente esse ponto de vista — normalmente expresso num estilo menos barroco — embora alguns historiadores viessem, mais tarde, a achar difícil entendê--lo. Pois embora o ritmo comercial, que configura o ritmo básico de uma economia capitalista, tenha, por certo, gerado algumas depressões agudas no período entre 1873 e meados dos anos 1890, a produção mundial, longe de estagnar, continuou a aumentar acentuadamente. Entre 1870 e 1890, a produção de ferro dos cinco principais países produtores mais do que duplicou (de 11 para 23 milhões de toneladas); a produção de aço, que agora passa a ser o indicador adequado do conjunto da industrialização, multiplicou-se por vinte (de 500 mil para 11 milhões de toneladas). O crescimento do comércio internacional continuou a ser impressionante, embora a taxas reconhecidamente menos vertiginosas que antes. Foi exatamente nessas décadas que as economias industriais americana e alemã avançaram a passos agigantados e que a revolução industrial se estendeu a novos países, como a Suécia e a Rússia. Muitos dos países ultramarinos recentemente integrados à economia mundial conheceram um repentino desenvolvimento mais intenso que nunca, preparando assim, circunstancialmente, uma crise de endividamento internacional muito semelhante à dos anos 1980, sobretudo por serem os

UMA ECONOMIA MUDANDO DE MARCHA

nomes dos Estados devedores em grande medida os mesmos. O investimento estrangeiro na América Latina atingiu níveis assombrosos nos anos 1880, quando a extensão da rede ferroviária argentina foi quintuplicada, e tanto a Argentina como o Brasil atraíram até 200 mil imigrantes por ano. Será que um período com um aumento tão espetacular da produção podia ser descrito como uma "Grande Depressão"?

Os historiadores podem duvidar de tal descrição, mas os contemporâneos, não. Estariam aqueles ingleses, franceses, alemães e americanos inteligentes, bem informados e preocupados sendo vítimas de uma alucinação coletiva? Esta suposição seria absurda, embora o tom algo apocalíptico de alguns comentários pudesse ter parecido excessivo mesmo à época. Mas os "espíritos mais ponderados e conservadores" não partilhavam, de forma alguma, da sensação do Sr. Wells da "ameaça de um contingente de bárbaros internos — ao contrário dos antigos, que vinham de fora —, que investiria contra toda a organização atual da sociedade, ameaçando inclusive a continuidade da própria civilização".[5] No entanto, alguns concordavam com ele, sem falar do crescente grupo de socialistas que aguardavam ansiosamente a ruína do capitalismo em virtude de suas contradições internas insuperáveis, que a Era da Depressão parecia demonstrar. A nota pessimista da literatura e da filosofia dos anos 1880 não pode ser cabalmente entendida sem considerar essa sensação generalizada de mal-estar econômico e, por conseguinte, social.

Quanto aos economistas e empresários, o que preocupava até os de mentalidade menos apocalíptica era a prolongada "depressão de preços. uma depressão de juros e uma depressão de lucros", como disse Alfred Marshall, o futuro guru da teoria econômica, em 1888.[6] Em suma, após o colapso reconhecidamente drástico dos anos 1870 (veja *A era do capital*, capítulo 2), o que estava em questão não era a produção, mas sua lucratividade.

A agricultura foi a vítima mais espetacular desse declínio dos lucros — na verdade, alguns de seus setores foram os que sofreram depressão mais

A ERA DOS IMPÉRIOS

profunda de toda a economia — e aquela cujo descontentamento teve consequências políticas mais imediatas e de maior alcance. Sua produção, que havia aumentado muito no decorrer das décadas precedentes (veja *A era do capital*, capítulo 10), agora inundava o mercado mundial, até então protegido contra a concorrência estrangeira pelo custo elevado do transporte. As consequências para os preços agrícolas, tanto na agricultura europeia como nas economias exportadoras ultramarinas, foram dramáticas. Em 1894, o preço do trigo era apenas pouco mais de um terço do que fora em 1867 — um prêmio esplêndido para os compradores, mas um desastre para os agricultores e trabalhadores agrícolas, que ainda representavam entre 40% e 50% dos trabalhadores do sexo masculino nos países industrializados (à exceção apenas da Inglaterra) e até 90% nos outros. Em algumas regiões, a situação era agravada pela superposição de outros flagelos, como a infestação de filoxera após 1872, que reduziu em dois terços a produção vinícola francesa entre 1875 e 1889. As décadas da Depressão foram um mau momento para os agricultores de qualquer país envolvido com o mercado mundial. A reação dos agricultores variou, dependendo da riqueza e da estrutura política de seus países, da agitação eleitoral à rebelião, sem falar dos que morreram de fome, como na Rússia em 1891-1892. O coração do populismo, que assolou os EUA nos anos 1890, se situava no Kansas e em Nebraska, terras produtoras de trigo. Entre 1879 e 1894 houve revoltas camponesas, ou agitações tratadas como tais, na Irlanda, Sicília e Romênia. Os países que não precisavam se preocupar com um campesinato porque já não o tinham, como a Grã-Bretanha, podiam deixar sua agricultura se atrofiar: neste caso desapareceram dois terços da superfície de trigais, entre 1875 e 1895. Alguns países, como a Dinamarca, modernizaram propositalmente sua agricultura, passando aos rentáveis produtos animais. Outros governos, como o alemão, e especificamente o francês e o americano, optaram pelas tarifas alfandegárias, que mantiveram os preços elevados.

66

UMA ECONOMIA MUDANDO DE MARCHA

Entretanto, as duas reações não governamentais mais comuns foram a emigração e a formação de cooperativa, sendo esta última a opção, principalmente, dos sem-terra e dos proprietários de terras sem bens líquidos — estes sobretudo camponeses com propriedades potencialmente viáveis. Os anos 1880 conheceram as taxas mais elevadas de migração ultramarina, no caso dos países de emigração antiga (salvo o caso excepcional da Irlanda na década seguinte à Grande Fome) (veja *A era das revoluções*, capítulo 8:5), e o início real da emigração em massa de países como a Itália, Espanha e Áustria-Hungria, seguidos pela Rússia e pelos Bálcãs.* Era a válvula de escape que mantinha a pressão social abaixo do ponto de rebelião ou revolução. Quanto às cooperativas, ofereciam empréstimos modestos aos pequenos camponeses — por volta de 1908, mais da metade dos agricultores independentes da Alemanha pertenciam a tais minibancos rurais (cujo pioneiro foi o Raiffeisen católico, nos anos 1870). Nesse meio-tempo, as cooperativas de compra de suprimentos, de comercialização e de processamento (estas últimas notadamente no setor de laticínios e, na Dinamarca, de defumação de *bacon*) se multiplicaram em vários países. Dez anos depois de 1884, os agricultores franceses aproveitaram uma lei destinada a legalizar os sindicatos em benefício próprio, quando 400 mil deles entraram para 2 mil desses *syndicats*.** Por volta de 1900, havia 1.600 cooperativas processando laticínios nos EUA, a maioria delas do meio-oeste, e as cooperativas de agricultores detinham firmemente o controle da indústria de laticínios da Nova Zelândia.

O setor empresarial tinha seus próprios problemas. Uma época em que se incutiu a crença de que um aumento de preços ("inflação") é um desastre econômico pode ter dificuldades de acreditar que os homens de

---

* A única parcela da Europa meridional que conheceu emigração significativa antes dos anos 1880 foi Portugal.

** Em francês no original. (N.T.)

A ERA DOS IMPÉRIOS

negócios do século XIX se preocupavam muito mais com uma queda dos preços — e, em um século globalmente deflacionário, nenhum período foi mais drasticamente deflacionário que 1873-1896, quando o nível britânico de preços caiu em 40%. Pois a inflação não é boa só para os devedores, como sabem todos os proprietários de imóvel com uma hipoteca longa, mas constitui também um impulso automático à taxa de lucro, já que os bens produzidos são vendidos por um preço mais alto, em vigor quando chegam ao ponto de venda. Simetricamente, a deflação reduz a taxa de lucro. Uma grande expansão do mercado poderia mais que compensar essa redução, mas a rapidez real do crescimento do mercado não foi suficiente, em parte porque a nova tecnologia industrial fez aumentar enormemente tanto o produto possível como o necessário (ao menos quando a fábrica funcionava a um ritmo rentável), em parte porque o próprio número de produtos e economias industriais concorrentes estava crescendo, aumentando, assim, significativamente a capacidade instalada total, e em parte também porque um mercado de massa para os bens de consumo ainda se desenvolvia devagar. Mesmo para os bens de capital, a combinação de uma capacidade instalada nova e aperfeiçoada para um uso mais eficiente do produto e para as mudanças na demanda teria efeitos drásticos: o preço do ferro caiu 50% entre 1871-1875 e 1894-1898.

Outra dificuldade foi que os custos de produção eram, a curto prazo, mais estáveis que os preços, pois — com algumas exceções — os salários não podiam ser, ou não foram, reduzidos proporcionalmente, ao passo que as empresas também estavam sobrecarregadas com fábricas e equipamentos já obsoletos, ou em vias de se tornar; ou com fábricas e equipamentos novos e caros, que, dados os baixos lucros, demoravam mais que o previsto a se pagarem. Em algumas partes do mundo a situação complicava-se ainda mais devido à queda — gradual, porém, no curto prazo, flutuante e imprevisível — do preço da prata e de sua cotação em relação ao ouro. Enquanto ambos permaneceram estáveis — durante muitos anos antes

UMA ECONOMIA MUDANDO DE MARCHA

de 1872 os pagamentos internacionais calculados em metais preciosos, que eram a base da moeda mundial, eram bastante simples.* Quando a paridade passou a ser instável, as transações comerciais entre países cujas unidades monetárias tinham como padrão metais preciosos diferentes se tornaram bem menos simples.

Que medidas podiam ser tomadas em relação à depressão dos preços, lucros e taxas de juros? Uma solução com que muitos concordaram, como sugere a importância do debate da época sobre o "bimetalismo", foi uma espécie de monetarismo às avessas, que atribuía a queda dos preços fundamentalmente a uma escassez mundial de ouro, que gradativamente se tornava a única base do sistema mundial de pagamentos (através da libra esterlina, com sua paridade fixa em relação ao ouro — ou seja, o soberano de ouro). Um sistema baseado tanto no ouro como na prata, disponível em quantidades cada vez maiores, especialmente na América, certamente provocaria uma alta de preços através da inflação monetária. A inflação da moeda — atraente sobretudo para os agricultores das *prairies*,** que estavam sob pressão, sem falar dos operadores das minas de prata das Montanhas Rochosas — tornou-se o ponto central dos movimentos populistas americanos, e a perspectiva da crucificação da humanidade numa cruz de ouro inspirou a retórica do grande tribuno do povo, William Jennings Bryan (1860-1925). Como no caso de outras causas favoritas de Bryan, como a verdade literal da Bíblia e a consequente necessidade de proibir o ensino das doutrinas de Charles Darwin, ele apoiou um perdedor. Os banqueiros, os grandes empresários e os governos dos países centrais do capitalismo mundial não tinham a mínima intenção de abandonar o padrão ouro, que para eles tinha valor parecido ao do Livro do Gênese para Bryan. De qualquer maneira,

---

* *Grosso modo*, 15 unidades de prata = 1 unidade de ouro.

** Pradarias; neste caso, denominação específica das do vale do Mississippi, EUA.

apenas países como o México, a China e a Índia, que não contavam, baseavam-se principalmente na prata.

Os governos eram mais propensos a dar ouvidos aos grupos de influência e de eleitores organizados, que os instavam a proteger o produtor nacional contra a concorrência de bens importados. Pois destes não fazia parte apenas — como se poderia pensar — o enorme bloco de agricultores, mas também importantes organizações de industriais nacionais, que procuravam minimizar o problema da "superprodução" pelo menos mantendo o rival estrangeiro fora do país. A Grande Depressão fechou a longa era de liberalismo econômico (cf. *A era do capital*, capítulo 2), ao menos no que tange ao comércio de matérias-primas.* Começando com a Alemanha e a Itália (têxteis) no final dos anos 1870, as tarifas protecionistas se tornaram um elemento permanente do cenário econômico internacional, culminando, no início dos anos 1890, com as tarifas punitivas associadas aos nomes de Méline, na França (1892) e McKinley, nos EUA (1890).**

A Grã-Bretanha foi o único país industrial importante a logo abraçar a causa do comércio livre e irrestrito, apesar dos poderosos desafios ocasionais lançados pelos protecionistas. Os motivos eram óbvios, e não se

---

* Acentuaram-se a livre movimentação de capital, transações financeiras e mão de obra.

** Nível médio das tarifas alfandegárias na Europa, 1914:[8]

Países	%	Países	%
Reino Unido	0	Áustria-Hungria, Itália	18
Holanda	4	França, Suécia	20
Suíça, Bélgica	9	Rússia	38
Alemanha	13	Espanha	41
Dinamarca	14	EUA (1913)	30[a]

(a) Reduzidas de 49,5% (1890), 39,9% (1894), 57% (1897) e 38% (1909).

UMA ECONOMIA MUDANDO DE MARCHA

relacionavam à ausência de um campesinato grande e, portanto, de um voto automaticamente protecionista grande. A Grã-Bretanha era, de longe, o maior exportador de produtos industrializados e, no decorrer do século, sua economia se orientou cada vez mais para a exportação — provavelmente mais que nunca nos anos 1870 e 1880 — muito mais que seus principais rivais, embora não mais que algumas economias avançadas muito menores, como a Bélgica, Suíça, Dinamarca e Holanda. A Grã-Bretanha era, de longe, o maior exportador de capital, de serviços financeiros e comerciais "invisíveis" e de serviços de transporte. De fato, à medida que a concorrência estrangeira ia prejudicando a indústria britânica, a *City* de Londres e a Marinha Mercante britânica iam se tornando mais centrais que nunca para a economia mundial. Inversamente, embora isto muitas vezes seja esquecido, a Grã-Bretanha era, de longe, o maior mercado comprador das exportações de produtos primários do mundo, e dominava — pode-se até dizer que constituía — o mercado mundial de alguns deles, como o açúcar de cana, o chá e o trigo, dos quais ela foi responsável, em 1880, pela metade do total comercializado internacionalmente. Em 1881, a Grã-Bretanha comprou quase a metade de toda a carne exportada no mundo e muito mais lã e algodão (55% das importações europeias) que qualquer outro país.[9] Na verdade, como ela permitiu o declínio de sua própria produção de alimentos durante a Depressão, sua tendência à importação foi realmente extraordinária. Em 1905-1909, ela importou não apenas 56% de todo o seu consumo interno de cereais, mas também 76% do queijo e 68% dos ovos.[10]

Assim sendo, o livre comércio parecia indispensável, pois permitia que os fornecedores ultramarinos de produtos primários trocassem suas mercadorias por manufaturados britânicos, reforçando assim a simbiose entre o Reino Unido e o mundo subdesenvolvido, base essencial do poderio econômico britânico. Os *estacieros* argentinos e uruguaios, os produtores de lã australianos e os agricultores dinamarqueses não tinham interesse em incentivar a indústria manufatureira nacional, pois se saíam muito bem como planetas do sistema solar britânico. O preço que a Grã-Bretanha pagou não foi pequeno. Como vimos, a adoção do livre comércio significou estar disposta a deixar a agricultura britânica afundar, se ela não conseguisse nadar. A Grã--Bretanha era o único país onde até os estadistas do Partido Conservador, apesar do seu antigo compromisso com o protecionismo, estavam dispostos a abandonar a agricultura. O sacrifício era reconhecidamente mais fácil, pois as finanças dos ultrarricos e dos proprietários rurais, ainda decisivos politicamente, agora dependiam da renda da propriedade urbana e das carteiras de investimento na mesma proporção que do arrendamento dos trigais. Isto poderia implicar também que se estava disposto a sacrificar a própria indústria britânica, como os protecionistas temiam? Visto retrospectivamente da desindustrializada Grã-Bretanha dos anos 1980, o temor de cem anos atrás não parece irrealista. Afinal de contas, o capital existe para gerar dinheiro, e não para fazer uma seleção de produtos. Contudo, embora já fosse claro que, na política britânica, a opinião da *City* de Londres pesava bem mais que a dos industriais de província, por enquanto os interesses da *City* não pareciam conflitantes com os da maioria da indústria. Assim, a Grã-Bretanha continuou comprometida com o liberalismo econômico,[*] dando aos países protecionistas ao mesmo tempo a liberdade de controlar seus mercados internos e muito espaço para promover suas exportações.

Economistas e historiadores nunca deixaram de discutir sobre os efeitos desse renascimento do protecionismo internacional ou, em outras palavras, sobre a estranha esquizofrenia da economia mundial capitalista. Os elementos constitutivos básicos de seu núcleo, no século XIX, eram,

---

[*] Salvo em matéria de imigração irrestrita, pois o país foi um dos primeiros a criar uma legislação contra a entrada maciça de (judeus) estrangeiros em 1905.

UMA ECONOMIA MUDANDO DE MARCHA

cada vez mais, as "economias nacionais" — a britânica, a alemã, a norte-americana etc. Entretanto, apesar do título programático do grande trabalho de Adam Smith, *A riqueza das nações* (1776), o lugar da "nação" como unidade não era claro na teoria pura do capitalismo liberal, cujas peças básicas eram os átomos irredutíveis da empresa, do indivíduo e da "firma" (sobre a qual não se dizia muito), movidos pelo imperativo de maximizar os ganhos ou minimizar as perdas. Eles operavam "no mercado", que tinha a escala mundial por limite. O liberalismo foi a anarquia da burguesia e, como o anarquismo revolucionário, não deixava espaço para o Estado. Ou antes, o Estado como fator econômico só existia como algo que interferia nas operações autônomas e automáticas "do mercado".

De certa maneira, essa ótica tinha algum sentido. Por um lado, parecia razoável supor — sobretudo após a liberalização das economias em meados do século (*A era do capital*, capítulo 2) — que o que fazia essa economia funcionar e crescer eram as decisões econômicas de suas partículas básicas. Por outro lado, a economia capitalista era, e só podia ser, mundial. Esta feição global acentuou-se continuamente no decorrer do século XIX, à medida que estendia suas operações a partes cada vez mais remotas do planeta e transformava todas as regiões cada vez mais profundamente. Ademais, essa economia não reconhecia fronteiras, pois funcionava melhor quando nada interferia no livre movimento dos fatores de produção. Assim, o capitalismo, além de internacional na prática, era internacionalista na teoria. O ideal de seus teóricos era uma divisão internacional do trabalho que garantisse o crescimento máximo da economia. Seus critérios eram globais: não tinha sentido tentar produzir bananas na Noruega, pois elas podiam ser produzidas muito mais barato em Honduras. Eles desdenhavam os argumentos locais ou regionais em contrário. A teoria pura do liberalismo econômico era obrigada a aceitar as consequências mais extremas, ou mesmo absurdas, de seus pressupostos, desde que se pudesse demonstrar que destes decorria a otimização dos resultados globais. Se fosse possível demonstrar que toda a produção industrial do mundo devia ser concentrada em Madagascar (como 80% de sua produção de relógios estava concentrada numa pequena região da Suíça),[11] ou que toda a população da França devia se mudar para a Sibéria (como uma grande proporção de noruegueses foi, de fato, trasladada pela migração para os EUA),* não havia argumentos econômicos contra tais procedimentos.

Que erro econômico podia ser demonstrado no quase monopólio britânico da indústria mundial de meados do século, ou o desenvolvimento demográfico da Irlanda, que perdeu quase a metade de sua população entre 1841 e 1911? O único equilíbrio que a teoria econômica liberal admitia era o mundial.

Mas, na prática, esse modelo era inadequado. A economia capitalista mundial em expansão era formada por um conjunto de blocos sólidos, mas também fluidos. Independentemente das origens das "economias nacionais" que constituíam esses blocos — isto é, de economias definidas por fronteiras de Estados — e das limitações teóricas de uma teoria econômica baseada nelas — elaborada principalmente por teóricos alemães — as economias nacionais existiam porque os Estados-nação existiam. Pode ser verdade que ninguém pensaria na Bélgica como primeira economia industrializada do continente europeu se seu território tivesse continuado a fazer parte da França (como antes de 1815) ou a ser uma região dos Países Baixos unidos (como entre 1815 e 1830). Entretanto, visto que a Bélgica era um Estado, tanto sua política econômica como a dimensão política das atividades econômicas de seus habitantes eram plasmadas por esse fato. Sem dúvida, é verdade que havia e há atividades econômicas, como as finanças internacionais,

---

* Entre 1820 e 1975, o número de noruegueses que emigraram para os EUA — cerca de 855 mil — foi quase equivalente à população total da Noruega em 1820.[12]

UMA ECONOMIA MUDANDO DE MARCHA

que são essencialmente cosmopolitas, escapando assim às restrições nacionais, na medida em que estas eram eficazes. Mesmo assim, essas empresas transnacionais tiveram o cuidado de se vincular a uma economia nacional convenientemente importante. Assim, as famílias de banqueiros comerciais (majoritariamente alemãs) tenderam a transferir seus escritórios centrais de Paris para Londres após 1860. E o mais internacional dos grandes bancos, o Rothschild, floresceu quando operava na capital de um Estado importante e, quando não, feneceu: os Rothschild de Londres, Paris e Viena mantiveram uma força importante, mas os Rothschild de Nápoles e Frankfurt (a empresa se recusou a se transferir para Berlim), não. Após a unificação da Alemanha, Frankfurt já não bastava.

As observações anteriores se aplicam, é claro, basicamente à parcela "desenvolvida" do mundo, isto é, aos Estados capazes de defender suas economias em vias de industrialização contra a concorrência, mas não ao resto do mundo, cujas economias eram política ou economicamente dependentes do núcleo desenvolvido. Estas regiões não tinham opção, já que ou uma potência colonial decidia o que tinha que acontecer a suas economias, ou uma economia imperial tinha condições de transformá-las numa *banana* — ou café — *republic*. Ou, ainda, essas economias não costumavam estar interessadas em opções alternativas de desenvolvimento, pois era visivelmente recompensador para elas se transformarem em produtoras especializadas em produtos primários para um mercado mundial composto pelos Estados metropolitanos. No mundo periférico, a "economia nacional", na medida em que se puder dizer que tenha existido, tinha funções diferentes.

Mas o mundo desenvolvido não era só uma massa de "economias nacionais". A industrialização e a Depressão transformaram-nas num grupo de economias *rivais*, em que os ganhos de uma pareciam ameaçar a posição de outras. A concorrência dava-se não só entre empresas, mas também

75

A ERA DOS IMPÉRIOS

entre nações. Daqui em diante os leitores britânicos se horrorizariam com os relatos jornalísticos da invasão econômica alemã — *Made in Germany* (1896), de E. E. Williams, ou *American Invaders* (1902), de Fred A. Mackenzie.[13] Seus pais não tinham perdido a calma diante das advertências (justificadas) sobre a superioridade técnica dos estrangeiros. O protecionismo expressava uma situação de concorrência econômica internacional.

Mas qual foi seu efeito? Podemos considerar como comprovado que um excesso de protecionismo generalizado — que procura erguer barricadas em torno da economia de cada Estado-nação, por meio de fortificações políticas que a defendam do mundo exterior — é pernicioso para o crescimento econômico mundial. Isto seria pertinentemente provado entre as duas guerras mundiais. Entretanto, no período 1880-1914, o protecionismo não era nem geral nem, com exceções ocasionais, proibitivo e, como vimos, restringia-se ao comércio de mercadorias e não afetava os movimentos de mão de obra nem as transações financeiras internacionais. O protecionismo agrícola, de maneira geral, funcionou na França, falhou na Itália (onde a reação a ele foi a migração em massa) e protegeu os interesses dos grandes proprietários rurais na Alemanha.[14] O protecionismo industrial, de maneira geral, ajudou a ampliar a base industrial do mundo, ao incentivar as indústrias nacionais a produzirem com vistas aos mercados internos de seus países, que também estavam se expandindo a passos largos. Calculou-se que o aumento global da produção entre 1880 e 1914 foi, por conseguinte, nitidamente maior do que fora durante as décadas de livre comércio.[15] Em 1914, sem dúvida, a produção industrial foi distribuída menos desigualmente no mundo metropolitano ou "desenvolvido" do que havia sido quarenta anos antes. Em 1870, os quatro principais Estados industriais haviam sido responsáveis por quase 80% do total mundial de produtos manufaturados, mas, em 1913, sua participação foi de 72%, com uma produção cinco vezes maior.[16] Saber até que ponto o protecionismo contribuiu para esse

76

UMA ECONOMIA MUDANDO DE MARCHA

resultado é uma discussão em aberto. Parece claro que ele não pode ter comprometido seriamente o crescimento.

Se o protecionismo era a reação política instintiva do produtor preocupado com a Depressão, essa não era, contudo, a reação mais significativa do capitalismo a suas dificuldades. Ela resultava da combinação de concentração econômica e racionalização empresarial ou, na terminologia americana que agora começa a definir estilos globais, "trustes" e "administração científica". Ambos eram tentativas de ampliar as margens de lucro, comprimidas pela concorrência e pela queda de preços.

A concentração econômica não deve ser confundida com monopólio em sentido estrito (controle do mercado por uma única empresa), nem no sentido amplo mais usual de controle do mercado por um pequeno número de empresas dominantes (oligopólio). Por certo, os exemplos dramáticos de concentração, que mereceram acolhida negativa por parte do público, foram desse tipo, geralmente decorrentes de fusões ou de acordos, com vistas ao controle do mercado, entre companhias que, segundo a teoria da livre iniciativa, deviam estar concorrendo entre si, o que beneficiaria o consumidor. Era o caso dos "trustes" americanos — que geraram uma legislação antimonopolista, como a Lei Antitruste, de Sherman (1890), de eficácia duvidosa — e dos *syndicates** ou cartéis alemães — principalmente na indústria pesada — que desfrutavam do beneplácito governamental. O Cartel do Carvão do Reno e da Westfália (1893), cujo controle da produção de carvão dessa região era da ordem de 90%, ou a Standard Oil Company, que em 1880 controlou 90-95% do petróleo refinado nos EUA, eram, sem dúvida, monopólios. Assim também, para fins práticos, o "truste de bilhões de dólares" da United States Steel (1901), que detinha 63% da indústria siderúrgica americana.

---

* *Syndicate*: "grupo econômico, corporação, associação de capitalistas, sociedade de banqueiros ou companhias formado para a realização de negócio vultoso (especialmente para controlar o mercado de determinado produto)" (*Dicionário inglês-português Webster's*, 1982). (N.T.)

A ERA DOS IMPÉRIOS

Também é claro que uma tendência — oposta à concorrência irrestrita — à "combinação de vários capitalistas que antes operavam isoladamente",[17] tornou-se inegavelmente óbvia durante a Grande Depressão e se manteve no novo período de prosperidade mundial. Uma tendência ao monopólio ou oligopólio é inegável na indústria pesada, em setores profundamente dependentes de encomendas governamentais — como o de armamentos, em rápida expansão —, em atividades que geram e distribuem novas formas revolucionárias de energia, como o petróleo e a eletricidade, nos transportes e em algumas indústrias produtoras de bens de consumo de massa como sabão e tabaco.

Entretanto, o controle do mercado e a eliminação da concorrência constituíam apenas um aspecto de um processo mais geral de concentração capitalista, e não eram nem universais nem irreversíveis: em 1914 houve uma concorrência muito mais acentuada nos setores petroleiro e siderúrgico norte-americanos do que houvera dez anos antes. Neste sentido, é ilusório falar, em relação a 1914, daquilo que por volta de 1900 era claramente identificado como sendo uma nova fase do desenvolvimento capitalista, como "capitalismo monopolista". Mas não importa muito como o chamemos ("capitalismo associado", "capitalismo organizado" etc.), desde que se admita — e é preciso admitir — que o cartel avançou à custa da concorrência de mercado, as sociedades anônimas à custa das companhias privadas, as grandes empresas comerciais e industriais à custa das menores; e que essa concentração implicou uma tendência ao oligopólio. Isto era evidente mesmo em fortalezas poderosas da antiquada empresa de pequena e média escala, como na Grã-Bretanha. A partir de 1880, o padrão da distribuição foi revolucionado. "Merceeiro" e "açougueiro" agora não significavam apenas um pequeno lojista, mas crescentemente uma empresa de porte nacional ou internacional com centenas de filiais. No setor bancário, um pequeno grupo de grandes bancos de investimentos, com redes nacionais de agências, substituíram

UMA ECONOMIA MUDANDO DE MARCHA

muito rapidamente os bancos menores: o Lloyds Bank absorveu 164 pequenos bancos. Após 1900, como já foi observado, os antiquados — ou outros — "bancos rurais" britânicos passaram a ser "uma curiosidade histórica".

Assim como a concentração econômica, a "administração científica" (o próprio termo só entrou em uso por volta de 1910) foi filha da Grande Depressão. Seu fundador e apóstolo, F. W. Taylor (1856-1915), começou a desenvolver suas ideias na altamente problemática indústria siderúrgica americana em 1880. Procedentes do oeste, essas ideias chegaram à Europa nos anos 1890. A pressão sobre os lucros durante a Depressão, bem como o tamanho e a complexidade crescentes das companhias, sugeriam que os métodos tradicionais, empíricos ou improvisados não eram mais adequados à sua condução. Daí a necessidade de uma forma mais racional ou "científica" de controlar, monitorar e programar empresas grandes e que visavam à maximização do lucro. A tarefa em que o "taylorismo" concentrou imediatamente seus esforços — e à qual a imagem pública da "administração científica" era identificada — era como conseguir que os operários trabalhassem mais. Esse objetivo foi perseguido por meio de três métodos principais: (1) isolando cada operário de seu grupo de trabalho e transferindo o controle do processo de trabalho do operário ou do grupo a agentes da administração, que diziam ao operário exatamente o que fazer e quanto produzir, à luz de (2) uma divisão sistemática de cada processo em unidades componentes cronometradas ("estudo do tempo e do movimento"), e (3) de vários sistemas de pagamento dos salários, o que incentivaria o operário a produzir mais. Esses sistemas de pagamento por produção disseminaram-se muito rapidamente, mas, para fins práticos, o taylorismo em sentido lato quase não se difundiu na Europa, antes de 1914 — nem mesmo nos EUA — e só se tornou um *slogan* familiar nos círculos administrativos nos últimos anos do pré-guerra. Após 1918, o nome de Taylor seria o título sintético do uso racional da maquinaria e

79

A ERA DOS IMPÉRIOS

da força de trabalho para maximizar a produção, paradoxalmente tanto entre os responsáveis pelo planejamento bolchevique como entre os capitalistas.

Contudo, é claro que a transformação da estrutura das grandes empresas, da oficina ao escritório e à contabilidade, progrediu substancialmente entre 1880 e 1914. A "mão visível" das modernas organização e administração empresariais agora substituía a "mão invisível" do mercado anônimo de Adam Smith. Assim sendo, os executivos, engenheiros e contadores começaram a assumir as funções dos administradores-proprietários. A sociedade anônima ou *Konzern* substituiu o indivíduo. Agora era muito mais provável que o homem de negócios típico, ao menos nas grandes empresas, não fosse mais um membro da família do fundador, mas um executivo contratado, e que o encarregado de supervisionar seu desempenho fosse um banqueiro ou acionista, em vez de um capitalista administrador.

Havia uma terceira saída possível para os problemas empresariais: o imperialismo. Muitas vezes foi observada a coincidência cronológica entre a Depressão e a fase dinâmica da repartição colonial do planeta. Os historiadores discutem muito até que ponto as duas estão ligadas. De qualquer forma, como mostrará o capítulo seguinte, a relação era bastante mais complexa que a simples ligação de causa e efeito. Entretanto, não há como negar que a pressão do capital à procura de investimentos mais lucrativos, bem como a da produção à procura de mercados, contribuíram para as políticas expansionistas — inclusive a conquista colonial. A "expansão territorial", disse um funcionário do Departamento de Estado dos EUA em 1900, "não é senão o subproduto da expansão do comércio".[18] Ele não era, de forma alguma, a única pessoa envolvida com a política e a economia internacionais a ter essa opinião.

Um resultado final, ou subproduto, da Grande Depressão deve ser mencionado. Esta foi também uma era de grande agitação social. Não

UMA ECONOMIA MUDANDO DE MARCHA

apenas entre os agricultores, que, como vimos, foram abalados pelos tremores sísmicos do colapso dos preços dos produtos agrícolas, mas também entre as classes operárias. Não é óbvio o motivo pelo qual a Grande Depressão levou à mobilização maciça das classes operárias em numerosos países e, a partir do final dos anos 1880, à emergência dos movimentos de massa socialistas e trabalhistas em muitos deles. Pois, paradoxalmente, a mesma queda de preços que radicalizou automaticamente os agricultores baixou de forma muito acentuada o custo de vida para os assalariados, acarretando uma indubitável melhoria no padrão de vida material dos operários na maioria dos países industrializados. Mas aqui só precisamos observar que os movimentos trabalhistas modernos também são filhos do período da Depressão. Estes movimentos serão abordados no capítulo 5.

2.

De meados dos anos 1890 à Grande Guerra, a orquestra econômica mundial tocou no tom maior da prosperidade, em vez de no tom menor da depressão. A afluência, baseada no *boom* econômico, constituía o pano de fundo do que ainda é conhecido no continente europeu como "a bela época" (*belle époque*). A passagem da preocupação à euforia foi tão súbita e dramática que os economistas comuns procuraram algum tipo especial de força externa para explicá-la, um *deus ex-machina*, que encontraram na descoberta de enormes reservas de ouro na África do Sul, na última das grandes corridas do ouro ocidentais, no Klondike (Canadá, 1898) e em outros lugares. Os historiadores da economia, em seu conjunto, deixaram-se impressionar menos por essa tese basicamente monetarista do que alguns governos do final do século XX. Mesmo assim, a velocidade da virada foi notável e quase imediatamente diagnosticada por um revolucionário particularmente arguto, A. L. Helphand (1869-1924), que escrevia sob o pseudônimo de Parvus, indicando o início de um novo e longo período de impetuoso avanço capitalista. Na verdade, o contraste entre a Grande Depressão e o *boom* secular posterior motivou as primeiras especulações sobre aquelas "ondas longas" no desenvolvimento do capitalismo mundial, mais tarde associadas ao nome do economista russo Kondratiev. Nesse ínterim, tornou-se evidente que aqueles que haviam feito previsões sombrias acerca do futuro do capitalismo, ou mesmo acerca de seu colapso iminente, haviam errado. Entre os marxistas ocorreram discussões acaloradas sobre o que isso implicava para o futuro de seus movimentos e se a doutrina de Marx teria de ser "revista".

Os historiadores da economia têm centrado sua atenção em dois aspectos da era: a redistribuição do poder e da iniciativa econômicos, quer dizer, o relativo declínio britânico e o relativo — e absoluto — avanço dos EUA e sobretudo da Alemanha; e o problema das flutuações, longas e curtas, quer dizer, basicamente sobre a "onda longa" de Kondratiev, cujo movimento descendente e ascendente cortou o período ao meio. Por mais interessantes que sejam estes problemas, são secundários do ponto de vista da economia mundial.

Em princípio, não é, de fato, surpreendente que a Alemanha, com sua população aumentando de 45 a 65 milhões, e os EUA, passando de 50 a 92 milhões, tivessem alcançado a Grã-Bretanha, territorialmente menor e menos populosa. No entanto, isso não torna o triunfo da exportação industrial alemã menos impressionante. No transcurso dos trinta anos anteriores a 1913, eles passaram de menos da metade da cifra da Grã--Bretanha a uma cifra superior a essa. À exceção dos países que podem ser chamados de "semi-industrializados" — isto é, para fins práticos, os "domínios" britânicos virtuais ou efetivos, incluindo suas dependências econômicas latino-americanas —, as exportações de produtos manufaturados da Alemanha para todos os países ultrapassaram as britânicas.

UMA ECONOMIA MUDANDO DE MARCHA

Elas eram um terço mais elevadas no mundo industrial e mesmo 10% maiores no mundo não desenvolvido. Outra vez, não é surpreendente que a Grã-Bretanha não conseguisse conservar a extraordinária posição de "oficina do mundo" que detinha por volta de 1860. Nem os EUA, no auge de sua supremacia mundial no início dos anos 1950 — e representando uma parcela da população mundial três vezes superior à britânica dos anos 1860 —, conseguiram em momento algum atingir os seus 53% da produção mundial de ferro e aço e 49% da têxtil. Uma vez mais, isso não explica por que exatamente — nem sequer se — houve uma desaceleração do crescimento e um declínio da economia britânica, questões que se tornaram tema de uma vasta literatura acadêmica. A questão importante não é quem, no contexto da economia mundial em expansão, cresceu mais e mais rápido, mas o conjunto do crescimento desta.

Quanto ao ritmo de Kondratiev — chamá-lo de "ciclo", no sentido estrito da palavra, seria uma questão de princípio —, ele certamente coloca questões analíticas fundamentais acerca da natureza do crescimento econômico no período capitalista ou, como podem argumentar alguns estudantes, acerca do crescimento de qualquer economia mundial. Lamentavelmente, não há nenhuma teoria que mereça aceitação ampla sobre essa curiosa alternância de fases de confiança e apreensão, que juntas formam uma "onda" de cerca de meio século. A teoria mais conhecida e elegante a esse respeito, a de Josef Alois Schumpeter (1883-1950), associa cada etapa "descendente" ao esgotamento do lucro potencial de uma série de "inovações" econômicas e o novo movimento ascendente a um novo conjunto de inovações, percebidas basicamente — mas não só — como tecnológicas, cujo potencial será, por sua vez, exaurido. Assim, as novas indústrias agindo como "setores líderes" do crescimento econômico — por exemplo, o algodão na primeira revolução industrial, as ferrovias durante e após os anos 1840 —, tornam-se, por assim dizer, os motores que arrancam a economia mundial do marasmo em que estava

A ERA DOS IMPÉRIOS

temporariamente imersa. Essa teoria é bastante plausível, pois cada um dos períodos seculares de movimento ascendente desde os anos 1780 esteve, de fato, associado ao surgimento de setores tecnologicamente revolucionários, sem esquecer do mais excepcional de todos esses *booms* econômicos, o das duas décadas e meia anteriores aos anos 1970. O problema, no caso do desenvolvimento rápido do fim dos anos 1890, é que as indústrias inovadoras daquele período — em sentido amplo, as químicas e elétricas, ou as associadas às novas fontes de energia prestes a competir seriamente com o vapor — por enquanto ainda não pareciam ter porte suficiente para dominar os movimentos da economia mundial. Em suma, como não podemos explicar adequadamente as periodicidades de Kondratiev, elas não nos podem ser de muita valia. Apenas nos permitem observar que o período abordado neste livro abrange a queda e a ascensão de uma "onda de Kondratiev"; mas isto, em si, não é surpreendente, pois a totalidade da história moderna da economia mundial se encaixa facilmente nesse padrão.

Há, contudo, um aspecto da análise de Kondratiev que deve ser relevante para um período de "globalização" acelerada da economia mundial. Trata-se da relação entre o setor *industrial* mundial, que se expandiu por meio de uma contínua revolução da produção, e a produção *agrícola* mundial, que cresceu principalmente devido à abertura, em ritmo descontínuo, de novas zonas geográficas de produção, ou zonas recentemente especializadas em cultivos de exportação. O trigo disponível para consumo no mundo ocidental foi, em 1910-1913, quase o dobro (em média) dos anos 1870. Mas o grosso desse aumento viera de um pequeno número de países novos: EUA, Canadá, Argentina e Austrália e, na Europa, Rússia, Romênia e Hungria. O crescimento da produção agrícola na Europa ocidental (França, Alemanha, Reino Unido, Bélgica, Holanda, Escandinávia) só representou 10-15% do incremento. Assim sendo, a desaceleração da taxa de crescimento da produção agrícola mundial após o salto inicial não

UMA ECONOMIA MUDANDO DE MARCHA

é surpreendente, mesmo sem considerar catástrofes agrárias como os oito anos de seca (1895-1902) que mataram a metade do rebanho ovino da Austrália, e as novas pragas como o gorgulho do algodão, que atacou os algodoais dos EUA a partir de 1892. Assim, os "termos de troca" tenderiam a ficar mais favoráveis à agricultura e menos à indústria, isto é, os agricultores pagariam relativa ou absolutamente menos pelo que comprassem à indústria, e esta, relativa ou absolutamente mais pelo que comprasse à agricultura.

Arguiu-se que essa mudança nos termos de troca pode explicar a passagem de uma queda de preços notável em 1873-1896 a uma impressionante alta dessa época até 1914 — e depois. Talvez. Mas o certo é que essa mudança nos termos de troca pressionou os custos de produção industriais e, portanto, sua lucratividade. Felizmente para a "beleza" da *belle époque*, a economia estava estruturada de maneira a transferir essa pressão dos lucros para os operários. O aumento rápido do salário real, tão característico da Grande Depressão, desacelerou-se visivelmente. Na França e na Grã-Bretanha, houve uma *queda* efetiva do salário real entre 1899 e 1913. Isso foi uma das causas da tensão e das explosões sociais ressentidas dos últimos anos anteriores a 1914.

O que, então, tornou a economia mundial tão dinâmica? Seja qual for a explicação detalhada, a chave do problema está claramente na faixa central de países industrializados e em vias de industrialização, que se estendia cada vez mais na região temperada do hemisfério norte, pois eles agiam como o motor do crescimento global, a um tempo como produtores e como mercados.

Esses países agora formavam uma massa produtiva enorme, crescendo e se estendendo rapidamente no núcleo da economia mundial. Agora incluíam não apenas os maiores ou menores centros industrializados em meados do século XIX, em sua maioria se expandindo a taxas que iam de impressionantes a quase inimagináveis — Grã-Bretanha, Alemanha, EUA,

França, Bélgica, Suíça, os territórios tchecos —, como também mais uma série de regiões que estavam se industrializando: Escandinávia, Holanda, o norte da Itália, Hungria, Rússia e mesmo o Japão. Eles constituíam também um corpo cada vez mais possante de compradores dos bens e serviços do mundo: um conjunto que cada vez mais vivia de comprar, isto é, cada vez menos dependente das economias rurais tradicionais. A definição habitual de um "citadino" no século XIX era alguém que vivia em um lugar de mais de dois mil habitantes. Contudo, mesmo se adotarmos um critério ligeiramente menos modesto (5 mil), a porcentagem de europeus da região "desenvolvida" e de norte-americanos que viviam em cidades ascendera, por volta de 1910, a 41% (de 19 e 14, respectivamente, em 1850), e talvez 80% dos citadinos (contra dois terços em 1850) viviam em cidades de mais de 20 mil habitantes; destes, por sua vez, bem mais da metade morava em cidades de mais de 100 mil habitantes, o que quer dizer uma grande clientela.[19]

Ademais, graças às quedas de preços da Depressão, essa clientela tinha mais dinheiro para gastar do que antes, mesmo considerando a redução do salário real após 1900. O significado coletivo dessa acumulação de clientes, mesmo pobres, agora era reconhecido pelos homens de negócios. Os filósofos políticos temiam a emergência das massas, ao passo que os vendedores a saudavam. A indústria publicitária, que se desenvolve agora como força importante pela primeira vez, dirige-se a eles. As vendas a prazo, em grande medida uma inovação desse período, visavam a permitir que as pessoas com pequenas rendas fizessem grandes compras. E a arte e a indústria revolucionárias do cinema (veja o capítulo 9) começaram do nada em 1895, para exibir uma riqueza além dos sonhos mais ambiciosos em 1915, com produtos tão caros que faziam óperas e príncipes parecerem mendigos, tudo isso baseado na força de um público que pagava em centavos.

UMA ECONOMIA MUDANDO DE MARCHA

Há uma cifra que, sozinha, pode ilustrar a importância da região "desenvolvida" do mundo na época. Apesar do crescimento notável das novas regiões e economias ultramarinas, apesar da sangria causada por uma vasta emigração em massa, a parcela de europeus na população mundial cresceu no decorrer do século XIX, e sua taxa de crescimento passou de 7% ao ano na primeira metade e 8% na segunda para quase 13% em 1900-1913. Se a este continente urbanizado de consumidores potenciais acrescentarmos os EUA e algumas economias ultramarinas em processo de desenvolvimento rápido, porém muito menores, teremos um mundo "desenvolvido" de algo em torno de 15% da superfície do planeta ocupada por cerca de 40% de seus habitantes.

Esses países constituíam o grosso da economia mundial. Juntos representavam 80% do mercado internacional. E mais, eles determinavam o desenvolvimento do resto do mundo, cujas economias cresciam ao prover as necessidades estrangeiras. Não se pode saber o que teria acontecido ao Uruguai ou a Honduras se lhes tivesse cabido a iniciativa. (De qualquer maneira, não era provável que isso ocorresse: o Paraguai já tentara uma vez escapar ao mercado mundial e fora massacrado e forçado a voltar a ele — cf. *A era do capital*, capítulo 4.) O que sabemos é que o primeiro produzia carne porque havia um mercado para ele na Grã-Bretanha e, o outro, bananas, porque alguns comerciantes de Boston calcularam que os americanos pagariam para comê-las. Algumas economias satélites se saíram melhor que outras, mas quanto melhor se saíssem, maior o proveito das economias do núcleo central, para quem esse crescimento se traduzia em mercados maiores e crescentes para a exportação de bens e capital. A Marinha Mercante mundial, cujo crescimento indica *grosso modo* a expansão da economia global, permaneceu mais ou menos estável entre 1860 e 1890. Seu volume flutuou entre 16 e 20 milhões de toneladas. Entre 1890 e 1914, quase duplicou.

A ERA DOS IMPÉRIOS

3.

Então, como podemos sintetizar a economia mundial da Era dos Impérios?

Em primeiro lugar, como vimos, foi uma economia cuja base geográfica era muito mais ampla do que antes. Sua parcela industrializada e em processo de industrialização aumentara: na Europa, em virtude da revolução industrial na Rússia e em países como a Suécia e a Holanda, até então pouco atingidos por ela, e, fora da Europa, por causa do desenvolvimento da América do Norte e, já até certo ponto, do Japão. O mercado internacional dos produtos primários cresceu enormemente — entre 1880 e 1913 o comércio internacional dessas mercadorias quase triplicou — e, por conseguinte, tanto as áreas destinadas a sua produção como sua integração ao mercado mundial. O Canadá se integrou ao grupo dos maiores produtores mundiais de trigo após 1900, com uma safra que passou da média anual de 18 milhões de hectolitros nos anos 1890 a 70 milhões em 1910-1913.[20] Ao mesmo tempo, a Argentina se tornava um exportador importante de trigo — e todos os anos os lavradores italianos, apelidados de "andorinhas" (*golondrinas*), atravessavam 16 mil quilômetros de Oceano Atlântico, indo e voltando para fazer sua colheita. A economia da Era dos Impérios foi aquela em que Baku (no Azerbaijão) e a bacia do Donets (na Ucrânia) foram integradas à geografia industrial, ao passo que a Europa exportava tanto bens como moças a cidades novas como Johannesburgo e Buenos Aires, e aquela em que teatros de ópera foram erguidos sobre os ossos de índios mortos em cidades nascidas do *boom* da borracha a 1.600 quilômetros acima da foz do Amazonas.

Por conseguinte, como já foi observado, a economia mundial agora era notavelmente mais pluralista que antes. A economia britânica deixou de ser a única totalmente industrializada e, na verdade, a única industrial. Se reunirmos a produção industrial e mineral (incluindo a construção), em 1913, os EUA forneceram 46% deste total, a Alemanha, 23,5%,

UMA ECONOMIA MUDANDO DE MARCHA

a Grã-Bretanha, 19,5% e a França, 11%.[21] A Era dos Impérios, como veremos, foi essencialmente caracterizada pela rivalidade entre Estados. Ademais, as relações entre o mundo desenvolvido e o subdesenvolvido também foram mais variadas e complexas que em 1860, quando a metade do total das exportações da Ásia, África e América Latina se dirigiu a um só país, a Grã-Bretanha. Por volta de 1900, a participação britânica caiu para um quarto, e as exportações do Terceiro Mundo para outros países da Europa ocidental já superavam as destinadas à Grã-Bretanha (31%).[22] A Era dos Impérios já não era monocêntrica.

Esse pluralismo crescente da economia mundial ficou, até certo ponto, oculto por sua persistente e, na verdade, crescente dependência dos serviços financeiros, comerciais e da frota mercante da Grã-Bretanha. Por um lado, a *City* de Londres era, mais que nunca, o centro de operações das transações comerciais internacionais, tanto que o rendimento de seus serviços comerciais e financeiros, sozinho, quase compensava o grande déficit de mercadorias em sua balança comercial (137 milhões de libras contra 142 milhões, em 1906-1910). Por outro lado, o enorme peso dos investimentos britânicos no exterior e de sua frota mercante reforçou ainda mais a posição central do país, numa economia mundial que girava em torno de Londres e se baseava na libra esterlina. A Grã-Bretanha continuou a ter uma posição dominante no mercado internacional de capitais. Em 1914, a França, a Alemanha, os EUA, a Bélgica, a Holanda, a Suíça e os demais, juntos, somavam 56% dos investimentos ultramarinos mundiais; a Grã-Bretanha, *sozinha*, detinha 44%.[23] Em 1914, a frota britânica de navios a vapor era, sozinha, 12% maior que a totalidade das frotas mercantes de todos os outros países europeus reunidos.

Na verdade, a posição central da Grã-Bretanha por ora estava sendo reforçada pelo próprio desenvolvimento do pluralismo mundial. Pois, como as economias em processo de industrialização recente compravam mais produtos primários do mundo subdesenvolvido, acumulavam em

89

A ERA DOS IMPÉRIOS

seu conjunto um déficit comercial bastante substancial em relação a este último. O país, sozinho, restabelecia um equilíbrio global, pois importava mais bens manufaturados de seus rivais, exportava seus próprios produtos industriais para o mundo dependente, mas principalmente obtinha rendimentos invisíveis de vulto, provenientes tanto de seus serviços comerciais internacionais (bancos, seguros etc.) como da renda gerada pelos enormes investimentos no exterior do maior credor mundial. Assim, o relativo declínio industrial britânico reforçou sua posição financeira e sua riqueza. Os interesses da indústria britânica e da *City*, até então bastante compatíveis, começaram a entrar em conflito.

A terceira característica da economia mundial é a que mais salta aos olhos: a revolução tecnológica. Como todos nós sabemos, foi nessa época que o telefone e o telégrafo sem fio, o fonógrafo e o cinema, o automóvel e o avião passaram a fazer parte do cenário da vida moderna, sem falar na familiarização das pessoas com a ciência por meio de produtos como o aspirador de pó (1908) e o único medicamento universal jamais inventado, a aspirina (1899). Tampouco devemos esquecer a mais benéfica de todas as máquinas do período, cuja contribuição para a emancipação humana foi imediatamente reconhecida: a modesta bicicleta. Apesar de tudo, antes de saudarmos essa safra impressionante de inovações como uma "segunda revolução industrial", não devemos esquecer que só retrospectivamente elas são consideradas como tal. Para o século XIX, a principal inovação consistia na atualização da primeira revolução industrial, através do aperfeiçoamento da tecnologia do vapor e do ferro: o aço e as turbinas. As indústrias tecnologicamente revolucionárias, baseadas na eletricidade, na química e no motor de combustão, começaram certamente a ter um papel de destaque, em particular nas novas economias dinâmicas. Afinal de contas, Ford começou a fabricar seu modelo T em 1907. Contudo, considerando apenas a Europa, entre 1880 e 1913 foi construída a mesma quilometragem de ferrovias que na "idade da ferro-

UMA ECONOMIA MUDANDO DE MARCHA

via" inicial, entre 1850 e 1880. França, Alemanha, Suíça, Suécia e Holanda aproximadamente duplicaram suas redes ferroviárias nesses anos. O último triunfo da indústria britânica, o virtual monopólio britânico da construção naval definido entre 1870 e 1913, foi conquistado por meio da exploração dos recursos da primeira revolução industrial. Não obstante, a nova revolução industrial reforçou, mais que substituiu, a antiga.

A quarta característica foi, como já vimos, uma dupla transformação da empresa capitalista: em sua estrutura e em seu *modus operandi*. Por um lado, houve a concentração de capital, o aumento da escala, que levou à distinção entre "empresa" e "grande empresa" (*Grossindustrie, Grossbanken, grande industrie...*), ao retraimento do mercado de livre concorrência e a todos os demais aspectos que, por volta de 1900, levaram os observadores a buscar em vão rótulos gerais que descrevessem o que parecia ser cabalmente uma nova fase de desenvolvimento econômico (veja o próximo capítulo). Por outro lado, houve uma tentativa sistemática de racionalizar a produção e a direção das empresas aplicando "métodos científicos" não apenas à tecnologia, mas também à organização e aos cálculos.

A quinta característica foi uma transformação excepcional do mercado de bens de consumo: uma mudança tanto quantitativa como qualitativa. Com o aumento da população, da urbanização e da renda real, o mercado de massa, até então mais ou menos restrito à alimentação e ao vestuário, ou seja, às necessidades básicas, começou a dominar as indústrias produtoras de bens de consumo. A longo prazo, isto foi mais importante que o notável crescimento do consumo das classes ricas e favorecidas, cujo perfil de demanda não mudou de maneira acentuada. Foi o Ford modelo T, e não o Rolls-Royce, que revolucionou a indústria automobilística. Ao mesmo tempo, uma tecnologia revolucionária e o imperialismo concorreram para a criação de uma série de produtos e serviços novos para o mercado de massa — dos fogões a gás, que se multiplicaram nas cozinhas

A ERA DOS IMPÉRIOS

da classe operária britânica no decorrer desse período, à bicicleta, ao cinema e à modesta banana, cujo consumo era praticamente desconhecido antes de 1880. Uma de suas consequências mais óbvias foi a criação dos meios de comunicação de massa, que só agora merecem esse nome. Um jornal britânico atingiu pela primeira vez a tiragem de um milhão de exemplares nos anos 1890, e um francês, por volta de 1900.[24]

Tudo isso implicou uma transformação não apenas da produção, pelo que agora veio a ser chamado de "produção em massa", mas também da distribuição, inclusive do crédito ao consumidor (sobretudo através das vendas a prazo). Assim, a venda de chá em pacotes padronizados de 1/4 de libra começou na Grã-Bretanha, em 1884. Ela faria a fortuna de mais de um magnata de empórios saído das ruelas dos bairros operários das grandes cidades, como *Sir* Thomas Lipton, cujos iate e dinheiro conquistaram a amizade do rei Eduardo VII, monarca com notória atração por milionários pródigos. O número de filiais da Lipton passou de zero em 1870 para 500 em 1899.[25]

O aspecto acima também se ajustava naturalmente à sexta característica da economia: o crescimento acentuado, tanto absoluto como relativo, do setor terciário da economia, tanto público como privado — trabalho em escritórios, lojas e outros serviços. Tomemos apenas o caso da Grã-Bretanha, um país que, em seu apogeu, dominara a economia mundial com uma quantidade ridiculamente reduzida de trabalho de escritório: em 1851, havia 67 mil funcionários públicos e 91 mil empregados de comércio, numa população ativa total de cerca de 9,5 milhões de pessoas. Mas, por volta de 1911, o comércio empregava quase 900 mil pessoas, das quais 17% eram mulheres, e o funcionalismo público triplicara. A porcentagem da população ativa que o comércio empregava quintuplicara desde 1851. Mais adiante abordaremos a consequência social dessa proliferação de trabalhadores de colarinhos brancos e mãos limpas ("brancas").

A última característica da economia que destacarei aqui será a crescente convergência de política e economia, quer dizer, o papel cada vez maior

UMA ECONOMIA MUDANDO DE MARCHA

do governo e do setor público, ou o que ideólogos da persuasão liberal, como o advogado A. V. Dicey, consideraram como o avanço ameaçador do "coletivismo" à custa da velha, boa e vigorosa iniciativa individual ou voluntária. Na verdade, tratava-se de um dos sintomas do retraimento da economia da livre concorrência, que fora o ideal — e até certo ponto a realidade — do capitalismo de meados do século XIX. De uma forma ou de outra, após 1875, houve um ceticismo crescente quanto à eficácia da economia de mercado autônoma e autorregulada, a famosa "mão oculta" de Adam Smith, sem alguma ajuda do Estado e da autoridade pública. A mão estava se tornando visível das mais variadas maneiras.

Por um lado, como veremos (capítulo 4), a democratização da política forçou governos muitas vezes relutantes e inquietos a enveredarem pelo caminho de políticas de reforma e bem-estar sociais, bem como de ação política na defesa dos interesses econômicos de certos grupos de eleitores, como o protecionismo e — de certa forma com menos eficácia — medidas contra a concentração econômica, como nos EUA e na Alemanha. Por outro lado, ocorreu a fusão da rivalidade política entre os Estados com a concorrência econômica entre grupos nacionais de empresários, o que contribuiu — como veremos — tanto para o fenômeno do imperialismo como para a gênese da Primeira Guerra Mundial. Levaram também, a propósito, ao crescimento de indústrias em que, como na indústria bélica, o papel do governo era decisivo.

Contudo, embora o papel estratégico do setor público pudesse ser crucial, seu peso real na economia permaneceu modesto. Apesar da proliferação dos exemplos em contrário — como a aquisição pelo governo britânico de uma participação na indústria petrolífera do Oriente Médio e seu controle da nova telegrafia sem fio, ambos significativos do ponto de vista militar; a presteza com que o governo alemão nacionalizou parcelas de sua indústria; e, acima de tudo, a política sistemática de industrialização do governo russo a partir dos anos 1890 — os governos e a

A ERA DOS IMPÉRIOS

opinião pública encaravam o setor público apenas como uma espécie de complemento menor à economia privada, mesmo em se considerando o crescimento acentuado da administração pública (sobretudo municipal) na Europa, na área do serviço direto como na das empresas de utilidade pública. Os socialistas não partilhavam dessa crença na supremacia do setor privado, embora dessem pouca ou nenhuma atenção aos problemas de uma economia socializada. Talvez possam ter considerado essas iniciativas municipais como um "socialismo municipalista", mas a maioria delas se devia a autoridades sem intenções, nem mesmo simpatias, socialistas. As economias modernas amplamente controladas, organizadas e dominadas pelo Estado foram produto da Primeira Guerra Mundial. Entre 1875 e 1914, a parcela dos crescentes produtos nacionais que os gastos públicos consumiam na maioria dos países líderes tendeu a se reduzir: e isto apesar do acentuado aumento dos gastos com os preparativos para a guerra.[26]

Esses foram os rumos do crescimento e da transformação do mundo "desenvolvido". Contudo, o que mais forte impacto causava nas pessoas do mundo "desenvolvido" e industrial à época era, mais até que a evidente transformação de suas economias, seu ainda mais evidente êxito. Vivia-se, obviamente, num tempo de prosperidade. Até as massas trabalhadoras se beneficiaram com essa expansão, ao menos na medida em que a economia industrial de 1875-1914 era predominantemente do tipo mão de obra intensiva e sua oferta de trabalho não especializado, ou de aprendizado rápido, para homens e mulheres que afluíam à cidade e à indústria parecia quase ilimitada. Foi isso que permitiu que os europeus que emigraram para os EUA se adaptassem a um mundo industrial. Contudo, embora a economia fornecesse trabalho, ainda não propiciava mais que um alívio modesto, às vezes mínimo, à miséria que a maioria dos trabalhadores encarou, no transcurso da maior parte da história, como seu destino. Na mitologia retrospectiva das classes operárias, as décadas

UMA ECONOMIA MUDANDO DE MARCHA

que precederam 1914 não figuram como uma idade de ouro, como no caso dos europeus ricos ou mesmo da mais modesta classe média. Para estes, a *belle époque* foi de fato o paraíso que seria perdido após 1914. Para os homens de negócio e os governos posteriores à guerra, 1913 seria o ponto de referência permanente, ao qual eles aspiravam retomar, deixando para trás uma era problemática. Vistos dos nublados e conturbados anos do pós-guerra, os momentos excepcionais do último *boom* anterior a ela faziam figura de ensolarada "normalidade", a que ambos aspiravam retomar. Em vão. Pois, como veremos, as mesmas tendências da economia pré-1914, que tornaram a era tão dourada para as classes médias, empurraram-na à guerra mundial, à revolução e aos distúrbios, excluindo a hipótese de uma volta ao paraíso perdido.

3. A ERA DOS IMPÉRIOS

"Apenas uma confusão política completa e um otimismo ingênuo podem impedir que se reconheça que os esforços inevitáveis em favor da expansão comercial de todas as nações civilizadas, sob controle da burguesia, após um período de transição de concorrência aparentemente pacífica, aproximam-se nitidamente do ponto em que apenas o poder decidirá a parte que caberá a cada nação no controle econômico da Terra e, portanto, a esfera de ação de seus povos e, especialmente, do potencial de ganho de seus trabalhadores."

Max Weber, 1894[1]

"'Quando estiverdes entre os chineses'... diz [o imperador da Alemanha], 'lembrai que sois a vanguarda da Cristandade e atravessai com vossas baionetas todo odioso infiel de marfim que virdes. Fazei-os compreender o que significa a nossa civilização ocidental... E, se por um acaso, tomardes uma pequena extensão de terra enquanto isso, não deixeis nunca que um francês ou um russo a tomem de vós.'"

Mr. Dooley's Philosophy, 1900[2]

1.

Era muito provável que uma economia mundial cujo ritmo era determinado por seu núcleo capitalista desenvolvido ou em desenvolvimento se transformasse num mundo onde os "avançados" dominariam os "atrasados"; em suma, num mundo de império. Mas, paradoxalmente,

A ERA DOS IMPÉRIOS

o período entre 1875 e 1914 pode se chamado de Era dos Impérios não apenas por ter criado um novo tipo de imperialismo, mas também por um motivo muito mais antiquado. Foi provavelmente o período da história mundial moderna em que chegou ao máximo o número de governantes que se autodenominavam "imperadores", ou que eram considerados pelos diplomatas ocidentais como merecedores desse título.

Na Europa, os governantes da Alemanha, Áustria, Rússia, Turquia e (em sua qualidade de dirigentes da Índia) Grã-Bretanha reivindicavam esse título. Dois deles (Alemanha e Grã-Bretanha/Índia) eram inovações dos anos 1870. Eles mais que compensaram o desaparecimento do "Segundo Império" de Napoleão III, da França. Fora da Europa, os dirigentes da China, Japão, Pérsia e — talvez com maior cortesia diplomática internacional — Etiópia e Marrocos* eram normalmente autorizados a usar esse título, ao passo que, até 1889, sobreviveu um imperador americano, o do Brasil. Pode-se acrescentar à lista um ou dois imperadores ainda mais obscuros. Em 1918, cinco deles haviam desaparecido. Hoje (1987) o único sobrevivente titular desse seleto grupo de supermonarcas é o governante do Japão, cujo perfil político é fraco e cuja influência política é insignificante.

Em um sentido menos superficial, o período que nos ocupa é obviamente a era de um novo tipo de império, o colonial. A supremacia econômica e militar dos países capitalistas há muito não era seriamente ameaçada, mas não houvera nenhuma tentativa sistemática de traduzi-la em conquista formal, anexação e administração entre o final do século XVIII e o último quartel do XIX. Isto se deu entre 1880 e 1914, e a maior parte do mundo, à exceção da Europa e das Américas, foi formalmente dividida em territórios sob governo direto ou sob dominação política indireta de um ou outro Estado de um pequeno grupo: principal-

---

* O sultão do Marrocos prefere o título de "rei". Nenhum dos outros minissultões sobreviventes do mundo islâmico era ou podia ser encarado como "rei dos reis".

A ERA DOS IMPÉRIOS

mente Grã-Bretanha, França, Alemanha, Itália, Holanda, Bélgica, EUA e Japão. As vítimas desse processo foram, até certo ponto, os antigos impérios europeus pré-industriais sobreviventes da Espanha e de Portugal, o primeiro mais que o segundo, apesar de tentativas de estender o território sob seu controle no noroeste africano. Entretanto, a permanência dos principais territórios portugueses na África (Angola e Moçambique), que sobreviveriam às outras colônias imperialistas, deveu-se basicamente à incapacidade de seus rivais modernos chegarem a um acordo quanto à maneira exata de dividi-los entre si. Nenhuma rivalidade desse tipo salvou os despojos do Império Espanhol nas Américas (Cuba, Porto Rico) e no Pacífico (Filipinas) dos EUA em 1898. A maioria dos grandes impérios tradicionais da Ásia permaneceu nominalmente independente, embora as potências ocidentais tenham delimitado ali "zonas de influência" ou mesmo de administração direta que (como no caso do acordo anglo--russo sobre a Pérsia em 1907) podiam cobrir a totalidade do território. Na verdade, seu desamparo político e militar era dado como certo. Sua independência dependia de sua utilidade como Estados-tampão (como o Sião — hoje Tailândia —, que separava as zonas britânica e francesa no sudeste asiático, ou do Afeganistão, que separava a Grã-Bretanha e a Rússia), da incapacidade de as potências imperiais rivais concordarem numa fórmula para a divisão, ou meramente de sua extensão. O único Estado não europeu que resistiu com êxito à conquista colonial formal, quando esta foi tentada, foi a Etiópia, que conseguiu resistir à Itália, o mais fraco dos Estados imperiais.

Duas regiões maiores do mundo foram, para fins práticos, inteiramente divididas: África e Pacífico. Não restou qualquer Estado independente no Pacífico, então totalmente distribuído entre britânicos, franceses, alemães, holandeses, norte-americanos e — ainda em escala modesta — japoneses. Por volta de 1914, a África pertencia inteiramente aos impérios britânico, francês, alemão, belga, português e, marginalmente,

A ERA DOS IMPÉRIOS

espanhol, à exceção da Etiópia, da insignificante Libéria e daquela parte do Marrocos que ainda resistia à conquista completa. A Ásia, como vimos, conservava uma extensa área nominalmente independente, embora os mais antigos dos impérios europeus tenham ampliado e completado seus vastos domínios — a Grã-Bretanha, anexando a Birmânia ao seu Império Indiano e implantando ou reforçando a zona de influência nas áreas do Tibete, da Pérsia e do Golfo Pérsico; a Rússia, avançando sobre a Ásia Central e (com menos êxito) sobre a Sibéria e a Manchúria do lado do Pacífico; os holandeses, implementando um controle mais firme nas regiões mais distantes da Indonésia. Dois impérios praticamente novos foram criados pela conquista francesa da Indochina, iniciada no governo de Napoleão III, e pela conquista japonesa da Coreia e de Taiwan (1895), à custa da China, e, posteriormente, de forma mais modesta, à custa da Rússia (1905). Só uma das regiões principais do planeta não foi afetada substancialmente por esse processo de divisão. As Américas eram, em 1914, o que haviam sido em 1875, ou, neste sentido, nos anos 1820: uma coleção única de repúblicas soberanas, com exceção do Canadá, das ilhas do Caribe e de partes do litoral caribenho. À exceção dos EUA, seu *status* político raramente impressionava alguém, além de seus vizinhos. Era perfeitamente claro que, do ponto de vista econômico, elas eram dependentes do mundo desenvolvido. Contudo, nem os EUA, que crescentemente afirmavam sua hegemonia política e militar na área, tentaram seriamente conquistá-las e administrá-las. Suas únicas anexações diretas se restringiram a Porto Rico (permitindo que Cuba mantivesse uma independência meramente nominal) e a uma estreita faixa ao longo do novo Canal do Panamá, que fazia parte de outra república pequena e nominalmente independente — para este fim destacada da Colômbia, bem maior, por uma revolução local conveniente. Na América Latina, a dominação econômica e a pressão política, quando necessárias, eram implementadas sem conquista formal. As Américas constituíam, é claro,

100

a única região importante do globo onde não houve rivalidade séria entre grandes potências. À exceção da Grã-Bretanha, nenhum Estado europeu possuía mais que restos dispersos dos impérios coloniais (principalmente caribenho) do século XVIII, sem maior significado econômico ou outro. Nem os britânicos nem qualquer das outras nacionalidades viam boa razão para hostilizar os EUA, desafiando a Doutrina Monroe.[*]

Essa repartição do mundo entre um pequeno número de Estados, que dá título ao presente volume, foi a expressão mais espetacular da crescente divisão do planeta em fortes e fracos, em "avançados" e "atrasados", que já observamos. Foi também notavelmente nova. Entre 1876 e 1915, cerca de um quarto da superfície continental do globo foi distribuído ou redistribuído, como colônia, entre meia dúzia de Estados. A Grã-Bretanha aumentou seus territórios em cerca de 10 milhões de quilômetros quadrados, a França em cerca de 9, a Alemanha conquistou mais de 2 milhões e meio, a Bélgica e a Itália pouco menos que essa extensão cada uma. Os EUA conquistaram cerca de 250 mil, principalmente da Espanha, o Japão algo em torno da mesma quantidade à custa da China, da Rússia e da Coreia. As antigas colônias africanas de Portugal se ampliaram em cerca de 750 mil quilômetros quadrados; a Espanha, mesmo sendo uma perdedora líquida (para os EUA), ainda conseguiu tomar alguns territórios pedregosos no Marrocos e no Saara Ocidental. O crescimento da Rússia imperial é mais difícil de avaliar, pois todo ele se deu em territórios adjacentes e constituiu o prosseguimento de alguns séculos de expansão territorial do Estado czarista; ademais, como veremos, a Rússia perdeu algum território para o Japão. Dentre os principais

---

[*] Esta doutrina, expressa pela primeira vez em 1823 e subsequentemente repetida e elaborada pelos governos dos EUA, manifestava hostilidade a qualquer outra colonização ou intervenção política de potências europeias no hemisfério ocidental. Mais tarde, isto passou a significar que os EUA eram a única potência com o direito de interferir em qualquer ponto do hemisfério. À medida que os EUA foram se tornando mais poderosos, a Doutrina Monroe foi sendo encarada com mais seriedade pelos Estados europeus.

impérios coloniais, apenas o holandês não conseguiu, ou não quis, adquirir novos territórios, salvo por meio da extensão de seu controle efetivo às ilhas indonésias, que havia muito "possuía" formalmente. Dentre os menores, a Suécia liquidou a única colônia que lhe restava, uma ilha das Índias Ocidentais, vendendo-a à França, e a Dinamarca estava prestes a fazer o mesmo — conservando apenas a Islândia e a Groenlândia como territórios dependentes.

O mais espetacular não é necessariamente o mais importante. Quando os observadores do panorama mundial do final dos anos 1890 começaram a analisar o que parecia obviamente uma nova fase no padrão geral de desenvolvimento nacional e internacional, notavelmente diferente do mundo liberal de livre comércio e livre concorrência, de meados do século, eles consideraram a criação de impérios coloniais apenas um de seus aspectos. Os observadores ortodoxos pensavam discernir, em termos gerais, uma nova era de expansão nacional na qual (como sugerimos) os elementos políticos e econômicos já não eram claramente separáveis e o Estado desempenhava um papel cada vez mais ativo e crucial tanto interna como externamente. Os observadores heterodoxos analisaram o período mais especificamente como uma nova fase de desenvolvimento capitalista, decorrente de várias tendências nele discerníveis. A mais influente dessas análises do que logo foi chamado de "imperialismo", o pequeno livro de Lenin de 1916, na verdade só abordou "a divisão do mundo entre as grandes potências" no sexto de seus dez capítulos.[3]

Entretanto, mesmo sendo o colonialismo apenas um dos aspectos de uma mudança mais geral das questões mundiais, foi, com toda clareza, o de impacto mais imediato. Ele constituiu o ponto de partida de análises mais amplas, pois não há dúvida de que a palavra "imperialismo" passou a fazer parte do vocabulário político e jornalístico nos anos 1890, no decorrer das discussões sobre a conquista colonial. Ademais, foi então que adquiriu a dimensão econômica que, como conceito, nunca mais

A ERA DOS IMPÉRIOS

perdeu. Eis por que são inúteis as referências às antigas formas de expansão política e militar em que o termo se fundamenta. Os imperadores e impérios eram antigos, mas o imperialismo era novíssimo. A palavra (que não figura nas obras de Karl Marx, falecido em 1883) foi introduzida na política na Grã-Bretanha, nos anos 1870, e ainda era considerada neologismo no fim da década. Sua explosão no uso geral data dos anos 1890. Por volta de 1900, quando os intelectuais começaram a escrever livros sobre o imperialismo, ele estava — para citar um dos primeiros deles, o liberal britânico J. A. Hobson — "na boca de todo mundo... e [era] usado para denotar o movimento mais poderoso na política atual do mundo ocidental".[4] Em suma, era um termo novo, criado para descrever um fenômeno novo. Este fato é evidente o bastante para descartar uma das muitas escolas participantes desse tenso e acirrado debate ideológico sobre o "imperialismo", a que argumentava que ele não era nada de novo, que talvez fosse mesmo um mero remanescente pré-capitalista. De qualquer maneira, era sentido e discutido como novo.

As discussões sobre esse tema sensível são tão apaixonadas, densas e confusas que a primeira tarefa do historiador é desemaranhá-las para que o fenômeno em si possa ser visto. Pois a maioria das discussões não tinha como tema o que aconteceu no mundo de 1875-1914, e sim o marxismo, tema capaz de suscitar sentimentos fortes: ocorre que a análise (altamente crítica) do imperialismo na versão de Lenin se tornaria central no marxismo revolucionário dos movimentos comunistas após 1917 e dos movimentos revolucionários do Terceiro Mundo. O que deu particular aspereza ao debate foi que um dos lados em disputa parece ter tido uma ligeira vantagem embutida — pois aqueles defensores e opositores do imperialismo se enfrentavam desde 1890 —, ou seja, a própria palavra adquiriu gradualmente, e agora é improvável que perca, uma conotação pejorativa. Ao contrário da "democracia" que, devido a suas conotações favoráveis, mesmo seus inimigos gostam de reivindicar, o "imperialismo"

A ERA DOS IMPÉRIOS

normalmente é algo reprovado e, portanto, feito por outros. Em 1914, inúmeros políticos orgulhavam-se de se denominarem imperialistas, mas no transcorrer de nosso século eles praticamente desapareceram de vista.

O cerne da análise leninista (que se baseava abertamente em vários autores da época, tanto marxianos como não marxianos) era de que as raízes econômicas do novo imperialismo residiam numa nova etapa específica de capitalismo que, entre outras coisas, levava à "divisão territorial do mundo entre as grandes potências capitalistas", configurando um conjunto de colônias formais e informais e de esferas de influência. As rivalidades entre as potências capitalistas que levaram a essa divisão também geraram a Primeira Guerra Mundial. Não precisamos discutir aqui os mecanismos específicos através dos quais o "capitalismo monopolista" levou ao colonialismo — as opiniões divergem a esse respeito, mesmo entre os marxistas — ou à ampliação mais recente dessa análise numa "teoria da dependência" de alcance mais geral, no fim do século XX. De uma forma ou de outra, todas partem do princípio de que a expansão econômica ultramarina e a exploração do mundo ultramarino foram cruciais para os países capitalistas.

Não seria particularmente interessante fazer uma crítica dessas teorias, o que seria irrelevante no presente contexto. O ponto a observar é apenas que os analistas não marxistas do imperialismo tenderam a arguir o oposto dos que os marxistas diziam, obscurecendo assim o tema. Tenderam a negar qualquer conexão específica entre o imperialismo do fim do século XIX e do século XX com o capitalismo em geral, ou com sua etapa particular que, como vimos, parecia emergir no final do século XIX. Negaram que o imperialismo tivesse raízes econômicas importantes, que beneficiasse economicamente os países imperiais e, menos ainda, que a exploração das zonas atrasadas fosse, de alguma forma, essencial ao capitalismo, e que seus efeitos nas economias coloniais fossem negativos. Argumentaram que o imperialismo não levou a rivalidades incontornáveis entre as potências imperiais e que sua relação com a origem da Primeira Guerra Mundial não foi significativa. Rejeitando as explicações

A ERA DOS IMPÉRIOS

econômicas, eles se concentraram em argumentos de ordem psicológica, ideológica, cultural e política, embora normalmente evitassem com todo cuidado o terreno perigoso da política interna, pois os marxistas também tendiam a ressaltar as vantagens que as classes dirigentes metropolitanas auferiam com as políticas e propaganda imperialistas, pois estas, entre outras coisas, se contrapunham ao crescente interesse das classes trabalhadoras pelos movimentos operários de massa. Alguns desses contra-ataques se mostraram poderosos e eficazes, embora muitas dessas linhas de argumentação fossem mutuamente incompatíveis. Na verdade, boa parte da literatura teórica pioneira do anti-imperialismo não é defensável. Mas a desvantagem da literatura contrária a ela é a não explicação efetiva da conjugação de fatores econômicos e políticos, nacionais e internacionais, cujo impacto seus contemporâneos acharam tão importante, por volta de 1900, que procuraram dar-lhes uma explicação abrangente. Ela não explica por que seus contemporâneos acharam que o "imperialismo" era a um só tempo uma novidade e um acontecimento historicamente *central*. Em suma, boa parte dessa literatura se limita a negar fatos que eram bastante óbvios à época e ainda o são.

Deixando o leninismo e o antileninismo de lado, a primeira coisa que o historiador tem de restabelecer é o fato óbvio, que ninguém teria negado nos anos 1890, de que a divisão do globo tinha uma dimensão econômica. Demonstrá-lo não é explicar tudo sobre o período do imperialismo. O desenvolvimento econômico não é uma espécie de ventríloquo com o resto da história como seu boneco. Neste sentido, mesmo o homem de negócios mais limitado à procura do lucro em, digamos, minas sul-africanas de ouro e diamantes jamais pode ser tratado exclusivamente como uma máquina de ganhar dinheiro. Ele não ficava imune aos apelos políticos, emocionais, ideológicos, patrióticos ou mesmo raciais associados de modo tão patente à expansão imperial. Entretanto, embora seja possível determinar uma conexão econômica entre as tendências do desenvolvimento econômico no centro capitalista do mundo, na época, e sua expansão na periferia, torna-se muito menos plausível imputar todo o peso da explicação do imperialismo a motivos que não tenham uma conexão intrínseca com a penetração e a conquista do mundo não ocidental. E mesmo os que parecem ter, como os cálculos estratégicos das potências rivais, devem ser analisados tendo em mente a dimensão econômica. Nem a política atual no Oriente Médio, que está longe de ser explicável apenas em termos econômicos, pode ser discutida realisticamente sem levar em conta o petróleo.

Então, o fato maior do século XIX é a criação de uma economia global única, que atinge progressivamente as mais remotas paragens do mundo, uma rede cada vez mais densa de transações econômicas, comunicações e movimentos de bens, dinheiro e pessoas ligando os países desenvolvidos entre si e ao mundo não desenvolvido (veja *A era do capital*, capítulo 3). Sem isso não haveria um motivo especial para que os Estados europeus tivessem um interesse algo mais que fugaz nas questões, digamos, da bacia do rio Congo, ou tivessem se empenhado em disputas diplomáticas em torno de algum atol do Pacífico. Essa globalização da economia não era nova, embora tivesse se acelerado consideravelmente nas décadas centrais do século. Ela continuou a crescer — menos notavelmente em termos relativos, porém mais maciçamente em termos de volume e cifras — entre 1875 e 1914. As exportações europeias, de fato, tinham mais que quadruplicado entre 1848 e 1875, ao passo que entre esta última data e 1915 apenas duplicaram. Mas a navegação mercante mundial, entre 1840 e 1870, passou só de 10 para 16 milhões de toneladas, para dobrar nos quarenta anos seguintes, enquanto a rede ferroviária mundial passava de pouco mais de 200 mil quilômetros (1870) para mais de 1 milhão às vésperas da Primeira Guerra Mundial.

Essa malha de transportes cada vez mais fina incorporou até os países atrasados e anteriormente marginais à economia mundial, e criou nos velhos centros de riqueza e desenvolvimento um interesse novo por essas áreas remotas. De fato, agora que eram acessíveis, muitas dessas regiões pareciam à primeira vista meras extensões potenciais do mundo desenvolvido, que já estavam sendo povoadas e desenvolvidas por homens e mulheres de origem europeia, eliminando ou repelindo os habitantes nativos, gerando cidades e, sem dúvida, com o tempo, civilização industrial: EUA a oeste do Mississippi, Canadá, Austrália, Nova Zelândia, África do Sul, Argélia, o Cone Sul da América do Sul. A previsão, como veremos, estava errada. Entretanto, embora muitas vezes remotas, essas áreas eram, na mentalidade da época, diferentes daquelas outras regiões que, por motivos climáticos, não atraíam o povoamento branco, mas aonde — citando um destacado administrador imperial da época — "o europeu podia ir, em número reduzido, com seu capital, sua energia e seu conhecimento para desenvolver um comércio extremamente lucrativo e obter produtos necessários ao uso de sua civilização avançada".[5]

De fato, a sua civilização agora precisava do exótico. O desenvolvimento tecnológico agora dependia de matérias-primas que, devido ao clima ou ao acaso geológico, seriam encontradas exclusiva ou profusamente em lugares remotos. O motor de combustão interna, criação típica do período que nos ocupa, dependia do petróleo e da borracha. O petróleo ainda vinha predominantemente dos EUA e da Europa (da Rússia e, muito atrás, da Romênia), mas os campos petrolíferos do Oriente Médio já eram objeto de intenso confronto e conchavo diplomático. A borracha era um produto exclusivamente tropical, extraída com uma exploração atroz de nativos nas florestas equatoriais do Congo e da Amazônia, alvo de protestos anti-imperialistas precoces e justificados. Com o tempo, foi extensamente cultivada na Malaia.[*] O estanho provinha da Ásia e da América do Sul. Os metais não ferrosos, que anteriormente

---

[*] *Malaia*: nome da Malásia antes de sua independência. (N.T.)

A ERA DOS IMPÉRIOS

eram irrelevantes, tornaram-se essenciais para as ligas de aço exigidas pela tecnologia da alta velocidade. Alguns deles eram abundantes no mundo desenvolvido, notadamente nos EUA, mas outros não. As novas indústrias elétrica e de motores precisavam muito de um dos metais mais antigos, o cobre. Suas principais reservas e, por conseguinte, seus maiores produtores, estavam no que o final do século XX chamaria de Terceiro Mundo: Chile, Peru, Zaire, Zâmbia. E, é claro, havia uma demanda constante e nunca satisfeita de metais preciosos que, neste período, transformaram a África do Sul, de longe, no maior produtor de ouro do mundo, sem contar sua riqueza em diamantes. As minas eram os principais pioneiros da abertura do mundo ao imperialismo, muito eficazes nesse papel, porque os lucros eram suficientemente excepcionais para justificar também a construção de ramais de ferrovias.

Independentemente das exigências de uma nova tecnologia, o crescimento do consumo de massa nos países metropolitanos gerou um mercado em rápida expansão para os produtos alimentícios. Em volume absoluto, ele era dominado pelos produtos alimentícios básicos da zona temperada, cereais e carne, agora produzidos de modo barato e em grandes quantidades em várias zonas de povoamento europeu — América do Sul e do Norte, Rússia e Australásia. Mas ele também transformou o mercado dos produtos havia muito — e caracteristicamente — conhecidos (ao menos em alemão) como "bens coloniais" e vendidos nos armazéns do mundo desenvolvido: açúcar, chá, café, cacau e seus derivados. Com o transporte rápido e a conservação, as frutas tropicais e subtropicais passaram a estar disponíveis: eles viabilizaram a *banana republic*.

Os britânicos, que haviam consumido 700 gramas de chá *per capita* nos anos 1840 e 1,5 kg nos anos 1860, estavam consumindo 2,6 kg nos anos 1890, mas isso representava uma média anual de importação de 102 mil toneladas, contra menos de 45 mil toneladas nos anos 1860 e cerca de 18 mil nos anos 1840. Enquanto os britânicos abandonavam

A ERA DOS IMPÉRIOS

as poucas xícaras de café que bebiam, para encher seus bules com chá da Índia e do Ceilão (Sri Lanka), os americanos e alemães importavam café em quantidades cada vez mais espetaculares, notadamente da América Latina. No início dos anos 1900, as famílias de Nova York consumiam meio quilo de café por semana. Os fabricantes Quaker de bebidas e chocolate da Inglaterra, felizes por distribuir bebidas não alcoólicas, obtinham sua matéria-prima na África Ocidental e na América do Sul. Os astutos homens de negócios de Boston, que fundaram a United Fruit Company em 1885, criaram impérios privados no Caribe para fornecer à América a antes insignificante banana. Os fabricantes de sabão, explorando o primeiro mercado a demonstrar cabalmente a potencialidade da nova indústria publicitária, voltaram-se para os óleos vegetais da África. As *plantations*, as grandes propriedades rurais e as fazendas eram o segundo pilar das economias imperiais. Os comerciantes e financistas metropolitanos eram o terceiro.[6]

Esses fatos não mudaram a forma nem o caráter dos países industrializados ou em processo de industrialização, embora tenham criado novos ramos de grandes negócios, cujos destinos ligavam-se intimamente aos de determinadas partes do planeta, como as companhias de petróleo. Mas transformaram o resto do mundo, na medida em que o tornaram um complexo de territórios coloniais e semicoloniais que crescentemente evoluíam em produtores especializados de um ou dois produtos primários de exportação para o mercado mundial, de cujos caprichos eram totalmente dependentes. A Malaia cada vez mais significava borracha e estanho; o Brasil, café; o Chile, nitratos; o Uruguai, carne; Cuba, açúcar e charutos. Na verdade, à exceção dos EUA, mesmo as colônias de povoamento branco fracassaram em sua industrialização (nesta etapa), porque também ficaram presas na gaiola da especialização internacional. Elas podiam tornar-se extraordinariamente prósperas, mesmo para padrões europeus, sobretudo quando seus habitantes eram imigrantes europeus livres e, em geral, militantes com força política em assembleias eleitas, cujo radicalismo democrático podia ser tremendo, embora normalmente não incluísse os nativos.* Um europeu que desejasse emigrar, na Era dos Impérios, provavelmente teria feito melhor em ir para a Austrália, Nova Zelândia, Argentina ou Uruguai do que para qualquer outro lugar, inclusive os EUA. Todos esses países desenvolveram partidos trabalhistas e radical-democratas, ou mesmo governos, e ambiciosos sistemas públicos de bem-estar e previdência social (Nova Zelândia, Uruguai) muito antes dos Estados europeus. Mas o fizeram como complementos da economia industrial europeia (isto é, essencialmente britânica) e, portanto, para eles — ou, em todo caso, para os interesses vinculados à exportação de produtos primários — não era negócio se industrializar. Não que as metrópoles fossem receber de braços abertos sua industrialização. Qualquer que fosse a retórica oficial, a função das colônias e das dependências informais era complementar as economias metropolitanas e não fazer-lhes concorrência.

Os territórios dependentes que não pertenciam ao que foi denominado "capitalismo de povoamento" (branco) não se saíram tão bem. Seu interesse econômico residia na combinação de recursos a uma força de trabalho que, composta de "nativos", custava pouco e podia ser mantida barata. Entretanto, as oligarquias de proprietários de terras e de comerciantes agentes de potências estrangeiras — locais, importados da Europa ou ambos — e, onde existiam, de seus governantes, beneficiavam-se com a duração absoluta do período de expansão das matérias-primas de exportação de suas regiões, interrompido apenas por crises breves, embora às vezes dramáticas (como na Argentina em 1890), geradas pelo ciclo comercial, pela excessiva especulação, pela paz e a guerra. Entretanto,

---

* Na verdade, a democracia branca os excluía dos benefícios conquistados para os de pele branca, e inclusive se recusava a considerá-los como plenamente humanos.

A ERA DOS IMPÉRIOS

embora a Primeira Guerra Mundial tenha desorganizado alguns de seus mercados, os produtores dependentes estavam muito distantes dela. Do ponto de vista destes, a Era dos Impérios, que começou no final do século XIX, durou até a Grande Depressão de 1929-1933. Ainda assim, no transcurso deste período eles se tornariam crescentemente vulneráveis, pois suas fortunas eram, cada vez mais, função do preço do café (que em 1914 já era responsável por 58% do valor das exportações brasileiras e 53% das colombianas), da borracha, do estanho, do cacau, da carne ou da lã. Porém, até a queda vertical dos preços das mercadorias primárias durante a Depressão de 1929, essa vulnerabilidade, quando considerada a longo prazo, não parecia ser muito significativa comparada à aparentemente ilimitada expansão das exportações e dos créditos. Ao contrário, como vimos, antes de 1914 os termos de troca pareciam evoluir a favor dos fornecedores de produtos primários.

Entretanto, a importância econômica crescente dessas áreas para a economia mundial não explica por que, entre outras coisas, os principais Estados industriais deveriam ter se precipitado em dividir o planeta em colônias e esferas de influência. A análise anti-imperialista sugeriu vários motivos pelos quais os acontecimentos deveriam ter-se desenrolado assim. O mais conhecido deles — a pressão do capital por investimentos mais rentáveis do que os realizados em seu próprio país, garantidos contra a rivalidade do capital estrangeiro — é o menos convincente. Como a exportação britânica de capital se expandiu imensamente no último terço do século e, de fato, a renda desses investimentos se tornou essencial para o balanço de pagamentos britânico, era perfeitamente natural relacionar o "novo imperialismo" às exportações de capital, como fez J. A. Hobson. Mas não há como negar que, na verdade, muito pouco desse fluxo maciço tomou o rumo dos novos impérios coloniais: a maior parte do investimento ultramarino britânico se dirigiu às colônias de povoamento branco — que estavam se desenvolvendo rapidamente e eram em geral

111

A ERA DOS IMPÉRIOS

antigas — que, em breve, teriam reconhecido o *status* de "domínios" praticamente independentes (Canadá, Austrália, Nova Zelândia, África do Sul), e aos que podem ser chamados de domínios "honorários", como a Argentina e o Uruguai, sem falar nos EUA. Ademais, o grosso desses investimentos (76% em 1913) tomou a forma de empréstimos públicos a ferrovias e empresas de serviços públicos, que certamente remuneravam melhor que o investimento na dívida interna do governo britânico — com médias respectivamente de 5% e 3% —, mas eram, por certo, igualmente menos lucrativos que os benefícios do capital industrial na Grã-Bretanha, exceto, sem dúvida, para os banqueiros que os administravam. Esperava-se que fossem investimentos mais seguros do que altamente remuneradores. Nenhum desses fatores significa que as colônias não foram adquiridas porque algum grupo de investidores não esperasse enriquecer da noite para o dia, ou em defesa de investimentos já realizados. Independentemente da ideologia, o motivo para a Guerra dos Boers foi o ouro.

Um motivo geral mais convincente para a expansão colonial foi a procura de mercados. O fato de esta muitas vezes fracassar é irrelevante. Era amplamente disseminada a crença de que a "superprodução" da Grande Depressão poderia ser resolvida por meio de um vasto esforço de exportação. Os homens de negócios, sempre propensos a preencher os espaços em branco no mapa do comércio mundial com altos números de clientes potenciais, naturalmente procurariam estas áreas inexploradas: a China, uma das que povoava a imaginação dos homens de venda — e se cada um daqueles 300 milhões comprasse apenas uma caixa de percevejos de estanho? — e a África, o continente desconhecido, a outra. As Câmaras de Comércio das cidades britânicas, no início dos anos 1880, em plena Depressão, ficaram indignadas só de pensar que as negociações diplomáticas podiam impedir o acesso de seus comerciantes à bacia do Congo, que se acreditava oferecer indizíveis perspectivas de vendas, ainda mais quando esta colônia estava sendo explorada por aquele homem de negó-

A ERA DOS IMPÉRIOS

cios coroado, o rei dos belgas, Leopoldo II,[7] como um projeto lucrativo. (Seu método favorito de exploração, por meio do trabalho forçado, não visava a incentivar elevadas compras *per capita*, isso quando não diminuía efetivamente o número de clientes com a tortura e o massacre.)

Mas o ponto crucial da situação econômica global foi que um certo número de economias desenvolvidas sentiu simultaneamente a necessidade de novos mercados. Quando sua força era suficiente, seu ideal eram "portas abertas" nos mercados do mundo subdesenvolvido; caso contrário, elas tinham a esperança de conseguir para si territórios que, em virtude da sua dominação, garantissem à economia nacional uma posição monopolista ou ao menos uma vantagem substancial. A consequência lógica foi a repartição das terras não ocupadas do Terceiro Mundo. Em um certo sentido, tratava-se da extensão do protecionismo, que ganhou terreno em quase todas as partes após 1879 (veja o capítulo anterior). "Se vocês não fossem protecionistas tão teimosos", disse o primeiro-ministro britânico ao embaixador francês em 1897, "não nos achariam tão ávidos por anexar territórios."[8] Portanto, o "novo imperialismo" foi o subproduto natural de uma economia internacional baseada na rivalidade entre várias economias industriais concorrentes, intensificada pela pressão econômica dos anos 1880. Daí não decorre que se esperasse a transformação de qualquer colônia em particular, por si só, no Eldorado, embora isto tenha efetivamente acontecido no caso da África do Sul, que se tornou o maior produtor mundial de ouro. As colônias podiam propiciar apenas bases adequadas ou trampolins para a penetração na economia da região. Isto foi declarado com toda clareza por um funcionário do Departamento de Estado dos EUA por volta da virada do século, quando os EUA seguiram o estilo internacional fazendo uma breve investida visando à construção de um império colonial próprio.

A essa altura torna-se difícil separar os motivos econômicos para a aquisição de territórios coloniais da ação política necessária para este fim, pois o protecionismo de qualquer tipo é a economia operando com a ajuda da política. O motivo estratégico para a colonização era evidentemente mais forte na Grã-Bretanha, que tinha colônias de há muito estabelecidas em locais cruciais para o controle do acesso a várias regiões terrestres e marítimas, consideradas como vitais para os interesses mundiais comerciais e marítimos britânicos ou que, com o surgimento do navio a vapor, podiam funcionar como postos de abastecimento de carvão. (Gibraltar e Malta são antigos exemplos das primeiras, Bermudas e Aden vieram a ser exemplos úteis das segundas.) Sem esquecer o significado simbólico ou real que tem para os ladrões obter uma parcela apropriada do produto da pilhagem. Uma vez que as potências rivais começaram a recortar o mapa da África ou da Oceania, cada uma delas tentou, naturalmente, evitar que uma porção excessiva (ou uma parcela particularmente atraente) fosse para outras mãos. Uma vez que o *status* de grande potência se associou, assim, à sua bandeira tremulando em alguma praia bordada de palmeiras (ou, mais provavelmente, em áreas cobertas de arbustos secos), a aquisição de colônias se tornou um símbolo de *status* em si, independentemente de seu valor. Por volta de 1900, até os EUA, cujo tipo de imperialismo nunca antes nem depois fora especialmente associado à posse de colônias formais, sentiram-se obrigados a adotar o modelo. A Alemanha ficou profundamente ofendida por uma nação tão poderosa e dinâmica como ela possuir uma parte tão notavelmente menor de território colonial que os britânicos e franceses, embora também a importância econômica de suas colônias fosse pouca, e a estratégica ainda menor. A Itália insistiu em tomar extensões decididamente desinteressantes de desertos e montanhas africanas, no intuito de dar respaldo à sua posição de grande potência; e, sem dúvida, seu fracasso na conquista da Etiópia em 1896 prejudicou essa posição.

Se as grandes potências eram Estados que adquiriam colônias, as pequenas nações não tinham, por assim dizer, "nenhum direito" a elas. A

A ERA DOS IMPÉRIOS

Espanha perdeu a maior parte do que lhe restava de império colonial em decorrência da Guerra Hispano-Americana de 1898. Como vimos, foram seriamente discutidos planos de repartir o remanescente do Império Africano de Portugal entre os novos colonialistas. Apenas os holandeses mantiveram, em silêncio, suas ricas e antigas colônias (principalmente no sudeste asiático), e, ao rei dos belgas, como também vimos, foi permitido demarcar seu domínio privado na África, com a condição de manter seu acesso aberto a todos, porque nenhuma grande potência estava disposta a dar à outra uma parte significativa da grande bacia do rio Congo. Devemos, é claro, acrescentar que em vastas extensões da Ásia e das Américas uma repartição maciça por potências europeias estava fora de questão por motivos políticos. Nas Américas, a situação das colônias europeias sobreviventes estava congelada pela Doutrina Monroe: só os EUA tinham liberdade de ação. Na maior parte da Ásia, a luta era por esferas de influência em Estados nominalmente independentes, notadamente China, Pérsia e Império Otomano. Havia a exceção dos russos e dos japoneses — os primeiros estendendo com êxito sua área na Ásia Central, mas fracassando na conquista de parcelas apreciáveis no norte da China, os últimos incorporando a Coreia e Formosa (Taiwan) como resultado de uma guerra com a China em 1894-1895. As principais regiões onde havia competição pela detenção de terras ficavam, assim, na prática, na África e na Oceania.

Assim sendo, explicações essencialmente estratégicas do imperialismo atraíram alguns historiadores, que tentaram colocar os motivos da expansão britânica na África em termos da necessidade de defender as rotas para a Índia, bem como suas vias de acesso marítimas e terrestres, contra ameaças potenciais. De fato, é importante recordar que, globalmente falando, a Índia era o cerne da estratégia britânica e que esta exigia o controle não apenas das rotas marítimas curtas (Egito, Oriente Médio, Mar Vermelho, Golfo Pérsico e Arábia do Sul) e longas (Cabo da Boa Esperança e Cin-

115

A ERA DOS IMPÉRIOS

gapura) para o subcontinente, mas de todo o Oceano Índico inclusive de setores cruciais do litoral e do interior da África. Os governos britânicos tinham aguda consciência disto. Também é verdade que a desintegração do poder local em algumas áreas cruciais para este fim, como o Egito (incluindo o Sudão), levou os britânicos a implementarem uma presença política direta muito maior que sua intenção inicial e, inclusive, governo efetivo. Contudo, esses argumentos não invalidam uma análise econômica do imperialismo. Em primeiro lugar, eles subestimam o incentivo diretamente econômico para a aquisição de alguns territórios africanos, dos quais o sul da África é o mais óbvio. A disputa pela África Ocidental e pelo Congo, em todo o caso, foi basicamente econômica. Em segundo lugar, eles passam por alto o fato de a Índia ser a "gema mais esplêndida da coroa imperial" e o cerne do pensamento estratégico britânico global, justamente em virtude de sua importância muito real para a economia britânica. Esta importância nunca foi maior que então, quando até 60% das exportações britânicas de algodão iam para a Índia e o Extremo Oriente, principalmente para a Índia — só para ela foram 40-45% —, e o balanço de pagamentos internacional da Grã-Bretanha dependia do superávit propiciado pela Índia. Em terceiro lugar, a própria desintegração dos governos nacionais locais, que às vezes acarretou a implantação de um governo europeu em áreas que os europeus anteriormente não tinham se preocupado em administrar, derivou do fato de as estruturas locais terem sido solapadas pela penetração econômica. Por fim, é vã a tentativa de provar que nada no desenvolvimento interno do capitalismo ocidental nos anos 1880 explica a redivisão territorial do mundo, pois o capitalismo mundial nesse período foi claramente diferente do que fora nos anos 1860. Agora, ele consistia numa pluralidade de "economias nacionais" rivais, "protegendo-se" umas das outras. Em suma, a política e a economia não podem ser separadas na sociedade capitalista, assim como a religião e a sociedade não podem ser isoladas nas regiões islâmicas. A tentativa de

A ERA DOS IMPÉRIOS

formular uma explicação puramente não econômica para o "novo imperialismo" é tão irrealista como a de explicar em termos puramente não econômicos o surgimento dos partidos operários.

Na verdade, o surgimento dos movimentos operários ou, de maneira mais geral, da política democrática (veja o próximo capítulo) teve uma relação nítida com o surgimento do "novo imperialismo". A partir do momento em que o grande imperialista Cecil Rhodes observou em 1895 que, para evitar a guerra civil, era preciso se tornar imperialista,[9] a maioria dos observadores se conscientizou do assim chamado "imperialismo social", isto é, da tentativa de usar a expansão imperial para diminuir o descontentamento interno por meio de avanço econômico ou reforma social, ou de outras maneiras. Não há dúvida de que todos os políticos eram perfeitamente conscientes dos benefícios potenciais do imperialismo. Em alguns casos — notadamente na Alemanha — o surgimento do imperialismo foi basicamente explicado em termos da "primazia da política interna". A versão de Cecil Rhodes do imperialismo social, que pensou basicamente nos benefícios econômicos que o império, direta ou indiretamente, podia proporcionar às massas descontentes, foi talvez a menos relevante. Não há provas válidas de que a conquista colonial como tal tenha tido muita relação com o nível de emprego ou com os rendimentos reais da maioria dos operários dos países metropolitanos,[*] e a ideia de que a emigração para as colônias propiciaria uma válvula de escape aos países superpovoados foi pouco mais que uma fantasia demagógica. (Na verdade, nunca foi tão fácil encontrar um lugar para onde emigrar que entre 1880 e 1914, e apenas uma ínfima minoria de emigrantes se dirigiu às colônias — ou precisou fazê-lo.)

---

[*] Em casos isolados, o império pode ser útil. Os mineiros da Cornualha trocaram em massa as minas de estanho decadentes de sua península pelos campos auríferos da África do Sul, onde ganhavam muito dinheiro e morriam ainda mais cedo que de costume de enfermidades pulmonares. Os proprietários de minas da Cornualha, com menos risco para suas vidas, compraram novas minas de estanho na Malaia.

A ERA DOS IMPÉRIOS

Muito mais relevante era a conhecida prática de oferecer aos eleitores a glória, muito mais que reformas onerosas: e o que há de mais glorioso que conquistas de territórios exóticos e raças de pele escura, sobretudo quando normalmente era barato dominá-los? De forma mais geral, o imperialismo encorajou as massas, e sobretudo as potencialmente descontentes, a se identificarem ao Estado e à nação imperiais, outorgando assim, inconscientemente, justificação e legitimidade ao sistema político e social representado por esse Estado. Numa era de política de massa (veja o próximo capítulo), mesmo os sistemas antigos precisavam de nova legitimidade. Uma vez mais, seus contemporâneos tinham total clareza a este respeito. A cerimônia britânica de coroação de 1902, cuidadosamente remodelada, foi elogiada por visar a expressar "o reconhecimento, por uma democracia livre, de uma coroa hereditária *como símbolo do domínio mundial de sua espécie"* (grifo meu). Em suma, o império era um excelente aglutinante ideológico.

Não é totalmente claro até que ponto essa variante específica de patriotismo exacerbado foi eficaz, especialmente em países onde o liberalismo e a esquerda, mais radical, contavam com fortes tradições anti-imperial, antimilitar, anticolonial ou, de maneira mais geral, antiaristocrática. Sabe-se que, em vários países, o imperialismo era extremamente popular entre os novos estratos médios e de colarinhos brancos, cuja identidade social residia, em grande medida, na reivindicação de serem os instrumentos preferenciais do patriotismo (veja o capítulo 8). São muito menos numerosos os indícios de qualquer entusiasmo espontâneo dos operários pelas conquistas coloniais, ainda menos pelas guerras, ou, na verdade, de qualquer grande interesse nas colônias, novas ou antigas (à exceção das de povoamento branco). O êxito das tentativas de institucionalizar o orgulho pelo imperialismo, como com a fixação de um "Dia do Império" na Grã-Bretanha (1902), dependia amplamente da mobilização de um público cativo de escolares (o apelo ao patriotismo, em sentido mais geral, será abordado a seguir).[10]

A ERA DOS IMPÉRIOS

Entretanto, é impossível negar que a ideia da superioridade em relação a um mundo de peles escuras situado em lugares remotos e sua dominação era autenticamente popular, beneficiando, assim, a política do imperialismo. Em suas grandes exposições internacionais (veja *A era do capital*, capítulo 2), a civilização burguesa sempre se orgulhara do triunfo triplo da ciência, da tecnologia e das manufaturas. Na Era dos Impérios, ela também se orgulhará de suas colônias. No final do século multiplicaram-se os "pavilhões coloniais", até então praticamente desconhecidos: dezoito deles complementaram a Torre Eiffel em 1889, catorze atraíram os turistas a Paris em 1900.[11] Tratava-se, sem dúvida, de publicidade proposital, mas como toda propaganda — comercial ou política — realmente bem-sucedida, só teve êxito por ter tocado um ponto sensível do público. As exposições coloniais eram um sucesso. Os jubileus, funerais e coroações reais britânicos eram ainda mais impressionantes porque, como os antigos triunfos romanos, exibiam marajás submissos com vestimentas preciosas — livremente leais e não cativos. As paradas militares tornavam-se ainda mais coloridas por incluir *sikhs* enturbantados, *rajputs* bigodudos, *gurkas* sorridentes e implacáveis, cavalarianos argelinos e altos senegaleses negros: o mundo que era considerado barbárie a serviço da civilização. Mesmo na Viena dos Habsburgos, desinteressada de colônias ultramarinas, um povoado *ashanti* fascinou as visitantes. O *douanier** Rousseau não era o único a sonhar com os trópicos.

Assim sendo, a sensação de superioridade que uniu os brancos ocidentais — ricos, classe média e pobres — não se deveu apenas ao fato de todos eles desfrutarem de privilégios de governante, sobretudo quando efetivamente estavam nas colônias. Em Dacar ou Mombaça, o mais modesto funcionário era um amo e era aceito como *gentleman* por pessoas que nem teriam notado sua existência em Paris ou Londres; o operário

---

* Oficial da alfândega francesa. (N.T.)

A ERA DOS IMPÉRIOS

branco era um comandante de negros. Mas mesmo onde a ideologia insistia numa igualdade, mesmo potencial, esta se transformava gradualmente em dominação. A França acreditava na transformação de seus súditos em franceses, teoricamente descendentes de *nos ancêtres, les gaulois* (nossos ancestrais, os gauleses) — como os livros didáticos insistiam, tanto em Timbuctu como na Martinica e em Bordeaux — ao contrário dos britânicos, convencidos do caráter não inglês essencial e permanente dos bengalis e iorubás. Contudo, a existência mesma desses estratos de *évolués* nativos ressaltava a falta de "evolução" da grande maioria. As igrejas empreenderam a conversão dos pagãos a várias versões da verdadeira fé cristã, exceto onde ativamente desencorajadas pelos governos coloniais (como na Índia) ou onde a tarefa era claramente impossível (como nas regiões islâmicas).

Essa foi a época clássica de empenho missionário maciço.[*] O trabalho missionário não foi, de forma alguma, um intermediário da política imperialista. Muitas vezes se opôs às autoridades coloniais; quase sempre colocou os interesses de seus convertidos em primeiro lugar. Contudo, o sucesso do Senhor se dava em virtude do avanço imperialista. Ainda pode ser debatido se o comércio seguiu a bandeira, mas não há dúvida de que a conquista colonial abriu o caminho à ação missionária efetiva — como em Uganda, na Rodésia (Zâmbia e Zimbábue) e Niassalândia (Malaui). E se a cristandade insistia na igualdade de almas, ressaltava a desigualdade de corpos — mesmo de corpos clericais. Era algo feito pelos brancos para os nativos, e pago pelos brancos. E embora os fiéis nativos se multiplicassem, ao menos a metade do clero continuou branca. Quanto a um bispo nativo, seria necessário um microscópio potente para detectá-lo em algum lugar entre 1880 e 1914. A Igreja Católica só sagrou seus primeiros bispos asiáticos nos anos 1920, oitenta anos após ter observado o quanto isso seria desejável.[12]

---

[*] Entre 1876 e 1902 houve 119 traduções da Bíblia, contra 74 nos trinta anos precedentes e 40 no período 1816-1845. O número de missões protestantes novas na África entre 1886 e 1895 foi de 23, cerca de três vezes a cifra de qualquer década anterior.[13]

A ERA DOS IMPÉRIOS

Quanto ao movimento mais apaixonadamente devotado à igualdade entre todos os homens, ele falava com duas vozes. A esquerda secular era anti-imperialista em seus princípios e frequentemente em sua prática. A liberdade para a Índia, como a liberdade para o Egito e a Irlanda, era o objetivo do movimento trabalhista britânico. A esquerda nunca vacilou em sua condenação das guerras e conquistas coloniais, correndo muitas vezes o risco considerável de uma impopularidade temporária — como na oposição britânica à Guerra dos Boers. Os radicais revelaram os horrores do Congo, das plantações metropolitanas de cacau nas ilhas africanas, do Egito. A campanha que levou à grande vitória eleitoral do Partido Liberal britânico em 1906 foi travada, em grande medida, por meio de denúncias públicas do "escravismo chinês" nas minas sul-africanas. Contudo, com raríssimas exceções (como a Indonésia holandesa), os socialistas ocidentais pouco fizeram efetivamente para organizar a resistência dos povos coloniais contra seus governantes até a era da Internacional Comunista. Dentro do movimento socialista e operário, aqueles que aceitavam abertamente o imperialismo como algo desejável, ou ao menos como uma etapa essencial na história dos povos que ainda não estavam "preparados para um governo autônomo", eram uma minoria da direita revisionista e fabiana, embora muitos líderes sindicais provavelmente considerassem as discussões sobre as colônias como irrelevantes, ou encarassem os povos nativos basicamente como força de trabalho barata que ameaçava os resolutos operários brancos. Certamente, a pressão em favor da proibição da imigração de cor, que gerou as políticas da "Califórnia Branca" e "Austrália Branca" entre 1880 e 1914, originou-se basicamente na classe operária, e os sindicatos de Lancashire se uniram aos patrões do setor de algodão da região para insistir em que a Índia devia permanecer não industrializada. Internacionalmente, o socialismo anterior a 1914 continuou sendo um

A ERA DOS IMPÉRIOS

movimento predominantemente de europeus e de emigrantes brancos e seus descendentes (veja o capítulo 5). O colonialismo permaneceu um interesse marginal para eles. Na verdade, sua análise e definição da nova etapa "imperialista" do capitalismo, que eles detectaram a partir do final dos anos 1890, considerava acertadamente a anexação e a exploração coloniais apenas como um sintoma e uma característica dessa nova etapa: indesejável, como todas as suas características, mas não central em si. Foram poucos os socialistas que, como Lenin, já estavam com os olhos postos no "material inflamável" na periferia do capitalismo mundial.

Na medida em que a análise socialista (isto é, sobretudo marxista) integrava o colonialismo a um conceito muito mais amplo de uma "nova etapa" do capitalismo, ela era indubitavelmente correta em princípio, embora não necessariamente nos detalhes de seu modelo teórico. Essa análise às vezes também era propensa demais — como, aliás, as análises capitalistas da época — a exagerar o significado econômico da expansão colonial para os países metropolitanos. O imperialismo do final do século XIX foi indubitavelmente "novo". Produto de uma era de concorrência entre economias industrial-capitalistas rivais, fato novo e intensificado pela pressão em favor da obtenção e da preservação de mercados num período de incerteza econômica (veja o capítulo 2); em suma, foi uma era em que "tarifas alfandegárias e expansão tornam-se a reivindicação comum às classes dirigentes".[14] Foi parte de um processo de abandono de um capitalismo de políticas públicas e privadas de *laissez-faire*, o que também era novo, e implicou o surgimento de grandes sociedades anônimas e oligopólios, bem como a crescente intervenção do Estado nos assuntos econômicos. O imperialismo pertencia a um período em que a parte periférica da economia mundial tornou-se crescentemente significativa. Foi um fenômeno que pareceu tão "natural" em 1900 como teria parecido implausível em 1860. Mas se não fosse por essa vinculação entre

A ERA DOS IMPÉRIOS

o capitalismo pós-1873 e a expansão ao mundo não industrializado, há dúvidas até sobre se o "imperialismo social" teria tido o mesmo papel que desempenhou na política interna dos Estados que estavam se adaptando à política eleitoral de massa. Todas as tentativas de isolar a explicação do imperialismo do desenvolvimento específico do capitalismo no fim do século XIX devem ser encaradas como exercícios ideológicos, embora frequentemente eruditos e às vezes argutos.

2.

Ainda nos restam as perguntas relativas ao impacto da expansão ocidental (e, a partir dos anos 1890, japonesa) sobre o resto do mundo, e as relacionadas ao significado dos aspectos "imperiais" do imperialismo para os países metropolitanos.

A primeira dessas perguntas pode ser respondida mais rapidamente que a segunda. O impacto econômico do imperialismo foi significativo, mas, é claro, o que ele teve de mais significativo foi sua profunda desigualdade, pois as relações entre metrópoles e países dependentes eram altamente assimétricas. O impacto das primeiras sobre os segundos foi dramático e decisivo, mesmo sem ocupação efetiva, ao passo que o impacto dos segundos sobre as primeiras pode ser insignificante e raramente foi uma questão de vida ou morte. Cuba prosperava ou declinava dependendo do preço do açúcar e da disposição dos EUA a importá-lo, mas nem países "desenvolvidos" bastante pequenos — digamos, a Suécia — sofreriam graves inconvenientes se todo o açúcar do Caribe desaparecesse do mercado, porque não dependiam exclusivamente daquela área para esse artigo. Praticamente todas as importações e exportações de qualquer região da África subsaariana iam ou vinham de um pequeno número de metrópoles ocidentais, mas o comércio metropolitano com a África,

123

a Ásia e a Oceania, embora aumentando modestamente entre 1870 e 1914, permaneceu bastante marginal. Cerca de 80% do comércio europeu durante todo o século XIX, tanto importação como exportação, era feito com outros países desenvolvidos; o mesmo é verdade no que tange aos investimentos europeus no exterior.[15] A parcela dos investimentos destinada a países ultramarinos era majoritariamente direcionada a um pequeno número de economias em desenvolvimento rápido, sobretudo povoadas por descendentes de europeus — Canadá, Austrália, África do Sul, Argentina etc. — bem como, é claro, aos EUA. Neste sentido a era do imperialismo tem um aspecto muito diferente quando enfocada do ponto de vista da Nicarágua ou da Malaia, e da Alemanha ou da França.

Dentre os países metropolitanos, foi obviamente para a Grã-Bretanha que o imperialismo teve maior importância, uma vez que sua supremacia econômica sempre dependera de sua relação especial com os mercados ultramarinos e as fontes de produtos primários. Na verdade, pode-se arguir que em momento algum, a partir da revolução industrial, as manufaturas do Reino Unido haviam sido particularmente competitivas nos mercados das economias em vias de industrialização, salvo, talvez, durante as décadas douradas de 1850-1870. Para a economia britânica, preservar o mais possível seu acesso privilegiado ao mundo não europeu era, portanto, uma questão de vida ou morte.[16] No final do século XIX, o sucesso obtido nesse terreno foi notável, estendendo incidentalmente a área controlada oficial ou efetivamente pela monarquia britânica a um quarto da superfície do globo (que os atlas britânicos orgulhosamente colocariam em vermelho). Se incluirmos o assim chamado "império informal" de Estados independentes que na verdade eram economias satélites da Grã-Bretanha, talvez um terço do planeta fosse britânico em sentido econômico e, na verdade, cultural. Pois a Grã-Bretanha exportou até a forma específica de suas caixas coletoras de correspondência para Portugal e uma instituição do mais puro estilo britânico, como a loja de departamentos Harrods,

A ERA DOS IMPÉRIOS

para Buenos Aires. Mas, por volta de 1914, outras potências já estavam se infiltrando em boa parte desta zona de influência indireta, especialmente na América Latina.

Entretanto, boa parte dessa operação defensiva bem-sucedida era independente da "nova" expansão imperialista, à exceção do mais rico e inesperado dos filões: os diamantes e o ouro da África do Sul. Isso gerou uma safra instantânea de milionários (majoritariamente alemães) — os Wernher, Beit, Eckstein e outros — a maioria dos quais foi também instantaneamente incorporada à alta sociedade britânica, nunca tão receptiva ao dinheiro de primeira geração, desde que este se espalhasse à sua volta em quantidades suficientemente grandes. Isto levou também ao maior dos conflitos coloniais, a Guerra Sul-Africana de 1899-1902, que eliminou a resistência de duas pequenas repúblicas locais povoadas por camponeses brancos.

A maior parte do sucesso ultramarino britânico se deveu à exploração mais sistemática das possessões britânicas já existentes ou da posição especial do país como maior importador de áreas como a América do Sul, bem como seu maior investidor. À exceção da Índia, do Egito e da África do Sul, a maior parte da atividade econômica britânica ocorria em países praticamente independentes, como os "domínios" brancos, ou em áreas como os EUA e a América Latina, onde a ação do Estado britânico não era, ou não podia ser, efetivamente desenvolvida. Pois, apesar dos gritos de dor da Associação de Detentores de Debêntures Estrangeiras (criada durante a Grande Depressão) ao se defrontar com a conhecida prática latina de suspender o pagamento da dívida ou pagá-la em moeda desvalorizada, o governo não deu um respaldo efetivo a seus investidores na América Latina, porque não podia. A Grande Depressão foi um teste de fogo nesse sentido, porque, como depressões mundiais posteriores (inclusive as dos anos 1970 e 1980), levou a uma crise de endividamento internacional de vulto, que pôs os bancos das metrópoles em sério risco. O máximo que o governo britânico pôde fazer foi tomar providências para salvar a grande casa de Baring da insolvência na "crise Baring" de 1890, quando esse banco se aventurou, como fazem os bancos, com excessivo desembaraço na voragem das inadimplentes finanças argentinas. Se ele respaldou os investidores com a diplomacia da força, como ocorreu crescentemente após 1905, foi para ajudá-las a enfrentar empresários de outros países apoiados por seus próprios governos, e não contra os governos mais fortes do mundo dependente.*

Na verdade, considerando os anos bons e os maus, os capitalistas britânicos se saíram geralmente bem em seu império informal ou "livre". Quase a metade do capital acionário a longo prazo britânico estava, em 1914, no Canadá, na Austrália e na América Latina. Mais da metade da poupança britânica foi investida no exterior após 1900.

A Grã-Bretanha se apossou, é claro, de sua parte nas regiões recentemente colonizadas do mundo, e, dadas a força e a experiência britânicas, era uma parte maior e provavelmente mais valiosa que a de qualquer outro. A França ocupava a maior parte da África Ocidental, mas as quatro colônias britânicas na área controlavam as parcelas onde havia "as populações africanas mais densas, as maiores instalações produtivas e a preponderância do comércio".[17] Contudo, o objetivo britânico não era a expansão, mas impedir a intromissão de outros em territórios até então dominados pelo comércio e pelo capital britânicos, como a maior parte do mundo ultramarino.

Será que as outras nações tiraram benefícios proporcionais de sua expansão colonial? É impossível dizer, pois a colonização formal era ape-

---

* Houve um pequeno número de casos de "economia de canhoneira" — como na Venezuela, Guatemala, Haiti, Honduras e México —, mas não modificaram seriamente esse quadro. É claro, os governos e capitalistas britânicos, confrontados com a escolha entre partidos ou Estados locais que favorecessem os interesses econômicos britânicos ou os hostilizassem, não deixariam de apoiar o lado mais proveitoso para os lucros britânicos: o Chile contra o Peru na "Guerra do Pacífico" (1879-1882), os inimigos do presidente Balmaceda no Chile em 1891. Em questão, os nitratos.

A ERA DOS IMPÉRIOS

nas um aspecto da expansão e da concorrência econômica global e, no caso das duas principais potências industriais, Alemanha e EUA, não era um aspecto maior. Ademais, como já vimos, uma relação especial com o mundo não industrial não era economicamente crucial para nenhum outro país além da Grã-Bretanha (com a possível exceção da Holanda). Isso é tudo o que podemos dizer com razoável certeza. Em primeiro lugar, a ofensiva colonial parece ter sido inversamente proporcional ao dinamismo econômico dos países metropolitanos, onde até certo ponto servia para compensar sua inferioridade econômica e política em relação a seus rivais — e, no caso da França, sua inferioridade demográfica e militar. Em segundo lugar, em todos os casos houve forte pressão de grupos econômicos específicos — notadamente os associados ao comércio ultramarino e às indústrias que usavam matéria-prima ultramarina — em favor da expansão colonial, que eles naturalmente justificavam com as perspectivas de vantagens nacionais. Em terceiro lugar, enquanto alguns desses grupos se saíam bastante bem dessa expansão — a *Compagnie Française de l'Afrique Occidentale* pagou dividendos de 26% em 1913 —,[18] a maioria das novas colônias efetivas atraiu pouco capital, e seus resultados econômicos foram decepcionantes.[*] Em suma, o novo colonialismo foi um subproduto de uma era de rivalidade econômico-política entre economias nacionais concorrentes, intensificada pelo protecionismo. Entretanto, na medida em que o comércio metropolitano com as colônias quase invariavelmente aumentou em termos de porcentagem de seu comércio total, aquele protecionismo teve algum êxito.

Contudo, a Era dos Impérios não foi apenas um fenômeno econômico e político, mas também cultural: a conquista do globo pelas imagens,

---

[*] A França nem conseguiu integrar totalmente suas novas colônias a um sistema protecionista, embora 55% do comércio do Império Francês em 1913 tenha sido realizado com a metrópole. Incapaz de romper os vínculos econômicos já estabelecidos dessas áreas com outras regiões e metrópoles, a França precisava comprar grande parte dos produtos coloniais de que necessitava — borracha, peles e couro, madeira tropical — via Hamburgo, Antuérpia e Liverpool.

A ERA DOS IMPÉRIOS

ideias e aspirações de sua minoria "desenvolvida", tanto pela força e instituições como por meio do exemplo e da transformação social. Nos países dependentes isto dificilmente afetou alguém fora das elites locais, embora, é claro, se deva lembrar que em algumas regiões, como a África subsaariana, foi o próprio imperialismo, ou o fenômeno associado das missões cristãs, que criou a possibilidade da existência de uma nova elite social baseada na educação de estilo ocidental. A divisão entre Estados africanos "francófonos" e "anglófonos" de hoje espelha exatamente a distribuição dos impérios coloniais francês e britânico.* Salvo na África e na Oceania, onde as missões cristãs às vezes obtinham conversões em massa à religião ocidental, a grande massa das populações coloniais, se tivesse escolha, dificilmente mudaria seus estilos de vida. E, para constrangimento dos missionários mais rígidos, o que os povos indígenas adotaram não foi tanto a fé importada do Ocidente, mas aqueles dentre seus elementos que faziam sentido para eles em termos de seu próprio sistema de crenças e suas instituições ou necessidades. Exatamente como os esportes levados aos ilhéus do Pacífico por administradores coloniais britânicos entusiastas (tantas vezes escolhidos entre os produtos mais robustos da classe média), a religião colonial com muita frequência parecia tão inesperada ao observador ocidental como o cricket de Samoa. Era o caso mesmo dos fiéis que nominalmente seguiam as ortodoxias de sua denominação. Mas eles também foram capazes de desenvolver suas próprias versões da fé, notadamente na África do Sul — a única região da África onde houve conversões realmente maciças —, onde um "movimento etíope" abandonou as missões já em 1892, para estabelecer uma forma de cristandade menos identificada aos brancos.

O que o imperialismo trouxe às elites efetivas ou potenciais do mundo dependente foi, portanto, essencialmente a "ocidentalização".

---

* Que, após 1918, dividiram entre si as antigas colônias alemãs.

A ERA DOS IMPÉRIOS

Esse processo já estava, sem dúvida, em curso havia muito tempo. Por várias décadas fora claro, para todos os governos e elites confrontados à dependência ou à conquista, que eles tinham que se ocidentalizar, caso contrário desapareceriam (veja *A era do capital*, caps. 7, 8:2). De fato, as ideologias que inspiraram essas elites na era do imperialismo datavam dos anos entre a Revolução Francesa e meados do século XIX, como quando revestiram a forma do positivismo de Auguste Comte (1798-1857), doutrina modernizadora que inspirou os governos do Brasil, do México e do início da Revolução Turca. A resistência da elite ao Ocidente era ocidentalizante, mesmo quando se opunha à ocidentalização indiscriminada no terreno da religião, da moral, da ideologia ou do pragmatismo político. A figura com a aura de santidade do Mahatma Gandhi, vestindo tanga e usando uma roca (para desencorajar a industrialização), não apenas era apoiada e financiada pelos proprietários de cotonifícios mecanizados em Ahmedabad,* como ele mesmo era um advogado formado no Ocidente e visivelmente influenciado pelas ideologias dele derivadas. É totalmente impossível compreendê-lo vendo nele apenas um hindu tradicionalista.

Na verdade, Gandhi ilustra bastante bem o impacto específico da era do imperialismo. Nascido numa casta relativamente modesta de comerciantes e prestamistas, anteriormente não muito associada à elite ocidentalizada, que administrava a Índia sob a direção de superiores britânicos, ele adquiriu, contudo, uma educação profissional e política na Inglaterra. Por volta do final dos anos 1880, esta era uma opção tão aceita para jovens ambiciosos de seu país, que o próprio Gandhi começou a redigir um guia da vida inglesa para futuros estudantes de posses modestas como ele. Escrito em excelente inglês, aconselhava-os sobre todos os pontos da viagem para Londres no vapor da companhia P&O e como encontrar moradia, a maneira de satisfazer às exigências da dieta dos piedosos hindus e como

---

* "Ah", teria exclamado um desses patrocinadores, "se Bapuji soubesse o quanto custa mantê-lo pobre!"

se acostumar com o surpreendente hábito ocidental de se barbear, em vez de recorrer a um barbeiro.[19] Gandhi claramente não se via nem como um assimilador nem como um opositor incondicional das coisas britânicas. Como muitos pioneiros da libertação colonial fizeram desde então, durante sua estada temporária na metrópole, ele escolheu frequentar círculos ocidentais ideologicamente compatíveis — neste caso, os de vegetarianos britânicos, que certamente podiam ser considerados favoráveis também a outras causas "progressistas".

Gandhi aprendeu sua técnica característica de mobilizar massas tradicionais para fins não tradicionais por meio da resistência passiva num ambiente criado pelo "novo imperialismo". Como se podia esperar, era uma fusão de elementos ocidentais e orientais, pois ele não fez segredo de sua dívida intelectual para com John Ruskin e Tolstoi. (Antes dos anos 1880, a fertilização de flores políticas indianas com pólen levado da Rússia teria sido inconcebível, mas por volta da primeira década do novo século isso já era comum entre os indianos, como seria entre radicais chineses e japoneses.) A África do Sul, país do *boom* dos diamantes e do ouro, atraiu uma vasta comunidade de imigrantes modestos da Índia, e a discriminação racial neste novo cenário criou uma das poucas situações em que os indianos não pertencentes à elite se dispuseram à mobilização política moderna. Gandhi adquiriu experiência política e granjeou sua fama como defensor dos direitos indianos na África do Sul. Por ora ele dificilmente poderia ter feito o mesmo na própria Índia, para onde finalmente retornou — mas apenas após a deflagração da guerra de 1914 — para se tornar a figura-chave do movimento nacional indiano.

Em suma, a Era dos Impérios criou tanto as condições que formaram líderes anti-imperialistas como as condições que, como veremos no capítulo 12, começaram a propiciar ressonância a suas vozes. No entanto, é um anacronismo e um equívoco apresentar a história dos povos e regiões submetidas à dominação e à influência das metrópoles ocidentais

A ERA DOS IMPÉRIOS

basicamente em termos de resistência ao Ocidente. É um anacronismo porque, com exceções que serão apontadas a seguir, o início mais precoce da era dos movimentos anti-imperiais significativos se dá, para a maioria das regiões, com a Primeira Guerra Mundial e a Revolução Russa; um equívoco por ler o texto do nacionalismo moderno — independência, autodeterminação dos povos, formação de Estados territoriais etc. (veja o capítulo 6) — num registro histórico que ainda não o continha nem podia contê-lo. Na verdade, foram as elites ocidentalizadas as primeiras a entrar em contato com essas ideias, através de suas visitas ao Ocidente e às suas instituições educacionais, pois esta era sua origem. Jovens estudantes indianos de volta da Grã-Bretanha podiam levar consigo as palavras de ordem de Mazzini e Garibaldi; mas, à época, poucos habitantes do Punjab, sem falar de regiões como o Sudão, teriam a mínima ideia do que poderiam significar.

Assim sendo, o mais poderoso legado cultural do imperialismo foi uma educação em moldes ocidentais para minorias de vários tipos: para os pouco favorecidos que se alfabetizaram, descobrindo portanto, com ou sem a ajuda da conversão cristã, o caminho mais direto para a ambição, que usava o colarinho branco dos clérigos, professores, burocratas ou funcionários de escritório. Em algumas regiões também se incluíam aqueles que haviam adquirido novos costumes, como soldados e policiais dos novos governantes envergando suas roupas, adotando suas ideias peculiares de tempo, de lugar e de organização doméstica. Estes constituíam, é claro, as minorias de instigadores e agitadores potenciais, motivo pelo qual a era do colonialismo, breve mesmo quando medida por uma única vida humana, surtiu efeitos tão duradouros. Pois é surpreendente que na maior parte da África a totalidade da experiência do colonialismo, da ocupação inicial à formação de Estados independentes, caiba no lapso de uma única vida — digamos, na de *Sir* Winston Churchill (1874-1965).

E quanto ao efeito oposto do mundo dependente sobre o dominante? O exotismo fora um subproduto da expansão europeia desde o século XVI, embora observadores filosóficos da era do Iluminismo tenham, na maioria das vezes, tratado os países estranhos distantes da Europa e do povoamento europeu como uma espécie de barômetro moral da civilização europeia. Onde eram nitidamente civilizados podiam ilustrar as deficiências institucionais do Ocidente, como nas *Cartas persas*, de Montesquieu; caso contrário, a tendência era tratá-los como os nobres selvagens, cujo comportamento natural e admirável ilustrava a depravação da sociedade civilizada. A novidade no século XIX era que os não europeus e suas sociedades eram crescente e geralmente tratados como inferiores, indesejáveis, fracos e atrasados, ou mesmo infantis. Eles eram objetos perfeitos de conquista, ou ao menos de conversão aos valores da única *verdadeira* civilização, aquela representada por comerciantes, missionários e grupos de homens equipados com armas de fogo e aguardente. E, em certo sentido, os valores das sociedades tradicionais não ocidentais tornaram-se cada vez mais irrelevantes para sua sobrevivência, numa era em que apenas contavam a força e a tecnologia militar. A sofisticação da Pequim imperial por acaso evitou que os bárbaros ocidentais queimassem e saqueassem o Palácio de Verão mais de uma vez? A elegância da cultura de elite em Mughal, a capital em declínio, retratada com tanta beleza por Satyajit Ray em *The Chess Players*, impediu o avanço dos britânicos? Para o europeu médio, essas pessoas se tornaram objeto de desprezo. Os únicos não europeus que mereciam sua estima eram os guerreiros, de preferência os que podiam ser recrutados para seus próprios exércitos coloniais (*sikhs*, *gurkas*, montanheses berberes, afegãos, beduínos). O Império Otomano conquistou o respeito, concedido a contragosto, porque mesmo em seu declínio tinha uma infantaria capaz de resistir aos exércitos europeus. O Japão começou a ser tratado como um igual quando começou a ganhar guerras.

A ERA DOS IMPÉRIOS

Contudo, a densidade mesma da rede global de comunicações, a própria facilidade do acesso a países estrangeiros intensificaram, direta ou indiretamente, o confronto e a entremescla dos mundos ocidental e exótico. Eram poucos os que conheciam e refletiam sobre ambos, embora esse número tenha sido aumentado no período imperialista por escritores que escolheram ser os intermediários entre eles: escritores ou intelectuais por vocação e por profissão marinheiros (como Pierre Loti e, o maior deles, Joseph Conrad), soldados e administradores (como o orientalista Louis Massignon) ou jornalistas coloniais (como Rudyard Kipling). Mas o exótico se tornou crescente na educação cotidiana, como na literatura juvenil de enorme sucesso de Karl May (1842-1912), cujo herói alemão imaginário percorreu o faroeste e o Oriente islâmico, com incursões à África negra e à América Latina; nos romances de aventuras, cujos vilões agora incluíam orientais inescrutáveis e todo-poderosos como o Dr. Fu Manchu de Sax Rohmer; em revistas escolares baratas para garotos britânicos, que agora incluíam um hindu rico falando um barroco inglês-babu, estereótipo previsível. O exótico podia até tornar-se uma parte ocasional porém previsível da experiência cotidiana, como no *show* do Oeste Bravio de Buffalo Bill, com seus igualmente exóticos caubóis e índios, que conquistaram a Europa a partir de 1887, ou nos "povoados coloniais" cada vez mais elaborados ou mostras das grandes exposições internacionais. Qualquer que fosse sua intenção, esses lampejos de mundos estranhos não tinham caráter documentário. Eles eram ideológicos, em geral reforçando o sentimento de superioridade do "civilizado" em relação ao "primitivo". Eram imperialistas apenas porque, como mostram os romances de Joseph Conrad, a vinculação central entre os mundos do exótico e do cotidiano era a penetração, formal ou informal, do Ocidente no Terceiro Mundo. Quando a linguagem coloquial absorveu palavras oriundas da experiência colonial efetiva — sobretudo sob a forma de vários tipos de gíria, notadamente a dos exércitos coloniais — elas refletiam muitas vezes uma visão

A ERA DOS IMPÉRIOS

negativa dos súditos. Os operários italianos chamavam os fura-greves de *crumiri* (nome de uma tribo do norte da África) e os políticos italianos chamavam as legiões de dóceis eleitores sulistas, levados às urnas pelos chefes locais, de *ascari* (tropas coloniais nativas). *Caciques*, os chefes índios do Império Espanhol da América, tornaram-se sinônimo de qualquer chefe político; *caids* (chefe indígena da África do Norte) foi o termo aplicado a líderes de gangues criminosas na França.

Houve, contudo, um lado mais positivo nesse exotismo. Os administradores e soldados com abertura intelectual — os homens de negócios se interessavam menos por tais assuntos — refletiram profundamente sobre as diferenças entre suas próprias sociedades e aquelas que governavam. Produziram obras de impressionante erudição sobre elas, especialmente no Império Indiano, bem como reflexões teóricas que transformaram as ciências sociais ocidentais. Boa parte desse trabalho foi o subproduto da dominação colonial ou visava a ajudá-la, e a maioria repousava, inquestionavelmente, no sentimento firme e confiante da superioridade do conhecimento ocidental sobre qualquer outro, exceto talvez no terreno da religião, onde, por exemplo, a superioridade do metodismo em relação ao budismo não era óbvia aos olhos de observadores imparciais. O imperialismo ocasionou um aumento notável no interesse ocidental em formas de espiritualidade derivadas do Oriente, ou que diziam ser, e às vezes conversões a elas.[20] Contudo, apesar da crítica pós-colonial, esse conjunto de obras de erudição ocidental não pode ser simplesmente descartado como uma desqualificação arrogante de culturas não europeias. No mínimo as melhores dentre elas as encararam com seriedade, como algo a ser respeitado, com quem era preciso aprender. No campo da arte, e especialmente das artes visuais, as vanguardas ocidentais trataram as culturas não ocidentais em total pé de igualdade. Na verdade, inspiraram-se preponderantemente nelas nesse período. Isso é verdade não só em relação a artes que se pensava representarem civilizações sofisticadas, por mais exóticas que fossem (como a japonesa, cuja influência nos pintores franceses foi marcante), mas em relação às encaradas como "primitivas", notadamente as da África e da Oceania. Seu "primitivismo" era, sem dúvida, sua principal atração, mas é inegável que as gerações de vanguarda do início do século XX ensinaram os europeus a ver essas obras como arte — muitas vezes grande arte — em sua verdadeira grandeza, independentemente de sua origem.

Um aspecto final do imperialismo deve ser brevemente mencionado: seu impacto nas classes dirigente e média dos próprios países metropolitanos. Em um certo sentido, o imperialismo destacou o triunfo dessas classes e das sociedades criadas à sua imagem como nada mais poderia ter feito. Um pequeno número de países, sobretudo do noroeste da Europa, dominou o planeta. Alguns imperialistas, para indignação dos latinos, sem falar dos eslavos, gostavam até de ressaltar os méritos específicos como conquistadores dos europeus de origem teutônica e em especial anglo--saxônica, a quem, independentemente de suas rivalidades, era atribuída uma afinidade mútua, que ainda ecoa no respeito ressentido de Hitler em relação à Grã-Bretanha. Um pequeno número de homens das classes alta e média desses países — altos funcionários, administradores, homens de negócio, engenheiros — exerciam efetivamente aquela dominação. Por volta de 1890, pouco mais de 6 mil funcionários britânicos governavam quase 300 milhões de indianos, com a ajuda de pouco mais de 70 mil efetivos europeus, cujos soldados rasos eram, como as muito mais numerosas tropas indígenas, mercenários que recebiam ordens e que eram provenientes, em número desproporcional, daquela antiga reserva de guerreiros coloniais nativos: os irlandeses. Este é um caso extremo, mas nem por isso deixa de ser típico. Poderia haver prova mais extraordinária de superioridade absoluta?

Assim, o número de pessoas diretamente envolvidas com o império era relativamente pequeno, mas seu significado simbólico era enorme. Quando se pensou que o escritor Rudyard Kipling, o bardo do Império Indiano, estava morrendo de pneumonia em 1899, não apenas os britânicos e os americanos ficaram pesarosos — Kipling acabara de dedicar um poema sobre "O fardo do homem branco" aos EUA, sobre sua responsabilidade nas Filipinas —, mas o imperador da Alemanha enviou um telegrama.[21]

Contudo, o triunfo imperial gerou também a um tempo problemas e incertezas. Colocou problemas na medida em que a contradição entre o governo das classes dirigentes metropolitanas em seus impérios e seus próprios povos foi se tornando insolúvel. Nas metrópoles, como veremos, a política democrática eleitoral prevalecia ou, como parecia inevitável, estava destinada a prevalecer crescentemente. Nos impérios coloniais, governava a autocracia, alicerçada na combinação da coerção física à submissão passiva a uma superioridade grande a ponto de parecer incontestável e portanto legítima. Os militares e os "procônsules" autodisciplinados, homens isolados com poderes absolutos sobre territórios do tamanho de reinos, governavam continentes, ao passo que na metrópole as massas ignorantes e inferiores estavam revoltadas. Não havia aqui uma lição — uma lição no sentido da *Vontade de poder*, de Nietzsche — a ser aprendida?

O imperialismo também gerou incertezas. Em primeiro lugar, confrontou uma pequena minoria de brancos — pois mesmo a maioria desta raça pertencia à categoria dos destinados à inferioridade, como a nova disciplina da eugenia alertava incessantemente (veja o capítulo 10) — às massas de negros, pardos, talvez sobretudo amarelos, aquele "perigo amarelo" contra o qual o imperador Guilherme II conclamou à união e à defesa do Ocidente.[22] Será que impérios mundiais tão facilmente conquistados, com uma base tão estreita, governados com uma facilidade tão absurda graças à devoção de uns poucos e a passividade de muitos, será que eles podiam durar? Kipling, o maior — talvez o único — poeta do imperialismo, saudou o grande momento de orgulho imperial demagógico, o Jubileu de Diamante da Rainha Vitória, em 1897, com um lembrete profético da impermanência dos impérios:

A ERA DOS IMPÉRIOS

Far-called, our navies melt away;
On dune and headland sinks the fire:
Lo, all our pomp of yesterday
Is one with Nineveh and Tyre!
Judge of the Nations, spare us yet.
Lest we forget, lest we forget. [23]*

A pompa planejou a construção de uma nova capital imperial enorme para a Índia em Nova Délhi. Clemenceau teria sido o único observador cético a prever que esta seria a mais recente de uma longa série de ruínas de capitais imperiais? E será que a vulnerabilidade da dominação global era muito maior que a vulnerabilidade da dominação interna em relação às massas brancas?

A incerteza era uma faca de dois gumes. Pois se o império (e o governo das classes dirigentes) era vulnerável a seus governados, embora talvez não ainda, não de modo imediato, não seria mais imediatamente vulnerável à erosão interna da vontade de governar, da disposição de travar a luta darwiniana pela sobrevivência do mais apto? Será que a própria riqueza e o próprio luxo que o poder e o espírito empreendedor haviam gerado não tinham enfraquecido as fibras daqueles músculos cujos esforços constantes eram necessários para mantê-los? Será que o império não leva ao parasitismo no centro e ao triunfo final dos bárbaros?

Em nenhum lugar o destino parecia estar mais presente nessas perguntas que no maior e mais vulnerável de todos os impérios, naquele que ultrapassava em tamanho e glória todos os impérios do passado e que, contudo, sob outros aspectos estava à beira do declínio. Mas mesmo os alemães, trabalhadores e vigorosos, percebiam que o imperialismo ia de

---

* "Atraídas para longe, nossas marinhas desaparecem; / Entre dunas e promontórios naufraga o ardor; / Vejam, toda nossa pompa de ontem / Une-se a Nínive e Tiro! / Juiz das Nações, poupai-nos contudo, / Para que não esqueçamos, para que não esqueçamos." (N.T.)

par com aquele "estado que vive de rendas", que não podia senão levar ao declínio. Deixemos J. A. Hobson dar a voz a esses temores: se a China fosse repartida,

> a maior parte da Europa ocidental poderia então adquirir a aparência e o caráter já exibidos por parcelas de território do sul da Inglaterra, na Riviera e nas localidades residenciais ou infestadas de turistas da Itália e da Suíça: pequenos grupos de aristocratas ricos extraindo dividendos e pensões do Extremo Oriente, com um grupo algo maior de servidores profissionais de alto gabarito e comerciantes de luxo, e um conjunto grande de criados pessoais e trabalhadores do setor de transporte e dos estágios finais da produção dos bens mais perecíveis; todas as principais atividades importantes teriam desaparecido, pois os alimentos e produtos manufaturados básicos afluiriam como um tributo da África e da Ásia.[24]

A *belle époque* da burguesia iria portanto desarmá-la. Os encantadores e inofensivos Elóis, do romance de H. G. Wells, que passavam a vida se divertindo ao sol, ficariam à mercê dos escuros Morlocks de quem dependiam e contra os quais estavam desamparados.[25] "A Europa", escreveu o economista alemão Schulze-Gaevernitz, "transferirá o ônus da labuta física — primeiro o da agricultura e da mineração, depois as fainas mais árduas da indústria — às raças de cor, contentando-se em viver de rendimentos, e talvez, neste sentido, preparará o terreno para a emancipação econômica, e mais tarde política, das raças de cor."[26]

Esses eram os maus sonhos que tiravam o sono da *belle époque*. Neles, os pesadelos dos impérios se uniam ao medo da democracia.

4. A POLÍTICA DA DEMOCRACIA

"Todos os que, pela fortuna, pela educação, pela inteligência ou pela astúcia, são aptos para liderar uma comunidade humana e têm a oportunidade de o fazer — em outras palavras, todas as facções das classes dominantes — devem curvar-se perante o sufrágio universal, desde que instituído, e igualmente, se a ocasião o exigir, lisonjeá-lo e ludibriá-lo."

Gaetano Mosca, 1895[1]

"A democracia ainda está em experiência, mas até o momento não se desacreditou; verdade é que sua força plena não entrou ainda em operação, e isto por duas causas, uma mais ou menos permanente, com respeito a seus efeitos, e outra de natureza transitória. Em primeiro lugar, seja qual for a representação numérica da riqueza, seu poder será sempre desproporcionado; em segundo lugar, a organização deficiente das classes que acabaram de receber o direito ao voto impediu qualquer alteração de vulto no preexistente equilíbrio do poder."

John Maynard Keynes, 1904[2]

"É significativo que nenhum dos modernos Estados seculares tenha deixado de oferecer feriados nacionais dando ocasião a assembleias."

American Journal of Sociology, 1896-1897[3]

1.

O período histórico de que trata este volume inicia-se com um surto internacional de histeria entre os governantes europeus e suas aterrorizadas classes médias, provocado em 1871 pela breve existência da Comuna de

A ERA DOS IMPÉRIOS

Paris, a cuja supressão seguiu-se um massacre de parisienses em escala normalmente inconcebível nos Estados civilizados do século XIX. Mesmo pelos nossos mais bárbaros padrões, a escala é ainda impressionante (cf. *A era do capital*, capítulo 9). Este breve e brutal desencadeamento de terror cego por uma sociedade respeitável — pouco característico para o tempo — refletia um problema político fundamental da sociedade burguesa: sua democratização.

A democracia, conforme observou o sagaz Aristóteles, é o governo das massas populares, que em geral são pobres. Evidentemente, os interesses dos pobres e os dos ricos, dos privilegiados e dos desprivilegiados não são os mesmos; mesmo se presumíssemos que são ou podem ser, é improvável que as massas considerem os negócios públicos sob a mesma luz ou nos mesmos termos que aqueles que os escritores vitorianos ingleses chamavam de "as classes", satisfeitos de ainda identificar ação política de classe apenas com a aristocracia e a burguesia. Era este o dilema básico do liberalismo do século XIX (cf. *A era do capital*, capítulo 6:1), tão dedicado às constituições e assembleias eleitas e soberanas das quais esforçava-se por se desviar, sendo antidemocrático; ou, mais exatamente, excluindo a maioria dos cidadãos do sexo masculino dos Estados, para não mencionar a totalidade das mulheres que neles habitavam, excluídas do direito ao voto e de serem eleitas. Até a época de que trata este volume, seu inabalável fundamento era a distinção entre aquilo que os lógicos franceses da era de Luís Filipe chamavam de "o país legal" e "o país real" (*le pays légal, le pays réel*). A ordem social entrou em perigo, desde o momento em que o "país real" iniciou sua penetração no fechado recinto do "país legal" ou "político", o qual era defendido pelas fortificações da propriedade, pelas qualificações educacionais para o voto e, na maioria dos países, pelos privilégios aristocráticos institucionalizados, tais como as Câmaras de Pares Hereditários.

De fato, o que aconteceria na política quando as massas populares, ignorantes e brutalizadas, incapazes de entender a elegante e salutar lógica

140

A POLÍTICA DA DEMOCRACIA

do mercado livre de Adam Smith, controlassem o destino político dos Estados? O mais provável é que seguissem o caminho que conduziria àquela revolução social cujo breve ressurgimento, em 1871, tanto apavorara a gente respeitável. A revolução, em sua antiga forma insurrecional, talvez não parecesse mais iminente; mas não se ocultaria ela atrás de alguma concessão mais ampla do sufrágio, que se estendesse para além dos estratos dos proprietários e das pessoas instruídas? Não levaria isso, inevitavelmente, ao comunismo, conforme temia o futuro *Lord* Salisbury, em 1866?

Após 1870, contudo, tornou-se cada vez mais claro que a democratização da política dos Estados era inteiramente inevitável. As massas marchariam para o palco da política, quer isto agradasse ou não aos governantes. Foi o que realmente aconteceu. Sistemas eleitorais se baseavam em amplo direito ao voto e, às vezes, teoricamente, até no sufrágio universal masculino, já existiam na França e na Alemanha, em 1870 (pelo menos para o Parlamento nacional alemão), bem como na Suíça e na Dinamarca. Na Inglaterra, as leis da Reforma de 1867 e 1883 quase quadruplicaram o eleitorado, que se elevou de 8% a 29% para os homens de mais de 20 anos. A Bélgica democratizou esses direitos em 1894, após uma greve geral realizada por essa reforma (o aumento foi de 3,9% para 37,3%, para a população adulta); a Noruega dobrou essas cifras em 1898 (de 16,6% para 34,8%). Na Finlândia, uma democracia extensiva única (76% de adultos) surgiu com a Revolução de 1905. Na Suécia, o eleitorado dobrou em 1908, alcançando o nível do da Noruega. A metade austríaca do Império dos Habsburgo recebeu o sufrágio universal em 1907, e a Itália em 1913. Fora da Europa, os EUA, a Austrália e a Nova Zelândia já eram, é claro, democráticos, e a Argentina seguiu-lhes o exemplo em 1912. Segundo padrões mais recentes, essa democratização ainda era incompleta — o eleitorado comum, sob sufrágio universal, era de 30% a 40% da população adulta — mas deve-se notar que até o voto feminino já era mais que um utópico *slogan*. Havia sido introduzido nas margens dos territórios dos colonizadores brancos, na década de 1880 — no Wyoming (EUA), na Nova Zelândia e na Austrália do Sul — e nas democráticas Finlândia e Noruega, entre 1905 e 1915.

Esses acontecimentos eram vistos sem entusiasmo pelos governos que os introduziram, mesmo quando comprometidos, por convicção ideológica, com a representação popular. Os leitores já devem ter observado de passagem que, mesmo países hoje considerados profunda e historicamente democráticos, como os escandinavos, apenas tardiamente decidiram ampliar o direito ao voto; para não mencionar os Países Baixos, que, ao contrário da Bélgica, resistiram sistematicamente à democratização antes de 1918 (embora seu eleitorado, na realidade, tivesse crescido em ritmo comparável). Os políticos talvez se resignassem a profilaticamente estender o direito ao voto, em vez de alguma extrema esquerda, enquanto ainda eram capazes de controlá-lo. Provavelmente foi isso que sucedeu na França e na Inglaterra. Entre os conservadores, havia cínicos como Bismarck, que depositava sua fé na lealdade tradicional — ou, conforme poderiam arguir os liberais, na ignorância e na estupidez — de um eleitorado de massas, calculando que o sufrágio universal fortaleceria a direita e não a esquerda. Mesmo Bismarck, porém, preferia não correr riscos na Prússia (que dominava o Império Alemão), onde mantinha o voto de três classes acentuadamente inclinado a favor da direita. Essa precaução demonstrou ser sábia, visto o eleitorado de massas haver-se revelado incontrolável a partir do alto. Em outras partes, os políticos cediam às agitações e à pressão popular ou aos cálculos baseados nos conflitos políticos domésticos. Em ambos os casos, temiam as consequências daquilo que Disraeli chamara "salto no escuro", e que poderiam ser imprevisíveis. Com certeza, as agitações socialistas da década de 1890 e as repercussões diretas ou indiretas da primeira Revolução Russa aceleraram a democratização. Contudo, qualquer que fosse o modo pelo qual esta avançava, entre 1880 e 1914 a maioria dos Estados ocidentais havia se resignado

A POLÍTICA DA DEMOCRACIA

ao inevitável: a política democrática não podia mais ser protelada. Daí em diante, o problema foi manipulá-la.

Essa manipulação, em seu sentido mais grosseiro, ainda era fácil. Era possível, por exemplo, limitar estritamente o papel político das assembleias eleitas por sufrágio universal. Era esse o modelo de Bismarck, no qual os direitos constitucionais do Parlamento alemão (*Reichstag*) eram reduzidos a um mínimo. Em outros países, Câmaras Secundárias, às vezes compostas de membros hereditários, como na Inglaterra, votavam (e influenciavam) por meio de colégios eleitorais especiais e por outras instituições análogas, pondo freios às assembleias representativas democratizadas. Os elementos do sufrágio universal baseado na propriedade foram retidos e reforçados pelas qualificações educacionais (por exemplo, votos adicionais para cidadãos com educação superior, na Bélgica, na Itália e nos Países Baixos, e cadeiras parlamentares para as universidades, na Inglaterra). O Japão introduziu o parlamentarismo com essas mesmas limitações, em 1890. Esses sufrágios imaginários (*fancy franchises*), como os chamavam os ingleses, eram reforçados pelo útil expediente daquilo que os austríacos chamavam de "geometria eleitoral", ou manipulação dos distritos eleitorais, com o objetivo de minimizar ou maximizar o apoio a certos partidos. Os eleitores tímidos ou simplesmente cautelosos podiam ser submetidos a pressões mediante o voto nominal, especialmente quando inspecionado por senhores poderosos e outros patrões: a Dinamarca manteve o voto nominal até 1918, a Hungria até a década de 1930. O clientelismo, como bem o sabiam os chefões das cidades americanas, conseguia gerar eleitores em blocos: na Europa, o liberal italiano Giovanni Giolitti revelou-se mestre na política clientelista. A idade mínima do eleitor era elástica: ia dos 20 anos, na democrática Suíça, aos 30, na Dinamarca, e era muitas vezes aumentada quando o direito ao voto era ampliado. E havia ainda a possibilidade da simples sabotagem, pela criação de complicações relativas à inscrição nos registros eleitorais. Assim, na Inglaterra, calcula-se que, em 1914, cerca de metade da classe operária foi *de facto* impedida de votar graças a tais estratagemas.

A ERA DOS IMPÉRIOS

Esses estratagemas, no entanto, se realmente freavam e limitavam os movimentos do veículo político rumo à democracia, não conseguiam deter seu avanço. O mundo ocidental, inclusive a Rússia czarista após 1905, marchava obviamente para um sistema político com base num eleitorado sempre mais amplo, dominado pelo povo comum.

A consequência lógica de tais sistemas era a mobilização política das massas para as eleições e através destas, ou seja, para pressionar os governos nacionais. Isso envolvia a organização de movimentos e partidos de massas, a política de propaganda de massas e o desenvolvimento da mídia de massas — nesta fase, principalmente a recém-desenvolvida imprensa popular ou "imprensa marrom" — e ainda outros acontecimentos que suscitavam novos e importantes problemas para o governo e para as classes dominantes. Infelizmente para o historiador, esses problemas desapareceram da cena europeia nas discussões políticas abertas, na medida em que a crescente democratização tornou impossível debatê-los publicamente com algum grau de franqueza. Que candidato desejaria dizer aos seus eleitores que os considerava demasiado estúpidos e ignorantes para saberem o que era melhor em política, e que suas exigências eram tão absurdas quanto perigosas para o futuro do país? Que estadista, rodeado de repórteres que transmitiriam suas palavras para as mais remotas tavernas de esquina, diria exatamente o que pensava? Os políticos eram obrigados, cada vez mais, a apelar para um eleitorado de massas; e mesmo ao falar diretamente às massas, ou indiretamente, pelo megafone da imprensa popular (inclusive pelos jornais dos adversários), Bismarck, por exemplo, provavelmente jamais se dirigiu senão a uma audiência de elite. Foi Gladstone quem introduziu a campanha eleitoral de massas na Inglaterra (e talvez na Europa), durante a campanha de 1879. Não seriam mais discutidas — com a franqueza e o realismo que caracterizam os debates referentes à Lei da Reforma Britânica, de 1867 — as implicações e expectativas da democracia, a não ser por leigos em política. Mas enquanto os governantes envolviam-se em retórica, as discussões políticas sérias reti-

A POLÍTICA DA DEMOCRACIA

ravam-se para o mundo dos intelectuais e para o minoritário público culto que os liam. A era da democratização foi igualmente a era dourada de uma nova sociologia política: Durkheim e Sorel, Ostrogorski e os Webbs, Mosca, Pareto, Robert Michels e Max Weber.[4]

Os governantes, quando realmente queriam dizer o que pensavam, deviam fazê-lo na obscuridade dos corredores do poder, nos clubes, nas reuniões sociais particulares, durante as caçadas e fins de semana no campo, em ocasiões em que membros da elite se encontravam numa atmosfera bem diversa daquela das gladiatórias comédias dos debates parlamentares ou dos comícios. A era da democratização, portanto, veio a ser a era da hipocrisia pública, ou antes, da duplicidade e, consequentemente, da sátira política: foi a era de Mr. Dooley, das cômicas, amargas e imensamente talentosas revistas de charges políticas como a alemã *Simplicissimus*, a francesa *Assiette au Beurre*, ou a *Fackel*, de Karl Kraus, em Viena. Que observador inteligente não perceberia o abismo escancarado entre o discurso público e a realidade política, revelado no epigrama de Hillaire Belloc, sobre o grande triunfo eleitoral dos liberais, em 1906:

> The accursed power that rests on privilige
> And goes with women, and champagne, and bridge,
> Broke: and Democracy resumed her reign
> That goes with bridge, women and champagne.[5]*

Mas quem eram as massas que agora se mobilizavam para a ação política? Em primeiro lugar, havia classes de estratos sociais até então abaixo e fora do sistema político, várias das quais podiam formar alianças ainda mais heterogêneas, coalizões e "frentes populares". Destas a mais formi-

---

* O poder amaldiçoado que repousa no privilégio / e anda com mulheres, champanhe e *bridge*, / Rompeu-se; e a Democracia reassumiu o reino / que anda com *bridge*, mulheres e champanhe. (N.T.)

A ERA DOS IMPÉRIOS

dável era a classe operária, agora mobilizada em partidos e movimentos de explícita base de classe. Serão examinadas no próximo capítulo.

Havia igualmente uma ampla e mal definida coalizão de estratos intermediários descontentes e incertos quanto ao que mais temiam — se os ricos ou o proletariado. Era a antiga pequena burguesia de mestres artesãos e pequenos lojistas, minada em suas bases pelo progresso da economia capitalista, pelo rápido crescimento de uma nova classe média baixa composta de trabalhadores não manuais e de colarinho branco: estes constituíam a *Handwerkerfrage* e a *Mittelstandsfrage* da política alemã, durante e após a Grande Depressão. Seu mundo era definido pelo tamanho, o mundo da "gente pequena" contra o dos "grandes interesses", no qual a própria palavra "pequeno", tal como em "homem pequeno", "le petit commerçant", "der kleine Mann", tornou-se, além de um *slogan*, um toque de reunir. Quantos jornais radical-socialistas da França ostentavam com orgulho o título: *Le Petit Niçois, Le Petit Provençal, La Petite Charente, Le Petit Troyen*? Pequeno, sim, mas não demasiado pequeno, uma vez que a pequena propriedade necessitava tanto de defesa contra o coletivismo quanto a grande propriedade; e era preciso defender a superioridade do empregado de escritório contra qualquer confusão com o operário manual qualificado, que poderia ter renda semelhante, especialmente por estarem as classes médias estabelecidas pouco propensas a aceitar as classes médias baixas como suas iguais.

Era essa também, e por boas razões, a esfera política da retórica e da demagogia *par excellence*. Em países onde era vigorosa a tradição do jacobinismo radical e democrático, sua retórica, veemente ou floreada, mantinha a "gente pequena" à esquerda, embora na França isto incorporasse boa dose de chauvinismo nacional e um significativo potencial de xenofobia. Na Europa central, era irrestrito seu caráter nacionalista e, em especial, seu caráter antissemita. Os judeus não eram simplesmente identificados com o capitalismo, e sobretudo com a parte deste que se

A POLÍTICA DA DEMOCRACIA

chocava com os pequenos artesãos e lojistas — banqueiros, negociantes fundadores de novas redes de distribuição e lojas de departamentos —, mas também e com frequência com socialistas ateus e, de modo mais geral, com intelectuais que solapavam antigas e ameaçadoras verdades da moralidade e da família patriarcal. A partir da década de 1880, o antissemitismo tornou-se um dos mais importantes componentes dos movimentos políticos organizados de "homens pequenos", desde as fronteiras ocidentais da Alemanha até o leste, atingindo o Império Habsburgo, a Rússia e a Romênia. Seu significado também não deve ser subestimado em outras partes. Quem imaginaria, ao observar as convulsões antissemitas que abalaram a França na década de 1890 — década dos escândalos do Panamá e do caso Dreyfus[*] —, que existiam, durante esse período, nesse país de 40 milhões de habitantes, apenas 60 mil judeus?

Havia também, é claro, o campesinato, que formava ainda a maioria em muitos países e, em outros, o maior grupo econômico.

Embora, desde a década de 1880 — época de Depressão —, camponeses e agricultores se mobilizassem cada vez mais, como grupos de pressão econômica, aderindo até mesmo às novas organizações cooperativas de compra, de mercado, de processamento de produtos e de crédito — e isso em massas impressionantes e em países diferentes, como os EUA e a Dinamarca, Nova Zelândia e França, Bélgica e Irlanda — o campesinato raramente organizava-se política ou eleitoralmente como classe, presumindo-se que um conjunto tão variado possa ser considerado classe. Naturalmente, em países agrícolas, governo nenhum poderia dar-se ao luxo de desprezar os interesses econômicos de um conjunto de eleitores tão substancial quanto o dos lavradores. Todavia, na medida em que o cam-

---

[*] O capitão Dreyfus, do Estado-maior francês, foi erroneamente condenado por espionagem a favor da Alemanha, em 1894. Após campanha destinada a provar sua inocência, que polarizou e convulsionou toda a França, ele foi perdoado em 1899 e finalmente reabilitado em 1906. O "caso" teve um impacto traumático em toda a Europa.

A ERA DOS IMPÉRIOS

pesinato se mobilizava eleitoralmente, fazia-o sob bandeiras não agrícolas, mesmo onde era claro que a força de um específico partido ou movimento político, tal como a dos populistas dos EUA, na década de 1890, ou a dos social-revolucionários, na Rússia (após 1902), dependia do apoio dos fazendeiros e camponeses.

Se grupos sociais mobilizavam-se como tais, também o faziam grupos de cidadãos unidos por lealdades setoriais, como as da religião e as da nacionalidade. Setoriais porque as mobilizações políticas de massas, em base confessional, mesmo em países de uma só religião, seriam sempre blocos contrapostos a outros blocos, confessionais ou leigos. E as mobilizações nacionalistas (às vezes, como no caso dos poloneses e irlandeses, coincidindo com as religiosas) eram quase sempre movimentos autonomistas no interior de Estados multinacionais. Pouco havia neles em comum com o patriotismo inculcado pelos Estados — e que às vezes escapava ao seu controle — ou com movimentos políticos, normalmente de direita, que pretendiam representar "a nação" contra minorias subversivas (cf. capítulo 6).

Entretanto, a ascensão de movimentos de massa político-confessionais, como fenômeno geral, foi substancialmente dificultada pelo ultraconservadorismo e por uma entidade que possuía, de longe, a mais formidável capacidade de mobilizar e organizar seus fiéis ou, mais exatamente, a Igreja Católica Romana. A política, os partidos e as eleições faziam parte daquele deplorável século XIX, que Roma tentara proscrever, desde o *Syllabus* de 1864 e o Concílio do Vaticano de 1870 (cf. *A era do capital*, capítulo 14). A Igreja permaneceu absolutamente irreconciliada com o século XIX, conforme testemunha a proscrição de pensadores católicos que, nas décadas de 1890 e de 1900, cautelosamente insinuaram que se devia entrar num acordo com as ideias contemporâneas (o "modernismo" foi condenado pelo papa Pio X, em 1907). Que lugar haveria para a política católica nesse mundo infernal de política leiga, salvo o da total oposição e o da defesa es-

A POLÍTICA DA DEMOCRACIA

pecífica da prática religiosa, da educação católica e de outras instituições da Igreja, vulneráveis em relação ao Estado em permanente conflito com ela? Assim, embora o potencial político dos partidos cristãos fosse enorme, como o demonstraria a história europeia a partir de 1945,[*] e à medida que, evidentemente, esse potencial crescia a cada uma das extensões do voto, a Igreja resistia à formação de partidos políticos formalmente por ela apoiados, conquanto haja reconhecido, desde o início da década de 1890, que seria desejável arrebatar as classes trabalhadoras à revolução socialista e ateia e, é claro, necessário cuidar de seu maior eleitorado, os camponeses. Todavia, a despeito da bênção papal à nova preocupação católica com a política social (encíclica *Rerum Novarum*, 1891), os ancestrais e fundadores daqueles que viriam a ser os partidos democrata-cristãos da era que sucederia à Segunda Guerra Mundial eram considerados com suspeita e tratados com periódica hostilidade pela Igreja, não apenas porque também eles, como o "modernismo", pareciam se comprometer com tendências indesejáveis no mundo laico, mas igualmente porque a Igreja não se sentia à vontade junto aos quadros dos novos estratos católicos da classe média e da classe média baixa, urbana e rural, provenientes das economias em expansão, que nelas encontravam seu campo de ação. Quando o grande demagogo Karl Lueger (1844-1910) conseguiu, na década de 1890, fundar o primeiro importante partido moderno de massas social-cristão — um vigoroso movimento antissemita de classe média baixa que conquistou a cidade de Viena —, ele o fez a despeito da resistência da hierarquia austríaca. (O partido sobrevive ainda, como Partido do Povo, havendo governado a Áustria independente durante a maior parte de sua história, desde 1918.)

A Igreja, portanto, costumava apoiar partidos conservadores ou reacionários de vários tipos, ou, em nações católicas subordinadas no

---

[*] Na Itália, França, Alemanha Ocidental e Áustria, esses partidos emergiram e permaneceram, com exceção da França, como grandes partidos do governo.

interior de Estados multinacionais, mantinha-se em boas relações com movimentos nacionalistas, não contaminados pelo vírus secular. Contra o socialismo e a revolução, a Igreja apoiava qualquer coisa. Partidos e movimentos de massas genuinamente católicos encontravam-se apenas na Alemanha (onde surgiram para resistir às campanhas anticlericais de Bismarck na década de 1870), nos Países Baixos (onde a política sempre tomava a forma de agrupamentos confessionais, inclusive de protestantes e não religiosos, organizados em blocos verticais) e na Bélgica (onde os católicos e liberais anticlericais haviam formado um sistema de dois partidos bem antes da democratização).

Mais raros ainda eram os partidos religiosos protestantes, e onde eles existiam as exigências confessionais costumavam fundir-se com outros *slogans*: nacionalismo e liberalismo (preponderantes no não conformista País de Gales), antinacionalismo (entre os protestantes da Ulster, que optavam pela união com a Grã-Bretanha contra a autonomia política da Irlanda), e liberalismo (como no Partido Liberal inglês, onde o não conformismo aumentava seu poder à proporção que os velhos aristocratas *whigs* e os importantes interesses dos grandes negócios passavam para os conservadores, na década de 1880.[*] Na Europa oriental, é claro, a religião na política era impossível de se distinguir — inclusive na Rússia — do nacionalismo de Estado. O czar não era apenas o chefe da Igreja Ortodoxa, mas mobilizava a ortodoxia contra a revolução. As outras grandes religiões do mundo (o islamismo, hinduísmo, budismo e confucionismo), para não mencionar cultos restritos a comunidades ou grupos específicos, ainda operavam em um universo ideológico e político no qual era desconhecida e irrelevante a política ocidental democrática.

Se a religião encerrava um grande potencial político, a identificação nacional era um fator de mobilização igualmente formidável e, na prática,

---

[*] Não conformismo: grupos protestantes dissidentes, exteriores à Igreja Anglicana, na Inglaterra e no País de Gales.

A POLÍTICA DA DEMOCRACIA

mais eficaz. Quando a Irlanda — após a democratização do direito ao voto na Inglaterra em 1884 — votou em seus representantes, o partido nacionalista irlandês conquistou todos os assentos parlamentares católicos da ilha. Oitenta e cinco parlamentares, entre 103, formaram uma disciplinada falange em apoio ao líder (protestante) do nacionalismo irlandês, Charles Stewart Parnell (1846-1891). Onde quer que a consciência nacional optasse pela expressão política, evidenciava-se que poloneses votariam como poloneses (na Alemanha e na Áustria) e tchecos como tchecos. A política da metade austríaca do Império Habsburgo paralisara-se por essas divisões nacionais. De fato, após os tumultos e consequentes represálias de alemães e tchecos em meados da década de 1890, o parlamentarismo entrou em colapso completo, visto ser impossível, daí em diante, qualquer maioria parlamentar para qualquer governo. A concessão do sufrágio universal, em 1907, não foi feita apenas em resposta a pressões: foi uma desesperada tentativa no sentido de mobilizar as massas eleitorais que votariam, talvez, em partidos não nacionais (católicos ou mesmo socialistas) contra os irreconciliáveis e rixentos blocos nacionais.

Em sua forma extrema — nos disciplinados partidos de massas combinados com movimentos — a mobilização política de massas permaneceu incomum. Mesmo entre os novos movimentos operários e socialistas, o padrão monolítico e abrangente da social-democracia alemã não era, de modo algum, universal (cf. próximo capítulo). Não obstante, os elementos constitutivos desse novo fenômeno eram agora discerníveis em quase toda parte. Eram eles, primeiro, as organizações eleitorais, que formavam a sua base. O partido-de-massas-com-movimentos, ideal-típico, consistia em um complexo de organizações locais ou seções, unido a um complexo de organizações, cada uma também ligada a seções locais destinadas a fins especiais, mas integradas a um partido com objetivos políticos mais amplos. Assim, em 1914, o movimento nacional irlandês consistia na Liga Irlandesa Unida, que formava sua base nacional eleito-

151

ralmente organizada — isto é, em cada um dos distritos parlamentares. A Liga organizava os congressos eleitorais, dirigidos pelo seu presidente e com a presença não só de seus próprios delegados, mas igualmente dos delegados dos conselhos sindicais (consórcios das seções sindicais das cidades), dos próprios sindicatos, da Associação Terra e Trabalho, que representava os interesses dos lavradores, pelos delegados da Associação Atlética Gaélica, pelas associações de auxílio mútuo, tais como a Antiga Ordem dos Hibérnicos — que, aliás, ligava a ilha à emigração americana — além de outras entidades. Eis os quadros mobilizados que formavam o elo essencial entre a liderança nacionalista dentro e de fora do Parlamento e o eleitorado de massas, que definia os limites exteriores daqueles que apoiavam a causa da autonomia irlandesa. Os ativistas assim organizados poderiam formar uma massa realmente substancial: em 1913 a Liga contava com 130 mil membros entre uma população total de irlandeses católicos de 3 milhões.[6]

Em segundo lugar, os novos movimentos de massas eram ideológicos. Eram mais que simples grupos de pressão e ação a favor de objetivos específicos, tais como a defesa da viticultura. Tais grupos organizados de interesse específico naturalmente proliferavam, visto que a lógica da política democratizada exigia que os interesses exercessem pressões junto aos governos e às assembleias nacionais, em teoria sensíveis a elas. Mas entidades como a alemã *Bund der Landwirte*[*] (fundada em 1893 e quase imediatamente, em 1894, apoiada por 200 mil agricultores) não se ligavam a um partido, a despeito das simpatias obviamente conservadoras do *Bund* e do quase total domínio que os grandes latifundiários exerciam sobre ele. Em 1898, contava o *Bund* com o apoio de 118 (entre 397) deputados do *Reichstag*, que pertenciam a cinco partidos diferentes.[7] Diversamente de tais grupos de interesses específicos, por poderosos que

---

[*] Em alemão no original: Liga dos Agricultores. (N.T.)

A POLÍTICA DA DEMOCRACIA

fossem, o novo partido, combinado com movimentos, representava uma visão total do mundo. Era isto, mais que o programa político concreto, específico e talvez mutável, que, para seus membros e seguidores, formava algo semelhante àquela "religião cívica" a qual, para Jean-Jacques Rousseau, Durkheim e outros teóricos do novo campo da sociologia, deveria ligar entre si as sociedades modernas; apenas neste caso, formava um cimento seccional. A religião, o nacionalismo, a democracia, o socialismo, as ideologias precursoras do fascismo de entreguerras: tudo isso mantinha unidas as massas recém-mobilizadas, quaisquer que fossem os interesses materiais também representados por seus movimentos.

Paradoxalmente, nos países de vigorosa tradição revolucionária, como a França e os EUA e, mais remotamente, a Inglaterra, a ideologia de suas próprias revoluções anteriores permitia às velhas e novas elites domesticar, pelo menos em parte, a nova mobilização de massas, por meio de estratégias há muito familiares aos oradores do dia 4 de julho, na democrática América do Norte. O liberalismo britânico, herdeiro da Revolução Gloriosa de 1688 e que não desprezava um ocasional apelo aos regicidas de 1649, em benefício dos descendentes das velhas seitas puritanas,[*] conseguiu embargar o desenvolvimento de um Partido Trabalhista de massas até depois de 1914. Além disso, o Partido Trabalhista (fundado em 1900), tal como era, velejava na esteira dos liberais. O radicalismo republicano, na França, tentou absorver e assimilar as mobilizações populares de massas, agitando a bandeira da República e da Revolução contra seus inimigos. E não o fazia sem êxito. Os *slogans* "Não há inimigos à esquerda" e "Unidade de todos os bons republicanos" foram importantes para ligar a nova esquerda popular aos homens do centro, que mandavam na Terceira República.

---

[*] O primeiro-ministro liberal, *Lord* Rosebery, pagou do seu bolso a estátua de Oliver Cromwell, erigida diante do Parlamento em 1899.

A ERA DOS IMPÉRIOS

Em terceiro lugar, segue-se que as mobilizações de massas eram, a seu modo, globais. Ou elas estraçalhavam o antigo quadro de referências localizado ou regional da política, ou o marginalizavam, ou ainda integravam-no em movimentos mais amplos e abrangentes. Em qualquer caso, a política nacional nos países democratizados deixava menos campo aos partidos puramente regionais, mesmo em Estados com marcantes diferenças entre suas regiões, como a Alemanha e a Itália. Assim, na Alemanha, o caráter regional de Hannover (anexada à Prússia em 1866), onde ainda eram marcantes o sentimento antiprussiano e a lealdade à antiga dinastia dos Guelfos, assinalava sua presença apenas pela menor porcentagem de votos (85%, contra 94-100% em outras partes) dados aos vários partidos de amplitude nacional.[8] O fato de as minorias étnicas ou confessionais, ou mesmo os grupos sociais e econômicos, serem às vezes limitados a áreas geográficas especiais não nos deve desorientar. Em contraste com a política eleitoral da antiga sociedade burguesa, a nova política de massas mostrava-se progressivamente incompatível com a velha política localizada, alicerçada nos homens com poder e influência local, conhecidos (no vocabulário político francês) como *notables* (notáveis). Havia ainda muitas partes da Europa e das Américas — especialmente em áreas tais como as penínsulas sibérica e balcânica, o sul da Itália e a América Latina — locais onde *caciques* ou patrões, pessoas poderosas e influentes localmente, poderiam "fornecer" blocos de votos de sua clientela a quem melhor pagasse ou a patrões ainda mais importantes. Na política democrática, o "patrão" não chegava a desaparecer, mas neste caso era cada vez mais o partido que fazia o notável ou que, pelo menos, o salvava do isolamento e da impotência política — e não o contrário. Elites mais antigas, que se transformavam a fim de se adaptar à democracia, desenvolviam várias combinações entre a política da influência e do clientelismo local e aquela da democracia. Na realidade, as últimas décadas do velho século e as primeiras do novo foram repletas de complicados conflitos entre as "notabilidades" ao velho estilo e os novos operadores da política, os patrões locais e outros elementos-chave que controlavam os partidos locais.

A democracia que assim substituía a política dos notáveis — na medida em que era bem-sucedida — não substituía o clientelismo e a influência pelo "povo", mas pela organização: ou, mais exatamente, os comitês, os notáveis de partido, as minorias ativistas. Esse paradoxo foi prontamente registrado por observadores realistas da política, que assinalaram o papel decisivo desses comitês (ou *caucuses*, segundo o termo anglo-americano), ou mesmo a "lei de ferro da oligarquia" que Robert Michels acreditava poder deduzir de seu estudo do Partido Social-Democrata alemão. Michels notou igualmente a tendência dos novos movimentos de massas para venerar figuras de líderes, embora tenha exagerado seu significado.[9] Com respeito à admiração que, sem dúvida, costumava circundar certos líderes de movimentos nacionais de massas —, a qual se manifestava em tantas paredes de casas modestas durante a época que examinamos, por meio dos retratos de Gladstone, o Grande Velho do Liberalismo, ou de Bebel, o líder da social-democracia alemã —, ela era um reflexo principalmente da causa que unia os fiéis, e não do próprio líder. Além disso, não faltavam movimentos de massas sem líderes carismáticos. Quando Charles Stewart Parnell caiu vítima das complicações de sua vida particular e da hostilidade conjunta da Igreja Católica e da moralidade não conformista, em 1891, ele foi abandonado sem hesitação pelos irlandeses — e todavia nenhum líder suscitara tanto entusiasmo e lealdade. O mito de Parnell sobreviveu durante longo tempo ao homem.

Em suma, para os que o apoiavam, o partido ou movimento representava-os e por eles agia. Eis por que era fácil para a organização tomar o lugar de seus membros e seguidores e, para os líderes, dominar a organização. Os movimentos de massas estruturados não eram, portanto, de nenhum modo, repúblicas de iguais. Mas a combinação da organização com o apoio de massas oferecia-lhes uma enorme capacidade, quase insuspeitada: eles eram Estados em potencial. Na verdade, as mais importantes revoluções do nosso século substituíram antigos regimes, velhos Estados e velhas classes dominantes, por partidos combinados com movimentos institucionalizados como sistemas de poder estatal. Este potencial é ainda mais impressionante porque as organizações ideológicas mais antigas, aparentemente, careciam dele. No Ocidente, por exemplo, a religião parecia ter perdido a capacidade de se transformar em teocracia, e decerto nem o pretendia fazer.[*] O que as igrejas vitoriosas estabeleciam, pelo menos no mundo cristão, eram regimes clericais operados por instituições seculares.

2.

A democratização, embora em avanço, apenas iniciara a transformação política. Contudo, suas implicações, algumas vezes já explícitas, suscitavam os mais graves problemas para aqueles que governavam e para as classes no interesse das quais o faziam. Havia o problema de manter a unidade e a própria existência dos Estados, que já era urgente na política multinacional confrontada por movimentos nacionais. No Império Austríaco, esse era já o problema central do Estado, e mesmo na Inglaterra a emergência do nacionalismo de massas irlandês abalara a estrutura política estabelecida. Havia problemas de como manter a continuidade de políticas sensatas, tais como as consideravam as elites do país, acima de tudo, na economia. Não interferiria a democracia, inevitavelmente, nas operações do capitalismo e — segundo pensavam os homens de negócios — para pior? Não ameaçaria o livre comércio, na Inglaterra, ao qual

---

[*] O último exemplo de tal transformação é, provavelmente, o estabelecimento da comunidade mórmon em Utah, em 1848.

A POLÍTICA DA DEMOCRACIA

todos os partidos apegavam-se religiosamente? Não ameaçaria a solidez das finanças e do padrão-ouro, pedra de toque de toda política econômica respeitável? Esta última ameaça aparentava urgência nos EUA, dado que a mobilização do populismo, na década de 1890, havia dirigido seus mais veementes raios retóricos contra para citarmos seu grande orador William Jennings Bryan — a crucificação da humanidade numa cruz de ouro. De modo mais geral, mas acima de tudo, situava-se o problema de garantir a legitimidade, talvez a própria sobrevivência da sociedade tal como então constituída, ao enfrentar a ameaça dos movimentos de massas pela revolução social. E tais ameaças afiguravam-se ainda mais perigosas em virtude da inegável ineficácia dos Parlamentos eleitos pela demagogia e fragmentados por conflitos partidários irreconciliáveis, além da indubitável corrupção de um sistema político que não se apoiava mais em homens de fortuna independente e sim, cada vez mais, naqueles cuja carreira e fortuna baseavam-se no êxito que obtivessem na nova política.

Ambos fenômenos não podiam ser desprezados. Em nações democráticas com poderes divididos, como os EUA, o governo (isto é, o ramo executivo, representado pela presidência) era, em certo grau, independente do Parlamento eleito, embora suscetível de ser paralisado por seu contrapeso. (Mas a eleição democrática dos presidentes introduzia outro perigo.) No modelo europeu de governo representativo, em que os governos, exceto quando protegidos por monarquias do velho estilo, eram teoricamente dependentes das assembleias eleitas, os problemas afiguravam-se insuperáveis. Efetivamente, eles com frequência iam e vinham como grupos de turistas num hotel, sempre que uma breve maioria parlamentar se esfacelava e outra a sucedia. A França, mãe das democracias europeias, talvez detivesse o recorde: tivera cinquenta e dois gabinetes em menos de trinta e nove anos, entre 1875 e a deflagração da guerra, dos quais apenas onze duraram doze meses ou mais. Reconhecidamente, os mesmos nomes tendiam a reaparecer na maioria deles. Não causa ad-

A ERA DOS IMPÉRIOS

miração, portanto, que a continuidade efetiva do governo e da política estivesse nas mãos dos funcionários permanentes, não eleitos e invisíveis, da burocracia. No que se refere à corrupção, talvez não fosse maior que no início do século XIX, quando os governos, inclusive o inglês, haviam partilhado os corretamente assim chamados "cargos lucrativos da Coroa" e as lucrativas sinecuras entre seus parentes e dependentes. Mesmo onde a corrupção não era tanta, ela era mais visível; por exemplo, quando os políticos que se haviam elevado peios próprios esforços cobravam, de um modo ou de outro, o valor de seu apoio ou oposição aos homens de negócios ou outros interessados. Tal corrupção era ainda mais visível se confrontada com a incorruptibilidade dos juízes e administradores públicos permanentes mais graduados — suposta pelo menos na Europa ocidental e central —, ambos protegidos em larga medida, nos países constitucionais, contra o duplo risco da eleição e do clientelismo — com a importante exceção dos EUA.*

Ocorriam escândalos de corrupção política não apenas em países em que não se abafava o som do dinheiro a trocar de mãos, como na França (o escândalo Wilson em 1885, o escândalo Panamá em 1892-1893), mas igualmente onde o som era abafado, como na Inglaterra (o escândalo Marconi, no qual envolveram-se dois homens que se haviam feito pelos próprios esforços, como Lloyd George e Rufus Isaacs, posteriormente ocupante do mais alto posto judicial inglês e vice-rei da Índia).** A ins-

---

* Mesmo nesse país, uma Comissão de Servidores Públicos foi estabelecida, em 1883, com o fim de elaborar as bases de um Serviço Público Federal independente do clientelismo político. Mas o clientelismo permaneceu, na maioria do país, mais importante do que convencionalmente se supõe.

** As transações realizadas dentro de uma elite dominante e coesa, que talvez tivessem surpreendido os observadores democráticos e os moralistas políticos, não eram raras. Ao morrer, em 1895, *Lord* Randolph Churchill, pai de Winston, que fora chanceler do Tesouro, devia cerca de 60.000 libras a Rothschild, o qual, segundo seria de prever, tinha seus interesses nas finanças nacionais. A dimensão da dívida pode ser indicada em termos atuais pelo fato de essa única soma se elevar a 0,4% do *total* do produto dos impostos de renda na Inglaterra, naquele ano.[10]

A POLÍTICA DA DEMOCRACIA

tabilidade e a corrupção parlamentar poderiam, é claro, estar ligadas, onde os governos constituíam suas maiorias, essencialmente naquilo que efetivamente era compra de votos por favores políticos — os quais, inevitavelmente, tinham dimensão financeira. Conforme observado, Giovanni Giolitti, na Itália, era mestre nessa estratégia.

Os contemporâneos pertencentes às camadas superiores da sociedade davam-se conta, vivamente, dos perigos de uma política democratizada e, de modo geral, da progressiva centralidade das massas. Isso não constituía simplesmente preocupação dos que se ocupavam de negócios públicos, como o redator do *Le Temps* e da *Revue des Deux Mondes* — fortalezas da opinião respeitável francesa —, que em 1897 publicou um livro caracteristicamente intitulado *A organização do sufrágio universal: a crise do Estado Moderno*,[11] ou mesmo preocupação do procônsul dos conservadores pensantes, o ministro Alfred Milner (1845-1925), que em 1902 se referia (privadamente) ao Parlamento britânico como "aquela malta de Westminster".[12] Muito do difundido pessimismo da cultura burguesa da década de 1880 e das seguintes refletia, sem dúvida, o sentimento dos líderes abandonados por seus antigos seguidores, das elites que viam desintegrar-se suas defesas contra as massas, das minorias educadas e cultas (ou, mais exatamente, dos filhos dos ricos) invadidos por "aqueles que acabavam de emancipar-se do analfabetismo ou da semibarbárie",[13] ou colocados de lado pela maré montante de uma civilização engrenada às massas.

A nova situação política desenvolveu-se passo a passo, e irregularmente, dependendo da história interna dos diversos Estados. Isso dificulta e quase inutiliza uma avaliação comparativa da política de 1870-1890. Foi a súbita emergência internacional dos movimentos operários de massa e dos movimentos socialistas, durante e após 1880 (cf. capítulo seguinte), que parece ter colocado numerosos governos e classes dominantes em dificuldades essenciais semelhantes, conquanto retrospectivamente seja possível perceber que não foram estes os únicos

A ERA DOS IMPÉRIOS

movimentos de massas a dar dores de cabeça aos governantes. De modo geral, na maioria dos países europeus de constituição limitada e restrições ao direito de voto, a predominância política da burguesia liberal na metade do século (cf. *A era do capital*, capítulo 6:1, capítulo 13:3) caiu por terra no decorrer da década de 1870, se não por outras razões, como um resultado secundário da Grande Depressão: na Bélgica em 1870, na Alemanha e na Áustria em 1879, na Itália na década de 1870, na Inglaterra em 1874. Exceto durante episódicos retornos ao poder, ela jamais voltou a dominar. Nenhum padrão político de igual clareza emergiu na Europa durante o novo período, embora nos EUA o Partido Republicano, que conduzira o Norte à vitória na Guerra Civil, conquistasse quase ininterruptamente a Presidência até 1913. Na medida em que os problemas insolúveis e os desafios básicos da revolução e da secessão puderam ser mantidos fora da política parlamentar, os estadistas poderiam iludir as maiorias parlamentares com coalizões mutáveis entre aqueles que não pretendiam ameaçar o Estado e a ordem social. Na maioria dos casos era possível manter esses desafios afastados, embora na Inglaterra o súbito surgimento de um sólido bloco militante de nacionalistas irlandeses na década de 1880, dispostos a provocar perturbações na Câmara dos Comuns e a reter o equilíbrio do poder, tenha imediatamente transformado a política parlamentar e os dois partidos que até então haviam dançado decorosamente seu *pas de deux*. Ou pelo menos, em 1886, precipitou o afluxo de nobres milionários *whig* e de homens de negócios liberais ao partido *tory*, o qual, como partido conservador e unionista (isto é, oposto à autonomia irlandesa), crescentemente desenvolveu-se no partido unido da grande propriedade fundiária e da grande indústria.

Em outras partes a situação, conquanto mais dramática, era, na realidade, mais controlável. Na restaurada monarquia da Espanha (1874) a fragmentação dos derrotados opositores do sistema — republicanos à esquerda, carlistas à direita — permitiu a Cánovas (1828-1897) perma-

A POLÍTICA DA DEMOCRACIA

necer no poder durante a maior parte do período de 1874-1897, manipulando os políticos e um apolítico voto rural. Na Alemanha, a fraqueza de elementos irreconciliáveis permitiu a Bismarck controlar a situação bastante bem na década de 1880, e no Império Austríaco a moderação dos partidos eslavos respeitáveis beneficiou, de igual modo, o elegante e aristocrático *boulevardier* conde Taaffe (1833-1895) no cargo, no período de 1879-1893. A direita francesa, que se recusou a aceitar a República, era uma minoria eleitoral permanente, e o exército não desafiava a autoridade civil: assim sobreviveu a República às muitas e pitorescas crises que a sacudiram (em 1877, em 1885-1887, em 1892-1893 e durante o caso Dreyfus, em 1884-1900). Na Itália, o boicote do Vaticano a um Estado secular e anticlerical facilitou a Depretis (1813-1887) conduzir sua política do "transformismo" ou, mais exatamente, transformar os adversários em seguidores do governo.

Na verdade, o único e verdadeiro desafio ao sistema era extraparlamentar — e a insurreição que vinha de baixo não precisava, no momento, ser levada a sério nos países constitucionais, ao passo que os exércitos, mesmo na Espanha, território clássico dos *pronunciamentos*, guardavam silêncio. E onde, como nos Bálcãs e na América Latina, a insurreição e as Forças Armadas na política permaneciam partes familiares do cenário, eram antes parte do sistema do que ameaças potenciais a este.

Entretanto, era improvável que tal situação perdurasse. Ao confrontar-se com o surgimento de forças aparentemente irreconciliáveis na política, o primeiro instinto dos governos era com frequência a coerção. Bismarck, mestre em manipular uma política de sufrágio restrito, sentia-se perplexo, na década de 1870, ao enfrentar o que ele considerava uma massa organizada de católicos leais a um Vaticano reacionário "além das montanhas" (daí o termo "ultramontano"); e declarou uma guerra anticlerical contra eles (a assim chamada *Kulturkampf* ou luta cultural da década de 1870). Confrontado com a ascensão dos social-democratas,

A ERA DOS IMPÉRIOS

ele declarou o partido fora da lei em 1879. Desde que o retorno ao puro absolutismo parecia impossível e de fato impensável — uma vez que era permitido aos social-democratas banidos apresentar candidatos às eleições — ele malogrou em ambos os casos. Mais cedo ou mais tarde — no caso dos socialistas, após sua queda em 1889 — os governos precisaram conviver com os novos movimentos de massas. O imperador austríaco, cuja capital fora empolgada pela demagogia dos social-cristãos, recusou-se três vezes a aceitar-lhes o líder, Lueger, como prefeito de Viena, antes de resignar-se ao inevitável, em 1897. Em 1886, o governo belga reprimiu militarmente a onda de greves e tumultos dos operários — dos mais miseráveis entre os europeus ocidentais — e prendeu os líderes socialistas, estivessem ou não envolvidos nos distúrbios. Todavia, sete anos depois, concedeu uma espécie de sufrágio universal depois de uma bem-sucedida greve geral. Os governos italianos mandaram atirar em camponeses sicilianos, em 1893, e contra operários milaneses, em 1898. Após os cinquenta cadáveres de Milão, porém, o governo mudou de rumo. De modo geral, os anos 1890, década do surgimento do socialismo como movimento de massas, são o marco de um momento decisivo. Iniciava-se uma era de novas estratégias políticas.

As gerações de leitores que cresceram posteriormente à Primeira Guerra Mundial talvez considerem estranho que nenhum governo haja seriamente contemplado o abandono do sistema parlamentar e constitucional, neste tempo. *Após* 1916, de fato, o constitucionalismo liberal e a democracia representativa efetivamente bateram em retirada em toda a linha de frente, embora em parte restaurados após 1945. No período de que tratamos não foi esse o caso. Mesmo na Rússia czarista, a derrota da Revolução de 1905 não conduziu a uma abolição total das eleições e do Parlamento (Duma). Ao contrário de 1849 (cf. *A era do capital*, capítulo 1), não houve um simples retorno à reação, mesmo que no final de seu período de poder Bismarck tenha considerado a ideia de suspender

A POLÍTICA DA DEMOCRACIA

ou abolir a constituição. A sociedade burguesa talvez tenha se sentido apreensiva quanto ao rumo a seguir, mas ainda era suficientemente autoconfiante, principalmente porque o avanço econômico mundial de modo nenhum estimulava o pessimismo. Mesmo a opinião politicamente moderada (a não ser que existissem interesses financeiros e diplomáticos contrários) esperava uma evolução na Rússia — a qual, imaginava-se, transformaria a nódoa da civilização europeia num correto Estado liberal--burguês — e de fato a Revolução de 1905, ao contrário da de 1917, foi entusiasticamente apoiada pela classe média e pelos intelectuais. Outras insurreições foram insignificantes. Os governos permaneceram notavelmente calmos durante a epidemia anarquista de assassínios na década de 1890, durante a qual foram vitimados dois monarcas, dois presidentes e um primeiro-ministro,* e após 1900 ninguém mais se preocupava seriamente com o anarquismo, a não ser na Espanha e em alguns países da América Latina. Deflagrada a guerra de 1914, o ministro do Interior francês nem se deu ao trabalho de mandar prender os revolucionários (principalmente anarquistas e anarcossindicalistas) e subversivos antimilitaristas tidos como perigosos para o Estado, embora a polícia houvesse, desde longa data, compilado uma lista precisamente com essa finalidade.

Se, contudo, a sociedade burguesa como um todo não se sentia ainda imediata e gravemente ameaçada (contrariamente ao que sucedeu nas décadas subsequentes a 1917), tampouco seus valores do século XIX e suas expectativas históricas haviam sido irremediavelmente solapados. Esperava-se que o comportamento civilizado, o império da lei e as instituições liberais levassem avante seu progresso secular. Restava ainda muita barbárie, especialmente (segundo os "respeitáveis") entre as ordens inferiores e, é claro, entre povos "não civilizados", mas felizmente já

---

* Rei Umberto da Itália, imperatriz Elizabeth da Áustria, presidente Sadi Carnot da França, presidente McKinley dos EUA, primeiro-ministro Cánovas da Espanha.

163

colonizados. Havia ainda Estados, mesmo na Europa, como o Império Otomano e o Czarista, onde bruxuleavam ou nem mesmo se acendiam as velas da razão. Todavia, os próprios escândalos que convulsionavam a opinião nacional e internacional indicavam quanto eram elevadas as expectativas de civilidade no mundo burguês, em tempos de paz: Dreyfus (recusa de investigar um só erro judiciário); Ferrer, em 1909 (execução de um educador espanhol erroneamente acusado de liderar uma onda de tumultos em Barcelona); Zabern, em 1913 (vinte manifestantes presos durante uma noite, pelo exército alemão, numa cidade alsaciana). Nós, situados em finais do século XX, podemos apenas considerar com melancólica incredulidade um período em que massacres, tais como os que diariamente ocorrem no mundo atual, eram tidos como monopólio de turcos e tribos selvagens.

3.

As classes dominantes, portanto, optaram por novas estratégias, mesmo enquanto se empenhavam em limitar o impacto da opinião e do eleitorado de massas em nome de seus interesses e nos do Estado, bem como no da formação e da continuidade da alta política. Seu alvo principal era o movimento operário e socialista, que de repente emergira internacionalmente como fenômeno de massas por volta de 1890 (cf. capítulo 5). Revelou-se, afinal, que seria mais fácil entrar num acordo com este do que com os movimentos nacionalistas que surgiram na época ou, se já estavam em cena, entravam em nova fase de militância, autonomismo ou separatismo (cf. capítulo 6). Com referência aos católicos, exceto quando identificados com algum nacionalismo autonomista, eram relativamente fáceis de ser integrados, visto serem socialmente conservadores — o que vale mesmo para o caso dos raros partidos social-cristãos, como o de

A POLÍTICA DA DEMOCRACIA

Lueger. Aliás, eles costumavam contentar-se com a salvaguarda de interesses especificamente eclesiásticos.

Trazer os movimentos operários para o jogo institucionalizado da política era coisa difícil — na medida em que os empregadores, defrontados com greves e sindicatos, demonstravam uma lentidão muito maior que a dos políticos para desistir da política do pulso forte e adotar a da luva de pelica — e isso acontecia até na pacífica Escandinávia. O crescente poder dos grandes negócios mostrava-se particularmente recalcitrante. Na maioria dos países, notadamente nos EUA e na Alemanha, os empregadores, como classe, jamais se reconciliaram com os sindicatos antes de 1914; mesmo na Inglaterra, onde os sindicatos haviam sido aceitos em princípio e, não raro, na prática, desde longa data, houve uma contraofensiva de empregadores, na década de 1890. E isso não obstante os administradores governamentais perseguirem uma política de conciliação e de os líderes do Partido Liberal fazerem o possível para infundir confiança e atrair o voto operário. Era também difícil politicamente, pois os novos partidos operários recusavam qualquer acordo com o Estado e o sistema burguês, em âmbito nacional — raramente eram assim tão intransigentes no campo dos governos locais —, como eram propensos a ser os adeptos da Internacional de 1889, dominada pelos marxistas. (A política operária não revolucionária e não marxista era isenta de tais problemas.) Por volta de 1900, porém, ficou claro o aparecimento de uma ala moderada ou reformista em todos os movimentos socialistas de massas; de fato, mesmo entre os marxistas, ela encontrou seu ideólogo em Eduard Bernstein, o qual afirmara que "o movimento é tudo, o alvo é nada" e cuja insensível reivindicação para uma revisão da teoria marxista causou escândalo, afronta e apaixonados debates no mundo socialista, após 1897. Enquanto isso, a política do eleitoralismo de massas — da qual eram defensores entusiastas até os mais marxistas entre os partidos, pois ela oferecia visibilidade máxima ao crescimento de seus efetivos — integrava sem ruído esses partidos no sistema.

Os socialistas, certamente, não podiam ainda fazer parte dos governos. Não se poderia esperar que tolerassem políticos e governos "reacionários". Todavia, uma política que conduzisse pelo menos os representantes moderados do movimento operário a um alinhamento mais amplo e favorável à reforma, bem como à união entre democratas, republicanos, anticlericais e "homens do povo", especialmente contra os inimigos mobilizados dessas boas causas, teria boas perspectivas de êxito. Foi sistematicamente seguida na França, de 1899 em diante, por Waldeck Rousseau (1846-1904), arquiteto de um governo de união republicana contra inimigos que claramente o desafiavam, no caso Dreyfus; e na Itália por Zanardelli, cujo governo, em 1903, contava com o apoio da extrema esquerda; e mais tarde pelo grande embusteiro e conciliador Giolitti. Na Inglaterra, após algumas dificuldades nos anos 1890, os liberais, em 1903, concluíram um pacto eleitoral com o recém-fundado Comitê de Representação Trabalhista, o que ofereceu a este condições de entrar para o Parlamento, com alguma força, em 1906, como Partido Trabalhista. Em outros países, o interesse comum visando a ampliar o sufrágio aproximou os socialistas dos outros democratas, como na Dinamarca, onde em 1901 — pela primeira vez na Europa — o governo pôde contar com o apoio de um partido socialista e nele confiar.

O motivo dessas propostas do centro parlamentar à extrema esquerda não era, usualmente, a necessidade do apoio socialista, uma vez que mesmo os grandes partidos socialistas eram grupos minoritários que, na maioria dos casos, poderiam facilmente ser eliminados do jogo parlamentar, como o foram os partidos comunistas, de comparável dimensão, na Europa, após a Segunda Guerra Mundial. Os governos alemães mantiveram afastado o mais formidável de todos esses partidos, por meio da assim chamada *Sammlungspolitik* (política de união ampla) ou, mais exatamente, reunindo maiorias de antissocialistas garantidos, conservadores, católicos e liberais. O que os homens sensatos das classes dominantes não tardaram a discernir

A POLÍTICA DA DEMOCRACIA

foi, por assim dizer, o desejo de explorar as possibilidades de domar as feras da floresta política. A estratégia do abraço cordial teve resultados vários, e a intransigência dos empregadores propensos à coerção e à provocação de confrontos industriais de massas não facilitou as coisas, ainda que em seu conjunto essa estratégia funcionasse, pelo menos na medida em que conseguiu cindir os movimentos operários de massas em alas irreconciliáveis, uma moderada e outra radical, geralmente minoria — e isolando esta última.

A democracia, no entanto, seria tanto mais fácil de domar quanto menos agudos fossem seus descontentamentos. A nova estratégia envolvia, portanto, uma disposição para empreender programas de reforma e bem-estar social que minaram os clássicos acordos liberais de meados do século, com governos que eram mantidos a distância do campo reservado à iniciativa e à empresa privada. O jurista inglês A. V. Dicey (1835-1922) viu o rolo compressor do coletivismo, em marcha desde 1870, achatando a paisagem da liberdade individual na tirania centralizada e niveladora das refeições escolares, seguros de saúde e aposentadorias. Em certo sentido, ele tinha razão. Bismarck, lógico como sempre, já na década de 1880 decidira cortar as raízes da agitação socialista por meio de um ambicioso esquema de previdência social; foi seguido, nesta orientação, pela Áustria e pelos governos liberais ingleses de 1906-1914 (aposentadorias, bolsas de trabalho, seguros de saúde e desemprego) e mesmo pela França, após algumas hesitações (aposentadorias em 1911). É interessante que os países escandinavos, hoje "Estados do bem-estar social" *par excellence*, fossem então alheios ao assunto; diversos países fizeram apenas gestos simbólicos nessa direção, e os EUA do tempo de Carnegie, Rockefeller e Morgan, nem isso. Nesse paraíso da iniciativa privada, mesmo o trabalho de menores permanecia fora da alçada da lei federal, embora por volta de 1914 existissem leis que o proibiam, teoricamente, até na Itália, na Grécia e na Bulgária. Por volta de 1905, leis geralmente disponíveis estipulavam

A ERA DOS IMPÉRIOS

indenizações a operários em caso de acidente, mas não interessaram ao Congresso e foram condenadas pelos tribunais como inconstitucionais. Exceto na Alemanha, tais esquemas de bem-estar social eram modestos até os últimos anos que precederam 1914, e mesmo na Alemanha malograram visivelmente na tentativa de sustar o crescimento do partido socialista. Não obstante, ficou estabelecida uma tendência nesse sentido, notavelmente mais acelerada nos países protestantes da Europa e da Australásia.

Dicey também tinha razão ao sublinhar o inevitável crescimento no peso e no papel desempenhado pelo aparato estatal, uma vez abandonado o ideal da não intervenção. Pelos padrões modernos, a burocracia continuava modesta, embora aumentasse em ritmo acelerado — e em nenhuma parte mais que na Inglaterra, onde os empregos governamentais triplicaram entre 1891 e 1911. Na Europa, por volta de 1914, esses empregos iam de 3% da força de trabalho na França — seu ponto mais baixo, fato aliás surpreendente — e, em seu ponto mais alto, a 5,5-6% na Alemanha e — fato igualmente surpreendente — na Suíça.[14] A título de comparação, nos países da Comunidade Econômica Europeia, na década de 1970, os empregos governamentais formavam entre 10% e 13% da população ativa.

Não seria possível, no entanto, conquistar a lealdade das massas sem políticas sociais dispendiosas, que talvez onerassem o lucro dos empresários, de quem dependia a economia? Como vimos, acreditava-se que o imperialismo não só teria condições de pagar reformas sociais como era também popular. Revelou-se contudo que a guerra, ou a simples perspectiva de uma guerra bem-sucedida, encerrava em si um potencial demagógico ainda maior. O governo inglês conservador utilizou a Guerra Sul-Africana (1899-1902) para varrer da cena seus adversários liberais na "eleição cáqui" de 1900, e o imperialismo americano mobilizou com êxito a popularidade dos canhões para a guerra contra a Espanha, em 1898. Na verdade, as elites

A POLÍTICA DA DEMOCRACIA

governantes dos EUA, encabeçadas por Theodore Roosevelt (1858-1919), presidente no período de 1901-1909, acabavam de descobrir o caubói-inseparável-de-seu-revólver como símbolo do verdadeiro americanismo, da liberdade e da tradição branca nativa contra a horda invasora dos imigrantes das classes baixas e a incontrolável cidade grande. Desde então, esse símbolo tem sido frequentemente explorado.

O problema, todavia, era mais amplo. Seria possível incutir uma nova legitimidade, em relação aos regimes dos Estados e às classes dominantes, na mente das massas democraticamente mobilizadas? Grande parte da história de nossos tempos consiste na tentativa de dar uma resposta a essa pergunta. A tarefa era urgente, pois os antigos mecanismos de subordinação social já estavam frequentemente em evidente colapso. Assim foi que os conservadores alemães — essencialmente um partido de eleitores fiéis aos grandes latifundiários e nobres — perderam metade de seu quinhão do total dos votos entre 1881 e 1912, pela simples razão de 71% de seus votos proviram de aldeias de menos de 2 mil habitantes, as quais abrigavam uma parte decrescente da população; apenas 5% provinham das grandes cidades de mais de 100 mil habitantes, para as quais os alemães se dirigiam em grande número. As antigas lealdades funcionavam ainda nas grandes propriedades rurais dos *junkers*, da Pomerânia,[*] onde os conservadores mantinham quase metade dos votos; mas mesmo na Prússia como um todo conseguiam mobilizar apenas 11-12% dos eleitores.[15] A situação daquela outra classe de senhores, a burguesia liberal, era ainda mais dramática. Ela triunfara pela destruição da coesão social das antigas hierarquias e comunidades, pela sua preferência pelo mercado, em oposição às relações humanas, *Gesellschaft* contra *Gemeinschaft*[**] — e, quando as massas entraram no palco político em busca de seus próprios interesses,

---

[*] A Pomerânia é uma área ao longo do Báltico, a noroeste de Berlim, hoje parte da Polônia.

[**] Em alemão no original: sociedade contra a comunidade. (N.T.)

A ERA DOS IMPÉRIOS

eram hostis a tudo o que o liberalismo burguês simbolizava. Em parte alguma isso era tão óbvio quanto na Áustria, onde os liberais, por volta do fim do século, reduziam-se a um pequeno e isolado punhado de alemães citadinos da classe média e judeus-alemães. A municipalidade de Viena, sua fortaleza durante a década de 1860, foi perdida para os radical-democratas, para os antissemitas e para o novo partido cristão-social, antes de o ser para a social-democracia. Mesmo em Praga, onde esse núcleo burguês poderia reivindicar a representação da reduzida e decrescente minoria de língua alemã, que incluía todas as classes (cerca de 30 mil e, em 1910, não mais que 7% da população), não conseguia manter a fidelidade nem dos estudantes e pequeno-burgueses nacionalistas alemães (*volkisch*), nem a dos operários alemães, social-democratas e politicamente passivos, nem sequer a de uma certa proporção de judeus.[16]

E com respeito ao próprio Estado, ainda normalmente representado por monarcas? Talvez fosse absolutamente novo, isento de todo precedente histórico relevante, como na Itália e no novo Império Alemão, para não mencionar a Romênia e a Bulgária. Seus regimes talvez fossem o produto de derrotas recentes, da revolução ou da guerra civil como na França, na Espanha e nos EUA, posteriormente à guerra civil, para não mencionar os regimes das repúblicas latino-americanas, perenemente mutantes. Nas monarquias antigas e estabelecidas — mesmo na Inglaterra da década de 1870 — as agitações republicanas estavam, ou pareciam estar, longe de ser desprezíveis. As agitações nacionais reuniam forças. Poder-se-ia contar com a pretensão do Estado à lealdade de todos os seus súditos ou cidadãos?

Foi este, consequentemente, o momento em que os governos, os intelectuais e os homens de negócios descobriram o significado político da irracionalidade. Os intelectuais escreviam, mas os governos agiram. "Aquele que se decidir a basear seu pensamento político num reexame de como opera a natureza humana deve começar por uma tentativa de

A POLÍTICA DA DEMOCRACIA

vencer a própria tendência para exagerar a intelectualidade da humanidade", assim escrevia um cientista político inglês, Graham Wallas, em 1908, consciente de que escrevia também o epitáfio do liberalismo do século XIX.[17] A vida política, portanto, tornou-se sempre mais ritualizada e repleta de símbolos e apelos publicitários, tanto explícitos como subliminares. À medida que os antigos meios — predominantemente religiosos — de assegurar a subordinação, a obediência e a lealdade se desagregavam, a necessidade, agora manifesta, de algo que os substituísse foi atendida pela *invenção* das tradições, pelo uso de antigos e experimentados suscitadores de emoções como a coroa, a glória militar e, como vimos (cf. capítulo 3), outros meios novos, tais como o império e a conquista colonial.

Como na horticultura, esse desenvolvimento foi mescla de plantio vindo de cima — ou pelo menos da disposição de o realizar — e do crescimento vindo de baixo. Os governos e as elites governantes sabiam, decerto, o que faziam, ao instituir novas festas nacionais, como o 14 de julho na França (1880), ou quando elaboraram a ritualização da monarquia britânica, que foi se tornando sempre mais hierática e bizantina, desde que isso teve início em 1880.[18] Na verdade, o comentador padrão da constituição inglesa, após a extensão do direito ao voto de 1867, distinguiu lucidamente entre as suas partes "eficientes", pelas quais o governo era realmente realizado, e as partes "dignificadas", cuja função era promover a alegria das massas enquanto eram governadas.[19] As quantidades de mármore e as torres de alvenaria, com as quais os Estados, ansiosos por confirmar sua legitimidade — notadamente o novo Império Alemão — costumavam encher espaços vazios, deviam ser planejadas pelas autoridades, o que realmente era feito, mais para o proveito financeiro do que artístico de muitos arquitetos e escultores. As coroações inglesas passaram a ser organizadas de modo absolutamente consciente, como operações político-ideológicas, com o fim de serem vistas pelas massas.

A ERA DOS IMPÉRIOS

Não criaram, todavia, a exigência de um simbolismo e de um ritual emocionalmente satisfatório. O que fizeram foi descobrir e preencher um vácuo deixado pelo racionalismo político da era liberal, pela nova necessidade de se dirigir às massas e pela transformação das próprias massas. A esse respeito, a invenção das tradições corria paralelamente à descoberta comercial do mercado de massas e do espetáculo e divertimento de massas, que pertencem a essas mesmas décadas. A indústria publicitária, pioneira nos EUA após a guerra civil, pela primeira vez tornou-se dona de si própria. O cartaz moderno nasceu nas décadas de 1880 e 1890. Um mesmo quadro de psicologia social (a psicologia "das multidões" tornou-se assunto da predileção tanto dos professores franceses como dos gurus da propaganda nos EUA) reunia o Torneio Real anual (iniciado em 1880), uma exibição pública da glória e da teatralidade das Forças Armadas britânicas e a iluminação da praia de Blackpool, recreio dos novos proletários nos feriados; a rainha Vitória e a mocinha da Kodak (produto da década de 1900); os monumentos do imperador Guilherme aos reis Hohenzollern; e os cartazes de Toulouse-Lautrec de famosas artistas de variedades.

As iniciativas oficiais, naturalmente, obtinham maior êxito ao explorar e manipular emoções básicas espontâneas e indefinidas, ou ao integrar temas da política de massas não oficial. O 14 de julho, na França, estabeleceu-se como dia nacional genuíno, uma vez que mobilizava tanto a afeição do povo pela Grande Revolução como a demanda por um carnaval institucionalizado.[20] O governo alemão, apesar de suas incontáveis toneladas de mármore e alvenaria, não conseguiu estabelecer o imperador Guilherme I como pai da pátria, mas aproveitou o entusiasmo nacionalista não oficial, que erguia "colunas de Bismarck" às centenas após a morte do grande estadista, demitido por Guilherme II (que reinou de 1888 a 1918). Inversamente, o nacionalismo não oficial estava como que soldado à "pequena Alemanha" — à qual desde sempre se opusera

A POLÍTICA DA DEMOCRACIA

— pelo poder militar e pela ambição global, conforme testemunham o triunfo do "Deutschland über Alles" sobre hinos nacionais mais modestos e o da nova bandeira prusso-alemã, preta, branca e vermelha, sobre a de 1848, preta, branca e amarela, ambos ocorridos na década de 1890.[21]

Os regimes políticos, portanto, empenhavam-se numa guerra silenciosa pelo controle dos símbolos e ritos que pertenciam à raça humana, dentro de suas próprias fronteiras, e não o faziam menos quando controlavam o sistema escolar público (especialmente as escolas primárias, que nas democracias eram a base essencial para "a educação de nossos senhores"* dentro do espírito "certo") e, de modo geral, onde quer que as igrejas fossem pouco confiáveis, o que era feito por meio da tentativa de controlar as grandes cerimônias dos nascimentos, casamentos e mortes. De todos esses símbolos, talvez o mais poderoso tenha sido a música, em suas formas políticas de hino nacional e marcha militar — ambas executadas com grande entusiasmo, nessa época de J. P. Souza (1854-1932) e Edward Elgar (1857-1934)** — e, acima de tudo, a bandeira nacional. Na ausência da monarquia, a bandeira poderia tornar-se a virtual personificação do Estado, da nação e da sociedade, como nos EUA, onde a prática da veneração à bandeira como ritual diário nas escolas do país se difundiu desde fins da década de 1880, até que se tornou universal.[24]

Sorte do regime que pudesse contar com a mobilização de símbolos universalmente aceitáveis, como o monarca inglês que chegava a iniciar suas aparições anuais num festival proletário, o final da taça de futebol, realçando assim a convergência entre o ritual público de massas e o espetáculo de massas. Nesse período, os espaços cerimoniais públicos e políticos, por exemplo, aqueles que rodeavam os novos monumentos nacionais

---

* Frase de Robert Lowe em 1867.[22]

** Entre 1890 e 1910 houve maior quantidade de arranjos musicais baseados no hino inglês do que jamais houve antes ou depois.[23]

A ERA DOS IMPÉRIOS

alemães, bem como os novos estádios e salas de esporte, desdobravam-se igualmente em áreas políticas e começaram a multiplicar-se. Os leitores mais idosos talvez se recordem dos discursos de Hitler no Sportspalast (palácio de esportes) de Berlim. Sorte do regime que pudesse pelo menos associar-se a uma grande causa, para a qual houvesse apoio popular de massas, como a da Revolução e a da República, na França e nos EUA.

Países e governos competiam pelos símbolos da junção e da lealdade emocional com movimentos de massas não oficiais, que poderiam elaborar seus próprios contrassímbolos, tais como a socialista "Internacional", quando o anterior hino da Revolução "A Marselhesa" foi anexado pelo Estado.[25] Embora os partidos socialistas alemães e austríacos sejam habitualmente citados como exemplos extremos de comunidades separadas, de contrassociedade e contracultura (cf. capítulo 5), eles eram, de fato, apenas parcialmente separatistas, pois permaneceram ligados à cultura oficial pela fé na educação (ou melhor, no sistema de escolas públicas), na razão e na ciência, bem como nos valores das artes (burguesas) — ou os "clássicos". Eram, afinal, herdeiros do Iluminismo. Foram os movimentos religiosos e nacionalistas que rivalizaram com o Estado, fundando sistemas escolares rivais em bases linguísticas e confessionais. Ainda assim, todos os movimentos de massas propendiam, como vimos no caso dos irlandeses, a formar um complexo de associações e contracomunidades em torno de centros de lealdade, rivalizando assim com o Estado.

4.

Conseguiram as sociedades políticas e as classes governantes da Europa ocidental lidar com essas mobilizações de massas, potencial ou efetivamente subversivas? Em conjunto, durante o período que termina em 1914, elas o conseguiram; exceto na Áustria, esse conglomerado de

A POLÍTICA DA DEMOCRACIA

nacionalidades que, todas vendo em outros lugares suas perspectivas futuras e mantendo-se unidas apenas pela longevidade do imperador Francisco José (que reinou de 1848 a 1916), pela administração de uma burocracia cética e raciocinalista e pelo fato de este ser um destino menos indesejável que outro qualquer, para bom número de grupos nacionais. Em conjunto, deixaram-se integrar no sistema. Para muitos Estados do Ocidente burguês e capitalista — a situação em outras partes do mundo era, conforme veremos, muito diversa (cf. capítulo 12) — o período de 1875 a 1914 e, com certeza, o de 1900 a 1914 foram, apesar dos alarmes e correrias, períodos de estabilidade política.

Movimentos como o socialista, que rejeitavam o sistema, foram apanhados em sua teia — ou, quando suficientemente fracos, utilizados como catalisadores para um consenso majoritário. Era esta a função da "reação", na República Francesa e na do antissocialismo, na Alemanha imperial: nada unia tão firmemente como um inimigo comum. Até o nacionalismo podia ser, às vezes, utilizado. O nacionalismo galês serviu para fortalecer o liberalismo; seu defensor, Lloyde George, tornou-se ministro do governo e o principal conciliador e moderador demagógico do radicalismo democrático e do movimento operário. O nacionalismo irlandês, após o drama de 1879-1891, parecia tranquilizado pela reforma agrária e pela sua dependência política do liberalismo inglês. O pangermanismo extremista reconciliara-se com a "pequena Alemanha" pelo militarismo e pelo imperialismo do imperador Guilherme. Mesmo os flamengos, na Bélgica, permaneciam ainda no redil do partido católico, que não questionava a existência do Estado binacional unitário. Os irreconciliáveis da ultradireita e da ultraesquerda podiam ser isolados. Os grandes movimentos socialistas anunciavam a inevitável revolução, mas tinham outras coisas com que se ocupar no momento. Ao explodir a Guerra de 1914, a maioria deles reuniu-se aos seus governos e classes dominantes, em patriótica solidariedade. A maior exceção do Ocidente

A ERA DOS IMPÉRIOS

europeu apenas constitui prova da regra. O Partido Independente Trabalhista, que continuava a opor-se à guerra, só o fazia por compartilhar da longa tradição pacífica do não conformismo inglês e do liberalismo burguês — os quais, na realidade, fizeram da Inglaterra o *único* país de cujo gabinete os liberais se demitiram por esses motivos.*

Os partidos socialistas que aceitaram a guerra com frequência o fizeram sem entusiasmo e principalmente por temerem o abandono de seus adeptos, que se apresentavam ao alistamento com fervor espontâneo. Na Inglaterra, onde inexistia alistamento compulsório, 2 milhões se apresentariam como voluntários para o serviço militar, entre agosto de 1914 e junho de 1915 — melancólica prova do êxito da política de integração democrática. Apenas onde era incipiente o empenho em fazer com que o cidadão pobre se identificasse com a nação e o Estado, como na Itália, ou onde dificilmente seria bem-sucedido, como entre os tchecos, é que as massas em 1914 permaneceram hostis ou indiferentes à guerra. O movimento de massas contrário à guerra só teve início, para valer, muito mais tarde.

Uma vez bem-sucedida a integração política, os regimes defrontavam-se apenas com o desafio imediato da ação direta. Tais formas de inquietação alastraram-se principalmente durante os últimos anos que precederam a guerra. Constituíam mais um desafio à ordem pública do que ao sistema social, dada a ausência de situações revolucionárias ou mesmo pré-revolucionárias nos países centrais da sociedade burguesa. Os tumultos dos vinhateiros, no sul da França, o motim do 17º Regimento enviado contra eles (1917), violentas greves quase gerais em Belfast (1907), Liverpool (1911) e Dublin (1913), uma greve geral na Suécia (1908) e até a "semana trágica" em Barcelona (1909) foram por si insuficientes para abalar os alicerces políticos dos regimes. Mas foram realmente graves, não menos como sintomas da vulnerabilidade das

---

* John Morley, o biógrafo de Gladstone e John Burns, anteriormente líder operário.

A POLÍTICA DA DEMOCRACIA

economias complexas. Em 1912, o primeiro-ministro britânico Asquith, a despeito da proverbial impassibilidade do *gentleman* inglês, chorou ao anunciar a retirada do governo diante de uma greve geral de mineiros de carvão.

Tais fenômenos não devem ser subestimados. Embora os contemporâneos não soubessem o que viria depois, sentiam frequentemente, nesses últimos tempos que precederam a guerra, a sensação de que a terra tremia como sob os choques sísmicos que precedem os terremotos. Esses foram anos em que, sobre os hotéis Ritz e as casas de campo, pairavam no ar prenúncios de violência. Sublinhavam a instabilidade e a fragilidade da ordem política da *belle époque*.

Não os superestimemos tampouco. No que diz respeito aos países do âmago da sociedade burguesa, o que destruiu a estabilidade da *belle époque*, inclusive a sua paz, foi a situação da Rússia, do Império Habsburgo e dos Bálcãs, e não a da Europa ocidental ou mesmo a da Alemanha. O que tornava perigosa a situação na Grã-Bretanha às vésperas da guerra não era a rebelião dos operários, mas a divisão no interior dos estratos governantes: uma crise constitucional, quando os lordes ultraconservadores resistiram aos Comuns, ou uma recusa coletiva dos oficiais a obedecer às ordens do governo liberal, comprometido com a *Home Rule* para a Irlanda. Não há dúvidas de que tais crises deviam-se, em parte, à mobilização dos trabalhadores, pois o que despertara a cega e vã resistência dos lordes havia sido a inteligente demagogia de Lloyd George, destinada a manter "o povo" dentro da estrutura do sistema dos governantes. Todavia, a última e mais grave destas crises foi provocada pelo compromisso político dos liberais com a autonomia irlandesa (católica) e o dos conservadores com a recusa armada dos ultraprotestantes do Ulster de aceitá-la. A democracia parlamentar, o jogo estilizado da política, era — como sabemos ainda hoje, na década de 1980 — impotente para controlar tal situação.

177

A ERA DOS IMPÉRIOS

Mesmo assim, durante os anos decorridos desde 1880 até 1914, as classes dominantes descobriram que a democracia parlamentar, a despeito de seus temores, revelara-se perfeitamente compatível com a estabilidade político-econômica dos regimes capitalistas. Essa descoberta, como o próprio sistema, era nova, pelo menos na Europa. Para os social-revolucionários veio a ser uma decepção. Marx e Engels haviam sempre considerado a república democrática, ainda que claramente burguesa, como a antecâmara do socialismo, desde que permitia e até estimulava a mobilização política do proletariado como classe e a das massas oprimidas, sob a liderança do proletariado. Haveria, pois, de favorecer — gostasse ou não — a vitória do proletariado e seu confronto com os exploradores. Contudo, no final desse período, fazia-se ouvir uma nota muito diferente entre seus discípulos. "Uma república democrática", argumentava Lenin em 1917, "é a melhor carapaça possível para o capitalismo; portanto, o capitalismo, uma vez obtido o controle dessa excelente carapaça ... estabelecerá seu poder tão segura e firmemente que *nenhuma* mudança, quer de pessoas, quer de instituições, ou partidos, na república democrático-burguesa, o poderá abalar".[26] Como sempre, Lenin não se preocupava tanto com a análise política em geral, e sim com a busca de argumentos eficazes para uma situação política específica, neste caso contrária ao governo provisório da Rússia revolucionária e em favor do poder soviético. Seja como for, não nos preocupa a validade de sua afirmação, aliás altamente discutível, e não menos por deixar de distinguir entre as circunstâncias econômicas e sociais que salvaguardavam os Estados das sublevações sociais e as instituições que os auxiliavam a conseguir isso. Preocupa-nos a sua plausibilidade. Antes de 1880, tal afirmação pareceria igualmente implausível tanto para os que apoiavam como para os que se opunham ao capitalismo, na medida em que estivessem comprometidos com a atividade política. Mesmo na ultraesquerda política, um julgamento assim negativo da "república democrática" seria quase inconcebível. Subjacente

A POLÍTICA DA DEMOCRACIA

ao julgamento de Lenin de 1917, havia a experiência de uma geração de democratização no Ocidente e, em especial, a dos últimos quinze anos anteriores à guerra.

Não seria, contudo, a estabilidade desse casamento entre a democracia política e o capitalismo florescente a ilusão de uma era transitória? Em retrospecto, o que nos impressiona, com respeito aos anos que vão desde 1880 até 1914, é, a um tempo, a fragilidade e o alcance restrito de tal combinação. Esta estava e permanece confinada a uma minoria de prósperas e pujantes economias, no Ocidente, geralmente em Estados com uma longa história de governo constitucional. O otimismo democrático e a crença na inevitabilidade histórica poderiam dar a impressão de que o progresso universal não poderia ser sustado. Mas não seria esse, afinal, o modelo universal do futuro. Em 1919, toda a Europa, a oeste da Rússia e da Turquia, foi sistematicamente reorganizada em Estados segundo o modelo democrático. No entanto, quantas democracias restariam na Europa em 1939? Ao surgir o fascismo, bem como outras formas de ditadura, o caso oposto ao de Lenin foi largamente debatido, não menos por seus seguidores. O capitalismo, inevitavelmente, deveria abandonar a democracia burguesa. Isto era igualmente errôneo: a democracia burguesa renasceu das próprias cinzas em 1945, permanecendo, desde então, o sistema favorito das sociedades capitalistas, quando suficientemente fortes, economicamente prósperas e socialmente não polarizadas ou divididas para permitir-se a adoção de um sistema tão vantajoso. Esse sistema, porém, opera com eficácia apenas em muito poucos dos 150 Estados que formam as Nações Unidas no final do século XX. O progresso da política democrática, entre 1880 e 1914, não prefigurava sua permanência nem seu triunfo universal.

5. TRABALHADORES DO MUNDO

"Conheci um sapateiro chamado Schroder... Depois ele foi para a América... Deu-me alguns jornais para ler e eu li um pouco, porque estava entediado, mas depois fui-me interessando cada vez mais... Os jornais descreviam a miséria dos trabalhadores e sua dependência dos capitalistas e dos senhorios e o faziam de um modo tão vivo e tão fiel ao natural que realmente me espantei. Era como se antes meus olhos tivessem estado fechados. Que diabo, o que eles escreviam nesses jornais era a verdade. Toda a minha vida, até aquele dia, era prova disso."

Um operário alemão, c. 1911[1]

"Eles (os operários europeus) sentem que devem surgir sem demora grandes mudanças sociais; que foi baixada a cortina diante da comédia humana do governo pelas classes, das classes e para as classes; que o dia da democracia está próximo e as lutas dos que labutam pelo que é seu terão precedência sobre as guerras entre as nações, que significam batalhas sem causa entre trabalhadores."

Samuel Gompers, 1909[2]

"Vida proletária, morte proletária e incineração, no espírito do progresso cultural."

Lema da associação funerária dos operários austríacos,
A flama[3]

1.

Dada a inevitável extensão do eleitorado, a maioria dos eleitores era fatalmente ou pobre, ou insegura, ou descontente, ou tudo isso. Não podiam deixar de estar dominados por sua situação econômica e social e

A ERA DOS IMPÉRIOS

pelos problemas dela decorrentes; em outras palavras, pela situação de sua classe. E a classe cujos números cresciam de modo mais visível, à medida que a onda de industrialização engolfava o Ocidente, cuja presença se tornava sempre mais inevitável e cuja consciência de classe aparentemente ameaçava de modo mais direto o sistema social, econômico e político das sociedades modernas, era o proletariado. Nessa gente é que pensava o jovem Winston Churchill (então ministro do Gabinete Liberal), ao advertir o Parlamento de que, se o sistema conservador-liberal de dois partidos entrasse em colapso, seria substituído pelo da política de classes.

O número de pessoas que ganhavam a vida por meio de trabalho manual, em troca de um salário, aumentava sensivelmente em todos os países inundados ou apenas banhados pela maré montante do capitalismo ocidental — e isso desde as fazendas da Patagônia até as minas de nitrato do Chile e as geladas minas de ouro do nordeste da Sibéria, cenário de uma greve espetacular e de um massacre, às vésperas da Grande Guerra. Aquelas pessoas eram encontradas onde quer que as cidades modernas necessitassem de trabalhos de construção ou onde houvesse serviços municipais de utilidade pública — já indispensáveis no século XIX, como os de gás, água e esgotos — e onde quer que se estendesse a rede portuária ou a de estradas de ferro e telégrafos, que interligavam, economicamente, o globo. Minas eram encontradas mesmo em lugares remotos e em todos os cinco continentes. Em 1914, mesmo os campos petrolíferos eram explorados em escala significativa, na América do Norte, na América Central, na Europa oriental e no sudeste da Ásia, bem como no Oriente Médio. Mais expressivo é o fato de, mesmo em países predominantemente agrícolas, os mercados urbanos serem providos de alimentos manufaturados, bebidas, estimulantes e têxteis elementares, por mão de obra barata, trabalhando numa espécie de estabelecimento industrial, em alguns dos quais — a Índia é um exemplo — desenvolviam-se indústrias razoavelmente significativas, de têxteis e até de ferro e aço. Todavia, o número dos assalariados multiplicava-se de modo espetacular, formando classes reconhecidas, especialmente nos países em que a industrialização havia sido estabelecida desde longa data; e no crescente número de países que, conforme já vimos, entravam em seu período de revolução industrial entre 1870 e 1914, ou seja, sobretudo na Europa, na América do Norte, no Japão e em algumas áreas de maciça colonização branca, no além-mar.

O número de tais assalariados crescia, em grande parte, por eles terem-se transferido de dois grandes reservatórios de trabalho pré-industrial, as oficinas artesanais e a agricultura, que ainda mantinham a maioria dos seres humanos. Pelo final do século, a urbanização provavelmente avançara mais e com maior rapidez do que jamais o fizera antes, e importantes correntes migratórias — por exemplo, da Inglaterra e das comunidades judaicas do leste europeu — provinham das cidades, ainda que às vezes das pequenas cidades. Esses emigrantes podiam transferir-se, como de fato aconteceu, de um tipo de trabalho não agrícola para outro. Com respeito aos homens e mulheres que fugiam à terra (para usar o termo *Landflucht*, corrente nesse tempo), relativamente poucos teriam a oportunidade de se dedicar à agricultura, mesmo que o quisessem.

Por um lado, a lavoura modernizada, e em processo de modernização, do Ocidente exigia relativamente menos braços do que antes, embora empregasse extensivamente trabalhadores migrantes sazonais, com frequência vindos de longe, e pelos quais os fazendeiros não tinham que ter responsabilidade, ao terminar o período sazonal de trabalho; eram os *Sachsenganger*, vindos da Polônia para a Alemanha; as "andorinhas" italianas na Argentina,[*] o trabalhador itinerante, o viajante clandestino e, já nesse tempo, os mexicanos nos EUA. Seja como for, o progresso agrícola significava menos gente a trabalhar na lavoura. Em 1910, a Nova Zelândia,

---

[*] Dizem que se recusavam ao trabalho da colheita na Alemanha, pois a viagem da Itália para a América do Sul era mais fácil e mais barata, e os salários mais altos.[4]

A ERA DOS IMPÉRIOS

que não possuía indústria digna de menção, dependia inteiramente de sua agricultura extremamente eficiente, especializada em gado e laticínios; 54% de sua população moravam nas cidades, e 40% (ou duas vezes a proporção da Europa, excluída a Rússia) empregavam-se em ocupações terciárias.[5]

Enquanto isso, a agricultura não modernizada das regiões atrasadas já não podia oferecer terra suficiente a futuros camponeses, que se multiplicavam nas aldeias. O que a maioria deles almejava, ao emigrar, decerto não era terminar a vida como trabalhadores. Eles queriam "fazer a América" (ou o país para onde fossem) na esperança de ganhar o suficiente, após alguns anos, para comprar uma propriedade ou uma casa e, como pessoa de posses, adquirir o respeito dos vizinhos, em alguma aldeia siciliana, polonesa ou grega. Uma minoria retornou, mas a maioria permaneceu, perfazendo turmas de construção, das minas, das siderúrgicas e realizando outras atividades do mundo urbano e industrial, que necessitava de trabalho duro e de pouco mais. Suas filhas e noivas ingressavam nos serviços domésticos.

Ao mesmo tempo, a máquina e a fábrica tiravam a base de massas consideráveis que, até fins do século XIX, produziam os mais familiares bens de consumo urbanos — roupas, calçados, móveis e assemelhados — por métodos artesanais, abrangendo desde os do altivo mestre-artesão até os das suadas oficinas e os das costureiras de sótãos. Se o número deles, segundo as aparências, não diminuiu de modo notável, sua participação na força de trabalho tornou-se menor, a despeito do espetacular aumento da produção. Assim, na Alemanha, o número de pessoas que se ocupavam de sapataria baixou ligeiramente entre 1882 e 1907, de 400 mil para 370 mil — claramente a maior parte da produção adicional era fabricada em aproximadamente 1.500 fábricas importantes (cujos números haviam triplicado desde 1882 e agora empregavam quase seis vezes mais operários que naquele ano); e não em pequenas oficinas sem operários, ou com menos de dez deles, cujos números haviam baixado em 20%; elas em-

TRABALHADORES DO MUNDO

pregavam agora apenas 63% das pessoas que se ocupavam de sapataria, contra 93% em 1882.[6] Em países que se industrializavam rapidamente, o setor de manufaturas pré-industriais oferecia, portanto, uma pequena, mas não desprezível, reserva para o recrutamento de novos operários.

Por outro lado, o número dos proletários crescia também em ritmo impressionante nas economias que se industrializavam, impulsionado pelo apetite aparentemente ilimitado por força de trabalho nesse período de expansão econômica e, não menos, pela espécie de força de trabalho pré-industrial que ora se preparava para inundar seus setores em expansão. Na medida em que a indústria crescia ainda por uma espécie de casamento entre a destreza manual e a tecnologia a vapor, ou — como no caso da construção — não mudara realmente seus métodos, a demanda visava a antigas especialidades de ofício, ou especialidades adaptadas das antigas artesanias, como os dos ferreiros e serralheiros, para novas indústrias de maquinaria. Isto era expressivo, pois os treinados trabalhadores diaristas de ofício — um grupo estabelecido de assalariados pré-industriais — formavam frequentemente o elemento mais ativo, instruído e autoconfiante do proletariado em desenvolvimento das economias principais: o líder do Partido Social-Democrata era um torneiro (August Bebel) e o do Partido Socialista Espanhol, um tipógrafo (Iglesias).

Na proporção em que o trabalho industrial não era mecanizado, não requerendo qualificações especiais, estava não apenas ao alcance de boa parte de recrutas toscos, mas, por empregar muita mão de obra, multiplicava o seu número na proporção em que a produção aumentava. Para apresentar dois exemplos óbvios: a construção, que elaborava a infraestrutura da produção, dos transportes e das gigantescas cidades em rápida expansão; a mineração de carvão, que produzia a forma básica da energia da época — o vapor —, geravam ambas grandes efetivos de trabalhadores. A indústria da construção, na Alemanha, cresceu a partir de cerca de meio milhão em 1875 para quase 1,7 milhão em 1907, ou de 10% a

A ERA DOS IMPÉRIOS

quase 16% da força de trabalho. Em 1913, não menos de um milhão e um quarto de homens, na Inglaterra (800 mil na Alemanha, em 1907) manejavam picaretas e enxadas, carregavam e erguiam o carvão que mantinha em movimento a economia mundial. (Em 1985, os números equivalentes eram 197.000 e 137.000.) Por outro lado, a mecanização, ao buscar substituir a habilidade manual e a experiência por sequências de máquinas ou processos especializados feitos por mão de obra mais ou menos sem especialização, recebeu muito bem o baixo preço e a imaturidade de operários inexperientes — e, em parte nenhuma tanto como nos EUA, onde as habilidades pré-industriais eram, em todo caso, escassas e não requisitadas para a fábrica ("A vontade de especializar-se não é geral", disse Henry Ford).[7]

Ao aproximar-se o término do século XIX, não havia país industrializado, em fase de industrialização ou de urbanização que pudesse deixar de tomar consciência dessas massas de trabalhadores, historicamente sem precedentes e aparentemente anônimas e desenraizadas, que formavam uma proporção crescente de seus povos e, ao que parecia, em aumento inevitável; dentro em pouco, provavelmente, seriam uma maioria. A diversificação das economias industriais, notadamente pelo aumento das ocupações terciárias — escritórios, lojas, serviços —, estava apenas em seu início, exceto nos EUA, onde os trabalhadores terciários já superavam em número os de colarinho azul. Em outras partes parecia predominar um desenvolvimento contrário. Cidades que em tempos pré-industriais foram habitadas principalmente por pessoas do setor terciário — pois até seus artífices eram também, geralmente, lojistas — tornaram-se centros manufatureiros. Em fins do século XIX, cerca de dois terços da população ocupada das grandes cidades (ou seja, das cidades de mais de 100 mil habitantes) trabalhavam na indústria.[8]

Quem lançasse um olhar retrospectivo, no fim do século, se impressionaria principalmente com o avanço dos exércitos industriais e, dentro

TRABALHADORES DO MUNDO

de cada cidade ou região, provavelmente com o avanço da especialização industrial. A cidade industrial típica, o mais das vezes habitada por 50.000 a 300.000 pessoas — e é evidente que, no início do século, qualquer cidade de mais de 100.000 habitantes seria considerada muito grande —, tendia a evocar uma imagem monocromática ou, na melhor das hipóteses, de dois ou três matizes associados; têxteis, em Roubaix ou Lodz, Dundee ou Lowell; carvão, ferro e aço, isolados ou combinados, em Essen ou Middlesbrough; armamentos e construção naval em Jarrow e Barrow; produtos químicos em Ludwigshafen ou Widnes. A esse respeito ela diferia, em dimensão e variedade, da nova megalópole de muitos milhões, fosse ou não a capital. Embora algumas das grandes capitais fossem igualmente importantes centros industriais (Berlim, São Petersburgo, Budapeste), habitualmente não ocupavam posição central no padrão industrial de um país.

Mais ainda, embora essas massas fossem heterogêneas e muito pouco uniformes, a tendência de trabalharem como componentes de companhias grandes e complexas, em fábricas de centenas e até de milhares de operários parecia ser universal, especialmente nos novos centros de indústria pesada. Krupp em Essen, Vickers em Barrow, Armstrong em Newcastle avaliaram a dimensão de sua força de trabalho, em cada uma de suas fábricas, em dezenas de milhares. Aqueles que trabalhavam nesses gigantescos pátios e fábricas eram minoria. Mesmo na Alemanha, o número médio de pessoas empregadas em unidades de mais de dez trabalhadores, em 1913, era apenas de 23-24,[9] mas essa minoria era cada vez mais visível e potencialmente ameaçadora. E, qualquer que seja o estabelecido pelo historiador, o fato é que para os contemporâneos a massa dos operários era enorme, e indiscutivelmente crescia, lançando uma escura sombra sobre a ordem estabelecida na sociedade e na política. Que aconteceria, na verdade, se os operários se organizassem politicamente como classe?

Foi precisamente o que aconteceu, em escala europeia e com extraordinária velocidade. Onde quer que a política democrática e eleitoral o

A ERA DOS IMPÉRIOS

permitisse, apareciam em cena, crescendo com rapidez assustadora, os partidos de massas vindo da classe operária, em sua maior parte inspirados na ideologia do socialismo revolucionário (pois todo socialismo era, por definição, considerado revolucionário) e liderados por homens — e às vezes por mulheres — que acreditavam nessa ideologia. Em 1890, mal chegavam a existir, com a importante exceção do Partido Social-Democrata alemão, recentemente (1875) unificado e já uma respeitável força eleitoral. Em 1906, já eram de tal modo levados em conta que um estudioso alemão publicou um livro sobre o tema "Por que não existe socialismo nos EUA?".[10] A existência de partidos operários e socialistas de massas já era a regra: a ausência deles é que surpreendia.

De fato, por volta de 1914, havia partidos socialistas de massas mesmo nos EUA, onde o candidato do partido, em 1912, recebeu quase um milhão de votos; havia-os igualmente na Argentina, onde o partido teve 10% dos votos em 1914, enquanto na Austrália um Partido Trabalhista admitidamente não socialista já formava o governo federal desde 1912. No que diz respeito à Europa, os partidos socialistas e trabalhistas eram forças eleitorais respeitáveis em quase toda parte em que as condições o permitiam. Eram, na realidade, minorias, mas em alguns Estados, notadamente na Alemanha e na Escandinávia, eram os maiores partidos nacionais, detendo até 35-40% do voto nacional — e cada uma das extensões do direito ao voto revelava que as massas industriais estavam prontas para escolher o socialismo. E essas massas não só votavam como se organizavam em gigantescos exércitos: o Partido Trabalhista belga, em seu pequeno país, contava com 276 mil membros em 1911; o grande SPD alemão, com mais de um milhão; e as organizações de operários menos diretamente políticas, ligadas a tais partidos e não raro por eles fundadas, eram ainda mais maciças — sindicatos e sociedades cooperativas.

Nem todos os exércitos do trabalho eram tão grandes, compactos e disciplinados como os do norte e do centro da Europa. Mesmo onde os partidos operários consistiam em grupos de ativistas irregulares, ou em

TRABALHADORES DO MUNDO

militantes locais prontos para liderar as manifestações que ocorressem, os novos partidos operários e socialistas deviam ser levados a sério. Eram fator expressivo na política nacional. Assim, o partido francês, cujos 76 mil membros, em 1914, não eram tantos nem unidos, elegeu 103 deputados, em virtude de seus 1,4 milhão de votos. O partido italiano, com uma filiação ainda mais modesta — 50 mil membros em 1914 — teve uma votação de quase um milhão.[11] Em suma, os partidos socialistas e trabalhistas cresciam em quase toda a parte, num ritmo que, dependendo do ponto de vista do observador, seria extremamente alarmante ou maravilhoso. Os líderes se animavam fazendo triunfantes extrapolações da curva de crescimento anterior. O proletariado estava destinado — era só considerar a Inglaterra industrial e os registros do recenseamento nacional de alguns anos — a tornar-se a grande maioria do povo. O proletariado ligava-se a seus partidos. Era só questão de tempo, segundo os sistemáticos socialistas alemães, dados à estatística — e esses partidos passariam para além do mágico número dos 51% dos votos, o qual, nos Estados democráticos, seria certamente um marco decisivo. Ou, como dizia o novo hino do socialismo mundial: "A Internacional será a raça humana."

Não é preciso que compartilhemos desse otimismo que, manifestamente, estava mal situado. Não obstante, durante os anos que precederam 1914, tornou-se evidente que mesmo os partidos mais miraculosamente bem-sucedidos ainda possuíam grandes reservas de apoio em potencial para mobilizar, o que na verdade estavam fazendo. É natural, aliás, que o extraordinário crescimento dos partidos socialistas e operários desde a década de 1880 tenha infundido em seus membros e seguidores, bem como em seus líderes, um sentimento de exaltação, de esperança maravilhosa, da inevitabilidade histórica de seu triunfo. Jamais houvera época tão repleta de esperanças para aqueles que labutavam com suas mãos, numa fábrica, numa oficina ou nas minas. Nas palavras de uma canção socialista russa: "Do passado sombrio resplandece a luz brilhante do futuro."

2.

Esse notável impulso ascendente dos partidos da classe operária era, à primeira vista, um tanto surpreendente. Sua força residia essencialmente na elementar simplicidade de seu apelo apolítico. Eram esses os partidos de todos os operários manuais, que trabalhavam por um salário. Representavam essa classe, em suas lutas contra os capitalistas e seus Estados; seu objetivo era criar uma nova sociedade, que teria início com a emancipação dos trabalhadores por sua própria iniciativa, e que emanciparia toda a raça humana, à exceção de uma minoria cada vez mais insignificante de exploradores. A doutrina do marxismo, formulada como tal entre a morte de Marx e o fim do século, crescentemente dominava a maioria dos novos partidos; a clareza com que enunciava suas proposições dotava-a de um enorme poder de penetração política. Era suficiente saber que todos os trabalhadores deviam se unir ou apoiar esses partidos, pois a própria história lhes garantiria a vitória futura.

Isso pressupunha que existisse uma classe operária suficientemente numerosa e homogênea para reconhecer a si própria na imagem marxista do "proletariado"; e suficientemente convencida da validade da análise socialista de sua situação e de suas tarefas, das quais a primeira era formar um partido proletário e, independentemente de qualquer outra coisa, engajar-se na ação política. (Nem todos os revolucionários concordavam com tal primazia da política, mas no momento pode-se deixar de lado esta minoria antipolítica, principalmente inspirada em ideias então associadas ao anarquismo.)

Praticamente, porém, todos os observadores concordavam em que o "proletariado" estava longe de ser uma massa homogênea, mesmo dentro de uma só nação. Na verdade, antes do surgimento dos novos partidos, havia-se falado, habitualmente, em "classes trabalhadoras" no plural e jamais no singular.

TRABALHADORES DO MUNDO

As divisões no interior das massas classificadas pelos socialistas sob o título de "proletariado" eram, na verdade, tão importantes que se poderiam constituir num empecilho a qualquer asserção prática de uma consciência de classe única e unificada.

O clássico proletariado da moderna fábrica ou estabelecimento industrial, frequentemente uma minoria ainda pequena, embora em rápido aumento, estava longe de ser idêntico ao grosso dos trabalhadores manuais que trabalhavam em pequenas oficinas, na produção domiciliar da zona rural e dos fundos de casas da cidade ou até ao ar livre; e também da labiríntica selva de assalariados que abarrotavam as cidades e — mesmo deixando de lado os da lavoura — o campo. As ocupações industriais, os ofícios e as demais atividades, com frequência extremamente localizadas e com horizontes geográficos altamente restritos, não consideravam ser seus problemas e sua situação os mesmos. Quanto haveria de comum, digamos, entre os caldeireiros, exclusivamente do sexo masculino, e os tecelões de algodão, da Inglaterra, na maioria mulheres; ou, dentro das mesmas cidades portuárias, entre os operários especializados dos estaleiros e os estivadores; ou entre operários da confecção e os da construção civil? Essas divisões não eram apenas verticais, mas horizontais: entre trabalhadores de ofício e operários, entre pessoas e ocupações "respeitáveis" (que se respeitavam e eram respeitados) e o resto — entre a aristocracia do trabalho, o *lumpenproletariat* e os que se situavam entre ambos, ou mesmo entre diferentes estratos de ofícios especializados — em que o compositor-tipógrafo olhava de cima para o pedreiro e o pedreiro fazia o mesmo para o pintor de casas. Havia, além disso, não apenas divisões mas rivalidades entre grupos equivalentes, cada qual em busca do monopólio de um tipo especial de trabalho; e tais rivalidades eram exasperadas pelos desenvolvimentos tecnológicos, que transformavam antigos processos, criavam novos, tornavam irrelevantes as antigas especialidades e invalidavam as definições claras e tradicionais daquilo que "por direito" pertencia

A ERA DOS IMPÉRIOS

às funções, digamos, do serralheiro ou do ferrador. Onde os empregadores eram fortes e os operários eram fracos, a gerência, por meio das máquinas e do mando, impunha sua própria divisão de trabalho; mas em outras partes os operários qualificados talvez travassem aquelas amargas "disputas de demarcação" que agitaram os estaleiros ingleses, notadamente na década de 1890, não raro lançando operários não envolvidos nas greves interocupacionais numa ociosidade incontrolável e imerecida.

A todas essas diferenças acrescentavam-se outras, ainda mais óbvias, de origem social e geográfica, de nacionalidade, de língua, de cultura e de religião, às quais não podiam deixar de emergir à proporção que a indústria recrutava seus efetivos, que tão rapidamente aumentavam, em todos os cantos do próprio país e mesmo, nessa era de maciça migração internacional e transoceânica, no estrangeiro. Aquilo, portanto, que de um ponto de vista poderia parecer uma concentração de homens e mulheres numa única "classe operária" seria talvez considerado, de outro, como gigantesca dispersão de fragmentos da sociedade, uma diáspora de velhas e novas comunidades. Na medida em que tais divisões separavam os operários, evidentemente elas eram úteis para os empregadores e mesmo estimuladas por eles — em especial nos EUA, onde o proletariado, em sua maior parte, consistia numa grande variedade de imigrantes. Mesmo uma entidade intensamente militante como a Western Federation of Miners (Federação dos Mineiros do Oeste), das Montanhas Rochosas, corria o perigo de fragmentar-se, devido aos conflitos entre os trabalhadores metodistas e qualificados da Cornualha, especializados em pedras duras, encontrados em qualquer parte da terra em que houvesse mineração comercial de metal, e os irlandeses católicos, menos qualificados, encontrados onde quer que houvesse necessidade de força e trabalho duro nas fronteiras do mundo de língua inglesa.

Houvesse ou não outras diferenças no interior da classe operária, não cabia dúvida de que as diferenças de nacionalidade, religião e língua a dividiam. O caso clássico da Irlanda é tragicamente familiar. Mesmo na

TRABALHADORES DO MUNDO

Alemanha, os operários católicos resistiam ao apelo da social-democracia muito mais que os protestantes; e na Boêmia, os operários tchecos resistiram à integração proposta em um movimento pan-austríaco dominado por operários de língua alemã. O entusiástico internacionalismo dos socialistas — os operários, havia-lhes dito Marx, não tinham pátria, apenas classe — atraía os movimentos operários, não apenas pelo seu ideal, mas por ser com frequência a condição prévia essencial para a ação. De outro modo, como poderiam os operários ser mobilizados como tais numa cidade igual a Viena, onde um terço deles era de emigrados tchecos; ou em Budapeste, onde os operários qualificados eram alemães e os demais, eslovacos ou magiares? O grande centro industrial de Belfast demonstrava — e demonstra ainda — o que pode acontecer quando os operários se identificam principalmente como católicos ou protestantes ou mesmo como irlandeses e não como operários.

Afortunadamente, o apelo ao internacionalismo ou, o que era quase a mesma coisa nos países grandes, ao inter-regionalismo, não ficou totalmente sem efeito. As diferenças de língua, de nacionalidade ou de religião, por si mesmas, não impossibilitavam a formação de uma consciência de classe unificada, especialmente onde grupos nacionais de operários não competissem, tendo cada qual seu nicho no mercado de trabalho. Criavam importantes dificuldades apenas onde expressassem ou onde simbolizassem conflitos graves entre grupos que iam além dos limites de classe; ou diferenças do interior da classe operária que eram, aparentemente, incompatíveis com a unidade dos operários. Os operários tchecos suspeitavam dos alemães, não como operários e sim como membros de uma nação que tratava os tchecos como inferiores. Os operários irlandeses católicos no Ulster não se deixavam impressionar por apelos pela unidade da classe, ao verem os católicos crescentemente excluídos, entre 1890 e 1914, dos empregos qualificados na indústria, os quais, por esse motivo, haviam-se tornado virtual monopólio dos operários protestantes, com a aprovação de seus sindicatos. Mesmo assim, tal era a força

A ERA DOS IMPÉRIOS

da experiência de classe que a identificação alternativa do operário com algum outro grupo, em classes operárias plurais — como polonês, como católico, ou outra coisa —, apenas estreitava a identificação de classe, sem a substituir. Uma pessoa sentia-se operária, mas especificamente operária tcheca, polonesa ou católica. A Igreja Católica, a despeito da profunda hostilidade que nutria para com a divisão e o conflito entre classes, foi obrigada a formar, ou pelo menos a tolerar, sindicatos e até sindicatos católicos — nessa época não muito grandes — embora preferisse organizações conjuntas de empregadores e empregados. O que as identificações alternativas realmente excluíram não foi a consciência de classe como tal, mas a consciência *política* de classe. Assim, houve um movimento sindicalista, e as habituais tendências de formar um partido trabalhista, mesmo no sectário campo de batalha que era o Ulster. Mas a unidade dos operários só era possível na medida em que as duas questões dominantes da existência e do debate político fossem excluídas da discussão: a religião e a autonomia para a Irlanda, sobre as quais os operários católicos e os protestantes, os *green* e os *orange* (os verdes e os cor de laranja), não conseguiam entrar em acordo. Algum tipo de movimento sindical e de luta industrial seria possível, sob tais circunstâncias, mas nunca — exceto dentro de cada comunidade e portanto débil e intermitentemente — um partido baseado na identificação de classe.

Acrescente-se a esses fatores, que dificultavam a tomada de consciência e a organização da classe operária, a estrutura heterogênea da própria economia industrial em seu desenvolvimento. Nesse particular a Inglaterra era absolutamente excepcional, visto lá existir um forte sentimento apolítico de classe e uma organização sindical. A simples antiguidade — e arcaísmo — da industrialização pioneira desse país permitira um sindicalismo um tanto primitivo e bastante descentralizado, em grande parte composto de sindicatos de ofícios, que aprofundara suas raízes nas indústrias básicas do país, as quais — por diversas razões — se desenvolveram menos pela substituição da maquinaria por trabalho humano que

TRABALHADORES DO MUNDO

por um casamento de operações manuais com energia a vapor. Em todas as grandes indústrias da antiga "oficina do mundo" — a do algodão, a da mineração, a da metalurgia, a da construção de maquinaria e de navios (última indústria que a Inglaterra dominou) — existia um núcleo de organização sindical fundamentado principalmente nas ocupações e nos ofícios, sobretudo com a capacidade de se transformar em sindicalismo de massas. Entre 1867 e 1875, os sindicatos adquiriram realmente *status* legal e privilégios de tal alcance que nem os mais militantes dos empregadores nem os governos conservadores nem os juízes conseguiram reduzi-los ou aboli-los até a década de 1980. A organização sindical não estava simplesmente presente e aceita; era poderosa, especialmente no local de trabalho. Esse excepcional e mesmo único poder operário criaria, no futuro, problemas crescentes para a economia industrial britânica; e na verdade, mesmo durante nosso período, criou grandes dificuldades para os industriais que desejavam mecanizá-lo ou administrá-lo. Antes de 1914, os industriais malograram nos casos mais decisivos, mas para nossos propósitos é suficiente anotar a anomalia da Inglaterra a esse respeito. A pressão política pode ajudar a reforçar o poder de fábrica, sem que efetivamente tenha que substituí-lo.

Em outros lugares a situação era bastante diversa. De modo geral, os sindicatos funcionavam apenas à margem da indústria moderna, especialmente a de grande escala: em oficinas, nos canteiros de obras e em pequenas e médias empresas. A organização, em teoria, podia ser nacional, mas na prática era extremamente localizada e descentralizada. Em países como a França e a Itália, seus agrupamentos efetivos eram as alianças entre pequenos sindicatos locais, agrupados em volta de salões operários locais. A federação sindical nacional francesa (CGT) requeria apenas um mínimo de *três* sindicatos locais para constituir um sindicato nacional.[12] Nas grandes fábricas da moderna indústria os sindicatos eram desimportantes. Na Alemanha, a força da social-democracia, com seus "sindicatos livres", não se fazia sentir nas indús-

A ERA DOS IMPÉRIOS

trias pesadas da região do Reno e do Ruhr. Nos EUA, o sindicalismo nas grandes indústrias foi virtualmente eliminado na década de 1890 — e não retornaria antes da década de 1930 —, mas sobreviveu nas indústrias de pequeno porte e nos sindicatos de ofício da construção civil, protegido pelo localismo do mercado das grandes cidades, onde a rápida urbanização, para não mencionar a política do suborno e dos contratos da municipalidade, proporcionava maior campo de ação. A única alternativa real ao sindicato local de pequenos grupos de trabalho organizado e ao sindicato de ofício (de operários em sua maioria qualificados) era a mobilização, ocasional e raramente permanente, de massas de trabalhadores em greves intermitentes; mas isso era também quase sempre localizado.

Houve algumas extraordinárias exceções, entre as quais distinguiram-se os mineiros, por sua verdadeira diferença em relação aos carpinteiros e charuteiros, os ferreiros-mecânicos, os tipógrafos e os demais artesãos assalariados que formavam os quadros normais da classe operária dos novos movimentos proletários. De um modo ou de outro, essas massas de homens robustos que trabalhavam nas trevas, quase sempre morando com suas famílias em comunidades isoladas, tão inacessíveis, e áridas quanto suas minas, ligados entre si pela solidariedade do trabalho e da comunidade e pela dura e perigosa atividade, mostravam uma marcante propensão para engajar-se em lutas coletivas; mesmo na França e nos EUA, os mineiros de carvão formaram, pelo menos intermitentemente, poderosos sindicatos.* Dada a dimensão do proletariado das minas e suas notáveis concentrações regionais, seu papel potencial nos movimentos operários — e na Inglaterra, real — poderia ser enorme.

---

* Conforme indicam os versos dos mineiros alemães, grosseiramente traduzíveis do seguinte modo:
Os padeiros assam pão sozinhos
Os marceneiros trabalham em sua casa;
mas os mineiros, onde estiverem,
contam com bravos e confiáveis companheiros.[13]

Dois outros setores parcialmente imbricados do sindicalismo não artesanal merecem atenção: o dos transportes e o dos funcionários públicos. Os servidores do Estado eram ainda excluídos das organizações operárias — até na França que, mais tarde, seria o baluarte dos sindicatos de servidores públicos —, o que retardou de modo marcante a sindicalização das estradas de ferro, frequentemente de propriedade do Estado. Contudo, mesmo as estradas de ferro particulares revelaram-se difíceis de serem organizadas, fora dos amplos e pouco populosos espaços, onde o fato de serem indispensáveis oferecia uma considerável vantagem estratégica àqueles que nelas se empregavam, especialmente aos maquinistas e aos tripulantes dos trens. As companhias de estradas de ferro eram, de longe, as maiores empresas da economia capitalista e quase impossíveis de sindicalizar, exceto no conjunto daquilo que poderia ser uma rede de extensão quase igual à do país: em 1890, a London and Nort Western Railway Company (Companhia de Estradas de Ferro de Londres e do Noroeste), por exemplo, controlava 65 mil operários, num sistema de 7 mil quilômetros de linha e 800 estações.

Em contraste, o outro setor-chave dos transportes, o marítimo, era localizado nos portos de mar e em torno deles, onde, por sua vez, toda a economia tendia a circular. Aqui, portanto, qualquer greve nas docas propendia a tornar-se uma greve geral dos transportes que, a seu turno, poderia vir a ser uma greve geral. As greves gerais econômicas, que se multiplicaram nos primeiros anos do novo século* — e conduziram a exaltados debates dentro do movimento socialista —, eram, portanto, principalmente as que tiveram lugar nas cidades portuárias: em Trieste, Gênova, Marselha, Barcelona, Amsterdã. Foram batalhas gigantescas mas improváveis, como tal, de conduzir a uma organização sindical permanente de massas, dada a heterogeneidade de uma força de trabalho

---

* Greves gerais breves, a favor da democratização do direito ao voto, eram outro assunto.

A ERA DOS IMPÉRIOS

frequentemente não especializada. Todavia, os transportes por estrada de
ferro e por mar, embora muito diferentes, tinham em comum sua crucial
importância estratégica para as economias das nações, visto que poderiam paralisar se eles cessassem. À medida que cresciam os movimentos
operários, os governos tomavam consciência crescente desse potencial es-
trangulamento e elaboravam as possíveis contramedidas: destas, a decisão
do governo francês de derrotar uma greve geral de estradas de ferro, em
1910, por meio do alistamento de 150 mil ferroviários ou, mais precisamente, de os colocar sob disciplina militar, é o mais drástico exemplo.[14]

Entretanto, também os empregadores particulares reconheciam o
papel estratégico do setor de transportes. A contraofensiva à onda de
sindicalização na Inglaterra, em 1889-1890 (a qual, por sua vez, fora
lançada por greves de marinheiros e doqueiros), teve início com uma
batalha contra os ferroviários escoceses e uma série de batalhas contra a
maciça mas instável sindicalização dos grandes portos de mar. Inversamente, a ofensiva operária desencadeada às vésperas da guerra mundial
planejou sua própria força estratégica de choque, a Tríplice Aliança dos
mineiros de carvão, dos ferroviários e da federação dos trabalhadores nos
transportes (ou seja, dos empregados nos portos). O transporte era agora
claramente considerado elemento crucial na luta de classes.

Era assim considerado, aliás, com maior clareza que outra zona de
confronto que em breve se revelaria ainda mais decisiva: a das grandes
e crescentes indústrias metalúrgicas. Nestas, a força tradicional da organização operária, os operários especializados de antecedentes artesanais,
com obstinados sindicatos de ofício, encontravam a grande fábrica moderna, que se propunha a reduzi-los (ou à maioria deles) a operadores
semiqualificados de máquinas e ferramentas, cada vez mais especializadas
e sofisticadas. Aqui, nesta fronteira do avanço tecnológico que tão rapidamente se movia, o conflito de interesses era claro. Enquanto durasse
a paz, a situação em seu conjunto favorecia os administradores; mas de-

TRABALHADORES DO MUNDO

pois de 1914, já não surpreendia que a lâmina cortante da radicalização operária se achasse em toda parte das grandes fábricas de armamentos. Subjacente à disposição revolucionária dos metalúrgicos, durante e após a guerra mundial, discernimos as tensões preparatórias das décadas de 1890 e de 1900.

As classes operárias, portanto, não eram homogêneas nem fáceis de unir num só grupo social coerente — mesmo deixando de lado o proletariado agrícola, que os movimentos sindicais buscavam organizar e mobilizar, em geral sem grande êxito.* E todavia eles estavam sendo unificados. Como?

3.

Um modo poderoso de unificar era o da ideologia, amparada pela organização. Os socialistas e anarquistas levaram seu novo evangelho às massas, até então desprezadas por quase todas as instituições, exceto por seus exploradores e por aqueles que as aconselhavam a se manter silenciosas e obedientes; e mesmo as escolas primárias contentavam-se, de modo geral, a inculcar os deveres cívicos da religião, enquanto as próprias igrejas organizadas (a não ser por algumas seitas plebeias) só muito lentamente entravam em território proletário ou estavam mal equipadas para lidar com populações tão diferentes daquelas das comunidades estruturadas das antigas paróquias rurais ou urbanas. Os operários eram gente desconhecida e esquecida, na proporção em que formavam um novo grupo social. O quanto eram desconhecidos, testemunham-no dezenas de escritos de

---

* Exceto na Itália, onde a Federação dos Trabalhadores da Terra era, de longe, o maior sindicato, aquele que lançou as bases para a posterior influência comunista, na Itália central e em partes do sul do país. Na Espanha o anarquismo teve, possivelmente, influência intermitente comparável entre os trabalhadores rurais sem terra.

pesquisadores socialistas e de observadores da classe média; o quanto eram esquecidos, pode ser avaliado por qualquer pessoa que tenha lido as cartas do pintor Van Gogh, que foi às minas de carvão belgas como evangelista. Os socialistas, com frequência, eram os primeiros a deles se aproximar. Onde as condições o permitissem, eles imprimiam nos mais variados grupos de operários — desde artesãos assalariados e vanguardas militantes até comunidades inteiras de mineiros e trabalhadores de obras — uma única identidade: a de "proletários". Em 1886, os aldeões dos vales belgas em torno de Liège, que tradicionalmente manufaturavam armas de fogo, eram apolíticos. Passavam a vida sendo mal pagos, e a diversão, para os homens, residia apenas em criar pombos, pescar e frequentar brigas de galos. Assim que o "Partido dos Trabalhadores" apareceu em cena, converteram-se em massa: daí em diante, 80% a 90% de Val de Vesdre passaram a votar pelos socialistas, abrindo brechas até nas últimas fortificações do catolicismo local. O povo do Liégeois percebeu que participava da identificação e da fé dos tecelões de Ghent, cuja própria língua (o flamengo) não podiam entender; e por aí com a identificação e a fé de todos aqueles que participavam do ideal de uma só classe operária universal. Essa mensagem, a da unidade de todos os que trabalham e são pobres, foi levada até os mais remotos cantos dos países, por agitadores e propagandistas. E eles traziam igualmente a *organização*, a ação coletiva estruturada, sem a qual a classe operária não poderia existir como classe; e, por meio da organização, adquiriam aqueles quadros de porta-vozes que podiam articular os sentimentos e esperanças dos homens e mulheres que não os saberiam enunciar. Eles possuíam ou encontravam as palavras para as verdades que todos sentiam. Sem essa coletividade organizada, seriam apenas pobre gente do trabalho. Pois o antigo *corpus* de sabedoria — os provérbios, ditados e canções — que formulara a *Weltanschauung* dos trabalhadores pobres do mundo pré-industrial, já não bastava. Eles constituíam uma *nova* realidade social, que exigia nova reflexão. Isto iniciou-se no momento em que compreenderam a mensagem de

TRABALHADORES DO MUNDO

seus novos porta-vozes: "Vocês são uma classe, devem demonstrar que são uma classe." Por isso, em casos extremos, era suficiente que os novos partidos simplesmente pronunciassem seu nome: "o Partido dos Trabalhadores." Ninguém, exceto os militantes do novo movimento, trazia essa mensagem de consciência de classe aos trabalhadores. Sua mensagem unificava todos os que se dispusessem a reconhecer-lhe a grande verdade que cancelava as diferenças existentes entre eles.

Mas toda gente dispunha-se a reconhecê-la — pois alargava-se a brecha que separava os que eram, ou se tornavam, trabalhadores e o resto das pessoas, inclusive as de outros setores dos socialmente modestos, da "gente pequena" — uma vez que o mundo da classe operária separava-se progressivamente — e não menos porque os conflitos entre os que pagavam salários e os que destes viviam constituíam uma realidade existencial cada vez mais dominante. Este era o caso, evidentemente, em lugares praticamente criados pela e para a indústria, como Bochum (4.200 habitantes em 1842, 120.000 em 1907, dos quais 78% eram operários e 3% eram "capitalistas") ou Middlesbrough (6.000 em 1841, 105.000 em 1911). Nesses centros, principalmente de mineração e indústria pesada, que cresceram como cogumelos na segunda metade do século, talvez mais que as cidades das fábricas têxteis que anteriormente haviam sido os típicos centros industriais, os homens e as mulheres poderiam passar a vida sem sequer chegar a ver um membro das classes não assalariadas que de algum modo não lhes desse ordens (proprietários, gerentes, funcionários, professores, padres), a não ser no que diz respeito aos pequenos artesãos e lojistas, ou aos taverneiros, que atendiam às modestas necessidades dos pobres e que, conforme a clientela, adaptavam-se ao ambiente proletário.* Em Bochum, a produção para consumo incluía, sem contar

---

* O papel da taverna, como ponto de reunião de sindicatos e dos ramos do partido socialista e dos taverneiros, como socialistas militantes, é bastante conhecido em diversos países.

com os habituais padeiros, açougueiros e cervejeiros, algumas centenas de costureiras e 48 modistas, mas apenas oito lavadeiras, seis fabricantes de chapéus e gorros, oito peleteiros e — o que é significativo — nenhuma pessoa que fabricasse o símbolo característico do *status* da classe média e alta, as luvas.[15]

Todavia, mesmo na grande cidade, com seus serviços multiformes e progressivamente diversificados, com sua variedade social e sua especialização funcional, suplementadas na época pelo planejamento urbano e pelo desenvolvimento da propriedade, havia uma separação de classes, salvo em territórios neutros, como o parque, a estação ferroviária e as estruturas destinadas ao divertimento. O velho "bairro popular" declinou, com a nova segregação social: em Lion, La Croix-Rousse, antiga cidadela dos turbulentos tecelões da seda, que de lá desciam para o centro da cidade, foi descrito em 1913 como um bairro de "pequenos empregados" — "o enxame de operários abandonara o planalto e as ladeiras que a ele davam acesso".[16] Os operários haviam se transferido da velha para a outra margem do Ródano, onde estavam as fábricas. Progressivamente, a cinzenta uniformidade dos novos bairros operários, expelidos das áreas centrais da cidade, espalhava-se por toda parte: por Wedding e Neuköln, em Berlim; por Favoriten e Ottakring, em Viena; por Poplar e West Ham, em Londres — contrapartidas dos bairros e subúrbios das classes média e média baixa, que rapidamente se desenvolviam. E se a muito discutida crise do setor artesanal tradicional empurrou alguns grupos de mestres-artesãos para a direita radical, anticapitalista e antiproletária, como aconteceu na Alemanha, poderia igualmente, como na França, intensificar-lhes o jacobinismo anticapitalista ou o radicalismo republicano. Quanto aos assalariados e aprendizes, dificilmente poderiam deixar de se convencer de que agora nada mais eram senão proletários. E não era natural para as pressionadas indústrias domésticas protoindustriais, frequentemente (como era o caso dos tecelões em tear manual) em simbiose com as primeiras fases do sistema de fábrica, que se identificassem com a situação proletária? Comunidades localizadas desse tipo, em várias regiões montanhosas da Alemanha, da Boêmia e de outras partes, tornaram-se as fortalezas naturais do movimento.

Todos os operários estavam, por boas razões, prontos a ser convencidos da injustiça da ordem social, mas o ponto crucial de sua experiência era seu relacionamento com os empregadores. O novo movimento operário socialista era inseparável dos descontentes do local de trabalho, quer se expressassem ou não por meio de greves e (mais raramente) de sindicatos organizados. Repetidamente, o surgimento de um partido socialista local é inseparável de um grupo particular de operários localmente centrais, cuja mobilização ele libera ou reflete. Em Roanne (França) os tecelões formavam o âmago do Parti Ouvrier; quando a tecelagem organizou-se nessa região, em 1889-1891, os cantões rurais subitamente mudaram de política, passando da "reação" para o "socialismo", e o conflito industrial passou para a organização política e a atividade eleitoral. Todavia, conforme demonstra o exemplo do movimento operário inglês nas décadas de meados do século, não havia conexão necessária entre a prontidão para a greve, para a organização e a identificação da classe dos empregadores (os "capitalistas") como o mais importante adversário político. Na verdade, uma frente comum unira, tradicionalmente, aqueles que trabalhavam e produziam, os operários, artesãos, lojistas e burgueses contra os ociosos e contra o "privilégio" — os que acreditavam no progresso (uma coalizão que também atravessou os limites da classe) contra a "reação". No entanto, essa aliança, em grande parte responsável pela anterior força histórica e política do liberalismo (cf. *A era do capital*, capítulo 6), desmoronou, não apenas por haver a democracia eleitoral revelado os interesses divergentes dos seus vários componentes, mas porque a classe dos empregadores, progressivamente tipificada pelas suas dimensões e concentração — como vimos, a palavra-chave "grande", como em

A ERA DOS IMPÉRIOS

"grandes negócios", *grande industrie, grand patronat* ou *Grossindustrie* —, aparece com maior frequência[17] e integra-se mais visivelmente na zona indiferenciada da riqueza, do poder estatal e do privilégio. Junta-se a "plutocracia", que os demagogos eduardianos, na Inglaterra, gostavam de desancar — uma "plutocracia" que, enquanto a Era da Depressão cedia lugar ao embriagador surto da expansão econômica, pavoneava-se cada vez mais e o fazia visivelmente por meio da nova mídia de massas. O principal perito trabalhista do governo inglês afirmava que os jornais e o automóvel, monopólio dos ricos na Europa, caracterizavam o iniludível contraste entre ricos e pobres.[18]

À medida que a luta política contra o "privilégio" se incorporava a até então independente luta que se desenvolvia no local do emprego, ou em volta dele, o mundo do operário manual separava-se cada vez mais daqueles que se situavam acima dele, por meio do crescimento impressionantemente rápido em alguns países do setor terciário da economia, gerando um estrato de homens e mulheres que trabalhavam sem sujar as mãos. Diferentemente da antiga pequena burguesia de pequenos artesãos lojistas, que poderia ser considerada zona de transição ou terra de ninguém entre o operariado e a burguesia, essas novas classes médias e as classes médias baixas separavam as duas outras; apesar da absoluta modéstia de sua situação econômica, com frequência pouco melhor que a de operários bem pagos, estas classes davam realce precisamente ao que a separava dos trabalhadores manuais e ao que possuía ou julgava possuir em comum com os que lhe eram socialmente superiores (cf. capítulo 7). Formavam uma camada, isolando o operariado abaixo dela.

Se os desenvolvimentos econômicos e sociais assim favoreciam a formação de uma consciência de classe de todos os operários manuais, um terceiro fator virtualmente forçou-os à unificação: a economia nacional e o Estado-nação, que progressivamente se interligavam. O Estado-nação não apenas formava o quadro de referência da vida do cidadão, estabelecendo-lhe parâmetros e determinando as condições concretas e os limites geográficos da luta operária, mas igualmente tornava as suas intervenções políticas, legais e administrativas cada vez mais centrais à existência da classe trabalhadora. A economia operava progressivamente como sistema integrado, ou seja, como um sistema em que o sindicato não mais funcionava como um agregado de unidades locais frouxamente ligadas e preocupadas principalmente com as condições locais; seria compelido a adotar uma perspectiva nacional, pelo menos em relação à própria indústria. Na Inglaterra, o novo fenômeno que eram os conflitos trabalhistas organizados *nacionalmente* surgiu pela primeira vez na década de 1890, enquanto o espectro da greve nacional dos transportes e dos mineiros de carvão concretizava-se na década de 1900. De modo correspondente, as indústrias começaram a negociar acordos coletivos de âmbito nacional, praticamente desconhecidos antes de 1889. Em 1910, porém, haviam-se tornado prática comum.

A tendência crescente dos sindicatos, especialmente dos sindicatos socialistas, de organizar os trabalhadores em estruturas abrangentes, cada qual cobrindo uma única indústria nacional ("sindicalismo industrial"), refletia esse sentido da economia como um todo integrado. O "sindicalismo industrial", como aspiração, reconhecia que a "indústria" deixara de ser classificação teórica para estatísticos e economistas para se tornar um conceito operacional ou estratégico, de âmbito nacional, o quadro de referência econômico da luta dos sindicatos, por muito localizados que fossem. Os mineiros de carvão ingleses, conquanto violentamente apegados aos seus campos de mineração ou mesmo às suas minas e embora conscientes da especificidade de seus problemas e costumes, perceberam que, inevitavelmente, tinham que se unir — Gales do Sul com a Nortúmbria, Fife com Staffordshire em organização nacional, entre 1888 e 1908.

No tocante ao Estado, a democratização eleitoral impôs uma unidade de classe que os governantes almejavam evitar. A própria luta pela extensão

A ERA DOS IMPÉRIOS

dos direitos do cidadão inevitavelmente adquiria um matiz de classe para os operários, visto que a questão central da controvérsia (pelo menos para os homens) era o direito ao voto dos cidadãos *sem propriedade*. A qualificação segundo a propriedade, por modesta que fosse, excluiria, antes de tudo, grande parte dos operários. Inversamente, onde os direitos de voto não haviam ainda sido alcançados, pelo menos em teoria, os novos movimentos socialistas fatalmente convertiam-se nos maiores defensores do sufrágio universal, deflagrando ou ameaçando deflagrar gigantescas manifestações e greves gerais por essa causa — na Bélgica em 1893 e mais duas vezes depois desta, na Suécia em 1902, na Finlândia em 1905 —, o que, a um tempo, reforçava e demonstrava o poder de mobilização das massas recém-convertidas. Até as reformas eleitorais deliberadamente antidemocráticas poderiam reforçar a consciência de classe nacional, como aconteceu na Rússia, após 1905, onde os eleitores trabalhadores foram reunidos (e sub-representados) num compartimento separado, ou *cúria* eleitoral. Todavia, as atividades eleitorais, nas quais caracteristicamente os partidos socialistas mergulharam, para escándalo dos anarquistas que as consideravam separando o movimento da revolução, só poderiam conferir à classe operária uma dimensão nacional única, por muito dividida que estivesse sob outros aspectos.

Mais ainda: o próprio Estado unificava a classe, visto que, progressivamente, qualquer grupo social teria de perseguir seus objetivos políticos por meio de pressões exercidas junto ao governo *nacional*, a favor ou contra a legislação e a administração de leis *nacionais*. Nenhuma classe tinha uma necessidade mais consistente e contínua de ação estatal positiva em assuntos econômicos e sociais, para compensar as inadequações de sua desamparada ação coletiva; e, quanto mais numeroso o proletariado nacional, tanto mais sensíveis (mas com relutância) eram os políticos às exigências de um conjunto de eleitores tão perigoso e de tal dimensão. Na Inglaterra, os antigos sindicatos de meados da era vitoriana e o novo movimento operário

TRABALHADORES DO MUNDO

dividiram-se, na década de 1880, essencialmente por causa da exigência de que fosse instituído um dia de oito horas *por lei*, e não por meio de negociações coletivas. Isto é, exigiam uma lei universalmente aplicável a *todos* os trabalhadores, uma lei, por definição, *nacional* e uma lei internacional, segundo a opinião da Segunda Internacional, plenamente conscientes do significado da exigência. Essa agitação originou a provavelmente mais visceral e comovente instituição do internacionalismo da classe operária: as manifestações anuais de Primeiro de Maio, inauguradas em 1890. (Em 1917, os operários russos, finalmente livres para comemorar, até puseram de lado seu próprio calendário a fim de se manifestarem precisamente no mesmo dia em que o resto do mundo o fazia.*)[19] Todavia, a força da unificação da classe operária, dentro de cada nação, substituía de modo inevitável as esperanças e asserções teóricas do internacionalismo operário, salvo para uma nobre minoria de militantes e ativistas. Conforme demonstrou o comportamento das classes operárias em agosto de 1914, o quadro de referência efetivo da sua consciência de classe era, exceto durante os breves momentos da revolução, o Estado e a nação politicamente definidos.

4.

Não é possível e sequer necessário examinar aqui o pleno alcance das variações geográficas, ideológicas, nacionais, regionais e outras, reais ou potenciais, referentes ao tema geral da formação das classes operárias de 1870-1914 como grupos sociais conscientes e organizados. Evidentemente, este ainda não era o caso em alguma medida expressiva para aquela parte da humanidade cuja pele era de matiz diferente (como na

---

* Conforme se sabe, em 1917, o calendário russo (juliano) estava ainda treze dias atrasado em relação ao nosso (o gregoriano), daí procedendo o conhecido enigma da Revolução de Outubro, que ocorreu em 7 de novembro.

A ERA DOS IMPÉRIOS

Índia e naturalmente no Japão), mesmo quando seu desenvolvimento industrial já era inegável. Esse avanço da organização de classe não era cronologicamente uniforme. Acelerou-se, porém, no decorrer de dois curtos períodos. O primeiro grande avanço ocorreu entre o final da década de 1880 e os primeiros anos de 1890, marcadas, ambas, pela reinstituição de uma Internacional dos Trabalhadores (a "Segunda", para a distinguir da Internacional de Marx de 1864-1872) e por aquele símbolo da confiança e da esperança da classe operária, o Primeiro de Maio. Foram esses os anos em que os socialistas primeiro apareceram em números significativos nos Parlamentos de diversos países, enquanto na Alemanha, onde seu partido já era forte, o poder do SPD mais que dobrou entre 1887 e 1893 (de 10,1% para 23,3%). O segundo período importante de avanço aconteceu aproximadamente entre a Revolução Russa de 1905 — que muito o influenciou, especialmente na Europa central — e 1914. O maciço avanço eleitoral dos partidos socialistas e operários era agora auxiliado pela difusão do sufrágio democratizado, que lhe permitia ser eficazmente registrado. Ao mesmo tempo, ondas de agitação operária produziam um avanço ainda maior na força do sindicalismo organizado. Embora os pormenores variassem enormemente com as circunstâncias nacionais, essas duas ondas de rápido avanço operário podem ser encontradas, de um ou de outro modo, em quase toda parte.

Contudo, a formação da consciência de classe dos trabalhadores não pode ser identificada, simplesmente, com o crescimento dos movimentos operários organizados, embora existam exemplos, particularmente na Europa central e em algumas zonas industriais especializadas, nas quais a identificação dos operários com seu partido ou movimento era quase total. Assim, um analista de eleições num distrito eleitoral da Alemanha central (Naumburg-Merseburg) ficou surpreso pelo fato de que apenas 88% dos operários tivessem votado no SPD: evidentemente, presumia que, nesse lugar, a equação "operário = social-democrata" fosse a regra.[20] Este caso, porém, não era típico nem mesmo comum. O que se tornava cada vez mais comum, quer os operários se identificassem ou não com "seu" partido, era a identificação apolítica de classe, ou a consciência de pertencerem a um mundo separado de operários, que incluía, mas ia muito além do "partido de classe". Pois tal consciência se baseava numa experiência de vida à parte, um modo e um estilo de vida separados que emergiam, não obstante as variações regionais de costumes e idioma, em formas partilhadas de atividade social (por exemplo, existem versões de esportes especificamente identificados com os proletários como classe, tais como as associações de futebol, na Inglaterra, que datam da década de 1880), ou mesmo modos de vestir novos e específicos de classe, como o proverbial boné operário de viseira.

Ainda assim, sem o surgimento simultâneo do "movimento", mesmo as expressões não políticas da consciência de classe não seriam completas nem mesmo plenamente concebíveis: pois foi por meio do movimento que "as classes trabalhadoras", no plural, fundiram-se com a "classe operária", no singular. Os movimentos, por sua vez, à proporção que se tornavam movimentos de massas, eram imbuídos da desconfiança não política, mas instintiva, dos trabalhadores em relação a todos os que não tinham mãos sujas pelo trabalho. Esse difuso *ouvrierisme*, como o chamavam os franceses, refletia a realidade dos partidos de massas, uma vez que estes, ao contrário das pequenas organizações ilegais, eram preponderantemente compostos de trabalhadores manuais. Os 61 mil membros do Partido Social-Democrata, em Hamburgo, em 1911-1912, incluíam apenas 36 "escritores e jornalistas" e *dois* membros das profissões mais prestigiosas. Na realidade, apenas 5% de seus membros eram não proletários, e destes, metade consistia em estalajadeiros.[21] Mas essa desconfiança em relação a não trabalhadores não excluía a admiração por grandes mestres oriundos de classe diferente, como o próprio Karl Marx, nem por um punhado de socialistas de origem burguesa, pais-fundadores, líderes nacionais e oradores (duas funções não raro difíceis de distinguir) ou "teóricos". Na verdade, em sua primeira geração, os partidos socialistas atraíram admiráveis figuras da classe média, homens talentosos merecedores de admiração: Victor Adler, na Áustria (1852-1918); Jaurès, na França (1859-1914); Turati, na Itália (1857-1932); Branting, na Suécia (1860-1925).

O que era, pois, esse "movimento" que em casos extremos poderia finalmente vir a coincidir com a classe? Em toda a parte ele incluía a mais básica e universal organização de trabalhadores: o sindicato, embora sob formas diferentes e com força variável. Também incluía, com frequência, as cooperativas, principalmente sob a forma de lojas para operários, ocasionalmente (como na Bélgica) como instituições centrais do movimento.* Em países onde existiam partidos socialistas de massas, eles incluiriam, mais cedo ou mais tarde, todas as associações em que participassem os operários, desde o berço à sepultura — ou, mais exatamente, em razão de seu anticlericalismo — ao crematório, preferido pelos "avançados" por ser mais apropriado à época das ciências e do progresso.[22] As associações poderiam variar, desde os 200 mil membros da Federação Alemã de Corais Operários, de 1914, e dos 13 mil membros do Clube dos Ciclistas Operários "Solidariedade", de 1910, até os Operários Colecionadores de Selos e os Operários Criadores de Coelhos, cujos vestígios encontram-se ainda, vez por outra, nas estalagens dos subúrbios de Viena. Mas, em sua essência, todos eles se subordinavam, faziam parte ou, pelo menos, ligavam-se intimamente à sua expressão essencial, o partido político, quase sempre chamado Socialista (Social-Democrata) e/ou mais simplesmente, dos "Trabalhadores" ou "Trabalhista". Movimentos operários que carecessem de partidos de classe organizados ou que se opusessem à política,

---

* Embora a cooperação entre operários estivesse intimamente ligada aos movimentos trabalhistas, e formasse, de fato, uma ponte entre os ideais "utópicos" do socialismo pré-1848 e o novo socialismo, não era este o caso da parte mais florescente da cooperação, a dos camponeses e fazendeiros, exceto em algumas partes da Itália.

embora pudessem representar a velha estirpe de esquerda, da ideologia utópica ou anarquista, eram quase invariavelmente fracos. Representavam quadros itinerantes de militantes isolados, de evangelistas, de agitadores, de potenciais líderes de greves, mas não estruturas de massas. Exceto no mundo ibérico, sempre defasado em relação aos demais desenvolvimentos europeus, o anarquismo jamais foi ideologia majoritária em parte nenhuma da Europa, nem mesmo de movimentos operários fracos. Salvo nos países latinos e, conforme revelou a Revolução de 1917, na Rússia, o anarquismo era politicamente sem importância.

A grande maioria desses partidos operários, sendo a Austrália a exceção mais importante, anteviam mudanças fundamentais na sociedade e, consequentemente, davam a si próprios o nome de "socialistas", ou julgava-se que estivessem propensos a isso, como o Partido Trabalhista inglês. Antes de 1914, queriam manter muita distância da política da classe dominante e mais ainda do governo, até o dia em que o próprio movimento formasse um governo seu e, presumivelmente, iniciasse a grande transformação. Líderes trabalhistas que se deixaram tentar por compromissos com partidos da classe média e com os governos eram execrados, salvo quando guardavam silêncio completo, como no caso de J. R. MacDonald sobre os arranjos eleitorais com os liberais, que pela primeira vez deram ao Partido Trabalhista inglês uma expressiva representação parlamentar, em 1906. (Por motivos compreensíveis, a atitude dos partidos para com o governo local era bem mais positiva.) Talvez a razão principal pela qual tantos partidos como esse hastearam a bandeira vermelha de Karl Marx tenha sido porque ele, mais que qualquer outro teórico de esquerda, lhes tenha dito três coisas que pareciam igualmente plausíveis e animadoras: que nenhum melhoramento previsível, dentro do atual sistema, mudaria a situação básica dos trabalhadores como tais (a sua "exploração"); que a natureza do desenvolvimento capitalista, que ele longamente analisara, tornava a derrubada da presente sociedade e

A ERA DOS IMPÉRIOS

sua substituição por outra, nova e melhor, bastante incerta; e que a classe operária, organizada em partidos de classe, seria a criadora e a herdeira de um glorioso futuro. Desse modo, Marx oferecia aos operários uma certeza, análoga àquela anteriormente oferecida pela religião, de que a ciência demonstrava a inevitabilidade histórica de seu futuro triunfo. No que se refere a isso, o marxismo era tão eficaz que, mesmo os que se opunham a Marx, dentro do movimento, adotavam em larga medida sua análise do capitalismo.

Assim, tanto os oradores como os ideólogos desses partidos quanto seus adversários tinham geralmente como certo que queriam uma revolução social e que suas atividades subentendiam essa revolução. Todavia, o que exatamente significaria essa frase, a não ser que a mudança do capitalismo para o socialismo, de uma sociedade fundamentada na propriedade privada e na iniciativa, para outra, apoiada na "propriedade comum dos meios de produção, distribuição e troca",[23] revolucionaria de fato a vida — embora a exata natureza e o conteúdo do futuro socialista fossem surpreendentemente muito pouco discutidos e permanecessem imprecisos — exceto para afirmar que o mau de agora seria bom, então. A natureza da revolução foi a questão dominante dos debates sobre política proletária durante todo o período.

O que estava em discussão não era a fé numa total transformação da sociedade, mesmo estando muitos líderes e militantes demasiado absorvidos nas lutas imediatas para se interessarem por um futuro remoto. Era antes o fato de, seguindo uma tradição de esquerda que remontava para além de Marx e Bakunin, a 1789 ou mesmo a 1776, as revoluções esperarem realizar mudanças sociais fundamentais por meio de uma súbita, violenta e insurrecional transferência do poder. Ou, em sentido mais geral e milenarista, que a grande mudança, cuja inevitabilidade havia sido estabelecida, devia ser mais iminente do que no momento aparentava ser no mundo industrial, ou mesmo do que parecera, durante

TRABALHADORES DO MUNDO

a Depressão e o descontentamento da década de 1880, ou durante os surtos de esperança do início de 1890. Mesmo o veterano Engels — ao lançar um olhar retrospectivo à Era das Revoluções, durante a qual era de esperar que se erguessem barricadas mais ou menos a cada vinte anos e na qual ele realmente tomara parte em campanhas revolucionárias, de arma na mão — advertiu que os dias de 1848 pertenciam, irreversivelmente, ao passado. Como vimos, desde meados da década de 1890 a ideia do iminente colapso do capitalismo parecia absolutamente implausível. Que restava, pois, aos exércitos do proletariado, mobilizados aos milhões sob a bandeira vermelha?

Algumas vezes, à direita do movimento, recomendavam alguns que todos se concentrassem nas melhorias e reformas imediatas que a classe operária conseguisse do governo e dos empregadores, deixando que o futuro remoto cuidasse de si próprio. A revolta e a insurreição, em todo o caso, não estavam na agenda. Mesmo assim, raros líderes operários nascidos após 1860 abandonaram a ideia da Nova Jerusalém. Eduard Bernstein (1850-1932), intelectual socialista formado pelos próprios esforços, que por imprudência sugeriu não apenas que fossem revistas as teorias de Karl Marx à luz do florescente capitalismo ("revisionismo"), mas também que o almejado objetivo do socialismo era menos importante que as reformas a serem ganhas no caminho, foi maciçamente condenado por políticos operários, cujo interesse em derrubar o capitalismo era não raro extremamente débil. A crença de que a sociedade atual era intolerável fazia sentido para a gente da classe operária, mesmo quando, conforme notara um observador de um congresso socialista alemão na década de 1900, seus militantes "mantinham-se um pão ou dois à frente do capitalismo".[24] Era o ideal de uma nova sociedade que infundia esperanças à classe operária.

Não obstante, como havia a nova sociedade de ser instaurada, numa época em que o colapso do velho sistema parecia o contrário de imi-

A ERA DOS IMPÉRIOS

nente? A constrangida descrição de Kautsky do grande Partido Social--Democrata alemão como um partido que "embora revolucionário não faz revolução",[25] é um resumo do problema. Seria suficiente manter, como fazia o SPD, um compromisso teórico com nada menos que a revolução social, uma posição de oposição intransigente, só para medir periodicamente a ascensão das forças do movimento nas eleições, confiando nas forças objetivas do desenvolvimento histórico, para produzir seu inevitável triunfo? Não, se isto significasse, como acontecia na prática com demasiada frequência, que o movimento havia se adaptado para operar dentro do quadro de referências do sistema que não conseguia derrubar. Esta fachada de intransigência, segundo a opinião de muitos radicais e militantes, ocultava uma acomodação com a passividade, uma recusa de dar ordem de ação aos exércitos mobilizados do trabalho e à supressão das lutas que espontaneamente recresciam entre as massas, tudo isso em nome da miserável disciplina organizacional.

O que a díspar, mas após 1905 crescente, esquerda radical rejeitava — com seus rebeldes, seus militantes sindicalistas de base, seus intelectuais dissidentes e seus revolucionários — eram os partidos proletários de massas, em sua opinião inevitavelmente reformistas e burocratizados, em virtude de estarem engajados em certos tipos de ação política. Os argumentos contra eles eram muito semelhantes, quer os da predominante ortodoxia marxista, como habitualmente era o caso no continente, ou os dos antimarxistas à moda fabiana, como na Inglaterra. A esquerda radical preferia, em vez disso, confiar na ação direta proletária, que contornava o perigoso pântano da política e culminava, idealmente, em algo parecido com uma greve geral revolucionária. O "sindicalismo revolucionário", que prosperara na década anterior a 1914, sugere, como o próprio nome indica, um casamento entre revolucionários sociais extremados e a militância sindicalista descentralizada, associada em variáveis graus às ideias anarquistas. Floresceu, fora da Espanha,

TRABALHADORES DO MUNDO

principalmente como ideologia de algumas centenas ou de milhares de militantes sindicalistas proletários e de um punhado de intelectuais, durante a segunda fase do crescimento e da radicalização do movimento, que coincidiu com uma considerável e internacionalmente difundida inquietação operária, e com muita incerteza nos partidos socialistas, sobre o que exatamente poderiam ou deveriam estar fazendo.

Entre 1905 e 1914, o típico revolucionário ocidental era provavelmente uma espécie de sindicalista revolucionário que, paradoxalmente, rejeitava o marxismo como ideologia de partidos que faziam uso dele como escusa para não tentar fazer revolução. Isto era um tanto injusto para com o espírito de Marx, visto que o impressionante, em relação aos partidos proletários de massa do Ocidente que hasteavam sua bandeira em seus mastros, era a real modéstia do papel neles desempenhado por Marx. As crenças básicas dos líderes e militantes desses partidos eram frequentemente impossíveis de ser distinguidas da esquerda não marxista radical operária ou jacobina. Todos eles acreditavam, de igual modo, na luta da razão contra a ignorância e a superstição (isto é, o clericalismo); na luta do progresso contra o sombrio passado; na ciência, na educação, na democracia e na trindade secular Liberdade, Igualdade e Fraternidade. Mesmo na Alemanha, onde quase um em três cidadãos votava no Partido Social-Democrata que se declarara formalmente marxista em 1891, o *Manifesto Comunista*, antes de 1905, era publicado em edições de apenas 2 mil a 3 mil exemplares, e a obra ideológica mais popular nas bibliotecas operárias era aquela cujo título se explica a si mesmo: *Darwin versus Moisés*.[26] Na verdade, havia escassez mesmo de intelectuais marxistas nativos. Os principais "teóricos" da Alemanha eram importados do Império Habsburgo, como Kautsky e Hilferding, ou do império do czar, como Parvus e Rosa Luxemburgo. A leste de Praga e Viena havia abundante provisão de marxismo e de intelectuais marxistas. Nessas regiões, o marxismo reteve seu impulso revolucionário intacto, e o liame

A ERA DOS IMPÉRIOS

entre marxismo e revolução continuava manifesto, ao menos porque as perspectivas revolucionárias eram imediatas e reais.

Nesse ponto, realmente, estava a chave do padrão dos movimentos operários e socialistas, como a de muitas outras coisas na história dos cinquenta anos precedentes a 1914. Esses movimentos surgiram nos países da revolução dual e na própria zona da Europa ocidental e central, na qual toda pessoa politizada referia-se à maior das revoluções do passado, a da França, de 1789; e onde todo habitante das cidades que houvesse nascido no mesmo ano de Waterloo, no decurso de sessenta anos de vida, provavelmente, teria passado pelo menos por duas, ou talvez três revoluções, em primeira ou segunda mão. O movimento operário e socialista via em si mesmo a continuação linear dessa tradição. Os social-democratas austríacos comemoravam o Dia de Março (aniversário das vítimas da revolução de Viena, de 1848) antes de comemorarem o novo Primeiro de Maio. Todavia, a revolução social retirava-se rapidamente de sua primitiva zona de incubação. E sob certos aspectos o surgimento dos partidos de classe, maciços, organizados e, acima de tudo, disciplinados, acelerou essa retirada. Os comícios de massas organizados, as cuidadosamente planejadas manifestações ou passeatas de massas, as campanhas eleitorais antes substituíram que prepararam tumultos e insurreições. A súbita onda de partidos "vermelhos" nos países avançados da sociedade burguesa era realmente um fenômeno preocupante para os que os governavam; mas, entre estes, poucos realmente esperavam ver uma guilhotina erguida em suas capitais. Reconheciam esses partidos como entidades de oposição radical dentro de um sistema que não obstante oferecia espaço para melhorias e para a conciliação. Essas sociedades não eram, ou não eram ainda, ou não eram mais, daquelas em que muito sangue corria, a despeito da retórica que afirmava o contrário.

O que mantinha os novos partidos comprometidos com a completa revolução da sociedade, pelo menos teoricamente, e as massas de traba-

TRABALHADORES DO MUNDO

lhadores comuns comprometidos com esses partidos, não era decerto a incapacidade de o capitalismo lhes oferecer melhorias. Era o fato de que, até onde a maioria dos trabalhadores que esperavam melhorias podia julgar, todos os aperfeiçoamentos expressivos provinham, em primeiro lugar, da ação e da organização deles próprios, como classe. Na verdade, sob certos aspectos, a decisão de preferir o caminho dos melhoramentos coletivos excluía as demais opções. Nas regiões da Itália em que os trabalhadores pobres e sem terra se organizaram em sindicatos e cooperativas, eles não escolheram a alternativa da emigração em massa. Quanto mais vigoroso era o senso da comunidade e da solidariedade da classe trabalhadora, tanto mais fortes as pressões sociais para que se mantivessem dentro dela, embora isso não excluísse — especialmente no caso de grupos como o dos mineiros — a ambição de proporcionar aos filhos a escolaridade que os afastaria das minas. O que havia, subjacente às convicções socialistas dos militantes da classe trabalhadora e à aprovação das massas, era, mais que qualquer outra coisa, o mundo segregado imposto ao novo proletariado. Se neles havia esperança — e seus membros organizados eram realmente altivos e esperançosos — era porque eles tinham esperanças no movimento. Se o "sonho americano" era individualista, o do operário europeu era predominantemente coletivo.

Seria isso revolucionário? Quase certamente não, no sentido insurrecional, a julgar pelo comportamento da maioria do mais forte dos partidos socialistas revolucionários, o SPD alemão. Mas existia na Europa um vasto cinturão semicircular de pobreza e inquietação, no qual a revolução efetivamente estava na agenda, e — pelo menos numa de suas partes — realmente irrompeu. Estendia-se a partir da Espanha, passando por grande parte da Itália, e dirigia-se ao Império Russo, através da península balcânica. A revolução emigrava da Europa ocidental para a oriental, em nosso período. Examinaremos a sorte da zona revolucionária do continente e do globo, logo a seguir. Aqui notaremos apenas que, no leste, o marxismo re-

A ERA DOS IMPÉRIOS

teve suas conotações explosivas originais. Após a Revolução Russa, retornou ao Ocidente e expandiu-se novamente para o leste, como a quintessência da ideologia da revolução social, assim permanecendo durante grande parte do século XX. Entretanto, a brecha na comunicação entre socialistas que usavam a mesma linguagem teórica alargava-se quase sem que o percebessem, até que sua dimensão foi subitamente revelada na explosão da Guerra de 1914, quando Lenin, de longa data admirador da ortodoxia social-democrata alemã, descobriu que seu principal teórico era um traidor.

5.

Embora na maioria dos países os partidos socialistas, a despeito de divisões nacionais e confessionais, evidentemente estivessem a caminho de mobilizar a maioria das classes trabalhadoras, era inegável que, salvo na Inglaterra, o proletariado não era — ou, como afirmavam confiantes os socialistas, "não era ainda" — nem de longe a maioria da população. Assim que os partidos socialistas adquiriram base de massa, deixando de ser seitas de propaganda e agitação, ou grupos de quadros ou dispersos baluartes locais de convertidos, tornava-se evidente que não podiam confinar sua atenção exclusivamente à classe operária. O debate intensivo sobre a "questão agrária", que se iniciou entre os marxistas em meados da década de 1890, reflete precisamente essa descoberta. Embora o "campesinato" estivesse, sem dúvida, destinado a desaparecer (conforme corretamente argumentavam os marxistas, pois isto tem finalmente se verificado no final do século XX), o que poderia ou deveria o socialismo oferecer, enquanto isso, aos 36% da Alemanha e aos 43% da França que viviam da agricultura (1900), para não mencionar os países europeus que ainda eram predominantemente agrícolas? A necessidade de ampliar o apelo dos partidos socialistas, deslocando-os do que era puramente proletário,

TRABALHADORES DO MUNDO

podia ser formulada e defendida de diversos modos, desde os simples cálculos eleitorais até as considerações revolucionárias de teoria geral ("A social-democracia é o partido do proletariado... mas... é simultaneamente um partido de desenvolvimento social, visando ao desenvolvimento de todo o corpo social desde a presente fase capitalista até uma forma mais elevada."[27]) Isso não podia ser ignorado, uma vez que o proletariado fora derrotado eleitoralmente quase em toda parte, isolado ou menos reprimido pelas forças reunidas das outras classes.

A própria identificação entre partido e proletariado tornava o apelo aos outros estratos sociais mais difícil. Dificultava o caminho dos políticos pragmáticos, dos reformistas, dos "revisionistas" marxistas, os quais teriam preferido ampliar o socialismo de um partido de classe para um "partido do povo", pois mesmo os políticos práticos, prontos para deixar a doutrina para os poucos camaradas classificados como "teóricos", reconheciam que o apelo quase existencial aos operários, como operários, era o que proporcionava aos partidos sua verdadeira força. Mais ainda, as exigências políticas e os *slogans* especificamente talhados para a medida do proletariado — tais como o dia de oito horas e a socialização — deixavam indiferentes os demais estratos e até corriam o risco de atrair-lhes o antagonismo, por envolverem uma ameaça de expropriação. Os partidos socialistas operários raramente tiveram sucesso ao tentar romper o amplo mas separado universo da classe operária, dentro do qual seus militantes, e não raro as massas, chegavam até a sentir-se muito à vontade.

No entanto, a atração exercida por esses partidos ia muito além das classes operárias; e mesmo os partidos de massa que mais intransigentemente se identificavam com uma classe, manifestamente mobilizavam apoio de outros estratos sociais. Havia, por exemplo, países nos quais o socialismo, não obstante sua falta de conexão ideológica com o mundo rural, conquistava grandes áreas no campo — e não apenas o apoio daqueles que poderiam ser classificados como "proletários rurais"; isso ocorreu em partes do sul da França, da Itália central e dos EUA, onde a mais sólida fortaleza do Partido Socialista situava-se — coisa surpreendente — entre os fazendeiros brancos, pobres e fanáticos pela Bíblia, em Oklahoma, onde a votação do seu candidato presidencial subiu a mais de 25%, em 1912, nas vinte e três comarcas mais rurais do Estado. Igualmente notável é o fato de os pequenos artesãos e lojistas estarem super-representados, na filiação do Partido Socialista Italiano, se comparados aos seus números na população total.

Havia, sem dúvida, razões históricas para isso. Onde a tradição política da esquerda (secular) — a dos republicanos, democratas, jacobinos e outros — era antiga e forte, o socialismo poderia parecer uma extensão lógica de tudo isso, ou, por assim dizer, uma versão atualizada daquela declaração de fé nas eternas grandes causas da esquerda. Na França, onde o socialismo era claramente uma força de grande porte, aqueles populares intelectuais do campo e paladinos dos valores republicanos, os professores das escolas primárias, sentiam fortemente a atração do socialismo; e os mais importantes agrupamentos políticos da Terceira República pagavam seu tributo de respeito aos ideais do eleitorado adotando os nomes de Republicano Radical ou de Partido Radical Socialista em 1901 (embora, evidentemente, não fossem radicais nem socialistas). Os partidos socialistas, contudo, extraíam sua força, bem como sua ambiguidade política, daquelas tradições, porque, como vimos, eles partilhavam delas, mesmo quando já lhes pareciam insuficientes. Assim, nos Estados em que o direito ao voto era ainda restrito, seus militantes e seu combate efetivo pelos direitos democráticos ao voto mereceram para eles o apoio de outros democratas. Como partidos dos menos privilegiados, era natural que fossem agora vistos como os defensores típicos da luta contra a desigualdade e o "privilégio", os quais haviam sido centrais ao radicalismo político desde a Revolução Americana e a Francesa; ainda mais que tantos de seus antigos porta-bandeiras, a exemplo da classe média liberal, haviam-se juntado às próprias forças do privilégio.

TRABALHADORES DO MUNDO

Os partidos socialistas beneficiavam-se, de modo mais claro, de seu *status* de intransigentes adversários dos ricos. Representavam uma classe que era, sem exceções, pobre, ainda que não necessariamente muito pobre segundo os padrões contemporâneos. Denunciavam a exploração, a riqueza e sua constante concentração com uma paixão incessante. Outros, também pobres e que se sentiam explorados, embora não proletários, bem poderiam achar simpático tal partido.

Em terceiro lugar, os partidos socialistas eram, quase por definição, partidos dedicados àquele conceito-chave do século XIX, o "progresso". Defendiam, especialmente os marxistas, o inevitável avanço da marcha da história rumo a um futuro melhor, cujo conteúdo exato poderia não estar bem claro mas que certamente presenciaria o contínuo e acelerado triunfo da razão, da educação e da tecnologia. Quando os anarquistas espanhóis refletiam sobre sua utopia, era em termos de eletricidade e máquinas automáticas para a remoção de refugos. O progresso, ainda que apenas sinônimo de esperança, era a aspiração dos que pouco ou nada possuíam, e os recentes ecos de dúvida sobre a sua realidade ou sobre se era desejável, vindos do mundo da cultura burguesa e patrícia (cf. adiante), aumentavam as associações plebeias e politicamente radicais, pelo menos na Europa. Não pode haver dúvida de que os socialistas beneficiavam-se com o prestígio do progresso entre os que nele acreditavam, especialmente entre pessoas instruídas e imbuídas da tradição do liberalismo e do Iluminismo.

Finalmente e paradoxalmente, o fato de serem gente de fora e em permanente oposição (pelo menos até a revolução) oferecia-lhes uma vantagem. Sua primeira habilidade foi claramente a de atrair muito mais que o apoio estatisticamente esperado de minorias cuja posição na sociedade era, em certo grau, anômala, tais como os judeus em muitos países da Europa, mesmo quando se tratava de judeus confortavelmente burgueses; e na França, da minoria protestante. Em segundo lugar, não maculados pela contaminação das classes dominantes, poderiam atrair nações oprimidas

A ERA DOS IMPÉRIOS

nos impérios multinacionais, e estas talvez viessem a se manifestar sob a bandeira vermelha, à qual emprestariam um matiz distintamente nacional. Isso ocorreu desse modo — o que é notável — no Império Czarista (conforme veremos no capítulo 5), sendo o caso mais dramático o dos finlandeses. Eis a razão pela qual o Partido Socialista Finlandês, havendo recolhido 37% dos votos assim que a lei o permitiu, cresceu para 47% em 1916 e veio a ser, de fato, o partido nacional de seu país.

O apoio aos partidos chamados proletários poderia, portanto, estender-se muito além do proletariado. Quando o caso era este, poderia, em circunstâncias convenientes, fazer deles partidos do governo; e, após 1918, isso realmente aconteceu. Todavia, juntar-se ao sistema do governo "burguês" significava abandonar o *status* de revolucionário, ou mesmo de opositor radical. Antes de 1914, isso não chegava a ser absolutamente impensável, mas certamente não era admissível em público. O primeiro socialista que aderiu a um governo "burguês", embora com a desculpa da unidade na defesa da república contra a iminente ameaça da reação, Alexandre Millerand (1889) — subsequentemente ele se tornou presidente da França —, foi solene e ignominiosamente expulso do movimento nacional e internacional. Antes de 1914, nenhum político socialista sério teria sido tolo a ponto de perpetrar tal erro. (De fato, na França, o Partido Socialista só participou de um governo em 1936.) Pelo menos em sua fachada, os partidos permaneceram puros e intransigentes até a guerra.

Contudo, uma última pergunta deve ser feita. É possível escrever a história das classes trabalhadoras de nossa época simplesmente em termos de suas organizações de classe (não necessariamente apenas as socialistas) ou daquela consciência genérica de classe, expressa nos estilos de vida e nos padrões de comportamento do gueto que era o mundo do proletariado? Apenas na medida em que sentiam e se comportavam como membros de tal classe. Esta consciência poderia estender-se a uma grande distância, a paragens absolutamente inesperadas, tais como as

TRABALHADORES DO MUNDO

dos ultradevotos tecelões *hassidim* de xales rituais judaicos, num canto perdido da Galícia (Kolomea), que entraram em greve contra seus empregadores, com o auxílio dos socialistas judeus da localidade. Todavia, grande parte dos pobres, especialmente dos muito pobres, não se considerava "proletária" nem como tal se comportava e tampouco julgava as organizações e modos de agir do movimento aplicáveis ou relevantes para si. Eles se consideravam como pertencentes à eterna categoria dos pobres, dos proscritos, dos desafortunados ou dos marginais. Se emigravam do campo ou de alguma região estrangeira para uma cidade grande, morariam talvez num gueto, imbricado num sujo e pobre bairro operário; o mais provável, porém, é que os dominassem a rua, o mercado e os inumeráveis expedientes pequeninos, legais e ilegais, pelos quais as famílias pobres mantêm juntos a alma e o corpo, sendo apenas alguns, em qualquer sentido, real trabalho assalariado. Para eles, o que contava não eram o sindicato nem o partido de classe, mas os vizinhos, a família, os patronos que lhes poderiam fazer favores ou arranjar empregos; de outro modo, eles mais evitavam que pressionavam as autoridades públicas, os padres ou a gente que provinha do mesmo lugar da terra distante; qualquer pessoa ou qualquer coisa que lhes tornasse a vida suportável, num ambiente novo e desconhecido. Se pertenciam à antiga plebe urbana de uma cidade, a admiração dos anarquistas pelos seus submundos não os tornava mais proletários ou mais políticos. O mundo de *A child of Jago* (1896), de Arthur Morrison, ou de Aristide Bruant, em sua canção *Belleville-Menilmontant*, não é o mundo da consciência de classe senão na medida em que o ressentimento contra os ricos é compartilhado por ambos. O irônico mundo do dar de ombros e da aceitação, totalmente apolítico, da canção de *music-hall* inglesa,* que atingiu nesses anos sua

---

* Como cantava Gus Elen: Com uma escada / E uns óculos / Você veria os pântanos de Hackney / Se não fossem as casas de permeio.

época de ouro, está mais próximo ao da classe operária consciente, mas os seus temas — sogras, esposas, falta de dinheiro para o aluguel — pertenciam a qualquer comunidade de pobres-diabos urbanos do século XIX.

Não devemos esquecer esses mundos. E, de fato, não os esquecemos, pois eles, paradoxalmente, atraíram os artistas da época mais que o respeitável mundo monocromático e especialmente provinciano do proletariado clássico. Não devemos, porém, contrapô-lo ao mundo proletário. A cultura dos plebeus pobres, mesmo no mundo dos tradicionais excluídos, era sombreada pela consciência de classe, onde quer que esses dois mundos coexistissem. Eles se reconheciam mutuamente, e onde a consciência de classe e seus movimentos fossem fortes como, digamos, em Berlim ou no grande porto de mar que era Hamburgo, o mundo da miscelânea e da pobreza pré-industrial ajustava-se a eles, e até alcoviteiros, ladrões e receptadores lhes apresentavam seus respeitos. Nada tinham de independente com que contribuir, embora os anarquistas não pensassem assim. Careciam, é certo, de militância permanente, para não mencionar o compromisso, do ativista — mas deles carecia igualmente, como bem sabia todo ativista, a grande maioria da classe operária, em qualquer parte. Não têm fim as queixas dos militantes, ao referirem-se a esse peso morto de passividade e ceticismo. À medida que emergia uma classe operária consciente, que se expressava no movimento e no partido, nesta época, as plebes pré-industriais eram atraídas para sua esfera de influência. E, na medida em que não o foram, serão ignoradas pela História, por não terem sido seus construtores, mas apenas as suas vítimas.

6. BANDEIRAS DESFRALDADAS: NAÇÕES E NACIONALISMO

"Scappa, che arriva la patria!" (Foge, que a pátria vem aí!)

De uma camponesa italiana, ao filho.[1]

"A linguagem deles tornou-se complexa, porque agora leem. Leem livros — de qualquer modo, aprendem a ler pelos livros... A palavra e o idioma da linguagem literária e a pronúncia sugerida pela ortografia tendem a prevalecer sobre o uso local."

H. G. Wells, 1901[2]

"O nacionalismo... ataca a democracia, demole o anticlericalismo, luta contra o socialismo e solapa o pacifismo, o humanitarismo e o internacionalismo... Declara terminado o programa do liberalismo."

Alfredo Rocco, 1914[3]

1.

Se a ascensão dos partidos da classe trabalhadora foi um importante subproduto da democratização, a ascensão do nacionalismo na política foi outro. Em si, evidentemente não era novo (cf. *A era das revoluções, A era do capital*). Todavia, no período de 1880 a 1914, o nacionalismo avançou dramaticamente e seu conteúdo ideológico e político transformou-se. Seu próprio vocabulário indica a significação desses anos. A própria palavra "nacionalismo" apareceu pela primeira vez em fins do século XIX, para des-

A ERA DOS IMPÉRIOS

crever grupos de ideólogos de direita na França e na Itália, que brandiam entusiasticamente a bandeira nacional contra os estrangeiros, os liberais e os socialistas, e a favor daquela expansão agressiva de seus próprios Estados, que viria a ser tão característica de tais movimentos. Foi esta, igualmente, a época em que a canção *Deutschland über Alles* (A Alemanha acima de todos os outros) substituiu composições rivais, tornando-se o hino nacional da Alemanha. A palavra "nacionalismo", embora originalmente descrevesse apenas uma versão de direita do fenômeno, provou ser mais conveniente do que o desajeitado "princípio de nacionalidade" que fora parte do vocabulário da política europeia desde 1830: e assim veio a ser utilizada igualmente para todos os movimentos que consideravam a "causa nacional" como de primordial importância política: mais exatamente, para todos os que exigiam o direito à autodeterminação, ou seja, em última análise, o direito de formar um Estado independente, destinado a algum grupo nacionalmente definido. O número de tais movimentos ou, pelo menos, dos líderes que afirmavam falar por eles, e sua significação política aumentariam de modo impressionante nessa época.

A base dos "nacionalismos" de todos os tipos era igual: era a presteza com que as pessoas se identificavam emocionalmente com "sua" nação e podiam ser mobilizadas, como tchecos, alemães, italianos ou quaisquer outras, presteza que podia ser explorada politicamente. A democratização da política e especialmente a das eleições ofereciam amplas oportunidades para mobilizar as pessoas. Quando os Estados faziam isso, chamavam-no de "patriotismo". Originalmente, a essência do nacionalismo de direita, que emergia em Estados-nação já estabelecidos, era a reivindicação do monopólio do patriotismo para a extrema direita política, e por meio dela a estigmatização de todos os demais como traidores. O fenômeno era novo; durante a maior parte do século XIX, o nacionalismo fora identificado com movimentos liberais e radicais, bem como com a tradição da Revolução Francesa. Em outras partes, porém, o nacionalismo

BANDEIRAS DESFRALDADAS: NAÇÕES E NACIONALISMO

não se identificava necessariamente com nenhuma das cores do espectro político. Entre os movimentos nacionais que ainda careciam de Estados próprios, encontramos alguns que se identificavam com a direita, outros com a esquerda, e outros, ainda, indiferentes a ambas. Realmente, conforme sugerimos, havia movimentos, não pouco poderosos, que mobilizavam homens e mulheres em base nacional, mas, por assim dizer, por acidente, uma vez que apelavam em primeiro lugar para a libertação social. Entretanto, se nessa época a identificação nacional evidentemente era, ou tornou-se depois, um fator importante na política dos Estados, seria um erro considerar o apelo ao nacionalismo incompatível com outro qualquer. Os políticos nacionalistas e seus adversários, naturalmente, preferiam insinuar que um tipo de apelo excluía o outro, como o uso de um chapéu exclui o de outro ao mesmo tempo. Mas, como questão de história e observação, isso não confere. Em nossa época, era perfeitamente possível ser revolucionário marxista e patriota irlandês, como James Connolly, executado em 1916, por liderar a Insurreição da Páscoa em Dublin.

Porém, na medida em que, nos países de política de massas, os partidos competiam pelo apoio de um mesmo grupo de seguidores, estes seriam obrigados a realizar escolhas mutuamente excludentes.

Os movimentos da classe operária, ao apelar para seus eleitores em potencial, na base da identificação de classe, não tardaram a compreender isso, na extensão em que precisaram competir, como de hábito em regiões multinacionais, contra partidos que pediam a proletários e a socialistas em potencial que os apoiassem como tchecos, como poloneses ou como eslovenos. Daí a sua preocupação, tão logo tornaram-se movimentos de massas, com a "questão nacional". O fato de quase todo teórico marxista de importância, desde Kautsky até Rosa Luxemburgo, passando pelos Austro-Marxistas e chegando a Lenin e ao jovem Stalin, haver tomado parte em veementes debates a respeito desse assunto no período, demonstra a urgência e a centralidade do problema.[4]

A ERA DOS IMPÉRIOS

Onde a identificação nacional tornava-se força política, formava uma espécie de substrato geral da política, o que dificulta extremamente definir as suas multiformes expressões, mesmo em casos em que afirmam ser especificamente nacionalistas ou patrióticas. Conforme veremos, a identificação nacional, quase com certeza, veio a difundir-se mais em nosso período, e o significado de apelo nacional, na política, aumentou. Todavia, o mais importante era aquela série de mutações, dentro do nacionalismo político, que viria a ter profundas consequências no século XX.

Devem ser mencionados quatro aspectos dessas mutações. O primeiro, conforme já vimos, é o surgimento do nacionalismo e do patriotismo, como ideologia encampada pela direita política. Isto encontraria sua expressão extrema entre as duas guerras, no fascismo, cujos ancestrais ideológicos aí são encontrados. O segundo é a pressuposição, absolutamente alheia à fase liberal dos movimentos nacionais, de que a autodeterminação nacional, até e inclusive a formação de Estados soberanos independentes, aplicava-se não apenas a algumas nações que pudessem demonstrar sua viabilidade econômica, política e cultural, mas a todo e qualquer grupo que reivindicasse o título de "nação". A diferença entre a antiga pressuposição e a nova é ilustrada pela diferença entre as 12 entidades bastante grandes consideradas como as que constituíam a "Europa das nações" por Giuseppe Mazzini, o grande profeta do nacionalismo do século XIX, em 1857 (cf. *A era do capital*, capítulo 5:1), e os 26 Estados — 27 se incluirmos a Irlanda — que emergiram do princípio da autodeterminação nacional, do presidente Wilson, no fim da Primeira Guerra Mundial. O terceiro era a tendência progressiva para admitir que a "autodeterminação nacional" não podia ser satisfeita por qualquer forma de autonomia inferior à plena independência do Estado. Durante a maior parte do século XIX a maioria das reivindicações de autonomia não havia previsto isso. Finalmente, existia a nova tendência para definir uma nação em termos étnicos e especialmente em termos de linguagem.

BANDEIRAS DESFRALDADAS: NAÇÕES E NACIONALISMO

Antes de meados da década de 1870 houve Estados, principalmente os da metade ocidental da Europa, que se consideravam como representantes de "nações" (por exemplo, a França, a Inglaterra, a nova Alemanha e a Itália), e Estados que, embora baseados em algum outro princípio político, eram considerados como representantes do conjunto principal de seus habitantes, com fundamentos que poderiam ser julgados semelhantes aos nacionais (isso aplica-se aos czares, que certamente eram objeto da lealdade do povo da Grande Rússia, por serem governantes russos e ortodoxos). Além dos limites do Império Habsburgo e talvez do Império Otomano, as numerosas nacionalidades do interior dos Estados estabelecidos não constituíam problema político muito grave, especialmente após haverem sido estabelecidos um Estado alemão e um italiano. Havia, naturalmente, os poloneses, divididos entre a Rússia, a Alemanha e a Áustria, e que jamais perdiam de vista a restauração de uma Polônia independente. Havia, dentro do Reino Unido, os irlandeses. Havia vários blocos de nacionalidades que por uma ou outra razão encontravam-se além das fronteiras do Estado-nação relevante, ao qual teriam preferido pertencer, embora só algumas delas criassem problemas políticos, como por exemplo os habitantes da Alsácia-Lorena, anexada pela Alemanha em 1871. (Nice e Saboia entregues, pelo que mais tarde seria a Itália, à França, em 1870, não demonstraram sinais de descontentamento.)

Não há dúvida de que o número dos movimentos nacionalistas aumentou consideravelmente na Europa, da década de 1870 em diante, embora, de fato, menos Estados nacionais novos houvessem sido estabelecidos na Europa, durante os quarenta anos precedentes à Primeira Guerra Mundial do que durante os quarenta anos que precederam a formação do Império Alemão, e aqueles que foram estabelecidos não eram muito expressivos: Bulgária (1878), Noruega (1907), Albânia (1913).[*] Havia

---

[*] Os Estados estabelecidos ou internacionalmente reconhecidos em 1830-1871 incluíam Alemanha, Itália, Bélgica, Grécia, Sérvia e Romênia. O assim chamado "Compromisso" de 1867 importava na concessão de uma autonomia de grande alcance, pelo Império Habsburgo, à Hungria.

A ERA DOS IMPÉRIOS

agora "movimentos nacionais" não apenas entre povos até então considerados não históricos (ou melhor, que jamais haviam possuído um Estado independente, uma classe dominante ou uma elite cultural), tais como os finlandeses e eslovacos, mas entre povos sobre os quais quase ninguém, a não ser entusiastas de folclore, havia sequer pensado, como os estonianos e macedônios. E dentro dos Estados-nação longamente estabelecidos, as populações regionais começavam agora a mobilizar-se politicamente, como nações; isto aconteceu em Gales, onde houve um movimento de jovens galeses, organizado em 1890, sob a liderança de um advogado local, de quem muito se ouviria falar no futuro — David Lloyd e George; e na Espanha, onde foi formado um Partido Nacional Basco, em 1894. Por volta dessa mesma época Theodor Herzl lançou o sionismo entre os judeus, para os quais a espécie de nacionalismo que isto representava fora até então desconhecida e sem significado.

Muitos desses movimentos não contavam ainda com grande apoio entre o povo pelo qual pretendiam falar, embora a emigração em massa oferecesse agora aos numerosos membros das comunidades atrasadas o poderoso incentivo da nostalgia, para que se identificassem com o que haviam deixado e para que abrissem a mente a novas ideias políticas. Não obstante, a identificação em massa com a "nação" certamente cresceu, e o problema político do nacionalismo tornou-se provavelmente mais difícil de controlar, tanto para os Estados quanto para os competidores não nacionalistas. Provavelmente, a maior parte dos observadores da cena europeia durante os primeiros anos da década de 1870 acreditou que, após o período da unificação da Itália e da Alemanha e do compromisso austro-húngaro, o "princípio da nacionalidade" se tornaria talvez menos explosivo do que havia sido. Mesmo as autoridades austríacas, quando lhes foi solicitada a inclusão de uma pergunta sobre a língua, em seu recenseamento (medida recomendada pelo Congresso Internacional de Estatística de 1873), não se negaram a fazê-lo, embora demonstrassem

BANDEIRAS DESFRALDADAS: NAÇÕES E NACIONALISMO

pouco entusiasmo. Julgaram, no entanto, que seria preciso dar tempo para que se esfriassem as ardentes paixões nacionalistas dos últimos dez anos. Seria seguro presumir, imaginaram eles, que isso já teria acontecido por ocasião do recenseamento de 1880. Não poderiam estar mais redondamente enganados.[5]

Contudo, o que se revelou significativo, a longo prazo, não foi tanto o grau do apoio para a causa nacional, obtido nessa época entre este ou aquele povo, e sim a transformação da definição e do programa do nacionalismo. Estamos, hoje em dia, tão habituados à definição etnolinguística das nações que olvidamos que essencialmente ela foi inventada em fins do século XIX. Sem examinar longamente o assunto, é suficiente recordar que os ideólogos do movimento irlandês só começaram a ligar a causa da nação irlandesa à defesa da língua gaélica algum tempo após a fundação da Liga Gaélica, em 1893; que os bascos não fundamentaram suas reivindicações nacionais em sua língua (de modo distinto de seus *fueros* históricos, isto é, privilégios constitucionais), até essa mesma época; que os acalorados debates sobre se a língua macedônia é mais semelhante à búlgara que à servo-croata estavam entre os últimos argumentos utilizados para decidir a qual desses dois povos os macedônios deveriam se unir. Com respeito aos judeus sionistas, eles superaram os demais, identificando a nação judaica com o hebraico, língua que judeu nenhum jamais utilizara para fins comuns desde o cativeiro da Babilônia — se é que então o fizeram. Havia acabado de ser inventada (1880) como língua de uso cotidiano — diferente de uma língua sagrada e ritual ou de uma erudita *língua franca* — por um homem que iniciara o processo de provê-la com um vocabulário apropriado, inventando um termo hebraico para "nacionalismo"; o idioma era aprendido mais como um distintivo do compromisso com o sionismo do que como um meio de comunicação.

Isso não significa que a linguagem tenha sido anteriormente irrelevante como questão nacional. Era um critério de nacionalidade, entre

A ERA DOS IMPÉRIOS

outros e, em geral, quanto menos conspícuo, mais forte a identificação das massas do povo com sua coletividade. A língua não era um campo de batalha ideológica para aqueles que simplesmente a falavam, mesmo porque o exercício de um controle sobre a língua que as mães falavam com os filhos, os maridos com as mulheres e os vizinhos uns com os outros era quase impossível. A linguagem realmente falada pela maioria dos judeus, o ídiche, não tinha praticamente dimensão ideológica até que a esquerda não sionista a adotasse; nem a maioria dos judeus que a falavam se importava com o fato de que muitas autoridades (inclusive as do Império Habsburgo) recusavam-se a aceitá-la mesmo como língua separada. Milhões de pessoas preferiram tornar-se membros da nação americana, a qual obviamente não possuía base étnica única e aprenderam o inglês por necessidade ou por conveniência, sem atribuir aos seus esforços para falar a nova língua nenhum elemento de alma nacional ou de continuidade nacional. O nacionalismo linguístico foi criação de pessoas que escreviam e liam, não de gente que falava. E as "línguas nacionais", nas quais descobriam o caráter essencial das nações, eram com grande frequência artefatos, uma vez que deviam ser compiladas, padronizadas, homogeneizadas e modernizadas para uso contemporâneo e literário, extraídas que eram do quebra-cabeça dos dialetos locais e regionais que constituíam as línguas não literárias realmente faladas. As principais línguas nacionais escritas dos antigos Estados-nação, ou das culturas letradas, haviam passado por essa fase de compilação e "correção" há muito tempo: o alemão e o russo no século XVIII, o francês e o inglês no século XVII, o italiano e o castelhano mais cedo ainda. Para a maioria das línguas dos grupos linguísticos menores, o século XIX foi a época das grandes "autoridades" que estabeleceram o vocabulário e "corrigiram" o uso de seu idioma. Para algumas delas — o catalão, o basco e as línguas bálticas — isso aconteceu durante a passagem do século XIX para o século XX.

As linguagens escritas ligam-se íntima, mas não necessariamente, aos territórios e instituições. O nacionalismo que estabeleceu a si próprio

BANDEIRAS DESFRALDADAS: NAÇÕES E NACIONALISMO

como versão padronizada da ideologia e do programa nacional era essencialmente territorial, uma vez que seu modelo básico era o Estado territorial da Revolução Francesa, ou, de qualquer modo, aquele que mais se aproximasse de efetivar o controle político sobre um território claramente definido e seus habitantes, e que estivesse, na prática, disponível. Mais uma vez, o sionismo oferece o exemplo extremo, precisamente por ser tão claramente um programa emprestado, sem precedentes e sem conexão orgânica com a verdadeira tradição que oferecera permanência, coesão e uma indestrutível identidade ao povo judeu durante milhares de anos. Pedia-lhes que adquirissem território (habitado por outro povo) — para Herzl não era sequer necessário que esse território tivesse quaisquer conexões históricas com os judeus — bem como uma linguagem que não falavam há milhares de anos.

A identificação das nações com um território exclusivo criou tais problemas em amplas áreas do mundo de migração em massa, bem como no mundo não migratório, que foi preciso desenvolver uma definição alternativa da nacionalidade, notadamente no Império Habsburgo e entre os judeus da diáspora. A nacionalidade era aqui considerada inerente, não a um trecho especial do mapa ao qual estaria ligado um conjunto de habitantes, mas aos membros desses conjuntos, aos homens e mulheres que se considerassem pertencentes a uma nacionalidade, onde quer que por acaso estivessem. Como tais, esses membros de uma nacionalidade gozariam de "autonomia cultural". Os partidários das teorias humana e geográfica da "nação" travavam amargas discussões, especialmente no movimento socialista internacional e entre sionistas e membros do *Bund*, entre os judeus.* Nenhuma dessas teorias era particularmente satisfatória, embora a humana fosse mais inofensiva. Em todo o caso, não levava seus

---

* Em alemão no original. A Algemener Yidisher Arbeiter Bund (União Geral de Trabalhadores Judeus) era uma organização social-democrata de massas no Império Russo. (N.T.)

A ERA DOS IMPÉRIOS

partidários a criar primeiro um território para depois comprimir dentro dele os habitantes, dando-lhes a forma nacional certa; ou, nas palavras de Pilsudski, líder da recém-independente Polônia, após 1918: "O Estado é que faz a nação e não a nação, o Estado."[6]

Do ponto de vista sociológico, os não territorialistas quase certamente estavam com a razão. Não pelo fato de que homens e mulheres — tirando-se ou acrescentando-se alguns povos nômades ou de diáspora — não estivessem profundamente apegados a algum pedaço de terra ao qual davam o nome de "lar", especialmente considerando que durante a maior parte do decorrer da história a maioria deles pertenceu àquela muito enraizada parte da humanidade, os que vivem da agricultura. Mas este "território natal" se parecia tanto ao território da nação moderna quanto a palavra *father* (pai), no moderno termo *fatherland* (pátria), refere-se a um pai real. A "terra natal" era o local de uma comunidade *real* de seres humanos, que mantinham entre si relações sociais reais e não uma comunidade imaginária que criaria uma espécie de liame entre os membros de uma população de dezenas — hoje até de centenas — de milhões de pessoas. O próprio vocabulário o prova. Em espanhol, *patria* não tornou-se coincidente com Espanha até fins do século XIX. No século XVIII ainda significava simplesmente o local ou a cidade em que a pessoa nascera.[7] *Paese*, em italiano, e *pueblo,* em espanhol, podem significar e significam ainda tanto uma aldeia como o território nacional e seus habitantes.* O nacionalismo e o Estado encamparam as associações de parentesco de vizinhança e da terra natal, para territórios e populações de dimensão e escala tais que as transformaram em metáforas.

Mas, é claro, com o declínio das verdadeiras comunidades às quais as pessoas se haviam habituado — aldeia e família, paróquia e *barrio,* guilda,

---

* A força do seriado da TV alemã *Heimat* residia precisamente na conjugação da experiência dos personagens da *patria chica,* para usar o termo espanhol — a montanha Hunsrück — à experiência da "grande pátria", a Alemanha.

BANDEIRAS DESFRALDADAS: NAÇÕES E NACIONALISMO

confrarias e outras coisas —, por essas não mais abrangerem, como haviam feito um dia, a maioria das contingências da vida das pessoas, seus membros sentiram necessidade de algo que lhes tomasse o lugar. A comunidade imaginária da "nação" poderia preencher esse vácuo.

A nação, porém, estava ligada — e inevitavelmente — àquele fenômeno característico do século XIX, o "Estado-nação". Pois, com respeito à política, Pilsudsky estava certo. O Estado não só fazia a nação, mas *precisava* fazer a nação. Os governos, agora, alcançariam diretamente o cidadão no território de sua vida cotidiana, por meio de agentes modestos mas onipresentes, desde carteiros e policiais até professores e, em muitos países, empregados das estradas de ferro. Poderiam requerer o compromisso pessoal ativo deles, e circunstancialmente mesmo o delas, com o Estado: de fato, o "patriotismo" de todos. As autoridades — numa época sempre mais democrática, não podendo confiar mais na submissão espontânea das ordens sociais aos que lhes eram socialmente superiores, à maneira tradicional, ou na religião tradicional, como garantia eficaz de obediência social — necessitavam de um modo de ligar os súditos do Estado contra a subversão e a dissidência. "A nação" era a nova religião cívica dos Estados. Oferecia um elemento de agregação que ligava todos os cidadãos ao Estado, um modo de trazer o Estado-nação diretamente a cada um dos cidadãos e um contrapeso aos que apelavam para outras lealdades acima da lealdade ao Estado — para a religião, para a nacionalidade ou etnia não identificadas com o Estado, e talvez, acima de tudo, para a classe. Nos Estados constitucionais, quanto mais as massas eram trazidas para a política através das eleições, tanto maior era o campo em que tais apelos se faziam ouvir.

Além disso, mesmo os Estados não constitucionais haviam agora aprendido a avaliar a força política que era a capacidade de apelar para seus súditos na base da nacionalidade (uma espécie de apelo democrático, sem os perigos da democracia), bem como na base do dever de prestarem obediência às autoridades sancionadas por Deus. Na década de 1880,

A ERA DOS IMPÉRIOS

até o czar da Rússia, defrontado com agitações revolucionárias, começou a aplicar a política que fora inutilmente sugerida em 1830 ao seu avô, a saber, a de basear seu governo não apenas nos princípios da autocracia e da ortodoxia, mas igualmente nos da nacionalidade: ou seja, apelar aos russos como russos.[8] É claro que em certo sentido praticamente todos os monarcas do século XIX tiveram de envergar o traje à fantasia nacional, dado que quase nenhum deles havia nascido no país que governava. A grande maioria dos príncipes e princesas alemães, que se tornaram os governantes ou consortes dos governantes da Inglaterra, Grécia, Romênia, Rússia, Bulgária ou qualquer país que desejasse cabeças coroadas, prestava sua homenagem ao princípio da nacionalidade, tornando-se inglês, como a rainha Vitória, ou grego, como Otto da Baviera, ou aprendendo alguma língua que falava com sotaque, embora tivessem todos muito mais em comum com os demais membros do sindicato internacional dos príncipes — ou antes, com a família, desde que eram todos aparentados — do que com seus próprios súditos.

O que tornava mais indispensável ainda o nacionalismo estatal era, ao mesmo tempo, a economia de uma era tecnológica e a natureza de sua administração pública e privada, que exigiam educação elementar em massa ou pelo menos alfabetização. O século XIX foi a época em que se rompeu a comunicação oral, à medida que crescia a distância entre as autoridades e os súditos, e a migração em massa interpunha dias ou até mesmo semanas de viagem entre mães e filhos, noivos e noivas. Do ponto de vista do Estado, a escola tinha ainda outra vantagem essencial: poderia ensinar todas as crianças a serem bons súditos e cidadãos. Até o triunfo da televisão, não houve meio de propaganda secular que se comparasse à sala de aula.

Em termos educacionais, portanto, a era de 1870 a 1914 foi, na maioria dos países europeus, acima de tudo, a era da escola primária. Mesmo em países reconhecidamente escolarizados, o número de professores de escola primária multiplicou-se. Triplicou na Suécia e cresceu quase de igual

236

BANDEIRAS DESFRALDADAS: NAÇÕES E NACIONALISMO

modo na Noruega. Países relativamente atrasados quiseram alcançá-los. Dobrou o número de crianças de escola primária, nos Países Baixos; no Reino Unido (que não possuíra sistema educacional público até 1870) esse número triplicou; na Finlândia aumentou 13 vezes. Mesmo nos Bálcãs, terra de analfabetos, quadruplicou o número de crianças em escolas primárias, e o número de professores quase triplicou. Mas um sistema escolar nacional, ou seja, um sistema predominantemente organizado e supervisionado pelo Estado necessitava de uma língua nacional para a instrução. A educação reuniu-se aos tribunais e à burocracia (cf. *A era do capital*, capítulo 5) como a força que tornaria a língua a condição principal da nacionalidade.

Os Estados, portanto, criaram "nações", ou seja, o patriotismo nacional e, pelo menos para certos fins, cidadãos linguística e administrativamente homogeneizados, com especial urgência e zelo. A República Francesa transformou camponeses em franceses. O reino italiano, inspirando-se no *slogan* de D'Azeglio (cf. *A era do capital*, capítulo 5:2), fez o melhor que pôde, com duvidoso êxito, para "fazer italianos" por meio da escola e do serviço militar, após ter "feito a Itália". Os EUA tornaram o conhecimento da língua inglesa a condição da cidadania americana e, de fins da década de 1880 em diante, começaram a introduzir um culto real na sua nova religião cívica — a única permitida em sua constituição agnóstica — sob a forma de um ritual diário de homenagem à bandeira, em toda escola americana. O Estado húngaro fez o possível para transformar em magiares os multinacionais habitantes de suas terras; o Estado russo pressionou pela russificação de suas nacionalidades menores, ou antes, tentou dar à língua russa o monopólio da educação. E onde a multinacionalidade era suficientemente reconhecida para permitir a instrução primária ou mesmo a secundária, em qualquer outro vernáculo (como no Império Habsburgo), a língua estatal inevitavelmente gozava de vantagens decisivas nos mais altos escalões do sistema. Daí a significação, para

A ERA DOS IMPÉRIOS

as nacionalidades não estatais, da luta pela universidade própria, como aconteceu na Boêmia, em Gales e em Flandres.

O nacionalismo de Estado, quer o real ou (como no caso dos monarcas) o inventado por conveniência, era uma estratégia "de dois gumes". À medida que mobilizava alguns habitantes, alienava outros — os que não pertenciam nem desejavam pertencer à nação identificada com o Estado. Em suma, auxiliava a definir as nacionalidades excluídas da nacionalidade oficial, por meio da separação de comunidades que, por qualquer motivo, resistiam à linguagem e à ideologia pública, oficial.

2.

Por que, porém, resistiam alguns quando tantos não o faziam? Afinal, eram oferecidas substanciais vantagens aos camponeses — e maiores ainda a seus filhos — se se tornassem franceses; "ou de fato para qualquer um que adquirisse uma língua importante para a cultura e para a ascensão profissional, além do seu próprio dialeto ou vernáculo". Em 1910, 70% dos imigrantes alemães que iam para os EUA, lá chegando com em média (para depois de 1910) 41 dólares no bolso,[9] tornavam-se cidadãos americanos de fala inglesa, embora, obviamente, não tencionassem deixar de falar e de sentir como alemães.[10] (A bem da verdade, poucos Estados tentaram seriamente impedir a vida privada de uma linguagem e cultura de minoria, contanto que não desafiasse publicamente a supremacia do Estado-nação oficial.) Também poderia acontecer que a linguagem não oficial não pudesse efetivamente competir com a oficial, exceto para fins de religião, poesia ou sentimento comunal e familiar. Por mais difícil que seja acreditar nisto hoje em dia, existiram galeses ardentemente nacionalistas que aceitaram um lugar secundário para sua antiga língua celta no século do progresso, e outros que visualizaram para ela uma futura

BANDEIRAS DESFRALDADAS: NAÇÕES E NACIONALISMO

eutanásia* natural. Houve, na verdade, quem preferisse migrar, não de um para outro território, mas de uma classe para outra; viagem esta que poderia significar mudança de nação ou pelo menos mudança de linguagem. A Europa central encheu-se de nacionalistas alemães com nomes obviamente eslavos e de magiares cujos nomes eram traduções literais do alemão ou adaptações do eslovaco. A nação americana e a língua inglesa não foram as únicas que, na era do liberalismo e da mobilidade, emitiram convites para quase todos que quisessem se tornar sócios. E houve muita gente que se deu por feliz em aceitar tais convites, ainda mais que isto não implicava realmente negação de suas origens. Durante o século XIX, para a maioria, "assimilação" estava longe de ser nome feio: era o que um grande número de pessoas esperava conseguir, especialmente os que desejavam entrar para as classes médias.

Uma óbvia razão pela qual os membros de algumas nacionalidades recusavam-se a ser "assimilados" era a de não lhes permitirem tornar-se plenamente membros da nação oficial. O caso extremo é o das elites nativas nas colônias europeias, educadas na língua e na cultura de seus donos para que pudessem administrar os coloniais no interesse dos europeus, mas manifestamente não tratadas como seus iguais. Neste caso, era fatal que irrompesse um conflito, cedo ou tarde, mais ainda por haver a educação ocidental, na verdade, fornecido uma linguagem específica na qual articulariam suas reivindicações. Por que, escrevia um intelectual indonésio em 1913 (em holandês), esperava-se que os indonésios comemorassem o centenário da libertação dos Países Baixos de Napoleão? Se ele fosse um holandês "não organizaria uma comemoração de independência num país em que havia sido roubada a independência do povo".[11]

Os povos coloniais constituíam caso extremo, uma vez que desde o início tornou-se claro, em razão do racismo que permeia a sociedade

---

* Esse termo foi realmente utilizado por uma testemunha galesa ao Comitê Parlamentar sobre educação galesa.

burguesa, que não havia assimilação que transformasse homens de pele escura em "verdadeiros" ingleses, belgas ou holandeses, embora possuíssem tanto dinheiro e sangue nobre e tanto gosto pelos esportes quanto a nobreza europeia — caso aplicável a muito rajá indiano educado na Inglaterra. Contudo, mesmo no interior do mundo dos brancos havia uma impressionante contradição entre a oferta de assimilação ilimitada para quem quer que revelasse boa vontade e capacidade para reunir-se ao Estado-nação e a rejeição, na prática, de alguns grupos. Isso tornava-se especialmente dramático para aqueles que até então haviam suposto, com fundamentos altamente plausíveis, que não havia limites para o que poderia ser alcançado pela assimilação: os judeus cultos e ocidentalizados de classe média. Eis por que o caso Dreyfus na França, a vitimação de um único oficial do Estado-maior francês, por ser judeu, produziu uma reação de horror tão desproporcionada — e não apenas entre os judeus, mas entre todos os liberais — e conduziu diretamente ao estabelecimento do sionismo, um nacionalismo de Estado, territorial, para judeus.

A metade do século precedente a 1914 foi a era clássica da xenofobia e, portanto, de reação nacionalista a ela, porquanto — mesmo deixando de lado o colonialismo global — foi uma era de mobilidade maciça e de migração e, especialmente durante as décadas da Depressão, de tensão social, declarada ou oculta. Tomemos um só exemplo: em 1914, aproximadamente, cerca de 3,6 milhões (ou quase 15% da população) haviam abandonado permanentemente o território da Polônia do entreguerras, sem contar outro meio milhão *por ano* de migrantes sazonais.[12] A consequente xenofobia não veio apenas de baixo. Suas manifestações mais inesperadas, que refletiam a crise do liberalismo burguês, provinham das classes médias estabelecidas, que não tinham sequer a probabilidade de se encontrar com a espécie de gente que se instalara em Lower East Side, em Nova York, ou em alojamentos de trabalhadores rurais, na Saxônia. Max Weber, glória da imparcialidade da erudição alemã burguesa, desenvolveu

BANDEIRAS DESFRALDADAS: NAÇÕES E NACIONALISMO

tal animosidade contra os poloneses (que, corretamente, acusava de haverem sido importados em massa por latifundiários alemães, como mão de obra barata), que até entrou para a ultranacionalista Liga Pan-Germânica, na década de 1890.[13] A verdadeira sistematização do preconceito de raça contra "eslavos, mediterrâneos e semitas" nos EUA situa-se entre a população branca nativa, especialmente entre protestantes de fala inglesa das classes média e alta, os quais, nessa época, chegaram mesmo a inventar seu próprio mito heroico e nativista, o caubói anglo-saxão branco (felizmente, não sindicalizado) dos amplos espaços — muito diferentes dos perigosos formigueiros das já inchadas grandes cidades.*

De fato, para essa burguesia, a afluência dos estrangeiros pobres realçava e simbolizava os problemas suscitados pelo proletariado urbano em expansão, visto este combinar as características dos "bárbaros" internos e externos que ameaçavam tragar a civilização, tal como a conheciam os homens respeitáveis. Além disso, eles acentuavam — e em parte nenhuma mais que nos EUA — a aparente incapacidade da sociedade para lidar com problemas de mudança brusca, bem como a imperdoável falha das novas massas em não aceitar a posição superior das antigas elites. Foi em Boston, centro da tradicional burguesia branca, anglo-saxã e protestante, ao mesmo tempo instruída e rica, que foi fundada a Liga de Restrição à Imigração, em 1893. Politicamente, a xenofobia das classes médias foi quase certamente mais eficaz que a das classes trabalhadoras, que refletia atritos culturais entre vizinhos e o medo da competição de uma mão de obra barata. A não ser sob um aspecto: foi a pressão local da classe trabalhadora que na realidade excluiu os estrangeiros dos mercados de trabalho, pois, para os empregadores, o incentivo de importar mão de

---

* Os três membros da elite do norte e do leste e principais responsáveis por esse mito (que, diga-se de passagem, expulsou o povo que era o principal criador da cultura e do vocabulário do caubói, o mexicano) foram Owen Wister (autor de *The Virginian*, 1902), o pintor Frederick Remington (1861-1909) e o futuro presidente Theodore Roosevelt.[14]

A ERA DOS IMPÉRIOS

obra barata era quase irresistível. Onde a exclusão mantinha inteiramente afastado o estrangeiro — como a proscrição de imigrantes não brancos na Califórnia e na Austrália, que triunfou nas décadas de 1880 e 1890 —, o fato não produziu atritos nacionais ou comunais; mas onde discriminava um grupo já presente, como o dos africanos, na África do Sul branca, ou os católicos, na Irlanda do Norte, isto naturalmente ocorria. Contudo, a xenofobia das classes trabalhadoras raramente foi eficaz antes de 1914. Examinando bem os fatos, a maior migração de povo da História produziu surpreendentemente poucas agitações contra estrangeiros entre os trabalhadores, mesmo nos EUA, e, praticamente nenhuma, como na Argentina e no Brasil.

Não obstante, os grupos de emigrantes em países estrangeiros provavelmente descobririam sentimentos nacionais, encontrassem ou não a xenofobia local. Poloneses e eslovacos adquiriam consciência de si como tais, não apenas porque, havendo deixado suas aldeias natais, não podiam mais contar consigo como pessoas que não requerem definição, e não só por lhes ser imposta, nos Estados para onde se haviam transferido, alguma nova definição, como as que classificavam pessoas que até então se haviam considerado sicilianos ou napolitanos, ou mesmo nativos de Lucca ou Salerno, como "italianos", o que ocorreu na chegada aos EUA. Necessitavam da própria comunidade, para auxílio mútuo. De quem poderiam os imigrantes esperar auxílio, em sua nova vida, estranha e desconhecida, senão de parentes e amigos, de gente da antiga terra? (Mesmo migrantes regionais em seu próprio país conservam-se juntos.) Quem o entenderia — ou a ela, o que é mais a propósito, pois a esfera feminina doméstica torna a mulher mais monoglota que o homem? Quem poderia dar-lhes a feição de uma comunidade e não de uma pilha de estrangeiros, exceto, em primeiro lugar, algum grupo como a sua igreja — que, embora em teoria fosse universal, era nacional, na prática —, uma vez que seus sacerdotes provinham do mesmo povo que suas

BANDEIRAS DESFRALDADAS: NAÇÕES E NACIONALISMO

congregações? Os padres eslovacos falariam eslovaco com eles, fosse qual fosse a língua em que celebravam a missa. Assim é que a "nacionalidade" se tornava uma verdadeira rede de relações pessoais e não uma comunidade imaginária, simplesmente porque, longe da terra, todo esloveno tinha, potencialmente, uma conexão pessoal com outro esloveno quando se encontravam.

Além disso, se tais populações devessem de algum modo ser organizadas, tendo em vista as novas sociedades em que se encontravam, isto teria de ser feito de modo a permitir comunicação. Os movimentos operários e socialistas, como vimos, eram internacionalistas e chegavam a sonhar, como antes os liberais (cf. *A era do capital*, capítulo 3:1 e 4), com um futuro em que todos falariam uma única linguagem mundial — sonho que sobrevive ainda em pequenos grupos de esperantistas. Mais cedo ou mais tarde, como esperava Kautsky ainda em 1908, todo o conjunto da humanidade instruída seria fundido numa só língua e nacionalidade.[15] Todavia, enquanto esperavam, enfrentavam o problema da torre de Babel: os sindicatos nas fábricas da Hungria tinham de emitir chamados para greve em quatro línguas diferentes.[16] Não tardaram a descobrir que grupos de nacionalidades mescladas não trabalham bem, a menos que seus membros sejam bilíngues. Movimentos internacionais de trabalhadores *precisavam ser* combinações de unidades nacionais ou linguísticas. Nos EUA, o partido que efetivamente tornou-se o partido de massa dos trabalhadores, o Democrata, desenvolveu-se necessariamente como coalizão "étnica".

Quanto maior a migração dos povos, tanto mais rápido o desenvolvimento das cidades e da indústria, que lançava as massas desenraizadas umas contra as outras, e tanto maior a base para a consciência nacional entre os desenraizados. Portanto, no caso de movimentos nacionais novos, o exílio era com frequência o principal local de incubação. Quando o futuro presidente Masaryk assinou o acordo que viria a criar um Estado unindo tchecos e eslovacos (Tchecoslováquia), ele o fez em Pittsburg,

A ERA DOS IMPÉRIOS

pois a base de massas do nacionalismo organizado eslovaco encontrava-se na Pensilvânia e não na Eslováquia. Com respeito ao atrasado povo montanhês dos Cárpatos, conhecido na Áustria como rutenos, que também viriam a se unir à Tchecoslováquia, de 1918 a 1945, seu nacionalismo não tinha qualquer expressão organizada, exceto entre os emigrantes, nos EUA.

O auxílio mútuo e a proteção aos emigrantes podem ter contribuído para o crescimento do nacionalismo em suas nações, mas não são suficientes para explicá-lo. Todavia, na medida em que repousava sobre uma ambígua nostalgia de duas faces pelos velhos costumes deixados na velha pátria pelos emigrantes, ele possuía algo em comum com a força que, sem dúvida, impelia o nacionalismo na terra natal, especialmente nas nações menores. Era o neotradicionalismo, uma reação defensiva e conservadora contra a desintegração da velha ordem social pela epidemia de modernidade que avançava, pelo capitalismo, pelas cidades e pela indústria, sem esquecer o socialismo proletário, que era seu resultante lógico.

O elemento tradicionalista é bastante óbvio, no apoio oferecido pela Igreja Católica a movimentos tais como os do nacionalismo basco e flamengo, ou mesmo a muitos nacionalismos de pequenos povos que eram, quase por definição, rejeitados pelo nacionalismo liberal, como incapazes de formar Estados-nação viáveis. Os ideólogos de direita, que ora se multiplicavam, inclinavam-se igualmente a desenvolver o gosto pelo regionalismo cultural tradicionalmente enraizado, tal como a *félibrige* provençal. De fato, os ancestrais ideológicos da maioria dos movimentos separatistas e regionalistas do fim do século XX, na Europa ocidental (o bretão, o galês, o occitano etc.), encontram-se na direita intelectual pré-1914. Inversamente, entre esses pequenos povos, nem a burguesia nem o novo proletariado costumavam achar a seu gosto os mininacionalismos. Em Gales a ascensão dos trabalhistas solapou o nacionalismo dos jovens galeses, que ameaçara anexar o Partido Liberal. Quanto à

BANDEIRAS DESFRALDADAS: NAÇÕES E NACIONALISMO

nova burguesia industrial, era de esperar que preferisse o mercado de uma grande nação ou o do mundo ao constrangimento provincial de um pequeno país ou região. Nem na Polônia russa nem no país basco, duas regiões desproporcionadamente industrializadas, de Estados maiores, os capitalistas nativos demonstraram entusiasmo pela causa nacional; e a burguesia de Ghent, abertamente voltada para a França, era uma provocação permanente aos nacionalistas flamengos. Ainda que tal falta de interesse não fosse completamente universal, era suficientemente forte para desorientar Rosa Luxemburgo, a ponto de ela supor não haver base burguesa para o nacionalismo polonês.

Mas, o que era ainda mais decepcionante para os tradicionalistas nacionalistas, o campesinato, a mais tradicionalista das classes, demonstrou apenas um débil interesse pelo nacionalismo. Os camponeses de língua basca demonstraram pouco entusiasmo pelo Partido Nacional Basco, fundado em 1894 para defender tudo que era antigo contra a incursão dos espanhóis e dos operários ateus. Como a maioria dos demais movimentos deste tipo, este era antes de tudo uma entidade urbana de classe média e de classe média baixa.[17]

Efetivamente, o avanço do nacionalismo em nossa época foi, em grande parte, fenômeno levado a cabo por esses estratos médios da sociedade. Portanto, os socialistas contemporâneos estavam certos quando o chamaram pequeno-burguês. E sua conexão com tais estratos auxilia a explicar as três singulares características que já observamos: a mudança baseada em questões da língua; uma reivindicação por Estados independentes (e não de formas menores de autonomia); e o deslocamento para a direita e a ultradireita, em política.

Para as classes médias baixas, ascendendo a partir de um ambiente popular, a carreira e a língua vernácula estavam inseparavelmente ligadas. Desde o momento em que a sociedade se decidiu pela alfabetização em massa, a língua falada tinha de ser, em certo sentido, oficial — era o veí-

A ERA DOS IMPÉRIOS

culo da burocracia e da instrução — caso contrário afundaria no mundo crepuscular da comunicação puramente oral, ocasionalmente dignificada com o *status* de peça a ser exibida num museu de folclore. A educação *de massas*, ou antes, a primária, era o desenvolvimento crucial, visto ser possível apenas em língua que o grosso da população pudesse entender.* Ser educado em língua totalmente estranha, seja esta língua viva ou morta, só é possível para uma seleta e às vezes exígua minoria que dispõe de tempo considerável e pode arcar com as despesas e o esforço necessários para dela adquirir o domínio suficiente. A burocracia, por sua vez, é elemento crucial, tanto por decidir o *status* oficial de uma língua como porque, na maioria dos países, é ela que oferece o maior conjunto de empregos que requerem alfabetização. Daí surgiram as pequenas lutas infindáveis que desintegraram a política do Império Habsburgo, a partir da década de 1890; eram lutas sobre a língua em que deveriam ser escritas as placas nas ruas, em áreas onde havia mescla de nacionalidades, e sobre assuntos tais como a nacionalidade de um assistente de mestre-carteiro ou chefe de estação.

Apenas o poder político, porém, poderia transformar o *status* das línguas e dialetos menores (os quais, como todos sabem, são apenas línguas sem exército nem força policial). Daí as pressões e contrapressões subjacentes aos elaborados recenseamentos linguísticos dessa época (dos quais os mais notáveis são, por exemplo, os da Bélgica e os da Áustria, de 1910), dos quais dependiam as reivindicações políticas deste e daquele idioma. Daí, pelo menos em parte, a mobilização política dos nacionalistas pela língua, precisamente no momento em que, na Bélgica, o número dos flamengos bilíngues crescera de modo notável ou, como ocorreu no

---

* A proibição do uso do galês, ou de alguma língua ou dialeto local, na sala de aula — proibição que deixou tão traumáticos vestígios na memória dos estudiosos e intelectuais locais, não foi devida a algum tipo de reivindicação totalitária do Estado-nação dominante, mas, quase certamente, à crença sincera de que não haveria possibilidade de uma educação adequada, a não ser na língua do Estado, e de que a pessoa que se conservasse monoglota seria inevitavelmente prejudicada em sua cidadania e em suas perspectivas profissionais.

BANDEIRAS DESFRALDADAS: NAÇÕES E NACIONALISMO

país basco, o uso da língua basca praticamente desaparecia nas cidades de rápido crescimento,[18] porque unicamente a pressão política poderia conseguir um lugar para as que, na prática, eram línguas "não competitivas", como meios de educação ou comunicação pública escrita. Foi isso, e só isso, que tornou a Bélgica oficialmente bilíngue (1870) e o flamengo uma matéria obrigatória nas escolas secundárias de Flandres (mas só em 1883). Tendo, porém, a língua não oficial recebido reconhecimento oficial, automaticamente criou um eleitorado político, de pessoas nela alfabetizadas. Os 4,8 milhões de alunos das escolas primárias e secundárias da Áustria dos Habsburgo, em 1912, obviamente incluíam uma quantidade muito maior de nacionalistas reais e potenciais do que os 2,2 milhões de 1874, para não mencionar os 100 mil professores suplementares que passaram a instruí-los em várias línguas rivais.

Todavia, nas sociedades multilíngues, as pessoas educadas no idioma local e capazes de utilizar sua educação para o progresso profissional ainda assim sentiam-se, provavelmente, inferiores e desprivilegiadas. Conquanto, na prática, levassem vantagem na competição por empregos menos importantes, por ser mais provável que fossem bilíngues que os esnobes da língua de elite, talvez sentissem, justificadamente, que, ao procurar cargos superiores, estariam em desvantagem. Daí a pressão para que o ensino do vernáculo fosse prolongado, da educação primária à secundária e finalmente até o topo de um sistema educacional pleno, a universidade do vernáculo. Por esse motivo, em Gales e em Flandres, a exigência de tal universidade foi intensa e exclusivamente política. Em Gales, efetivamente, a universidade nacional (1893) tornou-se, durante algum tempo, a primeira e a *única* instituição nacional do povo de um pequeno país que não tinha existência, administrativa ou outra, distinta da existência da Inglaterra. Aqueles cuja língua materna era o vernáculo não oficial continuariam, quase certamente, a ser excluídos dos mais altos círculos da cultura e dos negócios públicos e privados, a não ser como

A ERA DOS IMPÉRIOS

pessoas que empregavam o idioma superior e oficial, no qual esses negócios seriam conduzidos. Em suma, o fato de a nova classe média baixa e mesmo a classe média terem sido educadas em esloveno ou flamengo sublinhava que os mais altos prêmios e o melhor *status* caberiam ainda àqueles que falavam francês ou alemão, ainda que não se dessem ao trabalho de aprender a língua menos importante.

Ainda seria necessária maior pressão política para vencer essa desvantagem estrutural. De fato, o que era preciso era *poder* político. Para falar clara e rudemente, as pessoas teriam de ser obrigadas a utilizar o vernáculo para propósitos para os quais normalmente achariam preferível utilizar outra língua. A Hungria insistia em escolas magiares, embora todo húngaro educado, então como agora, soubesse perfeitamente que o conhecimento de pelo menos uma língua internacionalmente falada era essencial para todos, exceto para as mais subalternas funções da sociedade húngara. A compulsão, ou a pressão governamental equivalente a ela, foi o preço pago para fazer do magiar uma língua literária que pudesse servir a todo propósito moderno em seu próprio território, embora ninguém pudesse entender uma palavra fora dele. Unicamente o poder político e, em última análise, o poder do Estado poderiam esperar alcançar tal resultado. Os nacionalistas, especialmente aqueles cujo meio de vida e perspectivas profissionais ligavam-se à sua língua, eram pouco propensos a perguntar se não haveria outros modos para fazer com que as linguagens se desenvolvessem e florescessem.

Nesta medida, o nacionalismo linguístico possuía uma propensão estrutural para a secessão. E, inversamente, a reivindicação de um Estado territorial independente parecia sempre mais inseparável da língua de tal modo que vemos o compromisso oficial para com o gaélico entrando no nacionalismo irlandês (aproximadamente 1890), embora — ou talvez, na realidade, porque — a maioria dos irlandeses estivesse satisfeita por falar apenas inglês; e o sionismo inventasse o hebraico como língua cotidiana

BANDEIRAS DESFRALDADAS: NAÇÕES E NACIONALISMO

porque nenhuma outra língua dos judeus os comprometeria com a construção de um Estado territorial. Há espaço para interessantes reflexões sobre o variado destino de tais esforços, essencialmente políticos, de engenharia linguística, pois alguns deles malograriam (como a reconversão dos irlandeses para o gaélico) ou quase malograriam (como a construção de um norueguês mais norueguês — *nynorsk*), enquanto outros teriam êxito. Todavia, antes de 1914, geralmente careciam do necessário poder estatal. Em 1916, o número de pessoas que realmente falava hebraico diariamente não era maior que 16 mil.

O nacionalismo, porém, ligava-se ao estrato médio de outro modo, que lhes conferia, a um e outro, uma inclinação para a direita, em política. A xenofobia tinha uma atração imediata para os comerciantes, para os artesãos independentes e para alguns lavradores ameaçados pelo progresso da economia industrial, especialmente durante os difíceis anos da Depressão. O estrangeiro veio simbolizar a desintegração dos antigos costumes e o sistema capitalista que os desintegrava. Portanto, o virulento antissemitismo político que observamos alastrar-se pelo mundo ocidental desde a década de 1880 pouco tinha a ver com o número real dos judeus, contra os quais era dirigido: foi tão eficaz na França, onde havia 60 mil entre 40 milhões; na Alemanha, onde havia meio milhão entre 65 milhões; como em Viena, onde eles formavam 15% da população. (Não constituiu fator político em Budapeste, onde compunham um quarto da população.) O antissemitismo visava particularmente a banqueiros, empresários e outros, que eram identificados com as devastações do capitalismo entre a "gente pequena". A imagem caricatural típica do capitalista na *belle époque* não era simplesmente a de um gordo de cartola, fumando charuto, mas também com nariz judaico, porque os campos da empresa em que os judeus se tornaram notáveis competiam com os pequenos lojistas, dando ou recusando crédito aos fazendeiros e pequenos artesãos.

A ERA DOS IMPÉRIOS

Por isso, o líder socialista alemão Bebel achava que o antissemitismo era "o socialismo dos idiotas". No entanto, o que nos impressiona, com respeito à ascensão do antissemitismo político, em finais do século, não é tanto a equação "judeu-capitalista" que, em amplas regiões da Europa central e oriental, não deixava de ser plausível, mas sua associação com o nacionalismo de *direita*. Isto não era apenas por causa da ascensão dos movimentos socialistas, que combatiam sistematicamente a xenofobia latente ou declarada de seus partidários, tanto assim que a profunda aversão aos estrangeiros e judeus, nesses setores, tendia a ser mais envergonhada do que no passado. Aquela associação, contudo, assinalava, nos maiores Estados, um evidente deslocamento da ideologia nacionalista para a direita, especialmente na década de 1890, quando vemos, por exemplo, as antigas organizações de massas do nacionalismo alemão, as *Turner* (associações de ginástica), desviarem-se do liberalismo herdado da Revolução de 1848, para uma postura militarista, agressiva e antissemita. Foi o momento em que as bandeiras do patriotismo se tornaram de tal modo propriedade da direita política, que a esquerda achava difícil empunhá-las, mesmo nos casos em que o patriotismo identificava-se firmemente com a revolução e a causa do povo, como a tricolor francesa. Parecia-lhes que brandir a bandeira nacional era arriscar-se a uma contaminação com a ultradireita. Somente nos tempos de Hitler é que a esquerda francesa recobrou o pleno uso do patriotismo jacobino.

O patriotismo, portanto, deslocou-se para a direita política, não só por se haver desbaratado seu antigo companheiro, o liberalismo burguês, mas por já não se manter a situação internacional que anteriormente havia tornado compatíveis liberalismo e nacionalismo. Até a década de 1870 — talvez até o Congresso de Berlim, em 1878 — se poderia afirmar que o ganho de um Estado-nação não significava necessariamente uma perda para outra. Na verdade, o mapa da Europa havia sido transformado pela criação de dois importantes Estados-nação (Alemanha e Itália)

BANDEIRAS DESFRALDADAS: NAÇÕES E NACIONALISMO

e pela formação de diversas outros de menor porte, nos Bálcãs, sem que tudo isso desse em guerra ou numa intolerável desintegração do sistema internacional dos Estados. Até a Grande Depressão, algo de semelhante ao livre comércio mundial, embora beneficiando mais a Inglaterra que a outros, havia sido do interesse de todos. Da década de 1870 em diante, porém, tais reivindicações não pareciam mais verdadeiras, e, dado o conflito mundial ser considerado, mais uma vez, possibilidade real, senão iminente, ganhou terreno a espécie de nacionalismo para o qual as demais nações eram francamente ameaças ou vítimas.

Esse nacionalismo, a um tempo, engendrou e foi encorajado pelos movimentos da direita política que emergiram da crise do liberalismo. Realmente, os homens que primeiro adotaram o novo nome de "nacionalistas" foram, não raro, aqueles que se sentiram impelidos à ação política pela experiência da derrota de seus Estados na guerra, tais como Maurice Barrès (1862-1923) e Paul Deroulède (1846-1914), após a vitória alemã sobre a França em 1870-1871, e Enrico Corradini (1865-1931) após a derrota, ainda mais humilhante, da Itália pela Etiópia em 1896. E os movimentos por eles fundados, que levaram a palavra "nacionalismo" aos dicionários, eram deliberadamente concebidos "em reação contra a democracia então no governo", isto é, contra a política parlamentar.[19] Os movimentos franceses desse tipo permaneceram marginais, como a *Action Française* (por volta de 1898), que se perdeu num monarquismo politicamente irrelevante e na prosa vituperativa. Os movimentos italianos acabaram por fundir-se com o fascismo após a Primeira Guerra Mundial. Eram característicos de uma nova raça de movimento político, alicerçada no chauvinismo, na xenofobia e, cada vez mais, na idealização da expansão nacional, na conquista e no próprio ato da guerra.

Esse nacionalismo prestava-se de modo excepcional à expressão dos ressentimentos coletivos de um povo que não sabia explicar seu descontentamento com precisão. Era culpa do estrangeiro. O caso Dreyfus deu

A ERA DOS IMPÉRIOS

ao antissemitismo francês uma penetração especial, não apenas pelo fato de o acusado ser judeu (que estava fazendo um estrangeiro no Estado--maior francês?), mas pelo seu suposto crime ser a espionagem a favor da Alemanha. Inversamente, o sangue dos "bons" alemães gelava, ao pensarem que seu país estava sendo sistematicamente "cercado" pela aliança de seus inimigos, conforme seus líderes lhes recordavam com frequência. Enquanto isso, os ingleses aprontavam-se para comemorar o estouro da guerra mundial (com outros povos beligerantes) por meio de uma explosão de histeria antialienígena que tornou aconselhável a mudança do nome de família alemão da dinastia real para Windsor, anglo-saxão. Não há dúvida de que todo cidadão natural do país — excetuando uma minoria de socialistas internacionalistas, uns poucos intelectuais, alguns homens de negócios cosmopolitas e o clube internacional de aristocratas e casas reinantes — sentiu a atração do chauvinismo até certo ponto. Sem dúvida quase todos, inclusive bom número de socialistas e intelectuais, estavam tão profundamente imbuídos do racismo fundamental da civilização do século XIX (cf. *A era do capital*, capítulo 14:2), que eram, de modo igual, embora indireto, vulneráveis às tentações advindas da crença de serem, sua classe ou seu povo, estrutural e naturalmente superiores aos demais. O imperialismo só podia reforçar tais tentações entre os membros dos Estados imperiais. Contudo, pouca dúvida resta de que os que reagiram mais ansiosamente aos clarins nacionalistas encontravam-se situados em algum lugar entre as classes superiores estabelecidas da sociedade e os camponeses e proletários do estrato inferior.

Para esse estrato médio em ampliação, o nacionalismo possuía igualmente uma atração mais ampla e menos instrumental. Oferecia-lhes uma identidade coletiva, como "fiéis defensores" da nação que deles se esquivava, como classe, ou como aspirantes ao pleno *status* burguês que tanto cobiçavam. O patriotismo compensava a inferioridade social. Assim na Inglaterra, onde não havia serviço militar compulsório, a curva do

BANDEIRAS DESFRALDADAS: NAÇÕES E NACIONALISMO

alistamento voluntário de soldados operários na imperialista Guerra Sul-Africana (1899-1902) simplesmente reflete a situação econômica. Subia e descia com o desemprego. Mas a curva do alistamento dos jovens de classe média baixa e de colarinho branco refletia claramente a atração da propaganda patriótica. Em certo sentido, aliás, o patriotismo uniformizado trazia suas recompensas sociais. Na Alemanha, oferecia o *status* potencial de oficial da reserva, para os rapazes que haviam tido educação secundária até a idade de 16 anos, ainda que não tivessem prosseguido seus estudos. Na Inglaterra, conforme a guerra demonstraria, mesmo os amanuenses e vendedores a serviço da nação poderiam tornar-se oficiais e — na terminologia brutalmente franca da classe superior inglesa — *"gentlemen* temporários".

3.

O nacionalismo, contudo, entre 1870 e 1914, não pode ser confinado à espécie de ideologia que atraía as classes médias frustradas ou os antiliberais (e antissocialistas), precursoras do fascismo. Inquestionavelmente, nessa época os governos e partidos ou movimentos que podiam fazer, ou dar a entender, um apelo nacional gozariam de vantagem complementar; e inversamente, aqueles que não o podiam ou não o queriam fazer, até certo ponto se prejudicariam. É absolutamente inegável que a Guerra de 1914, ao ser deflagrada, produziu explosões genuínas, embora curtas, de patriotismo de massas, nos principais países beligerantes. E nos Estados multinacionais, os movimentos operários organizados em toda a extensão do Estado lutaram e foram derrotados, numa ação de retaguarda contra a própria desintegração em movimentos separados, baseada nos operários de cada uma das nacionalidades. O movimento trabalhista e socialista do Império Habsburgo, portanto, desmoronou antes que o próprio império o fizesse.

Não obstante, há uma importante diferença entre o nacionalismo como ideologia de movimentos nacionalistas e de governos agitadores de bandeiras e a mais ampla atração da nacionalidade. O primeiro não lançava o olhar para além do *establishment* ou da grandeza da "nação". Seu programa consistia em resistir, expelir, derrotar, conquistar, submeter ou eliminar "o estrangeiro". Tudo mais era sem importância. Era suficiente afirmar a qualidade de irlandês, ou a germanidade, ou a qualidade de croata do povo irlandês, alemão ou croata, num Estado independente, pertencente exclusivamente a eles, anunciar seu futuro glorioso e estar disposto a fazer todos os sacrifícios para alcançá-lo.

Era isso que, na prática, limitava sua atração a quadros de ideólogos entusiastas e de militantes; às classes médias informes em busca de coesão e autojustificação; e àqueles grupos (mais uma vez, entre os "pequenos homens" que lutavam pela vida) que pudessem atribuir todos os seus descontentamentos aos malditos estrangeiros. E, é claro, este nacionalismo atraía igualmente governos, que recebiam de braços abertos uma ideologia que dizia aos cidadãos que o patriotismo era suficiente.

Para a maioria, porém, o nacionalismo não era o bastante. Isso, paradoxalmente, fica mais claro precisamente nos movimentos reais das nacionalidades que não haviam ainda alcançado a autodeterminação. Os movimentos que receberam genuíno apoio de massas, em nossa época — e nem todos os que o desejaram realmente o conseguiram — foram, quase invariavelmente, aqueles que combinavam a atração da nacionalidade e da língua com algum interesse ou força mobilizadora mais poderosa, antiga ou moderna. A religião era uma delas. Sem a Igreja Católica, o movimento flamengo e o basco teriam sido politicamente desprezíveis e ninguém duvida de que o catolicismo deu consistência e força de massa ao nacionalismo dos irlandeses e poloneses, dirigidos por governantes de outra religião. De fato, durante essa época, o nacionalismo dos fenianos irlandeses, originalmente um movimento secular e até anticlerical, que apelava aos irlandeses além

BANDEIRAS DESFRALDADAS: NAÇÕES E NACIONALISMO

das fronteiras confessionais, tornou-se uma força política muito importante, precisamente por haver permitido que o nacionalismo irlandês se identificasse essencialmente com os irlandeses católicos.

O mais surpreendente, conforme já sugerimos, é que os partidos cujo objetivo original e principal era a libertação internacional e social de classe, acabaram por se tornar os veículos também da libertação nacional. O restabelecimento de uma Polônia independente foi alcançado, não sob a liderança de qualquer um dos numerosos partidos do século XIX, voltados exclusivamente à independência, mas sob liderança proveniente do Partido Socialista Polonês, da Segunda Internacional. O nacionalismo armênio revela o mesmo padrão, como o faz igualmente o nacionalismo territorial judeu. Quem fez Israel não foi Herzl nem Weizmann, mas o sionismo trabalhista (inspirado na Rússia). Conquanto alguns desses partidos fossem justificavelmente criticados dentro do socialismo internacional, por haverem colocado o nacionalismo muito adiante da libertação social, o mesmo não se pode dizer de outros partidos socialistas ou até marxistas, que para surpresa deles próprios deram consigo mesmos a representar certas nações, em particular o Partido Socialista Finlandês, os mencheviques da Geórgia, o *Bund* judeu, em amplas áreas da Europa oriental — na verdade, mesmo os rigidamente não nacionalistas bolcheviques da Letônia. Inversamente, os movimentos nacionalistas tornaram-se cônscios de que era desejável definir, se não um programa social específico, pelo menos uma preocupação com questões econômicas e sociais. Caracteristicamente, foi na Boêmia industrializada — dilacerada entre tchecos e alemães, ambos atraídos por movimentos operários[*] — que emergiram movimentos que se autodescreviam especificamente como nacional-socialistas. Os nacional-socialistas tchecos eventualmente tornaram-se o partido característico da Tchecoslováquia

---

[*] Os social-democratas receberam 38% dos votos tchecos na primeira eleição democrática — 1907 —, e emergiram como o maior partido.

independente e forneceram o último presidente (Benes). Os nacional-socialistas alemães inspiraram um jovem austríaco que lhes adotou o nome e a combinação de ultranacionalismo antissemita com imprecisa demagogia populista social, na Alemanha do pós-guerra: Adolf Hitler.

O nacionalismo, portanto, tornou-se genuinamente popular, mas especialmente quando bebido como coquetel. Sua atração não residia tanto em seu sabor quanto na combinação com outros ingredientes ou com ingredientes que, esperava-se, estancariam a sede espiritual e material dos consumidores. Um tal nacionalismo, todavia, embora bastante genuíno, não era tão militante nem tão dedicado a um só objetivo, e certamente não tão reacionário quanto o desejaria a direita agitadora de bandeiras.

O Império Habsburgo, prestes a desintegrar-se sob várias pressões nacionais, ilustra paradoxalmente as limitações do nacionalismo. Embora, no começo da década de 1900, a maioria do povo estivesse inquestionavelmente consciente de que pertencia a uma nacionalidade ou outra, poucas pessoas achavam isso incompatível com o apoio à monarquia Habsburgo. Mesmo após o início da guerra, a independência nacional não veio a ser questão importante, e em apenas quatro das nações sob os Habsburgo era encontrada inequívoca hostilidade contra o Estado — três das quais identificáveis com Estados nacionais além de suas fronteiras (italiano, romenos e tchecos). A maioria das nacionalidades não desejava visivelmente evadir-se daquilo que a classe média e a classe média baixa, pela boca de seus fanáticos, gostavam de chamar "a prisão dos povos". E quando, no decorrer da guerra, avolumaram-se os sentimentos revolucionários e a insatisfação, tomaram a forma, em primeiro lugar, de revolução social e não de movimentos de independência nacional.[20]

Quanto aos beligerantes ocidentais, durante o curso da guerra viram aumentar progressivamente os sentimentos contra esta e o descontentamento social, porém sem destruir o patriotismo dos exércitos de massa. O extraordinário impacto internacional da Revolução Russa de 1917 só é

BANDEIRAS DESFRALDADAS: NAÇÕES E NACIONALISMO

compreensível se tivermos em mente que aqueles que foram para a guerra de boa vontade, e mesmo com entusiasmo, em 1914, eram movidos pela ideia do patriotismo, que não podia ser confinada a *slogans* nacionalistas: incluía o senso do que era devido ao cidadão. Esses exércitos não iam para a guerra por gostarem da luta, da violência ou do heroísmo, ou para implementar o incondicional egoísmo e expansionismo do nacionalismo de direita. E menos ainda por hostilidade ao liberalismo e à democracia.

Ao contrário. A propaganda doméstica de todos os beligerantes, com respeito à política de massas, demonstra em 1914 que o assunto a ser sublinhado não era a glória nem a conquista, mas o de "nós" sermos vítimas de agressão, ou de política agressiva, o de "eles" representarem uma ameaça mortal aos valores da liberdade e da civilização que "nós" representamos. Mais importante: homens e mulheres não seriam mobilizados com êxito para a guerra, a não ser que sentissem sua luta como algo mais que um simples combate armado: que, em algum sentido, o mundo melhoraria com a "nossa vitória", e que "nosso" país seria — para repetir uma frase de Lloyd George — "terra digna de heróis". Os governos inglês e francês, portanto, reivindicavam a defesa da democracia e da liberdade, contra o poder monárquico, o militarismo e o barbarismo ("os hunos"), enquanto o governo alemão reivindicava a defesa dos valores da ordem, da lei e da cultura, contra a autocracia e o barbarismo russos. As perspectivas de conquista e engrandecimento imperial poderiam ser anunciadas nas guerras coloniais; não, porém, nos conflitos mais importantes — mesmo que delas se ocupassem os ministros do Exterior, nos bastidores.

As massas alemãs, francesas e inglesas, ao marchar para a guerra em 1914, fizeram-no não como guerreiros e aventureiros, mas como cidadãos e civis. É este mesmo fato que, para governos que operam em sociedades democráticas, demonstra a necessidade do patriotismo e igualmente a sua força. Apenas o sentimento de que a causa do Estado era genuinamente a sua poderia mobilizar com eficácia as massas: e em 1914 os ingleses,

A ERA DOS IMPÉRIOS

franceses e alemães sentiam isso. As massas permaneceram mobilizadas até que três anos de massacres sem paralelos e o exemplo da revolução na Rússia ensinaram-lhes que estavam enganadas.

Em 1939, os únicos, dentre os 27 Estados europeus, que podiam ser descritos como democracias parlamentares eram: Reino Unido, Estado Livre da Irlanda, França, Bélgica, Suíça, Holanda e os quatro escandinavos (a Finlândia por pouco). Todos eles, salvo o Reino Unido, o Estado Livre da Irlanda, a Suécia e a Suíça, logo desapareceriam temporariamente em virtude de ocupação ou de aliança com a Alemanha nazista.

7. QUEM É QUEM OU AS INCERTEZAS DA BURGUESIA

"No sentido mais amplo possível... o Eu de um homem é a soma, o total do que ele pode chamar seu, não apenas seu corpo e suas forças psíquicas, mas suas roupas e sua casa, sua mulher e seus filhos, seus ancestrais e seus amigos, sua reputação, suas obras, suas terras e seus cavalos, seu iate e sua conta de banco."

William James[1]

"Com imenso prazer... começam a fazer compras... e mergulham nisso como quem imerge numa carreira; como classe, falam, pensam e sonham com a posse."

H. G. Wells, 1909[2]

"O Colégio foi fundado por recomendação e conselho da querida esposa do fundador... para oferecer a melhor educação às mulheres da Classe Alta e da Classe Média Alta."

Da escritura da fundação do Colégio Holloway, 1883.

1.

Voltemo-nos agora para aqueles a quem aparentemente a democratização ameaçava. Nesse século da burguesia triunfante, os membros das bem-sucedidas classes médias estavam certos da própria civilização; de modo geral, eram seguros e não costumavam lutar com dificuldades financeiras; todavia, apenas ao findar o século sentiram fisicamente o *conforto*. Haviam vivido, até então, bastante bem, rodeados de uma profusão de objetos sólidos e enfeitados, envolvidos em grande quantidade de tecidos, podendo permitir-se tudo que consideravam apropriado a pessoas de sua posição social e inapropriado aos seus inferiores, consumindo alimentos e bebidas em quantidades substanciais, provavelmente excessivas. Comida e bebida, pelo menos em alguns países, eram excelentes: *cuisine bourgeoise*, na França, era termo gastronomicamente elogioso.

Em outras partes, comida e bebida eram, pelo menos, abundantes. Um amplo suprimento de empregados compensava o desconforto e impraticabilidade da casa burguesa. Não os podia, no entanto, ocultar. Só tardiamente, ao findar do século, é que a sociedade burguesa desenvolveu um estilo de vida e o equipamento material apropriado e realmente destinado a ajustar-se às necessidades da classe, que supostamente lhe formava a espinha dorsal: homens de negócios, as profissões liberais ou os mais altos escalões do serviço público, com suas famílias. Estas não aspiravam nem necessariamente esperavam adquirir o *status* da aristocracia, ou as recompensas materiais dos muito ricos, mas se situavam bem acima da faixa em que a compra de uma coisa significava a renúncia a outra.

O paradoxo do mais burguês dos séculos consistia em que seus estilos de vida só se tornaram "burgueses" mais tarde; que esta transformação foi iniciada antes na sua periferia do que no seu centro; e que, como modo de vida especificamente burguês, seu triunfo foi apenas momentâneo. Talvez por isso os sobreviventes olhassem com tanta frequência e nostalgia para a era que precedeu a 1914, chamando-a de *belle époque*. Começaremos o exame daquilo que aconteceu às classes médias do período a partir da consideração desse paradoxo.

Esse novo estilo de vida era o da casa e jardim suburbanos, que de longa data deixara de ser especificamente estilo burguês, exceto como índice de aspiração. Como tantas outras coisas, na sociedade burguesa,

QUEM É QUEM OU AS INCERTEZAS DA BURGUESIA

ele procedeu do clássico país do capitalismo, a Inglaterra. É possível identificá-lo, em primeiro lugar, nos subúrbios ajardinados, construídos por arquitetos como Norman Shaw, na década de 1870, para famílias endinheiradas da classe média, mas não especialmente ricas (Bedford Park). Colônias desse tipo, geralmente destinadas a estratos bem mais ricos que seus equivalentes ingleses, desenvolveram-se nas cercanias das cidades da Europa central — o *Cottage Viertel*, em Viena, *Dahlem* e o *Grunewald Viertel*, em Berlim — e finalmente decaíram socialmente, tornando-se subúrbios da classe média baixa ou um labirinto de "pavilhões" sem planejamento nos arredores das cidades grandes. Eventualmente, por meio da especulação dos construtores e dos planejadores urbanos com ideais sociais, transformaram-se em ruas e colônias de casas geminadas, destinadas a recapturar o espírito da aldeia e da cidade pequena (*Siedlungen*, ou "povoamentos", seria o significativo termo alemão para elas) — como as habitações municipais para operários mais endinheirados, já no século XX. A casa ideal, para a classe média, já não fazia parte de uma rua da cidade, uma "casa de cidade", nem seu substituto, o apartamento em um grande edifício de frente para uma rua da cidade e pretendendo ser um palácio; era uma casa de campo urbanizada, ou, antes, suburbanizada (uma *villa* ou mesmo um *cottage*) num parque ou jardim em miniatura, rodeado de verde. Iria se revelar como um ideal de vida imensamente poderoso, embora ainda não aplicável na maior parte das cidades não anglo-saxônicas.

A *villa* distinguia-se de seu modelo original — a casa de campo dos nobres ou dos grandes proprietários — por um aspecto importante, independentemente de sua dimensão e custo mais modestos e passíveis de redução. Era antes planejada para as conveniências da vida privada e não para a luta pelo *status* social e para a representação. Na realidade, o fato de tais colônias serem, em larga medida, comunidades destinadas a uma única classe, topograficamente isoladas do resto da sociedade, tornava mais fácil a concentração nos confortos de vida. Esse isolamento surgia mesmo quando não era intencional: as "cidades-jardim" e os "subúrbios-jardim", planejados por projetistas anglo-saxões socialmente idealistas, seguiram o mesmo caminho dos subúrbios construídos especificamente para remover as classes médias da proximidade de seus inferiores. Esse êxodo, por si, indicava certa abdicação da burguesia de seu papel de classe dirigente. "Boston", diziam os ricos da cidade aos seus filhos, por volta de 1900, "nada lhes oferecerá exceto pesados impostos e desordem política. Quando vocês se casarem, procurem construir casa num subúrbio, entrem para o clube de campo e façam com que sua vida se concentre em seu clube, na sua casa e nos seus filhos".[3]

Esse era, porém, o oposto da função da casa de campo ou castelo tradicionais, ou mesmo da função de sua rival e imitadora burguesa, a mansão do grande capitalista — da *Villa Hügel*, dos Krupp, ou de *Bankfield House* e *Belle Vue*, dos Ackroyds e Crossleys, que dominavam a vida da enfumaçada cidade da lã, Halifax. Essas residências eram o revestimento da máquina do poder. Eram destinadas a demonstrar os recursos e o prestígio de um membro da elite dirigente aos outros membros e às classes inferiores, bem como a organizar o jogo de influências e domínio. Se gabinetes eram estruturados na casa de campo do duque de Omnium, também John Crossley, dos tapetes Crossley, pelo menos convidava quarenta e nove colegas seus do Conselho da Municipalidade de Halifax para passar três dias em sua casa no *Lake District*, por ocasião de seu quinquagésimo aniversário; e recebia o príncipe de Gales para a inauguração da municipalidade de Halifax. Nessas residências, a vida privada era inseparável da pública, e tinha funções reconhecidas, por assim dizer, diplomáticas, políticas e públicas, cujas exigências tinham precedência sobre os confortos domésticos. É inimaginável que os Akroyds mandassem construir uma grandiosa escadaria pintada com cenas clássicas da mitologia, uma sala de banquetes com pinturas, uma sala de jantar, uma biblioteca e um conjunto de nove salas de recepção, ou mesmo uma ala de empregados para vinte e cinco pessoas, somente para uso familiar.[4] O fidalgo, em sua casa de campo, não podia esquivar-se ao exercício do poder e da influência, no seu condado, mais que o magnata de negócios local, em Bury ou em Zwickau. Na verdade, enquanto morasse na cidade, por definição e imagem da hierarquia social urbana, mesmo um membro mediano da burguesia dificilmente poderia deixar de indicar — ou melhor, de sublinhar — o lugar que nela ocupava pela escolha de seu endereço ou, pelo menos, pela dimensão de seu apartamento, pelo andar que ocupava no edifício, pelo grau de servidão de que poderia dispor e pelas formalidades de seu trato e intercâmbio social. A família de um corretor de bolsa eduardiano, recordada mais tarde por um filho dissidente, era inferior aos Forsyte, porque sua casa não tinha vista tão ampla para Kensington Gardens, embora não estivesse tão distante deste a ponto de perder *status*. A estação londrina estava, mas a mãe "estava em casa" formalmente, todas as tardes, e organizava recepções à noite com uma "orquestra húngara" alugada nas Lojas Universais Whiteley; além disso, oferecia ou comparecia a jantares quase diariamente, à hora estabelecida, durante os meses de maio e junho.[5] A vida privada e a apresentação pública do *status* e das exigências sociais não se podiam separar.

As classes médias do período pré-industrial, que ascendiam modestamente, eram em sua maior parte excluídas de tais ostentações pelo seu *status* social inferior, se bem que respeitável, ou por suas convicções puritanas ou pietistas, para não mencionar os imperativos da acumulação de capital. Foram a prosperidade e o crescimento econômico de meados do século que as colocaram ao alcance do êxito, ao mesmo tempo que lhes impunham um estilo de vida modelado segundo o das antigas elites. Todavia, nesse momento de triunfo, quatro fatores estimularam a formação de um estilo de vida menos formal e mais genuinamente privado e privatizado.

O primeiro deles, conforme verificamos, foi a democratização política, que solapou a influência pública e política de todos os burgueses,

A ERA DOS IMPÉRIOS

exceto os mais ricos. Em alguns casos, a burguesia (em sua maior parte liberal) foi, de fato, forçada a retirar-se completamente da política, dominada por movimentos de massas ou por massas de eleitores que se recusavam a lhe reconhecer a "influência", quando esta não era dirigida diretamente contra ela. A cultura da Viena *fin-de-siècle*, conforme já se argumentou, era, em ampla medida, a cultura de uma classe e de um povo — os judeus da classe média — aos quais já não era permitido ser aquilo que queriam ser — alemães liberais — e que não encontrariam muitos seguidores, mesmo como burguesia liberal não judia.[6] A cultura dos Buddenbrook e a de Thomas Mann, seu autor — filho de um patrício de antiga e altiva cidade de comerciantes hanseáticos —, é a de uma burguesia que se retirou da política. Os Cabot e Lowell, de Boston, embora longe de serem expulsos da política nacional, perderam para os irlandeses o controle político de sua cidade. Desde 1890, desmantelava-se a paternalista "cultura de fábrica" do norte da Inglaterra; era uma cultura na qual os operários podiam ser sindicalistas, mas que celebravam o aniversário dos empregadores, cujas cores políticas eram as suas. Uma das razões pelas quais emergiu o Partido Trabalhista, após 1900, é terem-se recusado os homens influentes dos distritos eleitorais da classe operária, isto é, a burguesia local, a abrir mão do direito de nomear os "notáveis" do local (ou seja, gente igual a eles próprios) para o Parlamento e o conselho, na década de 1890. Se a burguesia reteve seu poder político, daí em diante, foi por mobilizar influência e não seguidores.

O segundo fator foi um certo afrouxamento dos liames entre a burguesia triunfante e os valores puritanos que haviam sido anteriormente tão úteis para a acumulação do capital, e por meio dos quais a classe havia frequentemente se identificado e estabelecido a distância que a separava da ociosa e dissoluta aristocracia e dos bêbados e preguiçosos operários. Entre a burguesia estabelecida o dinheiro já fora ganho. Poderia provir não

QUEM É QUEM OU AS INCERTEZAS DA BURGUESIA

diretamente de sua fonte, mas de pagamentos regulares recebidos mediante pedaços de papel que representavam "investimentos", cuja natureza poderia ser obscura, mesmo quando não se originassem de alguma remota região do globo, distantes dos condados ao redor de Londres. Frequentemente era herdado ou distribuído aos filhos ociosos e às mulheres da família. Grande parte da burguesia do final do século XIX consistia na "classe ociosa", nome inventado a esta altura por um sociólogo americano apartidário, de grande originalidade, Thorstein Veblen, que sobre ela escreveu uma "Teoria".[7] E mesmo aqueles que ganhavam dinheiro não precisavam dedicar a isso muito tempo, pelo menos no caso de o fazerem nos bancos (europeus), nas finanças e nas especulações. Na Inglaterra, em todos os casos, essas atividades deixavam bastante tempo para se cultivar outros interesses. Em suma, gastar tornou-se pelo menos tão importante quanto ganhar. Não era necessário gastar prodigamente como os ultrarricos, dos quais efetivamente havia muitos, na *belle époque*. Mesmo os relativamente menos opulentos aprendiam a gastar para o próprio conforto e prazer.

O terceiro fator foi o afrouxamento das estruturas da família burguesa, refletida em uma definida emancipação feminina (que examinaremos no próximo capítulo), e o surgimento de grupos de idade situados entre a adolescência e o casamento como categoria separada e mais independente de "juventude" que, por sua vez, teve poderoso impacto nas artes e na literatura (cf. capítulo 9). As palavras "juventude" e "modernidade" tornaram-se às vezes quase intercambiáveis; e se "modernidade" significava algo, era uma mudança do gosto, da decoração e do estilo. Estes dois acontecimentos se tornaram visíveis durante a segunda metade do século, entre as classes médias estabelecidas, e óbvios durante as duas últimas décadas. Não afetaram apenas aquela forma de lazer que assumira a forma de viagens e turismo — conforme o demonstra corretamente *Morte em Veneza*, de Visconti, onde o grande hotel de praia ou de montanha, que entrava então em sua fase gloriosa, era dominado pela imagem das mu-

265

A ERA DOS IMPÉRIOS

lheres que hospedava —, mas acentuaram grandemente o papel do lar burguês como cenário para a mulher.

O quarto fator foi o substancial aumento do número daqueles que pertenciam, pretendiam pertencer ou que aspiravam obsessivamente a fazer parte da burguesia; era o aumento, em suma, da "classe média" como um todo. Uma ideia definida de um estilo de vida essencialmente doméstico era uma das coisas que mantinham todos os seus membros juntos.

2.

Ao mesmo tempo, a democratização, a elevação da classe operária autoconsciente e a mobilização social criavam um novo problema de identidade social para os que pertenciam ou desejavam pertencer a uma ou outra camada dessas "classes médias". A definição de "burguesia" é notoriamente difícil (cf. *A era do capital*, capítulo 3:3 e 4) e não foi facilitada na medida em que a democracia e a ascensão dos movimentos operários induziram aqueles que pertenciam à burguesia (cujo nome tornava-se cada vez mais um palavrão) a negar em público a sua própria existência como classe, senão a existência de todas as classes. Na França sustentava-se que a Revolução havia abolido as classes; na Inglaterra, que as classes, não sendo castas fechadas, não existiam; no campo cada vez mais ressoante da sociologia, que a estrutura social e a estratificação eram demasiado complexas para tais simplificações. Na América, o perigo parecia residir não tanto na possibilidade de as massas se mobilizarem como uma só classe, identificando seus exploradores como outra classe, mas sim em que, afirmando seu direito constitucional à igualdade, declarassem pertencer à classe média diminuindo as vantagens (outras que não a dos irretorquíveis fatos da riqueza) de se pertencer a uma elite. A

QUEM É QUEM OU AS INCERTEZAS DA BURGUESIA

sociologia, que como disciplina acadêmica era um produto do período de 1870-1914, sofre ainda as consequências dos infindáveis e inconclusivos debates sobre classe e *status* social, devido à predileção de seus praticantes pela reclassificação da população do modo que melhor convenha às suas convicções ideológicas.

Além disso, com a mobilidade social e o declínio das hierarquias tradicionais estabelecendo quem pertence ou não a um "estrato médio" ou "condição" social, os limites desta zona social intermediária (e da sua área interna) tornaram-se imprecisos. Em países habituados às classificações mais antigas, como a Alemanha, eram inferidas esmeradas distinções entre um *Bürgertum* da burguesia, por sua vez dividido em *Besitzbürgertum*, baseado na posse de propriedades, e em *Bildungsbürgertum*, a partir do acesso ao *status* burguês por meio da educação superior, além de um *Mittelstand* ("condição média"), abaixo do precedente, o qual, por sua vez, olhava por cima do ombro para o *Kleinbürgertum*, ou pequena burguesia. Outras línguas da Europa ocidental simplesmente manipulavam as categorias imprecisas e mutáveis de uma burguesia/classe média "grande" ou "superior", "pequena" ou "inferior", entre as quais havia um espaço ainda mais impreciso. De que modo determinar, porém, quem poderia pretender fazer parte de qualquer uma destas categorias?

A dificuldade básica residia na constante elevação do número dos pretendentes ao *status* burguês, numa sociedade em que, afinal, era a burguesia que formava o estrato social superior. Mesmo onde a antiga nobreza proprietária de terras não havia sido eliminada (como na América) ou privada de seus privilégios *de jure* (como na França republicana), seu perfil nos países capitalistas desenvolvidos era nitidamente mais baixo. Mesmo na Inglaterra, onde conservara sua presença política proeminente e as maiores fortunas durante as décadas de meados do século, ela declinava. Em 1858-1879, dos milionários ingleses que morreram, quatro quintos (117) ainda haviam sido proprietários de terras; em 1880-1889, apenas pouco

A ERA DOS IMPÉRIOS

mais de um terço deles o haviam sido; e, em 1900-1914, essa percentagem foi ainda mais baixa.[8] Os aristocratas perfaziam a maioria em quase todos os gabinetes ingleses, antes de 1895. Após esta data, jamais o tornaram a ser. Os títulos de nobreza estavam longe de ser desprezados, mesmo em países que oficialmente não os reconheciam; americanos ricos, que não os podiam adquirir para si, compravam-nos na Europa, com a maior presteza, por meio de casamentos subsidiados para suas filhas. As máquinas de costura Singer tornaram-se a princesa de Polignac. Não obstante, mesmo antigas monarquias profundamente enraizadas admitiam que dinheiro era um critério de nobreza tão útil como o do sangue azul. O imperador Guilherme II "considerava dever seu, como governante, atender aos desejos dos milionários, em relação às condecorações e patentes de nobreza; condicionava, porém, suas mercês a doações de caridade, no interesse público. Talvez o influenciassem os modelos ingleses".[9] Bem o poderia crer o observador. Dos 159 pariatos criados na Inglaterra, entre 1901 e 1920 (omitindo os concedidos às Forças Armadas), 66 foram concedidos a homens de negócios, metade dos quais eram industriais; e a 34 profissionais liberais, dos quais a grande maioria era de advogados; apenas vinte foram concedidos a proprietários de terras.[10]

Se a linha entre burguesia e aristocracia era imprecisa, os limites entre a burguesia e seus inferiores estavam também longe de ser claros. Isto não afetava demasiadamente a "antiga" classe média baixa ou pequena burguesia de artesãos independentes, pequenos lojistas e seus semelhantes. A sua escala de operações os situava firmemente em um nível mais baixo e mesmo em oposição à burguesia. O programa dos radicais franceses constava de uma série de variações sobre o tema "o pequeno é belo": "a palavra 'petit' é constantemente repetida nos congressos do Partido Radical".[11] Seus inimigos eram *les gros* — o grande capital, a grande indústria, a grande finança, os grandes negociantes. Essa mesma atitude, com uma deformação direitista, nacionalista e antissemita, e não esquerdista e repu-

QUEM É QUEM OU AS INCERTEZAS DA BURGUESIA

blicana, encontrava-se entre seus equivalentes alemães, mais pressionados pela irresistível e rápida industrialização desde a década de 1870. Visto do alto, não apenas sua pequenez mas, de igual modo, suas ocupações os excluíam de um *status* mais elevado, a não ser quando, excepcionalmente, a dimensão de sua fortuna obliterasse a memória de sua origem. Ainda assim, a impressionante transformação do sistema distributivo, especialmente da década de 1880 em diante, tornava necessárias algumas revisões. A palavra "merceeiro" traz ainda uma conotação de desprezo entre as classes médias altas, mas na Inglaterra desta época homens como *Sir* Thomas Lipton (que ganhou seu dinheiro com pacotes de chá), *Lord* Leverhulme (que o ganhou com sabão), ou *Lord* Vestey (que o ganhou com carne congelada) adquiriam títulos e iates a vapor. Todavia, a dificuldade real surgiu com a enorme expansão do setor terciário — o dos empregos em escritórios públicos e privados —, isto é, o de um trabalho que era tanto claramente subalterno como remunerado mediante ordenados (mesmo se chamados de "recompensa")[*], mas era, de igual modo, não manual e baseado em qualificações educacionais, apesar de relativamente modestas; e, acima de tudo, realizado por homens, ou mesmo por algumas mulheres, a maioria das quais recusava-se especificamente a considerar-se parte da classe operária e aspirava, não raro com imensos sacrifícios materiais, ao estilo de vida e à respeitabilidade da classe média. A linha entre esta nova "classe média baixa" de "empregados" (*Angestellte*, *employés*) e os mais altos estratos profissionais, ou mesmo dos executivos e gerentes assalariados dos grandes negócios, levantava problemas novos.

Deixando de lado estas novas classes médias baixas, ficava claro que aumentava rapidamente o número de novos candidatos à classe média, ou de aspirantes ao *status* da classe média, o que propunha problemas

---

[*] *Salaries* em inglês. À diferença de *wages*, significa pagamento regular para trabalho não manual ou mecânico. (N.T.)

A ERA DOS IMPÉRIOS

práticos de demarcação e definição, dificultados ainda pela incerteza dos critérios teóricos relativos a essas definições. Aquilo que constituía "a burguesia" sempre fora mais difícil de determinar do que aquilo que, em teoria, definia a nobreza (por exemplo, nascimento, títulos hereditários, propriedade de terras) ou a classe operária (por exemplo, o salário e o trabalho manual). Todavia (cf. *A era do capital*, capítulo 13), os critérios de meados do século XIX eram bastante explícitos. Exceto no caso de servidores públicos graduados e remunerados, esperava-se que os membros dessa classe possuíssem capital ou renda proveniente de investimentos e/ ou que agissem como empresários independentes, que auferiam lucros e empregavam operários, ou que fossem membros de uma profissão "liberal", o que era uma forma de iniciativa privada. É significativo que "lucros" e "honorários" fossem incluídos sob o mesmo título, para fins de arrecadação de imposto de renda, na Inglaterra. No entanto, diante das mudanças antes referidas, estes critérios tornaram-se muito menos úteis para distinguir os membros da burguesia "real" — economicamente, mas acima de tudo socialmente — na considerável massa das "classes médias", para não mencionar o grupo, ainda maior, formado por aqueles que aspiravam a tal *status*. Nem todos possuíam capital; mas não o possuíam, de igual modo (pelo menos inicialmente), muitos homens de *status* burguês inconteste, que o haviam substituído pela educação superior como recurso inicial (*Bildungsbürgertum*): seu número aumentava substancialmente. O número de médicos, na França, que era mais ou menos estável entre 1866 e 1886, aumentara para 20.000 por volta de 1911; na Inglaterra, o número de médicos elevou-se de 15.000 para 22.000; o de arquitetos, de 7.000 para 11.000, entre 1881 e 1901; nestes dois países o crescimento foi mais rápido que o crescimento da população adulta. Nem todos eram empresários ou empregadores (exceto dos próprios criados).[12] Mas quem poderia negar *status* burguês aos gerentes graduados remunerados, que perfaziam uma parte, sempre mais essencial, da grande empresa em um tempo no qual, conforme acentuava um perito alemão,

QUEM É QUEM OU AS INCERTEZAS DA BURGUESIA

"o caráter íntimo e essencialmente privado do antigo pequeno negócio simplesmente não se aplicava mais aos grandes empreendimentos"?[13]

A grande maioria de todas essas classes médias, pelo menos na medida em que muitas delas eram produto da era posterior à revolução dual (cf. *A era das revoluções*, Introdução), tinham uma coisa em comum: a mobilidade social, passada e presente. Sociologicamente, conforme notou um observador francês na Inglaterra, as "classes médias" consistiam "essencialmente em famílias no processo de elevar-se socialmente", e a burguesia, em pessoas que "haviam chegado" — seja no ponto mais alto ou em algum platô convencionalmente definido.[14] Tais instantâneos, contudo, dificilmente apresentariam uma imagem adequada de um processo em movimento, que só poderia ser surpreendido pelo equivalente sociológico daquela recente invenção, o filme, ou fotografia em movimento. Os "novos estratos sociais", cujo advento Gambetta considerava o conteúdo essencial do regime da Terceira República francesa — e pensava, sem dúvida, em homens semelhantes a ele próprio, que abriam seu caminho para ganhar influência e renda sem negócios nem propriedades, mas por meio da política democrática —, não cessavam de se mover, mesmo quando, reconhecidamente, haviam "chegado".[15] Inversamente, essa "chegada" não mudaria o caráter da burguesia? A qualidade de membro desta classe poderia ser negada aos pertencentes à segunda ou à terceira geração, que levavam vida ociosa, apoiados na fortuna da família e que, às vezes, reagiam contra os valores e as atividades que constituíam, ainda, a essência de sua classe?

Esses problemas, na época de que tratamos, não concernem ao economista. Uma economia apoiada na iniciativa privada voltada para o lucro, tal como a que, inquestionavelmente, dominou os países desenvolvidos do Ocidente, não exige analistas para especular sobre quais são, exatamente, os indivíduos que constituem a "burguesia". Do ponto de vista do economista, o príncipe Henckel von Donnersmarck, o segundo homem mais rico da Alemanha imperial (após Krupp), era funcionalmente um

capitalista, visto que nove décimos de sua renda provinham de propriedade de minas de carvão, de ações de bancos e indústrias, sociedade em
empreendimentos imobiliários, para não mencionar os 12 a 15 milhões
de marcos de rendimentos em juros. Por outro lado, para o sociólogo e
o historiador, o *status* do príncipe como aristocrata hereditário está longe
de ser irrelevante. O problema em definir a burguesia como *um grupo
de homens e mulheres*, e a linha divisória que a separa das "classes médias
baixas", portanto, não encontra suporte direto na análise do desenvolvimento do capitalismo, nesta fase (exceto para os que creem que o sistema
depende das motivações pessoais dos indivíduos, como empresários particulares)* embora, naturalmente, reflita mudanças estruturais na economia
capitalista e possa esclarecer suas formas de organização.

3.

Estabelecer critérios identificáveis era, portanto, urgente para os então
membros, reais ou virtuais, da burguesia ou da classe média e particularmente para aqueles cujo dinheiro, por si só, não seria suficiente para
a compra de um *status* seguro de respeito e privilégio para si e para sua
descendência. Três modos de estabelecer esse pertencimento adquiriram
grande importância no período — pelo menos em países em que já
surgia alguma incerteza em relação a "quem era quem".** Todos exigiam
que se preenchessem duas condições: deviam distinguir claramente os

---

* Houve, na verdade, pensadores que argumentavam que a burocratização, o aumento da impopularidade dos valores empresariais e outros fatores como esses solapariam o papel do empresário particular
e, por meio deste, o do capitalismo. Max Weber e Joseph Schumpeter eram dessa opinião, entre seus
contemporâneos.

** A publicação de obras de referência sobre pessoas de *status* no país — distintamente dos guias ao
parentesco de famílias reais e de nobres, tais como o *Almanaque de Gotha* — começou nessa época. O
Quem é Quem inglês (1897) foi talvez a primeira.

QUEM É QUEM OU AS INCERTEZAS DA BURGUESIA

membros da classe média dos das classes operárias, dos camponeses e de outros ocupados em trabalhos manuais, e deviam apresentar uma hierarquia de exclusividade, sem afastar a possibilidade de o candidato galgar os degraus da escadaria social. Um estilo de vida e uma cultura de classe média era um desses critérios; uma atividade ociosa e especialmente a nova invenção, o esporte, era outro; mas o principal indicador do pertencimento de classe crescentemente veio a ser, e ficou sendo, a educação formal.

Sua função mais importante não era utilitária, a despeito dos retornos financeiros potenciais a uma inteligência treinada e ao conhecimento especializado em uma era baseada, crescentemente, na tecnologia científica, não obstante tal educação abrir um pouco mais amplamente as carreiras à meritocracia do talento, especialmente na própria indústria educacional, que se expandia. O que contava era a demonstração de que os adolescentes tinham condições de adiar a tarefa de ganhar a vida. O conteúdo da educação era secundário e, na realidade, o valor vocacional do grego e do latim, que tanto absorviam o tempo dos meninos da "escola pública" na Inglaterra, ou o da filosofia, das letras, da história e da geografia, que preenchiam 77% das horas nos *lycées* franceses (1890), era desprezível. Mesmo na Prússia, cuja mentalidade era tão prática, os clássicos *Gymnasien*, em 1885, continham quase três vezes o número de alunos que os *Realgymnasien* e as *Ober-Realschulen*, mais "modernos" e de mentalidade mais técnica. Além disso, o custo de oferecer a uma criança tal educação era, por si, um distintivo social. Um funcionário prussiano, que o calculou com meticulosidade germânica, gastou 31% de sua renda com a educação de seus três filhos, durante um período de trinta e um anos.[16]

A educação formal, preferivelmente coroada por algum diploma, havia sido, até esse momento, irrelevante para a elevação à burguesia, exceto no caso das profissões cultas dentro e fora dos serviços públicos,

A ERA DOS IMPÉRIOS

em cujo treinamento consistia a principal função das universidades, ao qual acrescentavam um ambiente convidativo para a bebida, a devassidão e as atividades esportivas dos jovens cavalheiros, para os quais os exames reais eram absolutamente sem importância. Poucos homens de negócios do século XIX eram formados em alguma coisa. A *polytéchnique* francesa da época não constituía atração especial para a elite burguesa. Um banqueiro alemão, ao aconselhar um industrial incipiente em 1884, rejeitou a teoria e a instrução universitária, considerando-as meramente "um meio de gozar as horas de repouso, como um charuto depois do almoço". Aconselhou a entrada imediata para negócios práticos, a busca de um respaldo financeiro, a observação do que se passava nos EUA e o ganho da experiência, deixando a instrução superior aos "técnicos cientificamente treinados", que teriam utilidade para os empresários. Do ponto de vista dos negócios isto era simples senso comum, apesar de não satisfazer aos quadros técnicos. Os engenheiros alemães exigiam, não sem amargura, "posição social condizente com a significância do engenheiro, na vida".[17]

A instrução escolar oferecia, acima de tudo, um bilhete de entrada para as faixas médias e superiores reconhecidas da sociedade e um meio de socializar aqueles que eram admitidos, de modo a distingui-los das ordens inferiores. A própria idade mínima em que se deixava a escola, para esse tipo de ingresso — cerca de 16 anos — garantia aos rapazes, em alguns países onde havia alistamento militar, a classificação como oficial em potencial. Crescentemente, a educação secundária até a idade de 18 ou 19 anos tornava-se habitual nas classes médias; e era normalmente seguida de educação universitária ou de treinamento profissional superior. Os números referentes a isso permaneceram baixos, embora aumentassem um pouco no caso da educação secundária e, de modo mais impressionante, no caso da educação superior. Entre 1875 e 1912, o número dos estudantes alemães mais que triplicou, o dos estudantes franceses (1875-1910) mais que quadruplicou. Todavia, ainda em 1910, menos

QUEM É QUEM OU AS INCERTEZAS DA BURGUESIA

de 3% das faixas etárias situadas entre os 12 e os 19 anos frequentavam escolas secundárias (77.500 ao todo) e apenas 2% permaneceram nelas até os exames finais, nos quais apenas metade passou [18] A Alemanha, com uma população de 65 milhões, entrou para a Primeira Guerra Mundial com uma tropa de cerca de 120.000 oficiais da reserva, ou cerca de 1% dos homens entre 20 e 45 anos.[19]

Por mais modestos que fossem, esses números eram muito superiores à dimensão habitual das classes dominantes mais antigas — por exemplo, às 7.000 pessoas que em 1870 detinham 80% de toda a terra de propriedade privada, na Inglaterra, para não mencionar as cerca de 700 famílias que constituíam o pariato inglês. Eram certamente demasiado grandes para a formação daquelas redes informais e pessoais, por meio das quais a burguesia do início do século XIX conseguiria estruturar-se; e isto, em parte, por estar a economia altamente localizada e, em parte, porque os grupos minoritários, religiosos e étnicos, que desenvolveram afinidade especial pelo capitalismo (protestantes franceses, *quakers*, unitários, gregos, judeus, armênios), originaram redes de mútua lealdade, de parentesco, e de transações comerciais que se estenderam por países, continentes e oceanos inteiros.* No próprio topo das economias nacional e internacional essas redes ainda operavam, uma vez que o número de pessoas envolvidas era diminuto e alguns tipos de negócios, especialmente bancos e finanças, concentravam-se cada vez mais em um punhado de centros financeiros (geralmente nas próprias capitais dos Estados-nação mais importantes). Por volta de 1900, a comunidade dos bancos ingleses, que controlava de fato os negócios financeiros do mundo, consistia em

---

* As razões de tais afinidades foram bastante discutidas, notadamente nessa época, por estudiosos alemães, por exemplo, Max Weber e Werner Sombart. Seja qual for a explicação — e tudo quanto esses grupos tinham em comum era o *status* autoconsciente de minoria — o fato é que pequenos grupos deste tipo, tais como os dos *quakers* ingleses, transformaram-se quase por completo em grupos de banqueiros ou de negociantes e de manufatureiros.

A ERA DOS IMPÉRIOS

algumas dezenas de famílias que moravam numa pequena área de Londres, que se conheciam entre si, frequentavam os mesmos clubes e círculos sociais e ligavam-se através de casamentos.[20] A associação do aço do Reno-Westfália, que se compunha da maioria da indústria do aço alemã, consistia em 28 empresas. O maior de todos os trustes, a United States Steel, foi formado por um punhado de homens em conversas informais; e finalmente concretizado durante jantares e jogos de golfe.

A grande burguesia genuína, antiga ou recente, não tinha, portanto, grandes dificuldades para se organizar como elite, já que podia utilizar métodos muito semelhantes aos da aristocracia, ou mesmo — como na Inglaterra —, os próprios mecanismos desta. Na realidade, sempre que possível, seu objetivo era, cada vez mais, o de coroar o êxito comercial pela entrada na classe nobre, pelo menos por meio dos seus filhos e filhas, se não por meio de um estilo de vida aristocrático. É um erro considerar isso uma simples abdicação dos valores burgueses perante antigos valores aristocráticos. Para começar, a socialização por meio de escolas de elite (ou outras) fora não menos importante para a aristocracia tradicional do que para a burguesia. Na medida em que essa socialização adquiriu importância, como nas "escolas públicas" inglesas, assimilou os valores aristocráticos em um sistema moral destinado a uma sociedade burguesa e para seus serviços públicos. Além disso, o teste dos valores aristocráticos tornava-se agora, e cada vez mais, um estilo de vida dissoluto e dispendioso que exigia acima de tudo *dinheiro*, viesse de onde viesse. O dinheiro, portanto, tornou-se seu critério. O aristocrata proprietário de terras, genuinamente tradicional, na medida em que não conseguia manter tal estilo de vida e as atividades a este associadas, isolava-se num mundo provinciano em desaparecimento, ainda leal e altivo mas socialmente marginal, como os personagens de Theodor Fontane, em *Der Stechlin* (1895), uma poderosa elegia aos velhos valores *junker* do antigo Brandemburgo. A grande burguesia utilizava os mecanismos da aristocracia como o faria com qualquer escolha de elite, para os seus próprios fins.

QUEM É QUEM OU AS INCERTEZAS DA BURGUESIA

O verdadeiro teste das escolas e universidades, como agências socializadoras, era para aqueles que galgavam a escada social e não para os que já haviam atingido o topo. Transformou o filho de um jardineiro não conformista de Salisbury num lente de Cambridge e o filho deste, via Eton e King's College, no economista John Maynard Keynes, tão obviamente membro de uma elite polida e segura de si, que ainda nos espantamos ao pensar no ambiente da infância de sua mãe, entre tabernáculos batistas provincianos — e todavia ele foi, até o fim, um altivo membro de sua classe, à qual, mais tarde, chamou de "burguesia educada".[21]

Não admira que a espécie de escolaridade que oferecia o *status* burguês, provável ou certo, expandiu-se para atender ao aumento do número dos que haviam adquirido fortuna, porém não *status* (como vovô Keynes); para aqueles cujo *status* burguês dependia, tradicionalmente, da educação, como era o caso dos filhos dos pastores protestantes pobres, bem como o dos filhos dos profissionais mais liberalmente remunerados e para uma multidão de pais menos "respeitáveis", ambiciosos em relação a seus filhos. Desenvolveu-se, pois, a educação secundária, principal portal de entrada. O número dos alunos multiplicou-se por algo situado entre dois (Bélgica, França, Noruega, Países Baixos) e cinco (Itália). O número dos estudantes, nas universidades que lhes ofereciam a garantia de se tornarem membros das classes médias, quase triplicou na maioria dos países europeus, entre finais da década de 1870 e o ano de 1913. (Durante as décadas precedentes permanecera relativamente estável.) De fato, por volta da década de 1880, os observadores alemães preocuparam-se com a admissão às universidades de mais estudantes do que os setores econômicos da classe média podiam acomodar.

O problema da "genuína classe média alta" — ou, digamos, dos sessenta e oito "grandes industriais" que, de 1895 a 1907, se juntaram aos cinco já instalados na mais elevada classe de contribuintes, em Bochum (Alemanha)[22] — era o fato de uma tão generalizada expansão educacional já não oferecer emblemas de *status* suficientemente exclusivos. Ao mesmo

A ERA DOS IMPÉRIOS

tempo, no entanto, a grande burguesia não podia separar-se formalmente de seus inferiores, pois suas estruturas precisavam manter-se abertas a novos membros — uma vez que esta era a natureza de seu ser — e porque precisavam mobilizar, ou pelo menos conciliar, as classes médias e as inferiores, a fim de enfrentar as classes operárias, sempre mais mobilizadas. Daí a insistência dos observadores não socialistas de que a "classe média" não só crescia mas adquiria enorme dimensão. O temível Gustav von Schmoller, maioral dos economistas alemães, achava que a classe média perfazia um quarto da população,[23] mas nisto incluía não só os novos "funcionários, gerentes e técnicos, recebendo bons porém moderados salários", mas também os capatazes e operários qualificados. Sombart, de igual modo, avaliava a classe média em 12,5 milhões, contra 35 milhões de operários.[24] Esses eram essencialmente cálculos de eleitores potencialmente antissocialistas. Uma avaliação generosa dificilmente ultrapassaria os 300 mil, considerados como perfazendo o "público investidor" de fins da era vitoriana e da era eduardiana, na Inglaterra.[25] Em qualquer caso, os próprios membros das classes médias estavam longe de abrir os braços às ordens inferiores, ainda quando estes usassem colarinho e gravata. Um observador inglês, mais caracteristicamente, tratava sumariamente as classes médias inferiores como pertencentes, com os operários, ao "mundo das escolas elementares".[26]

No interior dos sistemas em que a entrada era aberta, portanto, tinham de ser estabelecidos círculos de exclusividade informal, mas definitiva. Isto era mais fácil num país como a Inglaterra, que não tinha educação primária pública até 1870 (e a frequência à escola não viria a ser compulsória senão daí a vinte anos), nem educação secundária pública até 1902 nem qualquer tipo de educação universitária significativa fora das duas antigas universidades, Oxford e Cambridge.* Numerosas escolas, inadequada mas

---

* O sistema escocês era bem mais abrangente, mas os diplomados escoceses que desejavam abrir caminho no mundo achavam prudente obter mais um grau ou passar por mais um exame em Oxbridge, como fez o pai de Keynes, após obter seu diploma em Londres.

QUEM É QUEM OU AS INCERTEZAS DA BURGUESIA

surpreendentemente chamadas "públicas", foram fundadas para a classe média de 1840 em diante. Seguiam o modelo das nove antigas fundações, reconhecidas como tais em 1870 e já servindo de viveiro para a nobreza e os grandes proprietários, especialmente Eton. Em princípios da década de 1900 haviam-se expandido e formavam uma lista de cerca de 64 até 160 escolas — dependendo do seu grau de exclusividade e esnobismo —, relativamente dispendiosas, que pretendiam tal *status* e treinavam deliberadamente seus alunos para serem membros da classe dominante.[27] Um grupo de escolas secundárias particulares, principalmente no norte e no leste dos EUA, preparava, também, os filhos das boas famílias, ou, de qualquer modo, das famílias ricas, para o polimento final das universidades particulares de elite.

Dentro destas, como dentro do grande corpo dos estudantes universitários alemães, grupos ainda mais exclusivos eram recrutados por associações privadas — tais como o *Korps* dos estudantes ou pelas mais prestigiadas fraternidades de letras gregas* —, cujo lugar, nas antigas universidades inglesas, foi tomado pelos "colégios residenciais". As burguesias de fins do século XIX eram, portanto, uma estranha combinação de sociedades fechadas mas educacionalmente abertas: abertas, por ser a entrada franqueada em virtude do dinheiro, ou mesmo (por meio de bolsas de estudos e outras providências destinadas a estudantes pobres) do mérito, mas fechadas, na medida em que era claramente dado a entender que alguns círculos eram consideravelmente mais iguais que outros. A exclusividade era puramente social. Os estudantes do *Korps* alemão, muito dados à cerveja e cheios de cicatrizes, duelavam a fim de provar que eram (ao contrário das ordens inferiores) *satisfaktionsfähig*, ou melhor, que eram cavalheiros e não plebeus. As sutis gradações de *status*, nas escolas

---

* Sociedades estudantis americanas cujo nome é formado por uma combinação de letras gregas. No original, *greek letter fraternity*. (N.T.)

A ERA DOS IMPÉRIOS

particulares inglesas, eram estabelecidas por aquelas que se dispunham a entrar em competições esportivas, contra outras — ou melhor, que tinham irmãs com possibilidades de serem parceiras convenientes para um casamento. O grupo das universidades americanas de elite, pelo menos no leste, era efetivamente definido pela exclusividade social do esporte: na *Ivy League*, elas jogavam umas contra as outras.

Para aqueles que ascendiam à grande burguesia, esses mecanismos de socialização garantiam inquestionavelmente a qualidade de membro para seus filhos. A educação acadêmica para as filhas era opcional, e fora dos círculos liberais e progressistas não era garantida. Apresentava, porém, vantagens práticas definidas. A instituição dos "antigos camaradas" (*Alte Herren, alumni*) que se desenvolveram rapidamente a partir da década de 1870, demonstrava que os produtos de um estabelecimento educacional formavam uma rede que poderia ser nacional ou mesmo internacional, mas que ao mesmo tempo ligava as gerações mais novas às mais velhas. Em suma, oferecia coesão social a um grupo heterogêneo de recrutas. Também aqui o esporte proporcionava boa parte do elemento formal de ligação. Por meios tais, uma escola, um colégio, um *Korps* ou uma fraternidade — revisitados e com frequência financiados por seus antigos alunos — formava uma espécie de máfia potencial ("amigos de amigos") para auxílio mútuo, que não era menor nos negócios; e, por sua vez, a rede dessas "extensões familiares" de pessoas presumivelmente de *status* social e econômico equivalente oferecia um entrelaçamento de contatos potenciais além do alcance dos parentes ou dos negócios regionais ou locais. Nas palavras do guia às fraternidades colegiais americanas, ao observar o enorme crescimento das associações de antigos alunos — Beta Theta Phi possuía capítulos listando ex-alunos em 16 cidades em 1889, mas 110 em 1912 —, elas formavam "círculos de homens cultos que de outro modo não se conheceriam".[28]

O potencial prático de tais redes, num mundo de negócios nacionais e internacionais, pode ser indicado pelo fato de uma dessas fraternidades

A MARCHA PARA O FUTURO

54. Soldados ingleses a caminho da Grande Guerra.

52. (*acima*) Para um progresso técnico maior e melhor. O *Olympic* e o *Titanic* em construção num estaleiro em Belfast (Irlanda do Norte, 1910).
53. (*à direita*) Para a emancipação das mulheres. Estatueta Doulton de uma militante do voto feminino (*c.* 1911).

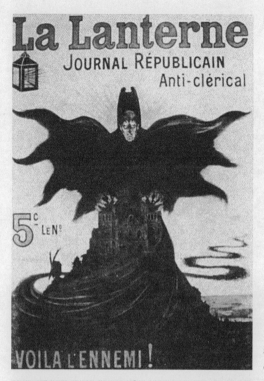

50. (*acima*) *Contra o obscurantismo*. Título anticlerical de um jornal de esquerda francês. Legenda: "Eis o inimigo" (1898).

51. (*abaixo*) A esperança da revolução. Um operário alemão aperta a mão de um operário russo depois da Revolução Russa de 1905 (charge social-democrata para o Primeiro de Maio de 1906).

CONFIANÇA E ESPERANÇA

48. (*à esquerda*) A primavera do socialismo. As esperanças de William Morris no desenho de Walter Crane (1895).
49. (*abaixo*) Pelo Iluminismo. A figura feminina nessa gravura social-democrata alemã sustenta "A espada do intelecto" — em volta de seu punho está a inscrição "Conhecimento é poder". Ela tem sob seus pés as obras dos grandes emancipadores, Marx, Darwin e Lassalle, líder do primeiro partido operário alemão (1897).

45. (*acima*) Três etapas da figura: (i) típica pintura de *salon* vitoriano adaptada para publicidade comercial.
46. (*acima, à direita*) Três etapas da figura: (ii) a nova arte (com ecos da "decadência" de Aubrey Beardsley) se dirige à nova mulher trabalhando em novos escritórios (anos 1890).
47. (*à direita*) Três etapas da figura: (iii) a imagem revolucionada. Retrato de Ambroise Vollard em estilo cubista por Pablo Picasso (anos 1900).

43 e 44. Dois estilos de arquitetura: (*acima*) O novo Reichstag (Parlamento) do novo Império Germânico (construído entre 1884 e 1894). O estilo grandioso do século XIX com decoração histórica e alegórica a serviço do nacionalismo europeu. (*abaixo*) Estação ferroviária principal, Helsinki, Finlândia (construída entre 1905 e 1916). Arte de vanguarda – *art nouveau* transformada em modernismo – como idioma de reforma e nação para a classe média finlandesa.

41. (*acima*) Estilo: masculino. O que o militante operário eduardiano deveria vestir.

42. (*abaixo*) Estilo: feminino. Alta-costura parisiense, 1913. Note-se a informalidade de ambos comparada com a indumentária vitoriana: linhas soltas para as mulheres, ar esportivo para os homens.

39. (*acima*) Lazer. Golfe, como tênis, era o esporte que unia os sexos da classe média.
40. (*abaixo*) Trabalho. Fazendo caixas de fósforos em casa (*c.* 1905).

37. (*acima*) Interior burguês. Sala de estar no estilo Liberty (1906): luz, cultura e conforto em um novo estilo para a classe média.
38. (*à esquerda*) Exterior de uma favela em Hamburgo (*c.* 1900).

ALGUMAS PERSONALIDADES

31. Vladimir Ilyich Ulyanov (Lenin), 1870-1924, revolucionário russo. Provavelmente o homem com o maior impacto individual na história do século XX.

32. Friedrich (Wilhelm) Nietzsche, 1844-1900. Filósofo alemão e profeta da era da guerra, do barbarismo e do fascismo.

33. Albert Einstein, 1879-1955. Alemão, judeu, físico teórico. O maior cientista desde Newton.

34. Rosa Luxemburgo, 1871-1919. Líder socialista na Alemanha e no Império Czarista (Polônia).

35. George Bernard Shaw, 1856-1950. Irlandês, dramaturgo, socialista.

36. Pablo Ruiz Picasso, 1881-1973. Espanhol, artista.

29. Homens e império. O procônsul Sir Frederick, mais tarde Lord Lugard, 1858-1945, ativo principalmente na África Ocidental. O inventor do "governo indireto" por meio de chefes indígenas.

30. Homens e império. O rebelde Emiliano Zapata, 1877-1919, líder da revolução camponesa no México. Descrito no monumento em sua cidade natal como "o galo do sul".

27. (*acima*) Mulheres e império. A perspectiva de civilização feminina vista num cartão-postal missionário.

28. (*à direita*) Mulheres e império. Senhoras indianas analisam a educação e as relações sociais com os europeus.

24. (*à esquerda*) Brancos e negros. Visitantes brancos da Exposição de Paris, em 1900, observam um "espécime" de uma "aldeia colonial" no seu "zoo humano".
25. (*abaixo*) Um colonizador francês da Costa do Marfim, cercado por seus guarda-costas pessoais.
26. (*mais abaixo*) Pessoas brancas tomam chá na Índia ao lado de serviçais nativos.

Duas visões de conquistadores:
22. (*acima*) Fotografia de grupo da missão britânica pouco antes de conquistar a Rodésia, hoje Zimbábue.
23. (*abaixo*) Uma visão crítica da "Expedição das Potências Europeias contra os Boxers" na China, 1900 (por H. Paul em *L'Assiette au beurre*). Um padre exorta a Rússia, a Alemanha e a França em meio à carnificina.

IMPÉRIO

21. "A fórmula da conquista britânica": canhões e comércio.
Anúncio de sabonete e invasão inglesa do Sudão (1887).

19. (*acima*) O automóvel, fora dos Estados Unidos, um monopólio dos muito ricos.

20. (*abaixo*) O aeroplano. Blériot aterrissa nos penhascos de Dover depois da primeira travessia do Canal (1909).

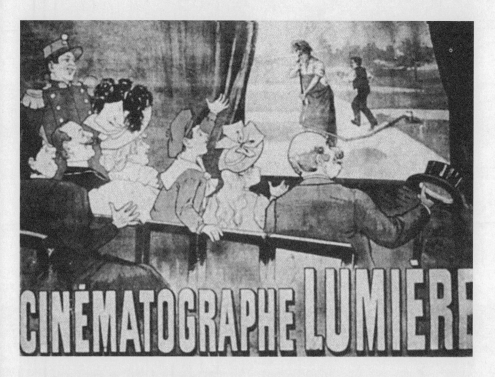

17. (*acima*) O triunfo do filme: a imagem se move. Cartaz para um dos primeiros filmes, *O regador regado* (1896), de Lumière.
18. (*abaixo*) A reprodução mecânica do som, para casas de classe média.

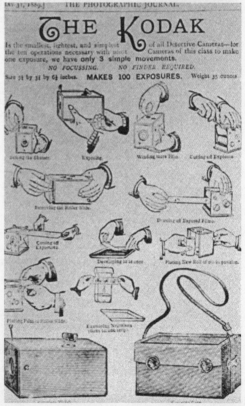

15. (*acima*) O telefone, transformador das comunicações. Uma central telefônica na França, tipicamente operada por mulheres.
16. (*à direita*) A fotografia em todas as casas: a máquina fotográfica com filme fabricado em massa.

TECNOLOGIA E SOCIEDADE

13. (*à esquerda*) Ciência experimental. O professor Roentgen, descobridor dos raios X (1895).

14. (*abaixo*) A bicicleta, engenho da liberação.

10 e 11. O proletariado. Operários na Grã-Bretanha (*abaixo, à esquerda*) e nos EUA (*acima*). Observem o símbolo de sua classe, o boné.
12. (*abaixo, à direita*) Os desenraizados: imigrantes de terceira classe a caminho da América.

8. (*acima*) Camponesas no Ocidente: comendo durante o trabalho na Beauce (França).
9. (*abaixo*) Camponeses no Oriente: um conselho de aldeia russo.

6. (*acima*) Uma das pessoas que servia a burguesia.

7. (*abaixo*) A pequena burguesia. *O dia da primeira comunhão*, por H. de Toulouse-Lautrec (1864-1901).

3. (*acima, à esquerda*) Plutocracia. *Na bolsa*, por Edgar Degas (1834-1917).
4. (*acima, à direita*) Senhores da indústria. John D. Rockefeller (1839-1937), dono da Standard Oil, nos anos 1880.
5. (*abaixo*) A classe média num chá na Ilha de Wight, Grã-Bretanha.

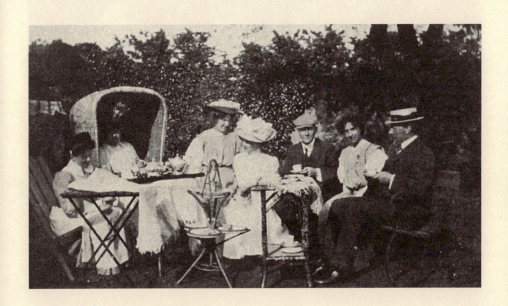

SOCIEDADE

1. (*à esquerda*) Nicolau II, czar da Rússia e George V da Grã-Bretanha, rei-imperador, membros do clã Internacional de monarcas.

2. (*abaixo*) Aristocracia. *As irmãs Wyndham*, por J. S. Sargent.

QUEM É QUEM OU AS INCERTEZAS DA BURGUESIA

norte-americanas (a Delta Kappa Epsilon) gabar-se de ter seis senadores, quarenta congressistas, um Cabot Lodge e *o* Theodore Roosevelt, em 1889, ao passo que em 1912 incluía igualmente dezoito banqueiros de Nova York (inclusive J. P. Morgan), nove personagens abastados de Boston, três diretores da Standard Oil e pessoas de peso comparável no meio-oeste. Não seria decerto desvantajoso para o futuro empresário de, digamos, Peoria, submeter-se aos rigores da iniciação na Delta Kappa Epsilon, em um colégio apropriado e pertencente à Ivy League.

Tudo isso adquiria importância econômica e social à medida que se desenvolvia a concentração capitalista e atrofiava-se a indústria puramente local ou mesmo regional, carecendo de liames com redes mais amplas, como foi o caso dos "bancos rurais" ingleses. Todavia, conquanto o sistema de escolaridade formal e informal fosse conveniente para a elite econômica e social estabelecida, era essencial principalmente para os que desejavam fazer parte dela, ou ter sua "chegada" a ela certificada pela assimilação de seus filhos. A escola era a escada pela qual os filhos dos membros mais modestos do estrato intermediário passavam para o alto; pois, até nos sistemas educacionais mais meritocráticos, poucos eram os filhos de verdadeiros camponeses, e menos ainda os de operários, que passavam além dos degraus mais baixos.

4.

A relativa facilidade com que "os dez mil do alto" (como vieram a ser chamados) sabiam estabelecer exclusividade não resolveu o problema dos cem mil do alto, que preenchiam o mal definido espaço entre a gente superior e o populacho; e menos ainda o problema das bem mais numerosas "classes médias inferiores", não raro situadas apenas por um fio de cabelo (financeiramente falando) acima dos operários qualificados mais

A ERA DOS IMPERIOS

bem pagos. Pertenciam certamente ao que os observadores sociais ingleses chamavam de "classe que tem empregados" — 29% da população, numa cidade provinciana como York. Apesar do fato de o número dos empregados domésticos haver estacionado ou mesmo declinado, de 1880 em diante, não tendo mantido, portanto, o mesmo ritmo de crescimento que o dos estratos médios, as aspirações da classe média ou mesmo da classe média baixa eram inconcebíveis sem empregados domésticos, exceto nos EUA. Nesta medida, a classe média era ainda uma classe de senhores (cf. *A era do capital*), ou antes, de senhoras, de jovens mulheres trabalhadoras. Certamente, davam aos filhos e, cada vez mais, também às filhas, educação secundária. Na medida em que isso era para os homens uma qualificação para o *status* de oficial da reserva (ou oficiais "cavalheiros temporários" nos exércitos de massas da Inglaterra de 1914), igualmente os marcava como potenciais senhores de outros homens. No entanto, um número crescentemente maior desses homens já não eram "independentes" no sentido formal, mas recebiam salários de seus empregadores, ainda quando estes eram eufemisticamente chamados por algum outro nome. Ao lado da antiga burguesia de empresários, profissionais independentes e daqueles que reconheciam somente ordens de Deus e do Estado, crescia agora a nova classe média dos gerentes, executivos e peritos técnicos assalariados no capitalismo das grandes corporações estatais e na alta tecnologia: era a burocracia pública e privada, cuja ascensão foi analisada por Max Weber. Ao lado, mas sobrepujando a pequena burguesia antiga, de artesãos independentes e pequenos lojistas, surgia agora a nova pequena burguesia dos escritórios, lojas e administração subalterna. Eram estes, realmente, estratos numericamente muito amplos, e a gradual mudança das atividades econômicas primárias e secundárias para as terciárias prometia aumentar sua dimensão. Nos EUA, em torno de 1900, eram já mais numerosos que a própria classe operária, embora constituísse exceção.

A nova classe média e a classe média baixa eram demasiado numerosas e, com frequência, demasiado insignificantes tomadas individualmente;

QUEM É QUEM OU AS INCERTEZAS DA BURGUESIA

seu meio ambiente era demasiado desestruturado e anônimo (especialmente na cidade grande), e a escala em que a economia e a política operavam era muito ampla para que contassem como pessoas ou famílias, como as da "classe média alta" e as da "*haute bourgeoisie*". Sem dúvida, sempre fora assim numa grande cidade, mas em 1871 menos de 5% dos alemães moravam em cidades de 100.000 ou mais habitantes, ao passo que em 1910 mais de 21% o faziam. Progressivamente, portanto, as classes médias eram identificadas não tanto como indivíduos "levados em conta" como tais e sim por meio de sinais coletivos de reconhecimento: pela educação que haviam recebido, pelo estilo de vida e por práticas que indicavam sua situação aos outros, aliás tão inidentificáveis, como indivíduos, quanto eles próprios. Para as classes médias reconhecidas, aqueles sinais normalmente envolviam uma combinação de rendimentos e educação, bem como certa distância visível das origens populares, tais como as indicadas, por exemplo, pelo uso habitual da linguagem da cultura nacional padrão e do sotaque indicador de classe, no relacionamento social com outros que não os inferiores. As classes médias baixas, antigas e novas, eram claramente separadas e inferiores pelos "rendimentos insuficientes, mediocridade cultural e proximidade das origens populares".[29]
O principal objetivo da "nova" pequena burguesia era o de demarcar tão nitidamente quanto possível a distância que as separava das classes operárias — objetivo que geralmente as inclinava para a direita radical, na política. Sua forma de esnobismo era a reação.

O grosso da classe média "sólida" e incontestável não era numeroso: em princípios da década de 1900, menos de 4% das pessoas que morriam, na Inglaterra, deixavam mais de 300 libras em propriedades (inclusive casas, móveis etc.). Todavia, ainda que um rendimento mais que confortável de classe média — digamos, de 700 a 1.000 libras por ano — tenha sido talvez dez vezes superior a um bom rendimento da classe operária, não se poderia comparar ao dos realmente ricos, para esquecer os super-ricos.

A ERA DOS IMPÉRIOS

Era enorme o abismo entre a classe média superior, estabelecida, reconhecida e próspera, e aquilo que então veio a ser chamado "plutocracia", que representava, segundo um observador de fins da era vitoriana, "a visível obliteração da distinção convencional entre os aristocratas de nascimento e os do dinheiro".[30]

A segregação residencial — mais que provável, num subúrbio elegante — era um modo de estruturar essas massas endinheiradas como agrupamento social. A educação, como vimos, era outro. Ambos conjugavam-se numa prática que se institucionalizou, essencialmente, durante o último quartel do velho século: o esporte. Formalizado em torno desta época na Inglaterra, que lhe ofereceu o modelo e o vocabulário, alastrou-se como um incêndio aos demais países. Em seu início, sua forma moderna foi associada especialmente à classe média e não necessariamente à classe alta. Os jovens aristocratas poderiam experimentar, como na Inglaterra, qualquer forma de proeza física, mas o campo em que se especializavam era o dos exercícios ligados à equitação e à matança, ou pelo menos ao ataque aos animais e às pessoas: a caça, o tiro, a pesca, as corridas de cavalos, a esgrima e coisas semelhantes. Efetivamente, na Inglaterra, a palavra "esporte" era originalmente restrita a tais atividades, sendo os jogos e competições físicas (hoje chamados "esporte"), classificados como "passatempo". A burguesia, como sempre, não apenas adotou como transformou os modos de vida dos nobres. Os aristocratas, caracteristicamente, também se entregaram a formas de atividade notavelmente dispendiosas, tais como o recém-inventado automóvel, que foi corretamente descrito na Europa de 1905 como "brinquedo de milionários e meio de transporte das classes endinheiradas".[31]

Os novos esportes abriram caminho até a classe operária e, mesmo antes de 1914, alguns deles eram entusiasticamente praticados por operários — havia, na Inglaterra, talvez um milhão de jogadores de futebol —, que eram observados e seguidos com paixão por grandes multidões. Este fato incorporou ao esporte um critério de classe próprio, o amadorismo, ou antes, a proibição ou a estrita segregação da casta dos "profissionais".

QUEM É QUEM OU AS INCERTEZAS DA BURGUESIA

Nenhum amador poderia distinguir-se de modo genuíno nos esportes, a não ser que pudesse dedicar a eles mais tempo do que os operários dispunham, exceto se fossem pagos. Os esportes que se tornaram mais característicos das classes médias, como o tênis, o *rugby*, o futebol americano — ainda um jogo dos estudantes de faculdade, apesar do esforço que exige — ou os ainda não desenvolvidos esportes de inverno, todos eles obstinadamente rejeitaram o profissionalismo. O ideal do amadorismo, que apresentava a vantagem adicional de reunir classe média e nobreza, foi entesourado nos Jogos Olímpicos, uma nova instituição (1896), nascida no cérebro de um francês admirador do sistema inglês de escolas públicas, que havia sido construído em torno de seus campos de jogos.

Que o esporte era considerado elemento importante na formação da nova classe governante, segundo o modelo do *gentleman* britânico burguês treinado em escola pública, é evidente, pelo papel das escolas ao introduzi-lo no continente. (Os futuros clubes profissionais de futebol eram, frequentemente, times de companhias inglesas expatriadas e de seus funcionários.) Que o esporte apresentava um aspecto patriótico e até militarista é igualmente claro. Mas serviu também para criar novos padrões de vida e de coesão da classe média. O tênis, inventado em 1873, rapidamente tornou-se o jogo perfeito dos subúrbios da classe média, por oferecer um meio para os "filhos e filhas da grande classe média" encontrarem parceiros não apresentados pela família, mas certamente de posição social comparável à deles. Em suma, os esportes alargavam o estreito círculo de família, e conhecidos, da classe média e, por meio da rede de entrelaçamento e interação dos "clubes de tênis com sócios contribuintes", criavam um universo social fora das células domésticas autoabrangentes. "A sala de visitas da casa não tardou a minguar e a se tornar um ponto insignificante."[32] O triunfo do tênis é inconcebível sem a suburbanização e a progressiva emancipação da mulher da classe média. O alpinismo e o novo esporte do ciclismo (que se tornou o primeiro esporte para espectadores de massa, da classe operária, no continente), e

A ERA DOS IMPÉRIOS

os novos esportes de inverno, precedidos da patinação, beneficiaram-se também, e substancialmente, da atração entre os sexos; aliás, desempenharam um significativo papel na emancipação feminina, por essa razão.

Os clubes de golfe desempenhariam um papel igualmente importante no mundo (anglo-saxão) masculino de profissionais da classe média e homens de negócios. Já nos deparamos com um recente acordo de negócio concluído num campo de golfe. O potencial social deste jogo — cujas partidas são disputadas em extensas propriedades, dispendiosamente construídas e conservadas por membros de clubes destinados a excluir, social e financeiramente, estranhos inaceitáveis — impressionou as novas classes médias como uma súbita revelação. Antes de 1889, havia apenas dois campos de golfe em toda Yorkshire (West Riding); entre 1890 e 1895, foram abertos 29 deles.[33] De fato, a extraordinária rapidez com que todas as formas de esporte organizado conquistaram a sociedade burguesa, entre 1870 e os primeiros anos de 1900, sugere que o esporte preenchia uma necessidade social consideravelmente maior que a de exercícios ao ar livre. Paradoxalmente, pelo menos na Inglaterra, um proletariado industrial e uma nova burguesia, ou classe média, emergiram ao mesmo tempo como grupos autoconscientes, que se definiam um contra o outro por meio de maneiras e estilos de vida e ação coletiva. O esporte, criação da classe média transformada em duas alas com óbvia identificação de classe, constituía um dos modos mais importantes de realizar aquela definição.

5.

Por conseguinte, três importantes tendências marcaram socialmente as classes médias das décadas que precederam 1914. Na extremidade inferior, aumentou o número daqueles que, de algum modo, reivindicavam

QUEM É QUEM OU AS INCERTEZAS DA BURGUESIA

a qualidade de membros do grupo intermediário. Eram os empregados não manuais, que, à margem, distinguiam-se dos operários — que podiam ganhar tanto quanto eles — apenas pela pretensa formalidade da roupa de trabalho (os proletários de "paletó preto" ou, como diziam os alemães, "de colarinho duro") e por um pretenso estilo de vida de classe média. Na extremidade superior, tornava-se imprecisa a linha divisória entre empregadores, profissionais superiores, gerentes altamente colocados, executivos assalariados e funcionários graduados. Todos eles foram colocados num só grupo (de modo realístico), o da "classe I", na ocasião em que o recenseamento inglês tentou pela primeira vez registrar a população por classes. Ao mesmo tempo, aumentava consideravelmente a classe burguesa ociosa de homens e mulheres que viviam de lucros de segunda mão — e ressoa o eco da tradição puritana, através da classificação do British Inland Revenue de "rendimentos indébitos". Relativamente poucos burgueses ocupavam-se agora em realmente "ganhar dinheiro"; muito maior era o acúmulo de lucros à sua disposição, a ser distribuídos entre seus parentes. Acima de tudo, estava o grupo dos super-ricos, os plutocratas; afinal, havia já mais de 4 mil milionários (em dólares) nos EUA, no início da década de 1890.

Para a maioria deles, as décadas precedentes à guerra foram boas; para os mais favorecidos, foram extraordinariamente generosas. A nova classe média baixa recebeu bem pouco em termos materiais, pois seus rendimentos não puderam exceder os do artesão qualificado, embora medidos por ano e não por semana ou por dia; e os operários não precisavam gastar grande coisa para "manter as aparências". Entretanto, seu *status* situava-os incontestavelmente acima das massas trabalhadoras. Na Inglaterra, os homens desta classe podiam até julgar-se *gentlemen*, um termo originalmente reservado aos grandes proprietários de terra; na era da burguesia, todavia, foi drenado do seu conteúdo social específico e aberto para quem quer que, efetivamente, não realizasse trabalho manual. (Nunca foi usado para os trabalhadores.) A maioria achava que conseguira mais que seus pais e esperava melhores perspectivas para seus filhos. Isto, provavelmente, pouco contribuía para diminuir o senso de ressentimento impotente contra os que lhes ficavam acima ou abaixo — o que, aparentemente, era característico desta classe.

Os pertencentes ao inconteste mundo da burguesia tinham, na verdade, muito pouco de que se queixar, pois oferecia-se a quem quer que dispusesse de algumas centenas de libras esterlinas por ano — o que estava muito abaixo do limiar dos ricos — uma vida excepcionalmente agradável, agora conduzida num estilo de vida excepcionalmente aprazível. O grande economista Marshall achava (em *Princípios de Economia*) que um professor poderia viver convenientemente com 500 libras por ano,[34] opinião confirmada por seu colega, o pai de John Maynard Keynes, que conseguia poupar 400 libras por ano; tiradas de um rendimento (salário mais capital herdado) de 1.000 libras, que lhe permitia ter casa forrada com papel de parede Morris, com três empregados permanentes e uma governanta, tirando férias duas vezes por ano — um mês na Suíça custava ao casal 68 libras, em 1891 — e entregar-se às suas paixões, que eram colecionar selos, caçar borboletas, estudar lógica e, naturalmente, jogar golfe.[35] Não havia dificuldade em achar modos de gastar cem vezes mais por ano, e os ultrarricos da *belle époque* — multimilionários norte-americanos, grão-duques russos, magnatas do ouro sul-africanos e um sortimento de financistas internacionais — apressavam-se a competir, gastando tão prodigamente quanto podiam. Mas não era preciso ser magnata para gozar algumas saborosas doçuras desta vida; em 1896, por exemplo, um serviço de jantar com 101 peças, decorado com o próprio monograma do comprador, podia ser adquirido no varejo, em Londres, por menos de 5 libras. O grande hotel internacional, nascido das estradas de ferro em meados do século, atingiu seu apogeu durante os vinte anos que precederam 1914. Muitos deles trazem ainda o nome do mais

QUEM É QUEM OU AS INCERTEZAS DA BURGUESIA

famoso dos cozinheiros-chefes contemporâneos: César Ritz. Esses palácios podem ter sido frequentados pelos super-ricos, mas não foram construídos principalmente para eles, pois os super-ricos ainda construíam, ou alugavam, suas próprias residências palacianas. Estes hotéis visavam aos medianamente ricos e comodamente endinheirados. *Lord* Rosebery jantava no novo Hotel Cecil, mas não o jantar-padrão de 6 *shillings* por cabeça. Atividades cujo objetivo eram os realmente opulentos tinham seu preço marcado segundo outra escala. Em 1909, um jogo de tacos de golfe, com o saco, custaria uma libra esterlina e meia, em Londres, ao passo que o preço básico de um novo carro Mercedes era 900 libras. (*Lady* Wirnborne e o filho possuíam dois deles e mais dois Daimler, três Darracqs e dois Napiers.)[36]

Não admira, portanto, que os anos pré-1914 viviam do folclore da burguesia como a era dos dias dourados. Ou que o tipo de classe ociosa que mais atraía a atenção tenha sido a que se entregava (para citar novamente Veblen) ao "consumo conspícuo" a fim de confirmar o próprio *status* e fortuna, não tanto em face das ordens inferiores, demasiado distantes, nas profundezas, para ser notadas, mas sim na competição com os outros magnatas. A resposta de J. P. Morgan ao ser perguntado quanto custava manter um iate ("Se você tem de perguntar, é porque não tem recursos para isso"), e a observação de John D. Rockefeller, igualmente apócrifa, ao lhe contarem que J. P. Morgan deixara 80 milhões de dólares ao morrer ("E todos nós pensávamos que ele era rico"), indicam a natureza do fenômeno. Havia muito disso naquelas décadas laminadas a ouro, quando os *marchands* de arte, como Joseph Duveen, convenciam os bilionários que apenas uma coleção de antigos mestres poderia selar-lhes o *status*, quando nenhum merceeiro bem-sucedido estaria completo sem um imenso iate e nenhum especulador de minas, sem um haras de cavalos de corrida, um palácio no campo (preferivelmente inglês) e uma charneca com aves de caça ou quando a simples quantidade e variedade

A ERA DOS IMPÉRIOS

de alimentos desperdiçados — e, mesmo, as quantidades consumidas — durante um fim de semana, da era eduardiana, ultrapassam a imaginação.

Na verdade, no entanto, conforme já ficou sugerido, o maior grupo ocioso subsidiado por rendimentos privados tomou, provavelmente, a forma de atividades não lucrativas pelas esposas, filhos e filhas e, às vezes, outros parentes, das famílias bem providas. Este foi, como veremos, um elemento importante para a emancipação feminina (cf. capítulo 8): Virginia Woolf considerava "um teto para si mesma", isto é, 500 libras por ano, essencial para esse fim; e a grande empresa fabiana de Beatrice e Sidney Webb respaldava-se nas 1.000 libras por ano que ela havia recebido por ocasião de seu casamento. Boas causas, que iam desde campanhas pela paz e pela sobriedade, passando pelo serviço social para os pobres — esta foi a era dos "centros comunitários" nas favelas, feitos por ativistas de classe média — até o amparo às artes não comerciais, beneficiadas por trabalho voluntário e subsídios financeiros. A história da arte do início do século XX está repleta de tais subsídios: a poesia de Rilke foi possível pela generosidade de um tio e de uma sucessão de nobres senhoras; a poesia de Stefan George e a crítica social de Karl Kraus, bem como a filosofia de Georg Lukács, pelos negócios da família, que igualmente permitiram a Thomas Mann concentrar-se na vida literária, antes de ela se tornar lucrativa. Nas palavras de E. M. Forster, outro beneficiário dos rendimentos privados: "Entravam dividendos, erguiam-se sublimes pensamentos." Eles alçavam-se para dentro e para fora de *villas* e apartamentos mobiliados pelas "artes e ofícios", um movimento que adaptava os métodos do artesão medieval, para aqueles que podiam pagar: e entre famílias "cultas", para as quais, dado o acento e os rendimentos aceitáveis, mesmo ocupações até então de *pouco* respeito tornavam-se o que os alemães chamavam de *salonfähig* (aceitáveis na sala de visitas da família). Um processo — e não o menos curioso — dessa classe média ex-puritana foi a presteza que demonstrou, no final do século, ao permitir

QUEM É QUEM OU AS INCERTEZAS DA BURGUESIA

que seus filhos e filhas entrassem para o palco em caráter profissional, o qual adquiriu todos os símbolos de reconhecimento público. Afinal, *Sir* Thomas Beecham, herdeiro das Pílulas Beecham, preferia passar o tempo como maestro profissional, tocando Delius (filho do comércio de lã de Bradford) e Mozart (que não gozou de tais vantagens).

6.

Contudo, poderia a época da burguesia triunfante florescer, se amplas faixas dessa mesma burguesia envolviam-se tão pouco com a geração da riqueza e tão rapidamente iam à deriva, distanciando-se da ética puritana, dos valores do trabalho e do esforço, da acumulação pela abstenção, pelo dever e pela seriedade moral, valores estes que lhe haviam forjado a identidade, a altivez e a feroz energia? Conforme verificamos no capítulo 3, o medo — não, a vergonha — de um futuro de parasitas os perseguia. O ócio, a cultura e o conforto estavam muito bem. (A grosseira ostentação pública da riqueza, pelo esbanjamento e o luxo, ainda era acolhida com considerável reserva, por uma geração que lia a Bíblia, que lhes recordava a adoração do bezerro de ouro.) Mas a classe que tornara seu o século XIX não estaria a se afastar do próprio destino? Como combinaria ela, se é que o faria, os valores do passado e os do presente?

Esse problema ainda era dificilmente visível nos EUA, onde o empresário dinâmico não sentia, de modo discernível, as pontadas da incerteza, embora alguns se preocupassem com relações públicas. Era entre as antigas famílias da Nova Inglaterra, dedicadas aos serviços profissionais e a um público universitário e culto, como os James e Adams, que se encontravam homens e mulheres que, positivamente, sentiam-se pouco à vontade na sociedade em que viviam. O máximo que se pode dizer dos capitalistas norte-americanos é que alguns deles ganharam dinheiro

A ERA DOS IMPÉRIOS

tão depressa e em quantidades de tal modo astronômicas que, forçosamente, se depararam com o fato de a acumulação de capital, por si, não ser objetivo adequado para a vida de um ser humano, mesmo burguês.* Todavia, a maioria dos homens de negócios norte-americanos não eram da classe do reconhecidamente fora do comum Andrew Carnegie. Ele entregou 350 milhões de dólares a várias causas e pessoas excelentes, pelo mundo afora, sem que isso afetasse visivelmente seu estilo de vida, em Skibo Castle; ou da classe de Rockefeller, que imitou o novo esquema de Carnegie, da fundação filantrópica, e que doaria mais dinheiro ainda, antes de sua morte, em 1937. Filantropia em tal escala, assim como as coleções de arte tinham a vantagem adicional retrospectiva de suavizar, perante o público, os contornos desses homens recordados por seus operários e rivais de negócios como ferozes predadores. Para a maioria da classe média norte-americana, ficar rico ou, pelo menos, prosperar ainda era o suficiente como objetivo de vida e justificação adequada para sua classe e civilização.

Tampouco percebe-se uma grande crise da autoconfiança burguesa, nos pequenos países ocidentais que entravam em sua época de transformação econômica — tal como os "pilares da sociedade" da provinciana cidade de estaleiros norueguesa sobre a qual Henrik Ibsen escreveu uma peça célebre e epônima (1877). Ao contrário dos capitalistas da Rússia, não tinham razões para sentir que todo o peso e toda a moralidade de uma sociedade tradicionalista, desde os grão-duques até os mujiques, eram-lhes absolutamente contrários; para não mencionar seus explorados operários. Ao contrário. Mesmo na Rússia, onde encontramos fenômenos surpreendentes na literatura e na vida — tais como o do homem de

---

* "Amontoar riquezas é um dos piores tipos de idolatria — não há ídolo mais aviltante que o dinheiro... Se eu continuar muito tempo sobrecarregado de negócios, com a maior parte de meus pensamentos voltados ao modo de conseguir dinheiro no mais curto espaço de tempo possível, isso poderá me degradar, sem esperança de recuperação permanente" (Andrew Carnegie).[37]

QUEM É QUEM OU AS INCERTEZAS DA BURGUESIA

negócios bem-sucedido mas envergonhado de seu triunfo (Lopakhin em *O Jardim de cerejeiras*, de Tchecov), e o grande magnata têxtil e mecenas que financiou os bolcheviques de Lenin (Savva Morozov) —, o rápido êxito industrial trouxe autossegurança. Paradoxalmente, aquilo que transformaria a Revolução de Fevereiro, de 1917, na Revolução de Outubro — como já foi persuasivamente argumentado — foi a convicção, adquirida pelos empregadores russos durante os vinte anos precedentes, de que "não podia haver ordem econômica na Rússia senão a capitalista" e de que os capitalistas russos eram bastante fortes para obrigar seus operários a manter a linha.*

Havia, sem dúvida, muitos homens de negócios e profissionais bem--sucedidos, nas regiões desenvolvidas da Europa, que ainda sentiam os ventos da História nas velas de seus barcos, embora fosse-lhes cada vez mais difícil deixar de tomar conhecimento do que se passava com os dois mastros que, tradicionalmente, apoiavam as velas: a empresa gerenciada pelo próprio dono e a família do proprietário, centrada no elemento masculino. A administração dos grandes negócios por funcionários assalariados ou a perda da independência de empresários anteriormente soberanos para os cartéis estavam ainda, conforme notou aliviado um observador alemão, "muito distantes do socialismo".[38] O mero fato, porém, de estarem assim ligados os negócios privados e o socialismo demonstra quão longe parecia estar a ideia aceita de iniciativa privada das estruturas econômicas de nosso período. No tocante à erosão da família burguesa, para a qual muito contribuiu a emancipação de seu elemento feminino, como poderia ela não solapar à autodefinição de uma classe tão fortemente respaldada na sua manutenção (cf. *A era do capital*, capítulo 13:2)

---

* Nas palavras de um líder industrial moderado, em 3 de agosto de 1917: "Devemos insistir" (...) em que a presente revolução é uma revolução burguesa [voz: 'Correto'] que, presentemente, a ordem burguesa é inevitável e que, por ser inevitável, deve conduzir a uma conclusão absolutamente lógica: as pessoas que governam o país devem pensar e agir de modo burguês."[39]

A ERA DOS IMPÉRIOS

— uma classe para a qual a respeitabilidade era igual à "moralidade" e que, crucialmente, dependia da conduta percebida de suas mulheres?

O que tornava o problema particularmente agudo, em todo o caso na Europa — exceto para alguns grupos de pietistas católicos autoconscientes — e dissolvia os firmes contornos da burguesia do século XIX, era uma crise naquilo que constituía desde longa data a ideologia e a lealdade que a identificavam. A burguesia acreditava não apenas no individualismo, na respeitabilidade e na propriedade, mas igualmente no progresso, na reforma e no liberalismo moderado. Na eterna batalha política entre os estratos superiores das sociedades do século XIX, entre os "partidos de movimento" ou "progresso" e os "partidos da ordem", as classes médias se haviam colocado incontestavelmente, em sua grande maioria, pelo movimento, embora de nenhum modo insensíveis à ordem. Todavia, como veremos adiante, tanto o progresso quanto a reforma e o liberalismo estavam em crise. O progresso científico e tecnológico, é claro, permaneceu incontestе. O progresso econômico ainda parecia seguro, pelo menos após as dúvidas e hesitações da Depressão, ainda que gerasse movimentos operários organizados, comumente liderados por subversivos perigosos. O progresso político, como vimos, era um conceito bem mais problemático à luz da democracia. No que concerne ao campo cultural e ao da moralidade, a situação era cada vez mais enigmática. Que se deveria fazer de Friedrich Nietzsche (1844-1900), ou de Maurice Barres (1862-1923), que em 1903 eram os gurus dos filhos de pessoas que haviam navegado os mares da intelectualidade orientados pelos faróis de Herbert Spencer (1820-1903) ou Ernest Renan (1820-1892)?

A situação parecia ainda mais enigmática, do ponto de vista intelectual, com a ascensão ao poder e proeminência, no mundo burguês, da Alemanha, país em que a cultura da classe média jamais aceitara de bom grado as lúcidas simplicidades do Iluminismo racionalista do século XVIII, o qual penetrou o liberalismo dos países em que se originara a

QUEM É QUEM OU AS INCERTEZAS DA BURGUESIA

revolução dual, a França e a Inglaterra. A Alemanha era, incontestavelmente, um gigante em ciência e erudição, em tecnologia e desenvolvimento econômico, em civilidade, cultura e artes, e não menos em poder. Talvez, tomada em seu conjunto, tenha sido esta a mais impressionante história de êxito nacional do século XIX. Sua história exemplificava o progresso. Mas seria esta realmente liberal? E mesmo na medida em que o era, onde se encaixaria aquilo que os alemães *fin-de-siècle* chamavam de liberalismo, entre as verdades aceitas de meados do século? As universidades alemãs chegavam a recusar-se a ensinar economia do modo como o assunto era universalmente entendido em outras partes. O grande sociólogo alemão Max Weber, cujos antecedentes eram impecavelmente liberais, considerava-se um burguês liberal vitalício e, na verdade, era realmente, um liberal de esquerda pelos padrões alemães. Todavia, acreditava entusiasticamente no militarismo, no imperialismo e — pelo menos durante algum tempo — sentiu-se tão tentado pelo nacionalismo de direita que entrou para a Liga Pan-Germânica. Consideremos, por outro lado, as guerras doméstico-literárias dos irmãos Mann: Heinrich,[*] um racionalista clássico, homem de esquerda e francófilo; Thomas, crítico veemente do liberalismo e da "civilização" ocidental, à qual costumava contrapor (de modo familiarmente teutônico) uma "cultura" essencialmente alemã. No entanto, toda a carreira de Thomas Mann e, seguramente, suas reações à ascensão e ao triunfo de Hitler demonstram que suas raízes e seu coração situavam-se na tradição liberal do século XIX. Qual dos irmãos era o verdadeiro "liberal"? Onde estaria o *Bürguer*, ou o burguês alemão?

Além disso, como vimos, a própria política burguesa tornava-se mais complexa e dividida, à proporção que a supremacia dos partidos liberais desmoronava durante a Grande Depressão. Antigos liberais passaram a

---

[*] Provavelmente, e injustamente, ele é considerado fora da Alemanha, acima de tudo, por ter escrito o livro em que foi baseado o filme de Marlene Dietrich, O *anjo azul*.

A ERA DOS IMPÉRIOS

conservadores, como na Inglaterra; o liberalismo dividiu-se e declinou, como na Alemanha, ou perdeu apoio para a esquerda e a direita, como na Bélgica e na Áustria. O que significa, exatamente, ser um membro do Partido Liberal, ou mesmo um liberal, sob tais circunstâncias? Seria necessário uma pessoa ser, ideológica ou politicamente, um liberal? Afinal, na década de 1900, havia muitos países nos quais o típico membro das classes empresariais ou profissionais situava-se francamente à direita do centro político. Abaixo deles havia as fileiras, sempre maiores, da nova classe média e da classe média baixa, com sua ressentida e construída afinidade pela direita francamente antiliberal.

Duas questões de urgência crescente sublinhavam a erosão das antigas identidades coletivas: o nacionalismo/imperialismo (cf. caps. 3 e 6) e a guerra. A burguesia liberal certamente não fora entusiasta da conquista imperial, conquanto (paradoxalmente) seus intelectuais tenham sido os responsáveis pelo modo de administrar a maior de todas as possessões imperiais — a Índia (cf. *A era das revoluções*, capítulo 8:4). A expansão imperial podia ser reconciliada com o liberalismo burguês, não porém comodamente, via de regra. Os mais altissonantes brados da conquista costumavam estar bem mais à direita. Por outro lado, a burguesia liberal não se opusera, por princípio, ao nacionalismo nem à guerra. Entretanto, havia considerado "a nação" (inclusive a sua própria) como uma fase temporária na evolução para uma sociedade e uma civilização realmente globais; era cética quanto às reivindicações de independência nacional dos povos que julgavam pequenos e obviamente inviáveis. Quanto à guerra, ainda que às vezes necessária, era algo a ser evitado, que só suscitava entusiasmo entre a nobreza militarista e os incivilizados. A observação (realista) de Bismarck, de que os problemas da Alemanha seriam solucionados somente por meio de "ferro e sangue", havia sido deliberadamente destinada a escandalizar o público liberal e burguês de meados do século XIX, o que realmente fizera na década de 1860.

QUEM É QUEM OU AS INCERTEZAS DA BURGUESIA

É evidente que na Era dos Impérios, da expansão do nacionalismo e da aproximação da guerra, esses sentimentos já não sintonizavam com as realidades políticas do mundo. Um homem que na década de 1900 repetisse coisas que, na década de 1860 ou na de 1880, seriam consideradas como o mais puro bom senso da experiência burguesa, se acharia em 1910 em discordância com seu tempo. (As peças de Bernard Shaw, após 1900, alcançam alguns de seus efeitos cômicos por meio de tais confrontos.)[40] Em tais circunstâncias, seria de esperar que os liberais realistas da classe média desdobrassem as costumeiras racionalizações e rodeios, quanto à meia mudança de posições, ou permanecessem em silêncio. Na verdade, foi isso mesmo que fizeram os ministros do governo liberal inglês, ao conduzirem o país à guerra, ao mesmo tempo em que simulavam, até para si próprios, que não o estavam fazendo. Mas há ainda outro fato.

Enquanto a Europa burguesa, em crescente conforto material, rumava para a catástrofe, observamos o estranho fenômeno de uma burguesia, ou pelo menos de parte significativa de sua juventude e de seus intelectuais, a mergulhar de bom grado e até com entusiasmo no abismo. Todos conhecem o caso dos rapazes — antes de 1914 havia poucas provas relativas às perspectivas belicosas das moças — que saudaram a irrupção da Primeira Guerra Mundial como se fosse amor à primeira vista. "Agora, graças sejam dadas a Deus, que nos colocou à altura de tal hora", escreveu um socialista fabiano, normalmente racional e apóstolo de Cambridge, o poeta Rupert Brooke. "Só a guerra", escreveu o futurista italiano Marinetti, "sabe rejuvenescer, acelerar e afiar a inteligência humana, alegrar e arejar os nervos, libertando-nos do peso do fardo cotidiano e dando sabor à vida e talento aos imbecis". "Na vida dos acampamentos e debaixo do fogo", escreveu um estudante francês, "... experimentamos a suprema expansão da força francesa que trazemos dentro de nós".[41] Não faltaram intelectuais mais velhos que, também eles, saudaram a guerra com manifestos de regozijo e orgulho que, aliás, alguns deles viveram o

A ERA DOS IMPÉRIOS

bastante para lamentar. Foi com frequência observada, durante os anos precedentes a 1914, a moda de rejeitar o ideal da paz, da razão e do progresso por outro, de violência, instinto e explosão. Um influente livro sobre a história inglesa destes tempos chama a isso de *A estranha morte da Inglaterra liberal.*

Poderia estender-se o título à Europa ocidental. As classes médias europeias, no conforto de sua civilizada existência, sentiam-se inquietas (embora isto não se aplicasse ainda ao homem de negócios do Novo Mundo). Haviam perdido sua missão histórica. As mais sinceras canções de irrestrito louvor aos benefícios da razão, da ciência, da educação, do esclarecimento, da liberdade, da democracia e do progresso da humanidade, dos quais a burguesia sentira, um dia, o orgulho de ser o exemplo, eram agora cantadas (como veremos adiante) por pessoas cuja formação intelectual pertencia a uma era anterior e que não haviam acertado o passo com os tempos. Foi às classes operárias, e não à burguesia, que Georges Sorel — um brilhante, rebelde e excêntrico intelectual — advertiu contra *As ilusões do progresso,* em um livro publicado com esse título, em 1908. Ao lançar o olhar para trás e para diante, os intelectuais, os jovens e os políticos das classes burguesas não estavam convencidos de que tudo fora ou havia de ser para o melhor. Todavia, parte importante das classes alta e média da Europa reteve firme confiança no progresso futuro, pois este se baseava na recente e espetacular melhora de sua situação. Consistia nas mulheres e, especialmente, nas nascidas de 1860 em diante.

8. A NOVA MULHER

"Na opinião de Freud, a verdade é que a mulher nada ganha pelo estudo
e que, no todo, sua sorte não há de melhorar com isso. Acresce que as
mulheres não podem alcançar a realização do homem na sublimação da
sexualidade."

Atas da sociedade psicanalítica de Viena, 1907[1]

"Minha mãe deixou a escola aos 14. Teve de empregar-se numa fazenda,
imediatamente... Mais tarde foi para Hamburgo, como criada de servir.
Mas ao irmão dela permitiram aprender alguma coisa, e ele veio a ser serralheiro. Ao perder o emprego, deixaram-no até entrar para outro aprendizado, como pintor."

Grete Appen, sobre a mãe, nascida em 1888[2]

"A restauração do respeito próprio da mulher é a essência do movimento
feminista. A mais substancial das vitórias políticas não pode ter valor
mais alto que este: o de ensinar a mulher a não depreciar o próprio sexo."

Katherine Anthony, 1915[3]

1.

À primeira vista, pode parecer absurdo estudar a história de metade da
raça humana de nossa época inscrevendo-a no contexto da história das
classes médias ocidentais, um grupo relativamente pequeno mesmo no
interior dos países de capitalismo "desenvolvido" ou em desenvolvimento.

A ERA DOS IMPÉRIOS

Contudo, isto é legítimo, na medida em que os historiadores concentram sua atenção nas mudanças e transformações da condição feminina; a mais impressionante destas, "a emancipação feminina", foi, durante essa época, iniciada e mesmo quase inteiramente restrita ao estrato médio e — em forma diferente — aos estratos superiores da sociedade estatisticamente menos significativos. A "emancipação feminina" era ainda bastante modesta a essa altura, mesmo tendo o período produzido um pequeno — mas sem precedentes — número de mulheres ativas em campos até então restritos exclusivamente aos homens e onde de fato elas se distinguiam notavelmente: eram figuras como Rosa Luxemburgo, Madame Curie, Beatrice Webb. Ainda assim, era suficientemente ampla para produzir não apenas um punhado de pioneiras, mas — dentro dos meios burgueses — uma espécie nova, a "nova mulher", sobre a qual, de 1880 em diante, os observadores do sexo masculino teorizaram e discutiram e que foi a protagonista dos escritores "progressistas", como Nora, de Henrik Ibsen, e Rebecca West, heroína de Bernard Shaw, ou melhor, anti-heroína.

Na condição da grande maioria das mulheres do mundo, das que viviam na Ásia, África, América Latina e nas sociedades camponesas do sul e do leste europeu, ou mesmo na maioria das sociedades agrícolas, não havia ainda nenhuma mudança. Ocorrera uma pequena mudança na condição da maioria das mulheres das classes trabalhadoras em toda parte, exceto, é claro, sob um aspecto crucial. De 1875 em diante as mulheres do mundo "desenvolvido" visivelmente começaram a ter menos filhos.

Em suma, essa parte do mundo agora experimentava, nitidamente, a assim chamada "transição demográfica" a partir de alguma variante do antigo padrão — em termos aproximados, altos índices de natalidade que contrabalançavam altos índices de mortalidade —, passando para o familiar padrão moderno do baixo índice de natalidade compensado pela baixa mortalidade. Precisamente como e por que sobreveio esta

A NOVA MULHER

transição, é um dos maiores enigmas com que se defrontam os historiadores de demografia. Historicamente falando, o acentuado declínio da fertilidade, nos países "desenvolvidos", é absolutamente novo. A propósito, a ausência, em grande parte do mundo, de um declínio conjunto da fertilidade e da mortalidade explica a espetacular explosão da população global, desde as duas guerras mundiais; pois, enquanto a mortalidade tem caído extraordinariamente, em parte devido à melhora do padrão de vida, em parte pela revolução na medicina, o índice de natalidade, na maior parte do Terceiro Mundo, permanece alto e apenas está começando a declinar após o intervalo de uma geração.

No Ocidente, o declínio das taxas de natalidade e de mortalidade eram mais bem coordenados. Ambos, evidentemente, afetavam a vida e os sentimentos das mulheres — uma vez que o mais notável desenvolvimento relativo à mortalidade era a queda acentuada da mortalidade dos bebês de menos de um ano, fato que se tornou inequívoco durante as últimas décadas que precederam 1914. Na Dinamarca, por exemplo, onde a mortalidade infantil era, em média, de 140 em 1.000 crianças nascidas vivas, na década de 1870, a cifra estava em 96, durante os últimos cinco anos precedentes a 1914; nos Países Baixos, os números equivalentes eram quase 200 e pouco mais de 100. (A título de comparação: na Rússia a mortalidade infantil permaneceu em cerca de 250 por 1.000, no início da década de 1900, comparada com 260 em 1870.) Não obstante, é razoável supor que o fato de ter menos filhos foi, na vida das mulheres, uma mudança mais notável do que a de ver sobreviverem mais filhos seus.

Um índice de natalidade mais baixo pode ser assegurado tanto se as mulheres se casarem mais tarde, como se mais mulheres permanecerem solteiras (mas presumindo-se que com isto não se eleve o índice de ilegitimidade), ou por meio de alguma forma de controle da natalidade, o que, no século XIX, predominantemente significava abstenção de fazer sexo ou *coitus interruptus*. (Na Europa, pode-se pôr de lado o infanticídio em massa.) Com efeito, o padrão do casamento na Europa ocidental, bastante peculiar e que havia prevalecido por muitos séculos, utilizara todos esses meios, especialmente os dois primeiros. Pois diversamente do padrão usual de casamento nos países não ocidentais, pelos quais as meninas casavam-se cedo e quase nenhuma permanecia solteira, as mulheres do Ocidente pré-industrial inclinavam-se a casar tarde, muitas vezes no final de seus vinte anos, e a proporção de solteiros e solteiras era alta. Por conseguinte, mesmo durante o período de rápido crescimento populacional nos séculos XVIII e XIX, a taxa de natalidade europeia, nos países "desenvolvidos" e em desenvolvimento do Ocidente, era mais baixa do que a do Terceiro Mundo no século XX; e a taxa de crescimento, por mais espantosa que fosse pelos padrões do passado, era mais modesta. Não obstante, e a despeito de uma tendência geral, embora não universal, no sentido de uma proporção maior de mulheres se casarem e de o fazerem mais jovens, o índice de natalidade baixou: ou seja, o controle deliberado da natalidade deve ter-se difundido. Os intensos debates sobre essa questão emocionalmente explosiva, mais livremente discutida em alguns países que em outros, são menos significativos que as silenciosas (fora dos dormitórios apropriadas) e sólidas decisões de exércitos de casais, com o fim de limitar a dimensão de suas famílias.

Outrora, decisões tais como essas sempre formaram parte da estratégia da manutenção e extensão dos recursos familiares, o que significava — os europeus, em sua maioria, gente do campo — a salvaguarda da transmissão das terras de uma geração para a que lhe sucedia. Os dois mais surpreendentes exemplos de controle da progênie, a França pós-revolucionária e a Irlanda pós-fome, aconteceram principalmente porque os camponeses ou os fazendeiros decidiram impedir a dispersão do patrimônio familiar, reduzindo o número de herdeiros em condições de reivindicar parte dele; no caso francês, pela redução do número de filhos; no caso dos irlandeses, que eram muito mais devotos, pela redução do número de homens e mu-

A NOVA MULHER

lheres em condições de ter filhos capazes de fazer aquelas reivindicações, o que foi feito elevando-se a Idade Média para o casamento até o mais alto ponto europeu em todos os tempos, multiplicando-se os homens e mulheres solteiros — preferivelmente sob a prestigiosa forma do celibato religioso — e, é claro, exportando-se em massa os rebentos supérfluos para além-mar, como emigrantes. Daí os raros exemplos, num século de crescimento populacional, de um país (França) cuja população permanecia pouco mais que estável, e de outro (Irlanda) cuja população chegou a cair.

As novas formas de controlar a dimensão da família não eram, quase certamente, por causa dos mesmos motivos. Nas cidades, sem dúvida, eram estimuladas pelo desejo de um padrão de vida mais alto, particularmente entre as classes médias baixas, que se multiplicavam e cujos membros não se podiam permitir ao mesmo tempo a despesa decorrente de uma grande ninhada de criancinhas e o acesso a uma oferta maior de bens de consumo e serviços, agora disponíveis; pois no século XIX, exceto os velhos indigentes, ninguém era mais pobre que um casal com escassos rendimentos e a casa cheia de crianças. Também por causa das mudanças que, a esta altura, tornavam as crianças um fardo cada vez maior para os pais, uma vez que frequentavam a escola ou recebiam treinamento durante um prolongado período, permanecendo, portanto, economicamente dependentes. As proibições relativas ao trabalho de menores e à urbanização do trabalho reduziram ou eliminaram o modesto valor econômico representado pelas crianças para os pais, por exemplo, em fazendas onde podiam se tornar úteis.

Ao mesmo tempo, o controle da natalidade indicava significativas mudanças culturais, tanto em relação às crianças quanto ao que homens e mulheres esperavam da vida. Se os filhos deviam ser mais bem-sucedidos que seus pais — e, para a maioria das pessoas, na era pré-industrial, isto não fora possível nem desejável — era preciso que tivessem melhores oportunidades na vida; e famílias menores dedicavam mais tempo, mais

A ERA DOS IMPÉRIOS

cuidados e mais recursos a cada um dos filhos. Assim como, sob um aspecto, um mundo de mudança e de progresso abriria oportunidades de melhora social e profissional de uma geração para a seguinte, poderia, igualmente, ensinar aos homens e às mulheres que sua vida não estava limitada a ser uma réplica da de seus pais. Os moralistas reprovavam os franceses, com suas famílias de apenas um filho ou dois; não pode haver dúvida, porém, de que na privacidade da conversa sobre travesseiros, isso sugeria novas possibilidades aos casais.*

O aumento do controle da natalidade indica, portanto, certa penetração de novas estruturas, valores e expectativas na esfera das mulheres trabalhadoras ocidentais. Não obstante, a maioria delas foi afetada apenas marginalmente por esse fato. Na verdade, elas estavam afastadas da "economia" convencionalmente definida como consistindo naqueles que declaravam ter emprego ou "ocupação" (diferente da do trabalho doméstico familiar).

Na década de 1890, cerca de dois terços dos homens foram classificados como "ocupados", nos países "desenvolvidos" da Europa e dos EUA, ao passo que cerca de três quartos das mulheres — nos EUA, 87% delas — não estavam nessa categoria.** Mais exatamente, 95% de todos os homens casados entre as idades de 18 e 60 anos estavam "ocupados", nesse sentido na década de 1890 (por exemplo, na Alemanha), enquanto apenas 12% das mulheres casadas o estavam, embora metade das solteiras e cerca de 40% das viúvas fossem "ocupadas".

As sociedades pré-industriais não são inteiramente repetitivas, mesmo no campo. As condições de vida mudam e mesmo o padrão da exis-

---

* O exemplo francês era ainda citado por sicilianos decididos a limitar suas famílias nas décadas de 1950 a 1960 — assim fui informado, por dois antropólogos que se dedicavam ao assunto, P. e J. Schneider.

** Uma classificação diferente talvez produzisse números muito diferentes. Por exemplo, a metade austríaca da monarquia Habsburgo contava com 47,3% de mulheres ocupadas, comparadas à metade húngara, não dessemelhante economicamente falando, que contava com pouco menos de 25%. Essas porcentagens baseiam-se na população total, incluindo crianças e velhos.[4]

A NOVA MULHER

tência feminina não permanece igual, através das gerações, conquanto dificilmente se possa esperar transformações extraordinárias no decorrer de um período de cinquenta anos, exceto as resultantes de catástrofes climáticas ou políticas, ou do impacto do mundo industrial. No caso da maioria das mulheres das zonas rurais exteriores às zonas "desenvolvidas" do mundo, esse impacto era ainda pouco importante. O que caracterizava sua vida era a impossibilidade de separar as funções familiares e o trabalho. Estas eram levadas a efeito num único ambiente, no qual a maior parte dos homens e mulheres realizavam suas tarefas sexualmente diferenciadas — tanto naquilo que hoje consideramos "casa" como na "produção". Os agricultores precisavam das esposas para o trabalho da fazenda, bem como para cozinhar e criar os filhos; e os mestres-artesãos e pequenos lojistas necessitavam delas para conduzir seu comércio. Se existiam ocupações que reuniam homens sem mulheres, durante longos períodos — digamos as dos soldados e marinheiros —, não existiam ocupações essencialmente femininas (exceto talvez a prostituição e os divertimentos públicos, a ela assimilados) que não fossem, normalmente, levadas a efeito, a maior parte do tempo, dentro de uma casa; pois mesmo mulheres e homens solteiros que se empregavam como criados e trabalhadores agrícolas "moravam na casa". Na medida em que o grosso das mulheres do mundo continuava a viver desse modo, agrilhoadas pelo duplo trabalho e pela sua inferioridade em relação ao homem, pouco há para dizer sobre elas que não se dissesse igualmente nos tempos de Confúcio, de Maomé ou do Velho Testamento. Elas não estavam fora da História, mas estavam fora da história da sociedade do século XIX.

Havia, realmente, um número grande e crescente de mulheres trabalhadoras cujos padrões de vida haviam sido ou estavam sendo transformados — não necessariamente para melhor — pela revolução econômica. O primeiro aspecto desta revolução que os transformou foi o que hoje chamamos de "protoindustrialização", um impressionante aumento das indústrias domésticas e vendas em domicílio em mercados mais amplos. Na proporção em que isto continuava a ser feito num ambiente que combinava a produção doméstica e a de fora de casa, a posição das mulheres não se modificou, embora alguns tipos de manufatura doméstica fossem especificamente femininos (por exemplo, as rendas e a palha trançada), oferecendo às mulheres da zona rural a vantagem, comparativamente rara, de ter um meio de ganhar um pouco de dinheiro vivo, independentemente do homem. Contudo, o que as indústrias domésticas conseguiram, de modo geral, foi uma certa erosão das diferenças convencionais entre o trabalho feminino e o masculino e, acima de tudo, uma transformação da estrutura e da estratégia familiar. Era possível montar casa tão logo duas pessoas atingissem a idade de trabalhar; os filhos, valiosa adição à força de trabalho da família, podiam ser engendrados sem considerar o que aconteceria ao pedaço de terra do qual dependia seu futuro como camponeses. O mecanismo tradicional e complexo destinado a manter, em relação à própria geração, um equilíbrio entre as pessoas e os meios de produção dos quais elas dependiam, por meio do controle da idade do casamento e da escolha dos parceiros, da dimensão da família e da herança — esse mecanismo entrou em colapso. As consequências desse fato no crescimento demográfico têm sido muito discutidas, mas o relevante, neste caso, são as consequências mais imediatas, relativas às histórias e aos padrões de vida das mulheres.

Por volta do final do século XIX, as protoindústrias que empregavam homens ou mulheres, ou ambos, estavam sendo vitimadas por indústrias maiores, de grande escala e, na verdade, o mesmo sucedia à produção artesanal, nos países industrializados. Falando de modo global, a "indústria doméstica" era ainda substancial, e por esse motivo seus problemas preocupavam cada vez mais os pesquisadores sociais e os governos. A indústria doméstica incluía talvez 7% de todos os empregos industriais na Alemanha, talvez 19% na Suíça, elevando-se, na Áustria, a 34%, na

A NOVA MULHER

década de 1890.[5] Essas indústrias, conhecidas como de "exploração máxima", chegaram a expandir-se sob certas circunstâncias, com o auxílio da nova mecanização em pequena escala (especialmente a máquina de costura) e de uma força de trabalho notoriamente mal paga e explorada. Contudo, perdiam crescentemente o caráter de "manufatura familiar" na medida em que sua força de trabalho tornava-se cada vez mais feminina e, a propósito, a frequência obrigatória à escola as privava do trabalho dos menores, que comumente era parte integrante delas. À proporção que eram excluídas as ocupações tradicionalmente protoindustriais — tecelagem em tear manual, tricotagem etc. —, a maioria das indústrias domésticas deixou de ser um empreendimento de família e tornou-se apenas um tipo de trabalho mal pago que as mulheres podiam fazer em casa, nas águas-furtadas ou nos quintais.

As indústrias domésticas pelo menos permitiam que elas combinassem trabalho pago com a supervisão da casa e dos filhos. Eis por que tantas mulheres casadas que precisavam ganhar dinheiro, mas permaneciam acorrentadas à cozinha e às crianças, acabaram por fazer esses trabalhos. Pois o segundo efeito da industrialização em relação à posição feminina, e o mais importante, foi também muito mais drástico: separou a casa do local de trabalho. E, ao fazer isto, excluiu-as em larga medida da economia publicamente reconhecida — aquela em que eram pagos salários às pessoas — e agravou sua tradicional inferioridade em relação aos homens por meio da nova dependência econômica. Os camponeses, por exemplo, dificilmente existiriam como tais sem as esposas. O trabalho agrícola exigia a mulher, bem como o homem. Era absurdo considerar os rendimentos da casa como ganhos por um dos sexos e não por ambos, mesmo se um deles fosse tido como dominante. Mas, na nova economia, a renda familiar era, típica e crescentemente, ganha por pessoas especificáveis, que saíam para trabalhar e retornavam de uma fábrica ou escritório a intervalos regulares e trazendo dinheiro, que era distribuído

307

A ERA DOS IMPÉRIOS

aos demais membros da família, os quais, de modo igualmente óbvio, *não* o ganhavam diretamente, embora sua contribuição para a casa fosse essencial de outras maneiras. Aqueles que traziam o dinheiro não eram necessariamente apenas os homens, ainda que o principal "ganha-pão" fosse tipicamente um homem; mas quem achava difícil levar dinheiro para a casa era tipicamente a mulher casada.

Essa separação da casa e do local de trabalho trazia consigo, logicamente, um padrão de divisão sexual-econômica. Para a mulher, isso significava que seu papel de gerência doméstica tornava-se sua função primordial, especialmente em casos em que os ganhos familiares eram irregulares ou escassos. Isto talvez explique as constantes queixas de fontes da classe média, relativas às inadequações das mulheres das classes trabalhadoras a esse respeito: tais queixas, aparentemente, não eram comuns na época pré-industrial. É claro que isto produziu uma nova espécie de complementaridade entre marido e mulher, exceto entre os ricos. Não obstante, ela já não trazia dinheiro para a casa.

O principal "ganha-pão" devia ter como objetivo um rendimento suficiente para manter todos os seus dependentes. O ganho dele (pois tratava-se tipicamente de um homem) deveria ser, portanto, idealmente fixado a um nível que não exigisse nenhuma outra contribuição para produzir rendimento familiar suficiente para manter todos. Inversamente, os ganhos dos demais membros da família eram, na melhor das hipóteses, concebidos como complementares, e isso reforçava a tradicional crença de que o trabalho da mulher (e o dos menores, é claro) era inferior e mal pago. Afinal, a mulher devia receber menos, já que não era dela que provinha a renda familiar. Uma vez que os homens, mais bem pagos, teriam seus salários reduzidos pela competição das mulheres, mal pagas, a sua estratégia lógica era a de excluir, se possível, tal competição, compelindo ainda mais as mulheres à dependência econômica e aos empregos perenemente mal pagos. Ao mesmo tempo, do ponto de vista da mulher, a

A NOVA MULHER

dependência tornou-se ótima estratégia econômica. De longe, sua melhor chance de conseguir bons rendimentos era a de ligar-se a um homem capaz de os ganhar, uma vez que as próprias chances de conseguir tal subsistência costumavam ser mínimas. Salvo nas mais altas esferas da prostituição, que não eram mais fáceis de atingir do que, no futuro, o estrelato em Hollywood, sua mais promissora carreira era o casamento. Mas o casamento tornava-lhe extremamente difícil sair de casa a fim de ganhar dinheiro, mesmo que ela o quisesse, em parte porque os trabalhos domésticos e os cuidados aos filhos e ao marido a mantinham amarrada à casa e, em parte, a própria suposição de que um bom marido devia ser, por definição, um bom arrimo de família, intensificando a convencional resistência dos homens e das mulheres à ideia de que a esposa trabalhasse. O fato de ela não precisar trabalhar era a prova visível, perante a sociedade, de que a família não estava pauperizada. Tudo conspirava para tornar dependente a mulher casada. As mulheres, quase sempre, trabalhavam antes de casar. Com frequência eram obrigadas a trabalhar quando enviuvavam ou seus maridos as abandonavam. Mas não costumavam trabalhar quando casadas. Na década de 1890, apenas 12,8% das mulheres alemãs casadas tinham ocupação reconhecida e, na Inglaterra (1911), apenas 10% delas.[6]

Visto que muitos homens adultos obviamente não conseguiam providenciar sozinhos uma subsistência adequada à família, o trabalho pago das mulheres e crianças era, de fato, e com muita frequência, essencial para o orçamento familiar. Além disso, como as mulheres e crianças eram mão de obra notoriamente barata e fácil de intimidar, especialmente porque a maioria dessa força de trabalho consistia em meninas, a economia do capitalismo incentivava-lhes o emprego onde quer que fosse possível — isto é, onde não penetrasse a resistência masculina ou das leis e convenções ou, mesmo, a resistência da natureza de certas atividades físicas prejudiciais. O trabalho feminino, portanto,

309

A ERA DOS IMPÉRIOS

existia e em boa quantidade, mesmo segundo os estreitos critérios do recenseamento, que quase certamente subestimavam substancialmente a quantidade de mulheres casadas "ocupadas", visto que grande parte do trabalho pago feito por elas não seria declarado como tal ou não seria diferenciado das tarefas domésticas com as quais não raro coincidia: receber pensionistas em casa, trabalhar meio período como faxineira, lavadeira etc. Na Inglaterra, 34% das mulheres maiores de 10 anos eram "ocupadas", nas décadas de 1880 e de 1890 — comparadas com 83% dos homens; na indústria, a proporção de mulheres alcançava 18% na Alemanha e 31% na França.[7] O trabalho da mulher na indústria, no início de nossa época, ainda estava predominantemente concentrado nos poucos ramos tipicamente "femininos", notadamente têxteis e de confecção, mas também e cada vez mais na indústria de alimentos. Contudo, a maioria das mulheres que ganhavam a vida individualmente o fazia no setor de serviços. O número e a proporção de empregadas domésticas, curiosamente, variava consideravelmente. Era, provavelmente, maior na Inglaterra que em qualquer outro lugar — talvez duas vezes maior que na França e na Alemanha —, mas desde o final do século começou a baixar de modo notável. No caso extremo da Inglaterra, onde o número delas dobrou entre 1851 e 1891 (de 1,1 para 2 milhões), permaneceu estável durante o resto do período.

Em tudo e por tudo, pode-se considerar a industrialização do século XIX — utilizando a palavra em seu sentido mais amplo — como um processo tendente a expelir as mulheres, particularmente as casadas, da economia oficialmente definida como tal, a saber, aquela na qual apenas as pessoas que recebiam individualmente ganhos em dinheiro contavam como "ocupadas": a espécie de economia que incluía o ganho das prostitutas na "renda nacional", pelo menos em teoria; mas não o fazia no caso de atividades equivalentes, mas não pagas, conjugais ou extraconjugais, das demais mulheres; ou que registrava criadas pagas

A NOVA MULHER

como "ocupadas", mas trabalho doméstico não pago como "desocupação". Produziu-se uma certa masculinização daquilo que a economia reconhecia como "trabalho", assim como no mundo burguês, onde o preconceito contra as mulheres que trabalhavam era muito maior e mais facilmente aplicável (cf. *A era do capital*, capítulo 13:2), produziu-se a masculinização dos negócios. Na época pré-industrial, as mulheres que cuidavam pessoalmente de suas propriedades ou empresas eram reconhecidas, embora incomuns. No século XIX, foram, cada vez mais, consideradas aberrações da natureza, a não ser nos níveis sociais mais baixos, onde a pobreza e o rebaixamento geral das "ordens inferiores" impossibilitava considerar assim tão "desnaturadas" as mulheres que perfaziam o grande número das lojistas, das feirantes, das estalajadeiras e das donas de pensão, das pequenas comerciantes e das prestamistas.

Se a economia estava assim masculinizada, também o estava a política. À medida que a democratização avançava e o direito de voto — local e nacionalmente — era concedido, após 1870, as mulheres eram sistematicamente excluídas. A política tornou-se, assim, essencialmente um assunto de homem, a ser discutido em tavernas e cafés onde os homens se juntavam ou nas reuniões às quais compareciam, enquanto as mulheres permaneciam confinadas à parte privada e pessoal da vida, para a qual a natureza as havia exclusivamente predisposto (ou assim se argumentava). Também isto era, relativamente, uma inovação. Na política popular, da sociedade pré-industrial, que variava desde as pressões de opinião de uma aldeia, a tumultos em prol da antiga "economia moral" e às revoluções e barricadas, as mulheres, pelo menos as pobres, não só tomaram parte, como, reconhecidamente, desempenharam um papel. Na Revolução Francesa, foram as mulheres de Paris que marcharam sobre Versalhes, a fim de expressar ao rei a exigência do povo de que fossem controlados os preços dos alimentos. Na era dos partidos e das eleições gerais, empurraram-nas para o segundo plano. Se exerciam alguma influência, era apenas por meio de seus homens.

A ERA DOS IMPÉRIOS

Pela natureza das coisas estes processos afetavam, mais que quaisquer outras, as mulheres das novas classes, as mais típicas do século XIX: as classes média e operária. As camponesas, as filhas e esposas dos pequenos artesãos, lojistas e equivalentes, continuaram a viver como haviam vivido, exceto na medida em que elas ou os homens da família eram absorvidos pela nova economia. Pela natureza das coisas, as diferenças entre as mulheres, na nova situação de dependência econômica e na antiga situação de inferioridade, não eram, na prática, muito grandes. Em ambas, os homens eram o sexo dominante, e as mulheres, seres humanos de segunda classe: posto que careciam totalmente de direitos de cidadania, não se podia sequer chamá-las de cidadãs de segunda classe. Em ambas, a maioria delas trabalhava, recebesse pagamento ou não.

Tanto as mulheres da classe operária como as da classe média viram sua posição começar a mudar, substancialmente nessas décadas, por motivos econômicos. Em primeiro lugar, as transformações estruturais e a tecnologia agora alteravam e aumentavam consideravelmente a perspectiva feminina de emprego assalariado. A mudança mais notável, à parte o declínio do emprego doméstico, foi o aumento das ocupações que hoje são primordialmente femininas: empregos em lojas e escritórios. As vendedoras das lojas, na Alemanha, passaram de 32.000 em 1882 (abaixo de um quinto do total) a 174.000 em 1907 (ou cerca de 40% do total). Na Inglaterra, o governo central e local empregava 7.000 mulheres em 1881, mas 76.000 em 1911; o número das "funcionárias no comércio e nas empresas" elevara-se de 6.000 a 146.000 — um tributo à máquina de escrever.[8] O desenvolvimento da educação primária expandiu o magistério, uma profissão (subalterna) que, em bom número de países — nos EUA e crescentemente na Inglaterra —, tornou-se notavelmente feminizada. Mesmo na França, em 1891, pela primeira vez mais mulheres que homens foram recrutadas para esse exército mal pago e dedicado, o dos "hussardos negros da República",[9] uma vez que mulheres podiam ensinar meninos, mas era impensável

A NOVA MULHER

submeter os homens às tentações de ensinar um número cada vez maior de meninas de escola. Algumas dessas novas aberturas beneficiaram as filhas dos operários, ou mesmo as dos camponeses, um número maior beneficiou as filhas das classes médias e da antiga e nova classe média baixa, atraídas particularmente para cargos que conferiam certa respeitabilidade social ou podiam ser consideradas (à custa da redução de seus níveis salariais) como trabalhando para "cobrir pequenas despesas".*

Tornou-se óbvia a mudança na posição e nas expectativas sociais das mulheres durante as últimas décadas do século XIX, embora os aspectos mais visíveis da emancipação feminina ainda estivessem, em larga medida, confinados às mulheres das classes médias. Entre esses aspectos, não precisamos dar demasiada atenção ao mais espetacular de todos: a campanha ativa e, em países como a Inglaterra, dramática das "sufragistas" ou "suffragettes", em prol do direito feminino ao voto. Como movimento feminino independente, não possuía maior significação, exceto em alguns países (notadamente EUA e Inglaterra) e, mesmo nestes, não começou a atingir seus objetivos senão após a Primeira Guerra Mundial. Em países como a Inglaterra, onde o sufragismo tornou-se um fenômeno significativo, deu a medida da força política do feminismo organizado, mas ao fazer isso revelou igualmente sua principal limitação, um apelo restrito principalmente à classe média. Como outros aspectos da emancipação das mulheres, o voto feminino era vigorosamente apoiado, em princípio, pelos novos partidos operários e socialistas, que, de fato, ofereciam de longe o ambiente mais favorável para as mulheres emancipadas tomarem parte na vida pública, pelo menos na Europa. No entanto, enquanto essa nova esquerda

---

* "As jovens que trabalham em grandes estabelecimentos atacadistas e as funcionárias são procedentes de famílias de melhor classe e são, portanto, com maior frequência, subsidiadas pelos seus pais... Em alguns poucos misteres, tais como o de datilógrafa, o das funcionárias e balconistas... encontramos o moderno fenômeno da jovem que trabalha para cobrir suas pequenas despesas."[10]

socialista (diversamente de partes da antiga esquerda, acentuadamente masculina, radical-democrática e anticlerical) coincidia, em parte, com o feminismo sufragista e era, não raro, atraída por ele, não podia deixar de observar que a maioria das mulheres da classe operária lutava contra incapacidades muito mais urgentes que a privação do voto político, as quais provavelmente não seriam removidas automaticamente pelo direito de voto; e que não ocupavam o primeiro plano nas mentes da maioria das sufragistas da classe média.

2.

Retrospectivamente, o movimento pela emancipação parece bastante natural, e mesmo sua aceleração na década de 1880, à primeira vista, não surpreende. Tal como a democratização da política, um grau mais elevado de direitos e oportunidades iguais para as mulheres estava implícito na ideologia da burguesia liberal, por mais inconveniente e inoportuno que aparentasse ser aos patriarcas em suas vidas privadas. As transformações internas da burguesia, após a década de 1870, inevitavelmente ofereciam maior campo de ação para as suas mulheres e especialmente para suas filhas, pois, como vimos, criavam uma substancial classe ociosa de mulheres com meios independentes do casamento e, consequentemente, uma procura por atividades não domésticas. Além disso, quando não se exigia mais trabalho produtivo de um número crescente de homens da burguesia, muitos deles se engajaram em atividades culturais as quais teriam preferido deixar às mulheres da família, as diferenças de sexo pareciam ter sido atenuadas.

Ademais, certo grau de emancipação feminina era, provavelmente, *necessário* para os pais da classe média, pois nem todas as famílias dessa classe e praticamente nenhuma da classe média baixa era, sob qualquer aspecto, suficientemente rica para manter suas filhas com todo o conforto, quando elas

A NOVA MULHER

não casavam nem trabalhavam. Isto talvez explique o entusiasmo de tantos homens da classe média (que jamais admitiram mulheres em seus clubes e associações profissionais) pela educação de suas filhas, para que alcançassem uma certa independência. De igual modo, não há nenhuma razão para se duvidar das genuínas convicções dos pais liberais nesses assuntos.

A ascensão dos movimentos operários e socialistas como fundamentais para a emancipação dos desprivilegiados, incontestavelmente, incentivou as mulheres à busca de sua liberdade; não foi por acaso que elas perfizeram um quarto dos sócios da (pequena e média classes) Sociedade Fabiana, fundada em 1883. Como vimos, a ascensão de uma economia de serviços e de outras ocupações terciárias proporcionou às mulheres uma variedade maior de empregos femininos, enquanto a ascensão da economia de consumo fazia delas o alvo principal do mercado capitalista.

Não necessitamos, portanto, gastar muito tempo para descobrir as razões da emergência da "nova mulher", apesar de que é bom lembrar que tais razões podem não ter sido assim tão simples como parecem à primeira vista. Não existe, por exemplo, evidência suficiente de que, em nosso período, a posição da mulher tenha mudado muito em virtude de sua significação econômica cada vez mais central, como controladora da cesta de compras, fato reconhecido pela indústria da propaganda, com seu realismo habitualmente pouco ético, que então entrava em sua primeira era gloriosa. Devia esta fixar-se nas mulheres, numa economia que descobrira o consumo de massa mesmo entre os bastante pobres, pois havia dinheiro a ganhar por intermédio de quem decidia a respeito da maior parte das compras de uma casa. Era preciso tratá-la com maior respeito, pelo menos por parte desse mecanismo da sociedade capitalista. A transformação do sistema distributivo — cadeias de lojas e grandes magazines sobrepunham-se às vendas de esquina e às feiras; os catálogos por reembolso postal, aos mascates — institucionalizou esse respeito, por meio da deferência, da bajulação, dos mostruários e da publicidade.

315

A ERA DOS IMPÉRIOS

Todavia, as damas burguesas sempre haviam sido tratadas como freguesas de valor, ao passo que grande parte das despesas dos relativa ou absolutamente pobres ainda eram feitas para cobrir necessidades ou eram fixadas pelo costume. O campo do que era agora considerado necessidade doméstica ampliou-se, mas os luxos pessoais femininos, como artigos de toalete e as modas de temporada, ainda se restringiram principalmente às classes médias. O poder de compra das mulheres, no mercado, não contribuía ainda para mudar o seu *status*, e era este o caso especialmente das classes médias, onde isto não era novidade. Pode-se mesmo argumentar que as técnicas, tidas por anunciantes e jornalistas como as mais eficazes, tendiam, antes, a perpetuar os estereótipos tradicionais do comportamento feminino. Por outro lado, o mercado feminino originou um número substancial de novos empregos para profissionais do sexo feminino, muitas das quais, por motivos óbvios, interessavam-se ativamente pelo feminismo.

Quaisquer que fossem as complexidades do processo, não há dúvida quanto à notável mudança da posição e das aspirações das mulheres, principalmente nas classes médias, durante as décadas precedentes a 1914. O mais óbvio sintoma desta mudança foi a notável expansão da educação secundária para meninas. Na França, o número dos liceus para rapazes permaneceu aproximadamente estável entre 330 e 340, durante toda essa época; mas o número de estabelecimentos do mesmo tipo para as meninas elevou-se de zero em 1880 a 138 em 1913, e o número de meninas que os frequentavam (cerca de 33 mil) alcançou um terço do número dos meninos. Na Inglaterra, onde não havia sistema secundário nacional antes de 1902, o número das escolas de rapazes subiu de 292, em 1904-1905, a 397, em 1913-1914; mas o número de escolas para meninas elevou-se de 99 para uma comparável cifra de 349.* Em cerca de

---

* O número de escolas mistas, quase certamente de *status* inferior, elevou-se mais modestamente, de 184 para 281.

A NOVA MULHER

1907-1908, em Yorkshire, o número de meninas nas escolas secundárias era aproximadamente igual ao dos rapazes, mas o que talvez seja mais interessante é que em cerca de 1913-1914, o número de meninas que permaneciam nas escolas secundárias do país após a idade de 16 anos era *muito maior* que o dos rapazes.[11]

Nem todos os países demonstraram zelo comparável pela educação formal das meninas (das classes média e média baixa). Esta avançou muito mais lentamente na Suécia do que em outros países escandinavos, quase nada nos Países Baixos, muito pouco na Bélgica e na Suíça, ao passo que na Itália, com 7.500 alunas, era desprezível. Inversamente, em 1910, cerca de um quarto de milhão de meninas recebeu educação secundária na Alemanha (muito mais que na Áustria) e — o que é surpreendente — na Rússia alcançou igual número em 1900. A educação secundária para meninas progrediu menos na Escócia que na Inglaterra e no País de Gales. A educação universitária para mulheres demonstrou grande irregularidade, salvo sua absolutamente notável expansão, na Rússia czarista, onde cresceu de menos de 2.000 em 1905 para 9.300 em 1911 — e, naturalmente, nos EUA, onde os números totais (56.000 em 1910), que praticamente haviam dobrado desde 1890, não se comparavam aos de outros sistemas universitários. Em 1914, os números da Alemanha, França e Itália situavam-se entre 4.500 e 5.000 e, na Áustria, 2.700. Note-se que as mulheres eram admitidas aos estudos universitários na Rússia, nos EUA e na Suíça, desde a década de 1860, mas na Áustria apenas em 1897 e na Alemanha só em 1900-1908 (Berlim). Exceto em medicina, apenas 103 mulheres haviam se formado nas universidades alemãs por volta de 1908, ano em que foi nomeada a primeira mulher professora universitária nesse país (na Academia Comercial de Mannheim). As diferenças nacionais no processo da educação feminina não atraíram grande interesse entre os historiadores até o presente.[12]

Mesmo que todas essas meninas (com exceção de um punhado delas, que penetrava nas instituições masculinas da universidade) não tenham

A ERA DOS IMPÉRIOS

recebido educação igual, ou tão boa quanto a dos rapazes da mesma idade, o simples fato de a educação secundária formal para mulheres da classe média haver-se tornado familiar e, em certos países, quase normal, em certos círculos, era coisa absolutamente sem precedentes.

O segundo e menos quantificável sintoma de uma significativa mudança na posição das (jovens) mulheres é a maior liberdade de movimentos adquirida por elas, dentro da sociedade, tanto em seu próprio direito como pessoas quanto nas suas relações com os homens. Isto era de particular importância para as jovens de famílias "respeitáveis", submetidas às mais rigorosas restrições convencionais. A prática de dançar social e ocasionalmente nos lugares públicos destinados para esse fim (ou melhor, nem em casa nem formalmente, em bailes da sociedade, organizados em ocasiões especiais) reflete este afrouxamento das convenções. Por volta de 1914, a juventude mais liberada das grandes cidades e balneários ocidentais já se familiarizara com danças rítmicas sexualmente provocantes, de duvidosa mas exótica origem (o tango argentino, os passos sincopados dos negros americanos), praticados em *night-clubs*, ou de maneira mais chocante nos hotéis, à hora do chá ou durante o jantar, entre um e outro prato.

Isso implicava liberdade de movimentos, não apenas no sentido social, mas no literal, pois, ainda que a moda feminina não expressasse dramaticamente a emancipação até uma época posterior à Primeira Guerra Mundial, o desaparecimento das armaduras de tecidos e barbatanas que encerravam o corpo feminino em público já era antecipado pelas roupas soltas e flutuantes, popularizadas no final do período, pelas vogas do esteticismo intelectual da década de 1880, do *art nouveau* e da alta-costura pré-1914. Neste ponto, a fuga das mulheres da classe média, do ambiente crepuscular, das lâmpadas de abajur, que era o interior burguês, para o ar livre, tornara-se significativa, porque também implicava, pelo menos em certas ocasiões, uma fuga às restrições inibidoras dos movimentos, impostas pelas roupas e corpetes (e também a substituição disso tudo

A NOVA MULHER

pelo novo e flexível sutiã depois de 1910). Não foi por acaso que Ibsen simbolizou a liberação de sua heroína por uma lufada de ar fresco a entrar na casa norueguesa. O esporte não só possibilitou aos jovens (homens e mulheres) encontrarem-se como parceiros fora dos limites da casa e da parentela; as mulheres, embora em pequeno número, eram sócias dos novos clubes de turismo e de alpinismo, e aquela grande máquina de liberdade, a bicicleta, emancipou mais a mulher que o homem, já que a mulher tinha mais necessidade de liberdade de movimentos. A bicicleta proporcionava ainda mais liberdade do que aquela de que gozavam as cavaleiras da aristocracia, obrigadas ainda, por decoro feminino e com considerável risco, a montar de lado, em silhões. Quanta liberdade adicional adquiriram as mulheres da classe média, através da prática crescente, e eminentemente feminina, de passar as férias em estações de veraneio — os esportes de inverno, a não ser pela patinação, praticada por ambos os sexos, estavam na infância —, onde apenas ocasionalmente os maridos se reuniam a elas, permanecendo em seus escritórios da cidade?*

De qualquer modo, agora os banhos mistos — a despeito dos esforços em sentido contrário — inevitavelmente revelavam mais os corpos do que a respeitabilidade vitoriana teria considerado tolerável.

Em que medida esse aumento da liberdade de movimentos significou maior liberdade sexual para as mulheres da classe média, é difícil precisar. Sexo sem casamento era ainda, decerto, restrito a uma minoria de jovens conscientemente emancipadas desta classe, que, quase com certeza, buscavam outras expressões de liberação, políticas ou outras. Segundo recordava uma mulher russa, sobre o período posterior a 1905, "tornou-se muito difícil para uma jovem 'progressista' recusar as propostas sem dar largas explicações. Os rapazes provincianos não eram muito exigentes, simples

---

* Os leitores interessados em psicanálise talvez tenham notado o papel desempenhado pelas férias, no progresso das pacientes, nos livros de Sigmund Freud sobre os casos de que tratava.

A ERA DOS IMPÉRIOS

beijos eram suficientes, mas os universitários da capital... não era fácil repelir. 'Você é antiquada, *Fraulein*? E quem queria ser antiquada?".[13] De que dimensão seriam essas comunidades de jovens emancipadas, não se sabe, embora quase com certeza tenham sido maiores na Rússia czarista e de desprezível tamanho nos países mediterrâneos,* mas provavelmente bastante significativas no norte e no oeste da Europa (inclusive na Inglaterra) e nas cidades do Império Habsburgo. O adultério, muito provavelmente a mais difundida forma de sexo extraconjugal para as mulheres da classe média, pode ou não ter se elevado com o aumento de autoconfiança feminina. Existe grande diferença entre o adultério, como uma forma utópica de sonho de libertação de uma vida restrita, tal como na versão padronizada do tipo Madame Bovary dos romances do século XIX, e a liberdade relativa entre maridos e mulheres, da classe média francesa, de terem amantes desde que mantidas as convenções, conforme apresentam as peças de teatro dos *boulevards*, no século XIX. (A propósito, o romance e as peças foram escritos por homens.) Todavia, o adultério do século XIX, bem como a maioria do sexo então praticado, resiste à quantificação. Tudo o que se pode dizer com alguma certeza é que essa forma de comportamento era mais comum em círculos aristocráticos e círculos da moda, sendo que nas grandes cidades (com o auxílio de instituições discretas e impessoais, como os hotéis) as aparências podiam ser mantidas com maior facilidade.**

Contudo, se o historiador quantitativo está perplexo, o qualitativo não pode deixar de se impressionar com o progressivo reconhecimento da sensualidade feminina, nas estridentes declarações dos homens a respeito das mulheres deste período. Muitas delas são tentativas de rea-

---

* Isto pode explicar o enorme papel desempenhado pelas emigradas russas nos movimentos progressistas operários de um país como a Itália.

** Essas observações aplicam-se exclusivamente às classes média e alta. Não se aplicam ao comportamento sexual pré e pós-conjugal das mulheres do campesinato e das classes trabalhadoras urbanas, as quais, naturalmente, constituíam a maioria das mulheres.

A NOVA MULHER

firmar, em termos literários ou científicos, a superioridade masculina nas realizações ativas e intelectuais e a função passiva e, por assim dizer, suplementar, das mulheres, na relação entre os sexos. Se isto parece ou não expressar o temor à ascendência feminina — como é talvez o caso do dramaturgo sueco Strindberg ou do livro do desequilibrado jovem austríaco Otto Weininger, *Sex and Character* (1903), que passou por 25 edições em 22 anos — é assunto secundário. O preceito, infinitamente citado do filósofo Nietzsche aos homens, para que não esquecessem o chicote ao buscar a mulher (*Assim falou Zaratustra,* 1883)[14] não era, realmente, mais sexista que o louvor às mulheres, feito por Karl Kraus, contemporâneo e admirador de Weininger. Insistir, como fazia Kraus, que "aquilo que não é dado à mulher é precisamente o que assegura que o homem faça uso de seus talentos",[15] ou como o psiquiatra Mobius (1907), que "o homem cultural, alienado da natureza" necessita da mulher natural como sua contrapartida, poderia sugerir (como para Mobius), ou não sugerir (como para Kraus), que todos os estabelecimentos de educação superior, para mulheres, deviam ser destruídos. A atitude básica era semelhante. Havia, contudo, uma inequívoca e nova insistência em que as mulheres, como tais, tinham poderosos interesses eróticos; para Kraus, "*a sensualidade* (grifo meu) das mulheres é a fonte na qual a intelectualidade (*Geistigkeit*) do homem se renova". A Viena *fin-de-siècle*, esse notável laboratório da psicologia moderna, oferece o reconhecimento mais sofisticado e menos constrangido da sexualidade feminina. Os retratos de Klimt, das senhoras vienesas, para não mencionar os das mulheres em geral, são imagens de pessoas com poderosas preocupações eróticas próprias, não simples imagens de sonhos sexuais masculinos. Seria muito improvável que não refletissem algo da realidade sexual da classe média e superior do Império Habsburgo.

O terceiro sintoma de mudança era a atenção pública, acentuadamente maior, concedida às mulheres, como um grupo que possuía inte-

A ERA DOS IMPÉRIOS

resses e aspirações especiais como pessoas. Sem dúvida o faro comercial foi o primeiro a sentir o cheiro do mercado especial formado pelas mulheres — por exemplo, o das páginas femininas dos novos diários de massas, dirigidos à classe média baixa, ou das revistas femininas, para jovens e mulheres recentemente alfabetizadas —, mas até o mercado apreciava o valor publicitário de tratar as mulheres não apenas como consumidoras, mas como realizadoras. A grande exposição internacional anglo-francesa de 1908 captou a tônica dos tempos, não apenas por combinar o esforço de vendas dos expositores com a celebração do império e com o primeiro estádio olímpico especialmente construído, mas igualmente com o Palácio do Trabalho Feminino, situado num ponto central e incluindo uma exposição da história de mulheres ilustres, mortas antes de 1900, "de origem real, nobre ou simples" (desenhos da jovem Vitória, o manuscrito de *Jane Eyre*, a carruagem usada na Crimeia por Florence Nightingale etc.) e exposições de trabalhos de agulha, de artes e ofícios, ilustrações de livros, fotografias e coisas semelhantes.* Não devemos, igualmente, deixar de considerar a emergência das mulheres como realizadoras individuais nos esforços competitivos, de que o esporte, outra vez, oferece um exemplo notável. A criação das simples femininas em Wimbledon, depois de seis anos das simples masculinas, e também, num mesmo intervalo, nos campeonatos franceses e norte-americanos, era uma inovação mais revolucionária, na década de 1880, do que é reconhecido hoje. Que mulheres respeitáveis, e até casadas, aparecessem em público, independentemente das suas famílias e de seus homens, teria sido virtualmente inconcebível duas décadas antes.

---

* Contudo, é típico dos tempos que "as artistas, em sua maioria, preferissem exibir seus trabalhos no Palácio das Belas-Artes", e que o Women's Industrial Council se queixasse ao *The Times* das condições intoleráveis nas quais trabalhavam milhares de mulheres empregadas na exposição.[16]

A NOVA MULHER

3.

Por motivos óbvios, é mais fácil documentar o movimento consciente das campanhas pela emancipação feminina e as mulheres que realmente conseguiram penetrar nas esferas de vida até então reservadamente masculinas. Ambos consistem em articuladas minorias de mulheres das classes média e superior do Ocidente que, por sua própria raridade, foram registradas — tanto melhor documentadas porque até seus esforços e, em alguns casos, sua própria existência haviam despertado resistência e debate. A simples visibilidade dessas minorias desviava a atenção da grande onda que era a mudança histórica, na posição social das mulheres, que os historiadores podem apreender apenas obliquamente. De fato, mesmo o desenvolvimento consciente do movimento pela emancipação não é inteiramente apreendido se nos concentrarmos em suas porta-vozes militantes. Pois uma importante parte dele e quase certamente a maioria das que nele tomaram parte fora da Inglaterra, da América e, possivelmente, da Escandinávia e dos Países Baixos, não o fizeram movidas por uma identificação com os movimentos especificamente femininos, mas pela sua identificação com a liberação da mulher como parte de movimentos mais amplos de emancipação geral, tais como os movimentos operários e socialistas. Não obstante, essas minorias devem ser brevemente examinadas.

Conforme sugerimos, os movimentos especificamente feministas eram pequenos: em muitos países do continente suas organizações consistiam em algumas centenas ou, na melhor das hipóteses, de um a dois mil indivíduos. Seus membros eram predominantemente das classes médias e sua identificação com a burguesia e em particular com o liberalismo burguês, cuja extensão ao segundo sexo defendiam, dava-lhes a força que possuíam e determinava suas limitações. Abaixo do nível da burguesia educada e próspera, o voto feminino, o acesso à educação superior e o direito de sair para o trabalho e de ter profissão, além da luta pelos direitos e pelo *status* legal igual ao masculino (especialmente no tocante aos direitos de propriedade), dificilmente despertariam um fervor engajado como outros assuntos. Nem devemos esquecer que a relativa liberdade das mulheres da classe média de fazer campanha em prol de tais exigências repousava, pelo menos na Europa, na transferência dos encargos domésticos a um grupo de mulheres muito maior, o das empregadas.

As limitações do feminismo de classe média ocidental não eram apenas sociais e econômicas, mas também culturais. A forma de emancipação a que aspiravam seus movimentos, a saber, a de ser tratada legal e politicamente como o homem e a de tomar parte, como pessoas, sem considerações quanto ao sexo, na vida da sociedade, presumia a transformação do padrão de vida social, já bastante distanciado do tradicional "lugar da mulher". Para tomar um caso extremo: os homens emancipados de Bengala, desejando demonstrar sua ocidentalização, quiseram tirar suas mulheres do isolamento e trazê-las "para a sala de visitas", mas com isto produziram entre elas tensões inesperadas, uma vez que não ficou nada claro para estas mulheres o que ganhariam em troca da perda da autonomia (subalterna mas muito real) sobre aquela parte da casa que era, incontestavelmente, *delas*.[17] Uma "esfera feminina" claramente definida — quer a das mulheres isoladamente em suas relações de casa, ou a das mulheres, coletivamente, como membros da comunidade — poderia agredir as progressistas, como uma mera desculpa para manter a inferioridade feminina, como de fato, entre outras coisas, evidentemente o era. E é claro que assim crescentemente veio a se tornar, com o enfraquecimento das estruturas sociais tradicionais.

Todavia, dentro dos seus limites, essa esfera havia oferecido a essas mulheres recursos individuais e coletivos disponíveis que não eram inteiramente desprezíveis. Por exemplo, elas eram as perpetuadoras e forma-

A NOVA MULHER

doras da língua, da cultura e dos valores sociais, as essenciais forjadoras da "opinião pública", as iniciadoras reconhecidas de certas espécies de ação pública (como a defesa da "economia moral") e, não menos, eram as pessoas que não só haviam aprendido a manipular seus homens mas também, em alguns assuntos e em algumas situações, *esperava-se* que eles cedessem a elas. O domínio dos homens sobre as mulheres, por absoluto que fosse em teoria, não era arbitrário ou irrestrito na prática coletiva, como o domínio dos monarcas absolutos por direito divino não era um despotismo ilimitado. Esta observação não justifica que uma forma de domínio seja melhor que a outra, mas talvez ajude a explicar por que muitas mulheres — que, por desejarem algo melhor, haviam aprendido com o passar das gerações a "aproveitar o sistema", — permaneciam relativamente indiferentes às reivindicações da classe média liberal, as quais aparentemente não ofereciam tais vantagens práticas. Afinal, mesmo dentro da sociedade burguesa e liberal, as francesas da classe média e da pequena burguesia, que nada tinham de tolas e raramente eram dadas a uma suave passividade, não se deram ao trabalho de apoiar em grandes números a causa do sufrágio feminino.

Desde que os tempos estavam mudando e a subordinação da mulher era universal, aberta e orgulhosamente anunciada pelos homens, isso deixava um pleno espaço para movimentos de emancipação feminina. Na medida, porém, em que havia para estes a possibilidade de obter apoio entre as massas de mulheres do período, paradoxalmente esse apoio não era aos movimentos especificamente feministas, mas sim às demandas das mulheres dentro dos movimentos de emancipação humana universal. Daí a atração dos novos movimentos social-revolucionários e socialistas. Estes eram especificamente comprometidos com a emancipação das mulheres — a mais popular exposição do socialismo, pelo líder do Partido Social-Democrata Alemão, foi significativamente *A mulher e o socialismo*, de August Bebel. Na verdade, os movimentos socialistas ofereciam, em larga medida, o ambiente público mais favorável para as

A ERA DOS IMPÉRIOS

mulheres que não eram atrizes, ou as poucas filhas favorecidas da elite, para que desenvolvessem sua personalidade e seu talento. Mais que isto, eles prometiam uma total transformação da sociedade o que, como bem sabiam as mulheres realistas, haveria de requerer uma mudança no antigo padrão das relações entre os sexos.*

Nessa medida, a verdadeira escolha política para as massas de mulheres europeias não estava entre o feminismo e os movimentos políticos mistos, mas entre as igrejas (notadamente a Igreja Católica) e o socialismo. As igrejas, lutando numa poderosa ação de retaguarda contra o "progresso" do século XIX (cf. *A era do capital*, capítulo 6:1), defendiam os direitos, tais como já os possuíam as mulheres na ordem tradicional da sociedade, e com zelo tanto maior, visto que o conjunto dos fiéis e, sob certos aspectos, seu próprio pessoal, estava se tornando surpreendentemente feminino: em fins do século, quase certamente, havia muito mais religiosas profissionais do que em qualquer tempo, desde a Idade Média. Dificilmente pode ter sido por acaso que os mais conhecidos santos católicos da época que começa em meados do século XIX tenham sido mulheres: Santa Bernadette de Lourdes e Santa Teresa de Lisieux — ambas canonizadas em princípios do século XX —, e que a Igreja tenha dado incentivo notável ao culto da Virgem Maria. Nos países católicos, a Igreja ofereceu armas poderosas, e rancorosas, às esposas contra os maridos. Muito do anticlericalismo, portanto, adquiriu um matiz de hostilidade antifeminina, como na França e na Itália. Por outro lado, as Igrejas defendiam as mulheres à custa de também comprometer suas piedosas seguidoras a aceitar a tradicional subordinação e a condenar a emancipação feminina que os socialistas ofereciam.

---

* Disso não se segue que tal transformação tomaria apenas a forma da revolução social que anteviam os movimentos socialistas e anarquistas.

A NOVA MULHER

Pelas estatísticas, as mulheres que optaram pela defesa de seu sexo por meio da devoção foram de número enormemente superior ao das que optaram pela liberação. Realmente, enquanto o movimento socialista atraía desde o início uma *avant-garde* de mulheres excepcionalmente capazes — principalmente, como se poderia esperar, as da classe média e superior — não há muitos sinais, antes de 1905, de participação feminina significativa em partidos operários e socialistas. Durante a década de 1890 não mais do que 50 mulheres (ou 2% a 3%) eram membros do reconhecidamente pequeno Parti Ouvrier Français.[18] Quando recrutadas em maiores números, como na Alemanha, após 1905, o eram principalmente como esposas, filhas ou (como no famoso romance de Gorki) mães de socialistas. Antes de 1914 não havia equivalente ao, digamos, Partido Social-Democrata Austríaco de meados da década de 1920, do qual 30% dos membros eram mulheres; ou ao Partido Trabalhista Inglês da década de 1930, do qual aproximadamente 40% dos membros individuais eram mulheres; embora na Alemanha a porcentagem delas já fosse substancial.[19] A porcentagem de mulheres organizadas em sindicatos permaneceu consistentemente baixa: era desprezível em 1890 (a não ser na Inglaterra); normalmente não mais de 10%, em 1900.* No entanto, uma vez que as mulheres não votavam na maioria dos países, o índice mais próximo de suas simpatias políticas não está à nossa disposição, e maiores especulações são ociosas.

---

* Porcentagem de mulheres entre os sindicalizados em 1913:[20]

País	Porcentagem
Inglaterra	10,5
Alemanha	9
Bélgica (1923)	8,4
Suécia	5
Suíça	11
Finlândia	12,3

A maioria das mulheres, portanto, permaneceu fora de qualquer forma de movimento pela emancipação. Além disso, mesmo as mulheres cujas vidas, carreiras e opiniões demonstravam seu intenso interesse em quebrar a tradicional gaiola da "esfera feminina" manifestavam pouco entusiasmo pelas campanhas mais ortodoxas das feministas. O período primitivo da emancipação feminina produziu notável safra de mulheres eminentes, mas algumas das mais ilustres entre elas (por exemplo, Rosa Luxemburgo ou Beatrice Webb) não viam razão para restringir seu talento à causa de um só sexo. Verdade é que o reconhecimento público era então mais fácil: de 1891 em diante, o livro de referências inglês *Men of the Time* (Homens dos Tempos) mudou o título para *Men and Women of the Time* (Homens e Mulheres dos Tempos), e a atividade pública para as causas femininas ou para aquelas consideradas de interesse especial para mulheres (por exemplo, o bem-estar das crianças) era, por si, capaz de proporcionar notoriedade pública. Não obstante, o caminho da mulher no mundo dos homens permaneceu difícil, o êxito exigia esforços e dotes absolutamente especiais, e o número das que o conseguiam era modesto.

De longe, a maior proporção delas praticava atividades reconhecidamente compatíveis com a feminilidade tradicional, tais como as artes teatrais ou (para mulheres de classe média, especialmente as casadas) literárias. Na Inglaterra, as "mulheres dos tempos" registradas em 1895 eram em seu maior número as escritoras (48) e as figuras do palco (42).[21] Na França, Colette (1873-1954) era ambas as coisas. Antes de 1914, uma mulher já recebera o prêmio Nobel de Literatura (Selma Lagerlof, da Suécia, 1909). Carreiras profissionais abriram-se, por exemplo, na educação, com a grande expansão da educação secundária e superior para meninas, ou — o que é certo na Inglaterra — no novo jornalismo. Em nosso período, a política e as campanhas públicas da esquerda tornaram-se outra opção promissora. A maior porcentagem de mulheres inglesas de destaque, em 1895 — um terço — apareceu sob o título "Reformadoras, Filantropas etc.". O fato é

A NOVA MULHER

que a política revolucionária e socialista oferecia oportunidades não igualadas em outras partes, conforme o demonstrava o número de mulheres da Rússia czarista que operavam numa variedade de países (Rosa Luxemburgo, Vera Zasulich, Alexandra Kollontai, Anna Kuliscioff, Angelica Balabanoff, Emma Goldman), e poucas em outros países (Beatrice Webb na Inglaterra, Henrietta Roland-Holst nos Países Baixos).

Diferente da política conservadora que, na Inglaterra — embora quase em nenhum lugar mais —, retinha a lealdade de muitas das aristocráticas senhoras feministas,* mas sem oferecer tais possibilidades; e diferia da política partidária liberal, em que os políticos eram, nessa época, essencialmente do sexo masculino. Não obstante, a facilidade relativa com que as mulheres imprimiam sua marca na vida pública é simbolizada pela outorga do prêmio Nobel da Paz a uma delas (Bertha von Suttner, em 1905). A tarefa mais árdua, indubitavelmente, era a da mulher que arrostava a resistência, institucional e informal, dos homens, entrincheirada nas profissões organizadas, a despeito da cabeça de ponte, pequena, mas em rápida expansão, estabelecida por elas na medicina: 20 médicas na Inglaterra e no País de Gales em 1881, 212 em 1901, 447 em 1911. Isto dá a medida da realização extraordinária de Marie Sklodkowska-Curie (outro produto do Império Czarista), que ganhou dois prêmios Nobel de Ciências durante esse período (1903 e 1911). Todavia, essas luminares não dão a medida da participação feminina no mundo masculino, que poderia ser impressionante, considerando-se os pequenos números envolvidos; pensa-se no papel desempenhado por um punhado de inglesas emancipadas na revivescência do movimento operário depois de 1888; em Annie Besant e Eleanor Marx, e nas propagandistas itinerantes que tanto contribuíram para a formação do jovem Independent Labour Party

---

* A lista do feminista *Englishwoman's Year-Book* (1905) incluía 158 senhoras com títulos, entre as quais trinta duquesas, marquesas, viscondessas e condessas. Isso compreendia um quarto das duquesas da Inglaterra.[22]

A ERA DOS IMPÉRIOS

(Partido Trabalhista Independente), Enid Stacy, Katherine Conway, Caroline Martyn. Não obstante, apesar do apoio de praticamente todas essas mulheres aos direitos femininos e de, particularmente na Inglaterra e nos EUA, a maioria apoiar vigorosamente o movimento político feminista, elas dedicaram ao movimento uma atenção apenas marginal.

Aquelas que nele realmente se concentraram eram as normalmente comprometidas com a agitação política, uma vez que exigiam direitos que, do mesmo modo que o voto, requeriam mudanças políticas e legais. Dificilmente poderiam esperar muita coisa dos partidos conservadores ou confessionais, e suas relações com os liberais e radicais, com quem estavam as afinidades ideológicas do feminismo da classe média, eram às vezes difíceis, especialmente na Inglaterra, onde foram os governos liberais que se atravessaram no caminho do vigoroso movimento sufragista de 1906-1914. Ocasionalmente (como entre os tchecos e finlandeses), elas eram associadas aos movimentos de oposição de libertação nacional. Dentro dos movimentos socialistas e operários, as mulheres eram incentivadas a concentrar-se em seu próprio sexo, e muitas feministas socialistas realmente assim o fizeram, não apenas porque a exploração das mulheres trabalhadoras exigia, obviamente, ação, mas também por haverem descoberto a necessidade de lutar pelos direitos e interesses das mulheres dentro de seu próprio movimento, a despeito do seu compromisso ideológico com a igualdade. Pois a diferença entre uma pequena *avant-garde* de militantes progressistas e revolucionários e o movimento operário de massas era que este último consistia primordialmente não apenas em homens (apenas em virtude de o grosso dos assalariados e, mais ainda, da classe operária organizada, ser de homens), mas de homens cuja atitude para com as mulheres era tradicional e cujos interesses, como sindicalistas, mandavam excluir do trabalho masculino os competidores mal pagos. E as mulheres eram a forma quintessencial do trabalho mal pago. Contudo, no interior dos movimentos operários, essas questões eram emudecidas e, até certo ponto,

A NOVA MULHER

contornadas pela multiplicação das organizações femininas e dos comitês do interior destes, especialmente após 1905.

Das questões políticas do feminismo, o direito ao voto nas eleições parlamentares era o de maior evidência. Antes de 1914, este direito não fora ganho em nenhuma nação, exceto na Austrália e na Nova Zelândia, na Finlândia e na Noruega, embora já existisse em diversos estados dos EUA e, em limitada extensão, em governos locais. O sufrágio feminino não era questão que mobilizasse importantes movimentos de mulheres ou que desempenhasse papel importante na política nacional, exceto nos EUA e na Inglaterra, onde recebia substancial apoio das mulheres das classes superiores e médias, além de o receber de líderes políticos e ativistas dos movimentos socialistas. As agitações tornaram-se espetaculares pela tática da ação direta da *Women's Social and Political Union* (as "suffragettes") no período de 1906-1914. Contudo o sufragismo não nos deve induzir a desprezar a extensiva organização política das mulheres como grupos de pressão para outras causas, quer de interesse especial para seu sexo — como as campanhas contra o "tráfico de escravas brancas" (que conduziu à Lei Mann, em 1910, nos EUA) —, quer em questões como a paz e o antial-coolismo. Se não foram bem-sucedidas, enfim, em seu primeiro empenho, sua contribuição para o triunfo da última causa, a décima oitava emenda à constituição americana (a Lei Seca), foi decisiva. Não obstante, fora dos EUA, da Inglaterra, dos Países Baixos e da Escandinávia, a atuação política independente das mulheres (exceto quando faziam parte do movimento operário) permaneceu de escassa importância.

4.

Havia, contudo, ainda outro componente do feminismo a abrir cami-nho por entre os debates, políticos e não políticos, sobre as mulheres: a liberação sexual. O assunto era melindroso, conforme o testemunha a persegução às mulheres que faziam publicamente propaganda de uma causa tão respeitavelmente respaldada como a do controle da natalidade: Annie Besant, a quem privaram de seus filhos por esse motivo em 1877, e mais tarde Margaret Sanger e Marie Stopes. Acima de tudo, porém, isso não se enquadrava facilmente na textura de movimento nenhum. O mundo da alta classe do grande romance de Proust ou a Paris das lésbicas independentes e com frequência muito ricas, como Natalie Barney, aceitavam facilmente a liberdade sexual, ortodoxa ou heterodoxa, contanto que fossem guardadas as aparências onde necessário. Mas — como testemunha Proust — não associava a liberação sexual com a felicidade social ou particular ou com a transformação social; e tampouco alegrava-se com a perspectiva de tal transformação (exceto no caso de uma *bohème* situada bem mais abaixo, de artistas e escritores atraídos pelo anarquismo). Inversamente, os revolucionários sociais estavam, certamente, comprometidos com a liberdade da escolha sexual para as mulheres — a utopia sexual de Fourier, admirada por Engels e Bebel, não fora totalmente esquecida — e tais movimentos atraíam os anticonvencionais, os utopistas, os boêmios e propagandistas da contracultura de todo tipo, inclusive aqueles que desejavam afirmar seu direito de dormir com quem quisessem e do modo que desejassem. Homossexuais como Edward Carpenter e Oscar Wilde, defensores da tolerância sexual como Havelock Ellis, mulheres liberadas de vários gostos, como Annie Besant e Olive Schreiner, gravitavam na órbita do pequeno movimento socialista inglês da década de 1880. Uniões livres sem certidão de casamento eram não apenas aceitas, mas, onde o anticlericalismo fosse particularmente entusiasta, praticamente obrigatórias. Todavia, conforme demonstram as escaramuças de Lenin, mais tarde, com camaradas do sexo feminino demasiado preocupadas com a questão sexual, as opiniões dividiam-se sobre o que deveria significar o "amor livre" e em que medida isso deveria ser preocupação central do movimento socialista. Um advogado da ilimitada liberação dos instintos

A NOVA MULHER

como o psiquiatra Otto Grosz (1877-1920) — criminoso, viciado em drogas e dos primeiros discípulos de Freud, que abriu seu caminho através dos meios artísticos e intelectuais de Heidelberg (e não menos por meio de suas amantes, as irmãs Richthofen, amantes ou esposa de Max Weber, D. H. Lawrence e outros), passando por Munique, Ascona, Berlim e Praga — era um seguidor de Nietzsche, com escassa simpatia por Marx. Embora tenha sido saudado por alguns dos boêmios anarquistas de antes de 1914 — mas sofrendo a oposição de outros, como um inimigo da moral — e tendo favorecido o que quer que destruísse a ordem existente, Grosz era um elitista que dificilmente se ajustava a qualquer quadro político. Em suma, a liberação sexual, como programa, suscitava mais problemas do que oferecia soluções. Fora da *avant-garde bohème*, seu apelo programático era pequeno.

Um importante problema que a liberação sexual suscitou, ou ao qual chamou a atenção, foi o da exata natureza do futuro da mulher na sociedade, se lhe fosse concedida igualdade de direitos, oportunidades e tratamento. Aqui, o ponto crucial era o futuro da família, que dependia da mulher como mãe. Era fácil conceber as mulheres emancipadas dos fardos domésticos, dos quais as classes médias e altas já se haviam despojado (especialmente na Inglaterra) por meio dos empregados e de mandar a prole do sexo masculino aos internatos, desde tenra idade. As mulheres americanas, num país onde os empregados já eram escassos, há muito pleiteavam — e começavam a conseguir — a transformação tecnológica, e racionalizadora, do trabalho doméstico. Christine Frederick, no *Ladies Home Journal*, de 1912, chegou a trazer a "administração científica" para dentro de casa. Os fogões a gás alastravam-se, não muito depressa, desde 1880, e os fogões elétricos, mais rapidamente, desde os últimos anos precedentes à guerra. O termo "aspirador de pó" apareceu em 1903, e os ferros elétricos foram empurrados a um público cético a partir de 1909, mas seu triunfo teria lugar no futuro, durante o intervalo entre as duas

A ERA DOS IMPÉRIOS

guerras. As lavanderias — não ainda as das casas — foram mecanizadas; o valor da produção de máquinas de lavar, nos EUA, quintuplicou entre 1880 e 1910.[23] Os socialistas e anarquistas, com igual entusiasmo pela utopia tecnológica, preferiam arranjos coletivos, e concentraram-se igualmente em escolas infantis, berçários e o fornecimento ao público de alimentos já preparados (dos quais as merendas escolares foram um dos primeiros exemplos) que dariam às mulheres a capacidade de combinar a maternidade com o trabalho e outras atividades. Todavia, isso não resolveu completamente o problema.

Não poderia a emancipação feminina implicar a substituição da família nuclear existente por algum outro agrupamento humano? A etnografia, que florescia como nunca antes, demonstrava que esse estava longe de ser o único tipo de família conhecido da História — o livro do antropólogo finlandês Westermack, *History of Human Marriage* (História do casamento humano), de 1891, atingira, até 1921, cinco edições e foi traduzido para o francês, o alemão, o sueco, o italiano, o espanhol e o japonês — e Engels, em sua *Origem da família, da propriedade privada e do Estado* (1884), tirou as necessárias conclusões revolucionárias. No entanto, embora a esquerda utópico-revolucionária experimentasse novas formas de unidades comunitárias, cujo produto mais duradouro viria a ser o *kibutz* dos colonos judeus na Palestina, pode-se afirmar com segurança que a maioria dos líderes socialistas e a maioria, ainda mais numerosa, de seus seguidores, para não mencionar as pessoas menos "avançadas", concebiam o futuro em termos de uma transformada família nuclear, mas, ainda assim, essencialmente uma família nuclear. Contudo, as opiniões divergiam quanto à mulher que fazia do casamento, da manutenção da casa e da maternidade sua carreira primordial. Conforme observou Bernard Shaw, para uma mulher emancipada, correspondente de um jornal, a emancipação feminina era principalmente assunto *dela*.[24] Apesar de uma certa defesa da casa e do lar pelos moderados do socialismo (por exemplo, os "revisionistas" alemães), os teóricos de esquerda, de modo geral, achavam que a emancipação femi-

A NOVA MULHER

nina adviria de um emprego ou de interesses fora de casa, o que, portanto, incentivavam com entusiasmo. Contudo, o problema de combinar a emancipação com a maternidade não seria facilmente resolvido.

Um grande número, provavelmente a maioria, das mulheres emancipadas da classe média que optavam por uma carreira num mundo masculino, nesta época, resolvia o problema abstendo-se de ter filhos, recusando-se a casar e com frequência (como na Inglaterra) pelo virtual celibato. Isto não era apenas um reflexo da hostilidade para com os homens, disfarçada às vezes como sentimento de superioridade feminina em relação ao outro sexo, tal como podia ser encontrado na periferia do movimento sufragista anglo-saxão. Também não era simplesmente um subproduto do fato demográfico que o excesso de mulheres — 1,33 milhão na Inglaterra, em 1911 — impossibilitava o casamento para muitas. O casamento, na verdade, era ainda uma carreira à qual aspiravam mesmo as mulheres trabalhadoras não manuais que abandonavam o ensino escolar ou o emprego de escritório no dia de seu casamento, mesmo quando não fossem a isso obrigadas. Isto refletia a dificuldade muito real de combinar duas ocupações absorventes, numa época em que apenas recursos ou auxílios excepcionais tornariam essa combinação praticável. Na ausência desses, uma operária feminista, como Amalie Ryba-Seidl (1876-1952), fora obrigada a abandonar a militância de toda sua vida no Partido Socialista Austríaco por cinco anos (1895-1900), para dar ao marido três filhos;[25] e o que pelos nossos padrões é menos desculpável, Bertha Philpotts Newall (1877-1932), uma notável mas esquecida historiadora, achou que devia pedir demissão do cargo de diretora do Girton College, Cambridge, tão tarde quanto 1925, "porque o pai necessita dela e ela acha que deve ir".[26] Mas o custo da autoabnegação era alto, e as mulheres que optavam por uma carreira, como Rosa Luxemburgo, sabiam que a teriam de pagar e que a estavam pagando.[27]

Em que medida, pois, havia se transformado a condição feminina, durante o meio século precedente a 1914? O problema não é o de medir e

A ERA DOS IMPÉRIOS

sim o de julgar as mudanças que, por quaisquer padrões, foram substanciais para um grande número, talvez para a maioria das mulheres do Ocidente urbano e industrial; e dramáticas para uma minoria de mulheres da classe média. (Mas vale a pena repetir que todas essas mulheres, juntas, formavam apenas pequena porcentagem da metade feminina da raça humana.) Pelos padrões simples e elementares de Mary Wollstonecraft, que pediu direitos iguais para ambos os sexos, tinha havido uma importante vitória no acesso das mulheres às ocupações e profissões até então mantidas como monopólios masculinos, com frequência implacavelmente defendidas, do bom senso e mesmo das convenções burguesas, como na ocasião em que os homens ginecologistas argumentaram que as mulheres eram especialmente *inadequadas* para tratar de doenças especificamente femininas. Por volta de 1914, poucas mulheres haviam avançado por essa brecha, mas, em princípio, o caminho estava aberto. Apesar de as aparências indicarem o contrário, as mulheres estavam à beira de uma vitória maciça na longa luta por iguais direitos de cidadania, simbolizada pelo voto. Por muito implacavelmente contestadas que tenham sido antes de 1914, menos de dez anos depois as mulheres votavam nas eleições nacionais pela primeira vez na Áustria, Tchecoslováquia, Dinamarca, Alemanha, Irlanda, Países Baixos, Noruega, Polônia, Rússia, Suécia, Inglaterra e EUA.* Essa mudança notável, é evidente, foi a culminância das lutas de antes de 1914. Quanto à igualdade de direitos perante a lei (civil) o balanço foi bem menos positivo, apesar de terem sido removidas as desigualdades mais flagrantes. Na questão da igualdade de vencimentos, não houve adiantamento significativo. Com exceções sem importância, as mulheres podiam ainda esperar ganhar muito menos que os homens pelo mesmo trabalho, ou para ocupar cargos que, sendo "empregos de mulheres", eram por esse motivo mal pagos.

---

* De fato, na Europa, as mulheres foram excluídas do voto apenas nos países latinos (inclusive na França), na Hungria, nas partes mais atrasadas da Europa oriental e no sudeste da Europa — além da Suíça.

A NOVA MULHER

Poderia ser dito que, um século após Napoleão, os Direitos do Homem da Revolução Francesa haviam sido concedidos às mulheres. As mulheres estavam às vésperas de conseguir igualdade de direitos de cidadania e, embora de modo reduzido e estreito, abriam-se carreiras tanto para seus talentos como para os dos homens. Retrospectivamente, é fácil reconhecer as limitações desses avanços, como também as dos primeiros Direitos do Homem. Foram bem-vindos, mas não bastavam, especialmente para a grande maioria das mulheres mantidas na dependência pelo casamento e pela pobreza.

Mesmo no caso daquelas para quem o progresso da emancipação era incontestável — as mulheres das classes médias estabelecidas (embora provavelmente não da nova e antiga pequena burguesia ou classes médias baixas) e as mulheres jovens que trabalhavam antes do casamento — isso colocava um problema importante. Se a emancipação significava emergir da esfera privada e frequentemente separada da família, da casa e das relações pessoais às quais as mulheres haviam sido tão longamente confinadas — poderiam elas, e como poderiam, reter a parte da feminilidade que não eram simplesmente papéis a elas impostos pelos homens num mundo feito para os homens? Em outras palavras, como poderiam as mulheres competir, como mulheres, numa esfera pública formada por um sexo diversamente definido e em termos a ele adequados?

Provavelmente, não há resposta permanente para essa pergunta, examinada de diferentes modos por todas as gerações que levam a sério a posição das mulheres na sociedade. Cada resposta ou conjunto de respostas pode ser satisfatório apenas para sua própria conjuntura histórica. Qual foi a resposta das primeiras gerações de mulheres ocidentais urbanas que mergulharam numa época de emancipação? Sabemos bastante a respeito da vanguarda das pioneiras notáveis politicamente ativas e culturalmente articuladas, mas pouco sabemos sobre as inativas e inarticuladas. Só sabemos que as modas femininas que varreram os setores emancipados do Ocidente

337

após a Primeira Grande Guerra e que retomaram os temas prenunciados antes de 1914 nos meios "avançados" (notadamente a boemia artística das grandes cidades) combinavam dois elementos muito diferentes. Por um lado, a "geração do *jazz*" do após-guerra adotou decisivamente o uso de cosméticos em público, o que antes havia sido característico de mulheres cuja função exclusiva era a de agradar aos homens: prostitutas e outras profissionais do entretenimento. Exibiam agora partes do corpo, a começar pelas pernas, que as convenções do século XIX relativas ao decoro feminino haviam mantido ocultas dos olhos concupiscentes dos homens. Por outro lado as modas posteriormente à guerra faziam o melhor que podiam para minimizar as características sexuais secundárias que distinguiam mais visivelmente os homens das mulheres, cortando e mais tarde tosquiando cabelos tradicionalmente longos e tornando os seios tão chatos quanto fisicamente possível. Como as saias curtas, os corpetes abandonados e a recém-encontrada liberdade de movimentos, tudo isso eram sinais e reivindicações de liberdade. Não poderiam ter sido tolerados por uma geração mais velha de pais, maridos e outros detentores da tradicional autoridade patriarcal. Que mais indicavam? Talvez, como o triunfo do "vestidinho preto" inventado por Coco Chanel (1883-1971), pioneira entre as mulheres de negócio profissionais, refletissem igualmente as exigências da mulher que precisava combinar o trabalho e a informalidade em público com a elegância. Pode-se apenas refletir. Mas é difícil negar que os sinais da moda emancipada apontavam em direções opostas e nem sempre compatíveis.

Como tantas outras coisas no mundo do entreguerras, as modas da liberação feminina pós-1918 tiveram suas pioneiras nas *avant-gardes* pré-guerra. Mais exatamente, elas floresceram nos quarteirões boêmios das grandes cidades: em Greenwich Village, em Montmartre e Montparnasse, em Chelsea e em Schwabing. Pois as ideias da sociedade burguesa, inclusive suas crises e contradições ideológicas, encontravam expressão característica, embora com frequência desnorteante e desnorteada, nas artes.

9. AS ARTES TRANSFORMADAS

"Eles [políticos franceses de esquerda] eram muitos ignorantes sobre arte... mas todos afetavam maior ou menor conhecimento do assunto e, com frequência, realmente a apreciavam... Um seria um dramaturgo; outro, arranharia o violino; outro seria um wagneriano fanático. E todos colecionavam quadros impressionistas, liam livros decadentes e se orgulhavam de gostar de alguma arte ultra-aristocrática."

Romain Rolland, 1915[1]

"É entre esses homens, com intelectos cultos, nervos sensíveis e ma digestão que encontramos os profetas e discípulos do evangelho do Pessimismo... Por conseguinte, não é provável que o credo do Pessimismo exerça muita influência na forte e prática raça anglo-saxônica, e dele só podemos discernir tênues vestígios na tendência de certos grupos, muito restritos, do assim chamado esteticismo, a admirar ideais mórbidos e autorreferentes, tanto em poesia como em pintura."

S. Laing, 1885[2]

"O passado é necessariamente inferior ao futuro. É assim que queremos que seja. Como poderíamos reconhecer qualquer mérito ao nosso mais perigoso inimigo?... É assim que negamos o esplendor, que nos obseca, dos séculos mortos e que cooperamos com a mecânica vitoriosa que mantém o mundo firme em sua teia de velocidade."

F. T. Marinetti, O futurista, 1913[3]

A ERA DOS IMPÉRIOS

1.

Talvez nada ilustre melhor a crise de identidade por que passava a sociedade burguesa nesse período que a história das artes dos anos 1870 a 1914. Foi a época em que tanto as artes criativas como seu público perderam as referências. A reação das primeiras a essa situação foi um salto para a frente rumo à inovação e à experimentação, vinculando-se cada vez mais às utopias ou pseudoteorias. O público, salvo os conquistados pela moda e pelo esnobismo, murmurava defensivamente que "não entendia de arte, mas sabia do que gostava", ou se refugiava na esfera das obras "clássicas", cuja excelência era garantida pelo consenso de gerações. Contudo, a própria validade desse consenso estava sob fogo cerrado. Do século XVI ao final do XIX, uma centena de esculturas antigas compunha o que era considerado a mais elevada realização das artes plásticas, sendo seus nomes e reproduções familiares a todo ocidental instruído: *Laocoonte, Apolo do belvedere, Gladiador moribundo, Menino tirando um espinho, Níobe chorando* e várias outras. Foram praticamente todas esquecidas nas duas gerações após 1900, exceto talvez a Vênus de Milo — destacada desde sua descoberta, no início do século XIX, pelo conservadorismo das autoridades do museu do Louvre em Paris —, que mantém até hoje sua popularidade.

Ademais, a partir do fim do século XIX, o tradicional terreno da cultura erudita estava minado por um inimigo ainda mais poderoso: o fato de as artes atraírem as pessoas comuns e (com exceção parcial da literatura) de terem sido revolucionadas pela combinação da tecnologia com a descoberta do mercado de massas. O cinema, a inovação mais extraordinária nessa área, juntamente com o *jazz* e seus vários descendentes, ainda não triunfara, mas em 1914 já estava muito presente e pronto para conquistar o mundo.

AS ARTES TRANSFORMADAS

Sem dúvida, é pouco adequado exagerar a divergência entre o público e os artistas criativos da cultura erudita ou burguesa desse período. Sob muitos aspectos, o consenso entre eles continuava a existir, e os trabalhos de pessoas que se consideravam inovadoras, e que, como tais, encontraram resistência, foram incorporados ao conjunto do que era tanto "bom" como "popular" entre o público refinado, mas, também, de maneira diluída ou seletiva, entre camadas muito mais amplas da população. O repertório aceito de música erudita do fim do século XX inclui o trabalho de compositores desse período, bem como o dos "clássicos" dos séculos XVIII e XIX, seu principal manancial: Mahler, Richard Strauss, Debussy e vários vultos de destaque sobretudo nacional (Elgar, Vaughan Williams, Reger, Sibelius). O repertório operístico internacional ainda estava sendo elaborado (Puccini, Strauss, Mascagni, Leoncavallo, Janácek, sem contar Wagner, cujo triunfo data dos trinta anos anteriores a 1914). Na verdade, a grande ópera prosperou imensamente, absorvendo inclusive a *avant--garde*, para benefício do público elegante, sob a forma de balé russo. Os maiores nomes daquela época ainda são lendários: Caruso, Chaliapin, Melba, Nijinsky. Os "clássicos ligeiros" ou as populares operetas, canções e composições curtas, essencialmente em seus próprios idiomas, também brilharam muito, como a opereta Habsburgo (Lehar, 1879-1948) e a "comédia musical". O repertório das orquestras de Palm Court, dos coretos e até das *jukeboxes* de hoje testemunha a atração que essas peças exercem.

A literatura em prosa "séria" da época encontrara e conservara seu lugar, embora nem sempre sua popularidade contemporânea. Se a reputação de Thomas Hardy, Thomas Mann ou Marcel Proust aumentou (justificadamente) — a maioria de seus trabalhos foi publicada após 1914, embora as novelas de Hardy tenham sido publicadas sobretudo entre 1871 e 1897 —, a sorte de Arnold Bennett e H. G. Wells, Romain Rolland e Roger Martin du Gard, Theodore Dreiser e Selma Lagerlof foi mais difícil. Ibsen e Shaw, Tchecov e (em seu próprio país) Hauptmann

341

A ERA DOS IMPÉRIOS

sobreviveram ao escândalo inicial para serem incorporados ao teatro clássico. Por essa razão, os revolucionários das artes visuais do final do século XIX, impressionistas e pós-impressionistas foram reconhecidos no século XX como "grandes mestres", mais que como indicadores da modernidade de seus admiradores.

A verdadeira linha divisória atravessa o próprio período. Trata-se da *avant-garde* experimental dos últimos anos do pré-guerra, que, fora uma pequena comunidade de "avançados" — intelectuais, artistas, críticos e seguidores da moda —, nunca seria recebida de modo genuíno e espontâneo pelo grande público. Aqueles podiam se consolar pensando que o futuro lhes pertencia, mas para Schönberg o futuro não chegaria como chegou para Wagner (embora se possa argumentar que chegou para Stravinsky); para os cubistas não chegaria como chegou para Van Gogh. Afirmar esse fato não significa julgar os trabalhos e, menos ainda, subestimar o talento de seus criadores, que podia ser impressionante. Contudo, é difícil negar que Pablo Picasso (1881-1973), homem de gênio extraordinário e vasta produtividade, é admirado sobretudo como um fenômeno mais do que pela força de influência ou mesmo por nossa simples fruição de seu trabalho (salvo em relação a um pequeno número de quadros, principalmente de seu período pré-cubista). Ele pode perfeitamente ter sido o primeiro artista com um talento dessa ordem desde o renascimento.

É, portanto, inútil estudar as artes deste período, como o historiador é tentado a fazer para o começo do século XIX, em termos de suas realizações. No entanto, deve-se enfatizar que seu desenvolvimento foi notável. O nítido aumento do tamanho e da riqueza de uma classe média urbana capaz de dar mais atenção à cultura, bem como a grande extensão da classe média baixa e de setores das classes trabalhadoras instruídos e com sede de cultura, teria sido suficiente para garantir esse desenvolvimento. O número de teatros triplicou na Alemanha entre 1870 e 1896, passando

AS ARTES TRANSFORMADAS

de duzentos a seiscentos.[4] Foi nesse período que começaram os Concertos Promenade na Grã-Bretanha (1895), que a nova Medici Society (1908) produziu em massa reproduções baratas dos grandes mestres da pintura para satisfazer a essas novas aspirações culturais, que Havelock Ellis, mais conhecido como sexólogo, publicou uma Mermaid Series barata de peças elizabetanas e da época de James I, que coleções como World's Classics e Everyman Library* levaram a literatura internacional aos leitores de poucos recursos. No alto da escala de riqueza estavam os preços das obras dos velhos mestres e outros símbolos do grande dinheiro, dominados pelas aquisições rivais de milionários americanos aconselhados por negociantes que, por sua vez, eram assessorados por conhecedores como Bernard Berenson; ambos foram extremamente bem-sucedidos nesse comércio, e os preços bateram todos os recordes em termos reais. Os setores refinados dos ricos, e ocasionalmente dos muito ricos, em regiões apropriadas, e os museus que dispunham de um bom financiamento, sobretudo da Alemanha, adquiriram não apenas o melhor dos velhos mestres, mas também dos novos, inclusive das *avant-gardes* mais radicais, que sobreviveram economicamente graças, em boa medida, ao patrocínio de alguns desses colecionadores, como os homens de negócios moscovitas Morozov e Shchukin. Os menos refinados se fizeram retratar, ou mais frequentemente a suas esposas, por John Singer Sargent ou Boldini, e encomendaram o projeto de suas casas a arquitetos da moda.

Não há dúvida de que o público das artes, mais rico, refinado e democratizado, era entusiasta e receptivo. Trata-se, afinal, de um período em que as atividades culturais, há muito tempo um indicador de *status* na classe média alta, encontraram símbolos concretos para expressar as aspirações e as modestas realizações materiais de amplas camadas, como o piano de armário, que, financeiramente acessível através do crediário, agora era en-

---

* Clássicos Mundiais e Biblioteca de Todos. (N.T.)

A ERA DOS IMPÉRIOS

tronizado na sala de visitas dos funcionários, dos trabalhadores mais bem pagos (ao menos nos países anglo-saxônicos) e camponeses prósperos ansiosos para demonstrar sua modernidade. Ademais, a cultura representava aspirações não apenas individuais, mas também coletivas, sobretudo dos novos movimentos de massa de trabalhadores. Numa era de democracia, as artes também simbolizavam objetivos e realizações políticas, para a prosperidade material dos arquitetos que projetaram os gigantescos monumentos à autocongratulação nacional e à propaganda imperial, que povoaram o novo Império Alemão, a Grã-Bretanha eduardiana e a Índia com massas de alvenaria; e dos escultores, que forneceram a essa idade de ouro o que foi chamado de "estatuomania",[5] objetos que iam do gigantesco (como na Alemanha e nos EUA) aos modestos bustos de Marianne* e os memoriais de pessoas ilustres locais nas comunas rurais francesas.

As artes não devem ser avaliadas por sua mera quantidade, nem suas realizações são uma simples função do consumo e da demanda do mercado. Contudo, não há como negar que houve, nesse período, mais pessoas tentando ganhar seu sustento como artistas criativos (ou maior proporção delas na força de trabalho). Sugeriu-se inclusive que a existência de diversas dissidências das instituições oficiais de arte, que controlavam as exposições públicas oficiais (o New English Arts Club, as intituladas com toda clareza "Secessões" de Viena e Berlim etc., sucessoras da Exposição Impressionista francesa do início dos anos 1870), era devido em grande parte ao congestionamento numérico da profissão e de seus institutos oficiais, que tendiam naturalmente a ser dominados pelos artistas mais velhos e reconhecidos.[6] Pode-se até argumentar que agora havia se tornado mais fácil que nunca ganhar o sustento como criador profissional, devido ao notável crescimento da imprensa diária e periódica (incluindo as publicações ilustradas)

---

* Nome feminino usado para designar a Revolução Francesa. (N.T.)

AS ARTES TRANSFORMADAS

e ao surgimento da indústria da publicidade, assim como de bens de consumo desenhados pelo artista-artesão ou outros especialistas de nível profissional. A publicidade criou ao menos uma forma nova de arte visual que viveu uma pequena idade de ouro em torno de 1890: o cartaz. Não há dúvida de que essa quantidade de criadores profissionais produziu muito trabalho sob encomenda para o mercado, ou o que era assim sentido pelos literatos e músicos profissionais, que sonhavam com sinfonias enquanto escreviam operetas ou canções, ou, como George Gissing, com grandes romances e poemas enquanto fabricava resenhas, "ensaios" ou folhetins. Mas era trabalho pago, e até razoavelmente bem pago: garantia-se às mulheres que queriam ser jornalistas, provavelmente o maior contingente de novas mulheres profissionalizadas, que era possível ganhar 150 libras esterlinas por ano trabalhando apenas para a imprensa australiana.[7]

Ademais, é inegável que durante esse período a própria criação artística prosperou notavelmente e se estendeu mais do que nunca por uma ampla área da civilização ocidental. De fato, sem contar com a música — cujo repertório já era basicamente internacional, sobretudo o de origem Austro-Germânica — a criação artística se tornou mais do que nunca internacionalizada. A fecundação das artes ocidentais por influências exóticas — do Japão a partir dos anos 1860, da África no início dos anos 1900 — já foi mencionada em conexão com o imperialismo. Nas artes populares, influências da Espanha, Rússia, Argentina, Brasil e sobretudo América do Norte se disseminaram no mundo ocidental. Mas a cultura, no sentido aceito pela elite, também internacionalizou-se notavelmente devido à maior facilidade de deslocamento pessoal dentro de uma ampla área cultural. Pensamos não tanto na verdadeira "naturalização" de estrangeiros atraídos pelo prestígio de certas culturas nacionais, o que fez gregos (Moreas), americanos (Stuart Merill, Francis Vielé-Griffin) e ingleses (Oscar Wilde) escreverem textos simbolistas em francês; dispôs polo-

A ERA DOS IMPÉRIOS

neses (Joseph Conrad) e americanos (Henry James, Ezra Pound) a irem morar na Inglaterra; e garantiu que a Escola de Paris para pintores tivesse uma frequência composta mais de espanhóis (Picasso, Gris), italianos (Modigliani), russos (Chagall, Lipchitz, Soutine), romenos (Brancusi), búlgaros (Pascin) e holandeses (Van Dongen) do que de franceses. Em certo sentido, esse era apenas um aspecto da dispersão de intelectuais que, neste período, se distribuíram pelas cidades do planeta como imigrantes, turistas, povoadores e refugiados políticos; ou pelas universidades e laboratórios, para fecundar a política e a cultura internacionais.* Pensamos antes nos leitores ocidentais que descobriram a literatura russa e a escandinava (traduzida) nos anos 1880, nos centro-europeus que se inspiraram no movimento *artsand-crafts* britânico, no balé russo que conquistou a Europa elegante antes de 1914. A cultura erudita, a partir dos anos 1880, foi uma combinação dos produtos nativos com os importados.

Entretanto, as culturas nacionais, ao menos em suas manifestações menos conservadoras e convencionais, gozavam de evidente boa saúde — se é que esta é a palavra certa para algumas artes e talentos criativos que, nos anos 1880 e 1890, se orgulhavam de ser considerados "decadentes". É, obviamente, difícil fazer julgamentos de valor nesse território tão vago, pois o sentimento nacional é capaz de exagerar os méritos das realizações culturais em sua própria língua. Ademais, como vimos, agora havia literaturas vigorosas em idiomas lidos por poucos estrangeiros. Para a grande maioria, a excelência da prosa e especialmente da poesia em gaélico, húngaro ou finlandês é uma questão de fé, como a da poesia de Goethe ou Pushkin para os que não sabem alemão ou russo. A música tem mais sorte nesse sentido. Seja como for, não há critérios válidos de julgamento — salvo talvez a inclusão em uma *avant-garde* reconhecida — para destacar figuras

---

* O papel desses emigrantes da Rússia na política de outros países é bem conhecido: Rosa Luxemburgo, Helphand-Parvus e Radek na Alemanha, Kuliscioff e Balabanoff na Itália, Rappoport na França, Dobrogeanu-Guerea na Romênia, Emma Goldman nos EUA.

AS ARTES TRANSFORMADAS

nacionais de seus contemporâneos, em termos de renome internacional. Rubén Darío (1867-1916) terá sido melhor poeta que outros latino-americanos seus contemporâneos? Bem pode ter sido, mas só podemos ter certeza de que esse nicaraguense conquistou reconhecimento internacional no mundo hispânico como um influente inovador poético. Esta dificuldade de estabelecer critérios internacionais de avaliação literária tornou a escolha do prêmio Nobel de Literatura (instituído em 1897) permanentemente insatisfatória.

A efervescência cultural era, talvez, menos perceptível em países de prestígio reconhecido e produção artística ininterrupta, embora até nestes pudesse ser observada especial intensidade na vida cultural, como na França da Terceira República e no Império Alemão após os anos 1880 (comparada às décadas do meio do século); e nova folhagem brotava nos galhos de artes criativas até então bastante vazios: teatro e composição musical na Grã-Bretanha, literatura e pintura na Áustria. Mas particularmente impressionante é o inquestionável florescimento das artes em países ou regiões pequenas e marginais, até então pouco notados ou há muito tempo adormecidos: Espanha, Escandinávia ou Boêmia. Isto fica óbvio numa moda internacional como variadamente é chamada a *art nouveau (Jugendstil, stile liberty)*, do fim do século. Seus epicentros se encontravam não apenas em algumas capitais culturais mais importantes (Paris, Viena), mas também e, na verdade, sobretudo em outras mais ou menos periféricas: Bruxelas e Barcelona, Glasgow e Helsingfors (Helsinki). A Bélgica, a Catalunha e a Irlanda são exemplos marcantes.

É provável que em nenhum outro momento, desde o século XVII, o resto do mundo tenha tido que prestar tanta atenção à produção cultural dos Países Baixos do sul como nas últimas décadas do século XIX. Foi então que Maeterlinck e Verhaeren tornaram-se rapidamente nomes de destaque na literatura europeia (um deles ainda é conhecido como o escritor do *Pelléas et Mélisande*, de Debussy); James Ensor se tornou

A ERA DOS IMPÉRIOS

um nome conhecido na pintura, enquanto o arquiteto Horta lançou o *art nouveau*, Van de Velde levou um "modernismo" de origem britânica para a arquitetura alemã e Constantin Meunier inventou o estereótipo internacional da escultura proletária. No que tange à Catalunha ou, antes, ao *modernisme* de Barcelona, de cujos arquitetos e pintores Gaudí e Picasso são apenas os mais famosos, pode-se dizer sem medo de errar que apenas os catalães mais seguros de si teriam previsto tamanha glória cultural em, digamos, 1860. Como um observador do panorama irlandês daquele ano tampouco teria previsto o extraordinário vigor dos escritores (sobretudo protestantes) oriundos daquela ilha, da geração após 1880: George Bernard Shaw, Oscar Wilde, o grande poeta W. B. Yeats, John M Synge, o jovem James Joyce e outros de renome mais local.

Contudo, não bastaria escrever a história das artes no período que nos ocupa simplesmente como uma estória de sucessos, o que por certo o era em termos econômicos e de democratização da cultura e, a um nível algo mais modesto que a época shakespeariana ou beethoveniana, de ampla disseminação da realização criativa. Pois mesmo permanecendo na esfera da "cultura erudita" (que já estava se tornando tecnologicamente obsoleta), nem os criadores em arte nem o público do que era classificado como "boa" literatura, música, pintura etc. a viam nesses termos. Ainda havia, sobretudo na zona fronteiriça onde a criação artística e a tecnologia se superpõem, expressões de confiança e triunfo. Os palácios públicos do século XIX e as grandes estações de estrada de ferro ainda estavam sendo construídos como colossais monumentos às belas-artes: em Nova York, Saint Louis, Antuérpia, Moscou (a extraordinária estação Kazan), Bombaim e Helsinki. As evidentes realizações da tecnologia, como demonstrado na Torre Eiffel e nos novos arranha-céus americanos, deslumbraram até aqueles que negavam seu valor estético. Para as massas cada vez mais instruídas e desejosas de cultura, o simples acesso à cultura erudita, ainda vista como um *continuum* de passado e presente, "clássico"

AS ARTES TRANSFORMADAS

e "moderno", era um triunfo em si. A Everyman's Library (britânica) publicou suas realizações em volumes em cuja programação visual havia ecos de William Morris, com textos de Homero a Ibsen, de Platão a Darwin.[8] E, é claro, a estatuária pública e a celebração da História e da cultura nas paredes de edifícios públicos — como na Sorbonne de Paris e no Teatro Municipal, na Universidade e no Museu de História da Arte de Viena —, brilhou mais que nunca. A luta incipiente entre os nacionalismos italiano e alemão no Tirol materializou-se respectivamente em torno da construção de monumentos a Dante e Walther von der Vogeiweide (poeta lírico medieval).

2.

No entanto, o fim do século XIX não sugere triunfalismo amplo e autoconfiança cultural, e as implicações bem conhecidas do termo *fin-de-siècle* são, bastante enganosamente, as da "decadência" de que tantos artistas consagrados e novatos — vem à mente o jovem Thomas Mann — se orgulhavam nas décadas de 1880 e 1890. De maneira mais geral, as artes "elevadas" estavam pouco à vontade na sociedade. De certa maneira, no campo da cultura como nos outros, os resultados da sociedade e do progresso histórico burgueses, por muito tempo concebidos como uma coordenada marcha para a frente da mente humana, foram diferentes do esperado. O primeiro grande historiador liberal da literatura alemã, Gervinus, argumentara, antes de 1848, que a ordenação (liberal e nacional) dos assuntos políticos alemães era a condição necessária para um novo florescimento da literatura alemã.[9] Depois do surgimento da nova Alemanha, os livros didáticos de história da literatura previam confiantemente a iminência dessa idade de ouro, mas no final do século tais prognósticos otimistas se transformaram em glorificação da herança

349

A ERA DOS IMPÉRIOS

clássica contra as obras contemporâneas, consideradas decepcionantes ou (no caso dos "modernistas") indesejáveis. Para mentes mais amplas que a da média dos pedagogos, já ficava claro que "o espírito alemão de 1888 representa uma regressão em relação ao espírito alemão de 1788" (Nietzsche). A cultura parecia uma luta da mediocridade para se consolidar contra "o predomínio da plebe e dos excêntricos (sobretudo quando aliados)".[10] Na batalha europeia entre antigos e modernos, travada no fim do século XVII e ganha de maneira evidente pelos modernos na Era das Revoluções, os antigos — já não situados na Antiguidade clássica — venciam uma vez mais.

A democratização da cultura através da educação de massas — e até devido ao crescimento numérico das classes média e média baixa, ávidas de cultura — já bastava para fazer as elites procurarem símbolos de *status* cultural mais exclusivos. Mas o fulcro da crise das artes reside na crescente divergência entre o que era contemporâneo e o que era "moderno".

No início, essa divergência não era óbvia. De fato, após 1880, quando a "modernidade" se tornou um *slogan* e o termo *avant-garde*, em seu sentido moderno, se insinuou nas conversas de pintores e escritores franceses, a defasagem entre o público e as artes mais ousadas parecia estar se reduzindo. Isto se dava em parte porque as ideias "avançadas" sobre sociedade e cultura pareciam combinar-se naturalmente, sobretudo em décadas de Depressão econômica e tensão social, e em parte porque o gosto de importantes setores da classe média tornou-se nitidamente mais flexível, talvez pelo reconhecimento público das mulheres (da classe média) emancipadas e da juventude como grupos, e devido à fase mais livre e voltada para o lazer da sociedade burguesa (veja o capítulo 7). O reduto do público burguês tradicional, a grande ópera, que, em 1875, ficara chocado com o populismo da *Carmen*, de Bizet, no início da década de 1900 aceitara não apenas Wagner, mas também a curiosa combinação de árias e realismo social (*verismo*) sobre as ordens inferiores (*Cavalleria*

AS ARTES TRANSFORMADAS

Rusticana, de Mascagni, 1890; *Louise*, de Charpentier, 1900). Estava preparado para fazer a fortuna de um compositor como Richard Strauss, cuja *Salomé* (1905) reunia tudo o que teria chocado a burguesia de 1880: um libreto simbolista baseado no trabalho de um esteta militante e escandaloso (Oscar Wilde) e uma linguagem musical pós-wagneriana sem concessões. Em outro nível, comercialmente mais significativo, o gosto da minoria não convencional agora se torna rentável, como demonstram as fortunas das empresas londrinas Heals (fabricantes de móveis) e Liberty (tecidos). Na Grã-Bretanha, o epicentro desse terremoto estilístico, um porta-voz da incoerência do convencionalismo, a opereta *Patience*, de Gilbert e Sullivan, satirizou uma figura de Oscar Wilde e atacou a recente preferência das moças (atraídas pelos vestidos "estéticos", inspirados em galerias de arte) por poetas simbolistas com lírios nas mãos, em vez dos vigorosos oficiais de cavalaria. Pouco depois, o movimento *arts-and-crafts* de William Morris elaborou o modelo das mansões, chalés rurais e decoração de interiores da burguesia abastada e instruída ("minha classe", como a chamaria mais tarde o economista J. M. Keynes).

Realmente, o fato de as mesmas palavras serem usadas para descrever inovações sociais, culturais e estéticas ressalta a convergência. O New English Arts Club (1886), *art nouveau*, e o *Neue Zeit*, principal periódico do marxismo internacional, usaram o mesmo adjetivo para a "nova mulher". A juventude e o crescimento primaveril foram as metáforas que descreveram a versão alemã do *art nouveau* (*Jugendstil*), os rebeldes artísticos do Jung-Wien (1890) e os idealizadores das imagens de primavera e crescimento das manifestações trabalhistas de 1º de maio. O futuro pertencia ao socialismo — mas a "música do futuro" (*Zukunftsmusik*) de Wagner tinha uma dimensão sociopolítica consciente, na qual mesmo revolucionários políticos de esquerda (Bernard Shaw; Victor Adler, o líder socialista austríaco; Plekhanov, o marxista russo pioneiro) pensavam dis-

A ERA DOS IMPÉRIOS

cernir elementos socialistas que hoje escapam à maioria de nós. De fato, a esquerda anarquista (embora talvez menos que a socialista) descobriu méritos ideológicos até no grande, porém longe de ser politicamente "progressista", gênio de Nietzsche, que, independente de suas outras características, era indubitavelmente "moderno".[11]

Era, sem dúvida, natural que as ideias "avançadas" tivessem afinidade com estilos artísticos inspirados pelo "povo" ou que, aprofundando o realismo até produzir o "naturalismo" (cf. *A era do capital*), adotou como tema os oprimidos e explorados e mesmo as lutas dos trabalhadores. E vice-versa. Na época socialmente consciente da Depressão, houve uma produção considerável de tais trabalhos, boa parte dos quais — por exemplo, na pintura — de autoria de pessoas não ligadas a qualquer manifesto ou rebelião artística. Era natural que os "avançados" admirassem autores que demoliam as convenções burguesas, sobre as quais era "apropriado" escrever. Seus preferidos eram os grandes romancistas russos, boa parte deles descobertos e popularizados no Ocidente por "progressistas". Ibsen (e, na Alemanha, outros escandinavos como o jovem Hamsun e — escolha menos previsível — Strindberg) e, acima de tudo, os escritores "naturalistas", acusados pelas pessoas respeitáveis de se concentrarem no sujo lado inferior da sociedade e, com frequência, às vezes temporariamente, atraídos pela esquerda democrática de vários tipos como Émile Zola e o dramaturgo alemão Hauptmann.

Também não parecia estranho que os artistas expressassem seu ardoroso compromisso com a humanidade sofredora por meios que iam além do "realismo", cujo modelo era um registro científico isento: Van Gogh, então ainda bastante desconhecido; o norueguês Munch, socialista; o belga James Ensor, em cujo quadro *Entrada de Jesus Cristo em Bruxelas em 1889* havia um estandarte pela revolução social; ou a protoexpressionista alemã Kathe Kollwitz comemorando a revolta dos tecelões de teares manuais. Contudo, os estetas militantes e os defensores da arte pela arte, campeões da "deca-

AS ARTES TRANSFORMADAS

dência", e as escolas destinadas a ser de difícil compreensão para a massa, como o "simbolismo", também simpatizavam com o socialismo, como Oscar Wilde e Maeterlinck, ou ao menos se interessavam pelo anarquismo. Huysmans, Leconte de Lisle e Mallarmé estavam entre os signatários de *La Révolte* (1894).[12] Em suma, antes do início do novo século não havia uma separação generalizada entre "modernidade" política e artística.

A revolução de origem britânica na arquitetura e nas artes aplicadas ilustra o vínculo entre ambas, bem como sua eventual incompatibilidade. As raízes britânicas do "modernismo" que levou à Bauhaus foram, paradoxalmente, góticas. Na enfumaçada oficina do mundo, uma sociedade de egoísmo e de vandalismo estético, onde os pequenos artífices, tão visíveis no resto da Europa, já não podiam ser discernidos na névoa gerada pelas fábricas, a Idade Média de camponeses e artesãos parecera por muito tempo um modelo de sociedade mais satisfatório, tanto do ponto de vista social como artístico. Dada a revolução industrial irreversível, foi inevitável a tendência a tomá-la como modelo inspirador de uma visão de futuro, antes que como algo que podia ser preservado, e ainda menos restaurado. William Morris (1834-1896) é ilustrativo da totalidade do trajeto entre o medievalismo romântico tardio e uma espécie de marxismo social revolucionário. O que tornou Morris e o movimento *arts-and-crafts*, associado a ele, tão notavelmente influentes foi a ideologia, mais que seu surpreendente e múltiplo talento de *designer*, decorador e artífice: este movimento de renovação artística procurava especificamente reatar os laços perdidos entre a arte e o operário da produção e transformar o ambiente da vida cotidiana — dos elementos internos da casa à aldeia, à cidade e à paisagem —, mais do que ter acesso à esfera fechada em si das "belas-artes" para os ricos e o lazer. O movimento *arts-and-crafts* teve influência desproporcional, pois seu impacto se estendeu automaticamente além dos pequenos círculos de artistas e críticos, e porque inspirou os que desejavam mudar a vida humana, sem contar os homens práticos interessados na produção de estruturas e objetos utilitários e nos importantes setores da educação. Não menos importante, o movimento interessou um punhado de arquitetos de mentalidade progressista, atraídos para as novas e urgentes tarefas do "planejamento urbano" (o termo tornou-se corrente após 1900) pela visão de utopia tão prontamente associada à sua profissão e aos divulgadores a ela vinculados: a "cidade jardim" de Ebenezer Howard (1898) ou, ao menos, o "subúrbio jardim".

Como o movimento *arts-and-crafts*, portanto, uma ideologia artística tornou-se mais que uma moda entre criadores e *connaisseurs*, pois seu compromisso com a mudança social o vinculou ao mundo das instituições públicas e das autoridades reformistas, que podiam traduzi-la na realidade de escolas de arte ou cidades e comunidades reprojetadas ou expandidas. E vinculou os homens e, em número notavelmente maior, mulheres ativos no movimento visando à produção, porque seu objetivo era essencialmente produzir "artes aplicadas", ou arte usada na vida real. O monumento mais duradouro a William Morris é um jogo de maravilhosos papéis de parede e desenhos têxteis ainda disponíveis no mercado nos anos 1980.

A culminação deste casamento socioestético entre ofícios, arquitetura e reforma foi o estilo que — em grande medida, embora não inteiramente, propulsado pelo exemplo britânico e seus divulgadores — se disseminou na Europa no final da década de 1890 com vários nomes, dos quais *art nouveau* é o mais conhecido. Ele era deliberadamente revolucionário, anti-historicista, antiacadêmico e, como seus defensores nunca deixaram de repetir, "contemporâneo". Combinava a indispensável tecnologia moderna — seus movimentos mais destacados foram as estações dos sistemas municipais de transporte de Paris e Viena — à união artesanal entre adorno e adequação à finalidade; tanto que hoje sugere, acima de tudo, uma profusão de elementos decorativos curvilíneos entrelaçados, baseados em motivos estilizados, principalmente biológicos, botânicos e

AS ARTES TRANSFORMADAS

femininos. Estas eram as metáforas da natureza, da juventude, do crescimento e do movimento, tão características da época. De fato, mesmo fora da Grã-Bretanha, os artistas e arquitetos que usavam essa linguagem estavam associados ao socialismo e ao trabalhismo — como Berlage, que construiu uma sede de sindicato em Amsterdã, e Horta, idealizador da "Maison du Peuple", em Bruxelas. O *art nouveau* triunfou essencialmente através do mobiliário, dos elementos de decoração de interiores e de inúmeros objetos domésticos, desde os caros e luxuosos de Tiffany, de Lalique e do Werkstatte vienense às luminárias de mesa e à cutelaria, cuja imitação mecânica se espalhou pelas modestas casas de subúrbio. Foi o primeiro estilo "moderno" a conquistar todos os espaços.[*]

Contudo, havia dissensões no coração do *art nouveau*, que podem ter sido parcialmente responsáveis por seu rápido desaparecimento, ao menos do cenário da cultura de elite. Eram as contradições que levaram a vanguarda ao isolamento. De qualquer maneira, as tensões entre o elitismo e as aspirações populistas de cultura "avançada", isto é, entre a esperança de uma renovação geral e o pessimismo da classe média instruída ao se confrontar com a "sociedade de massas", só foram temporariamente encobertas. A partir de meados da década de 1890, quando ficou claro que a grande vaga socialista não levava à revolução e sim a movimentos de massa organizados, cujas tarefas eram promissoras porém rotineiras, os artistas e estetas os acharam menos inspiradores. Em Viena, Karl Kraus, que a social-democracia inicialmente atraía, afastou-se dela no novo século. As campanhas eleitorais não o motivavam, e a política cultural do movimento tinha de levar em conta o gosto convencional de seus militantes proletários, e este de fato teve trabalho suficiente lutando para vencer a influência dos romances e *thrillers* baratos e outras formas

---

[*] O autor, enquanto escreve, mexe o chá com uma colher *made in Korea*, cujos motivos decorativos se inspiram visivelmente no *art nouveau*.

de *Schundliteratur* contra a qual os socialistas (notadamente na Escandinávia) empreenderam campanhas acirradas.[13] O sonho de uma arte para o povo se confrontou com a realidade de um público essencialmente de classes média e alta para as artes "avançadas", com poucas exceções, cujos temas eram politicamente aceitáveis por parte de militantes operários. Ao contrário das vanguardas de 1880-1895, as do novo século, salvo as sobreviventes da geração mais velha, não eram atraídas pela política radical. Eram apolíticas ou, em algumas escolas, como os futuristas italianos, tinham até tendências direitistas. Apenas a guerra, a Revolução de Outubro e as inclinações apocalíticas do cubismo e do "construtivismo" tornariam a amalgamar a revolução nas artes e na sociedade, lançando retrospectivamente uma luz vermelha sobre ambos, o que não acontecia antes de 1914. "A maioria dos artistas de hoje", queixou-se o velho marxista Plekhanov em 1912-1913, "adota pontos de vista burgueses e é totalmente refratária aos grandes ideais de liberdade de nossa época."[14] E na França observou-se que os pintores de vanguarda estavam totalmente absortos em seus debates técnicos, evitando outros movimentos intelectuais e sociais.[15] Quem o teria esperado em 1890?

3.

Havia, contudo, contradições mais fundamentais no interior das artes da *avant-garde*. Eram relativas à natureza das duas coisas que o mote da Secessão de Viena evocava ("Der Zeit ihre Kunst, der Kunst ihre Freiheit" — "À nossa era, a sua arte, à arte, a sua liberdade"), ou "modernidade" e "realidade". A "natureza" continuou sendo o tema das artes criativas. Mesmo em 1911, o pintor mais tarde considerado o pai da abstração pura, Vassily Kandinsky (1866-1944), recusou-se a cortar todos os vínculos com ela, pois resultariam simplesmente padrões "como de gravata ou tapete (dizendo sem rodeios)".[16] Como veremos, as artes só estavam

AS ARTES TRANSFORMADAS

refletindo uma incerteza nova e fundamental quanto ao que a natureza era (veja o capítulo 10). As artes enfrentavam um problema triplo. Dada sua realidade objetiva e descritível — uma árvore, um rosto, um acontecimento — como a descrição poderia captar a realidade? As dificuldades enfrentadas para tornar a realidade "real", em sentido "científico" ou objetivo, levaram os pintores impressionistas, por exemplo, muito além da linguagem visual da conformidade representativa (veja *A era do capital*, capítulo 15:4), embora, como o sucesso demonstrou, não além da compreensão do leigo. O impressionismo levou seus seguidores consideravelmente longe, ao pontilhismo de Seurat (1859-1891) e à procura da estrutura básica como oposta à aparência da realidade visual, com os cubistas, que, reivindicando a autoridade de Cézanne (1839-1906), pensaram poder discernir em algumas formas geométricas tridimensionais.

Em segundo lugar, havia a dualidade entre "natureza" e "imaginação", ou arte como a comunicação de descrições e de ideias, emoções e valores. A dificuldade não reside na escolha entre tais opções, pois poucos, mesmo entre os "realistas" ou "naturalistas" ultrapositivistas, se consideravam câmeras fotográficas humanas imparciais. A dificuldade reside na crise dos valores do século XIX — diagnosticada pela poderosa visão de Nietzsche — e, por conseguinte, da linguagem convencional, representativa ou simbólica, para a tradução de ideias e valores em artes criativas. A avalanche da estatuária e da arquitetura oficial de linguagem tradicional, que cobriu o mundo ocidental entre 1880 e 1914 — da estátua da Liberdade (1886) ao monumento a Vítor Emanuel (1912) — representava um passado moribundo e, após 1918, claramente morto. No entanto, a busca de outras linguagens, muitas vezes exóticas, que levara do Egito antigo ao Japão, das ilhas da Oceania às esculturas da África, refletia não apenas insatisfação em relação ao velho, mas também incerteza em relação ao novo. Em certo sentido, o *art nouveau* foi, por esse motivo, a invenção de uma nova tradição que acabou não dando certo.

Em terceiro lugar, havia o problema de combinar realidade e subjetividade. Parte da crise do positivismo, que será discutida de modo mais completo no próximo capítulo, era a insistência no fato de a "realidade" não *estar* aí simplesmente para ser descoberta, mas ser algo percebido, enformado e até construído através e pela mente do observador. Na versão "fraca" dessa perspectiva, a realidade estava aí objetivamente, mas apreendida apenas através dos estados de espírito do indivíduo que a apreendia e reconstruía, como na visão proustiana da sociedade francesa, um subproduto da longa expedição de um homem só explorando sua própria memória. Na versão "forte", nada restava da realidade, salvo o ego do criador e suas emanações sob forma de palavras, sons ou pintura. Inevitavelmente, essa arte teve enormes dificuldades de comunicação. Inevitavelmente essa arte se prestou a um puro subjetivismo beirando o solipsismo, e críticos discordantes assim a desqualificaram.

Mas a arte de *avant-garde* queria, é claro, comunicar algo mais que o estado de espírito do artista ou seus exercícios técnicos. No entanto, a "modernidade" que procurava expressar encerrava uma contradição fatal para Morris e o *art nouveau*. A renovação das artes na linha de Ruskin-Morris não reservava um lugar real para a máquina, cerne daquele capitalismo que era, parafraseando Walter Benjamin, a época em que a tecnologia aprendeu a reproduzir obras de arte. De fato, as vanguardas do final do século XIX tentaram criar a arte da nova era dando continuidade aos métodos da antiga, cujas formas de discurso ainda partilhavam. O "naturalismo" expandiu o campo da literatura como representação da "realidade" ao ampliar seus temas, incluindo, sobretudo, a vida dos pobres e a sexualidade. A linguagem estabelecida do simbolismo e da alegoria foi modificada ou adaptada para expressar novas ideias e aspirações, como na nova inconografia de Morris dos movimentos socialistas e em outras escolas de *avant-garde* "simbolistas" importantes. O *art nouveau* foi a culminação da tentativa de dizer o novo usando uma versão da linguagem do velho.

AS ARTES TRANSFORMADAS

Mas como poderia o *art nouveau* expressar precisamente aquilo de que a tradição *arts-and-crafts* não gostava, ou seja, a sociedade da máquina e a ciência moderna? Não seria a produção em massa das formas de ramos, flores e mulheres, os motivos de decoração artesanal e o idealismo que a moda comercial do *art nouveau* trazia, uma *reductio ad absurdum* do sonho de Morris de um renascimento do artesanato? Como sentiu Van de Velde — que inicialmente fora um paladino das tendências de Morris e do *art nouveau* — o sentimentalismo, o lirismo e o romantismo não seriam incompatíveis com o homem moderno, que vivia na nova racionalidade da era da máquina? Não deveria expressar a arte uma nova racionalidade humana, refletindo a da economia tecnológica? Não haveria uma contradição entre o funcionalismo simples e utilitário, inspirado nos antigos ofícios, e o gosto do artífice pela decoração, a partir do qual o *art nouveau* desenvolveu sua selva ornamental? "Ornamento é crime", declarou o arquiteto Adolf Loos (1870-1933), igualmente inspirado em Morris e nos ofícios. Significativamente, os arquitetos, inclusive pessoas originalmente associadas a Morris ou até ao *art nouveau* — como Berlage na Holanda, Sullivan nos EUA, Wagner na Áustria, Mackintosh na Escócia, Auguste Perret na França, Behrens na Alemanha e até Horta na Bélgica — agora se deslocavam em direção à nova utopia do funcionalismo, à volta à pureza da linha, da forma e do material não disfarçado pelo ornamento e adaptado a uma tecnologia não mais identificada a pedreiros e carpinteiros. Pois, como um deles (Muthesius) — também, tipicamente, entusiasta do "estilo nacional" britânico — argumentou em 1902: "O resultado da máquina só pode ser a forma despida de ornamento, fatual".[17] Já estamos no mundo da Bauhaus e de Le Corbusier.

Era compreensível a atração que essa pureza racional exerceu sobre os arquitetos, agora construindo edifícios para cujas estruturas os ofícios tradicionais eram irrelevantes e cuja decoração era um embelezamento aplicado *a posteriori*; mesmo que aquela sacrificasse a esplêndida aspiração a uma união total de estrutura e decoração, escultura, pintura e artes aplicadas — que Morris derivou de sua admiração pelas catedrais góticas — uma espécie de equivalente visual da "obra de arte total" de Wagner, a *Gesamtkunstwerk*. As artes que culminaram no *art nouveau* ainda tentaram realizar essa unidade. Mas se, por um lado, pode-se entender o interesse despertado pela austeridade dos novos arquitetos, deve-se observar também que não há, de forma alguma, razão convincente para que o uso de uma tecnologia revolucionária na construção *deva* acarretar um "funcionalismo" decorativamente despojado (sobretudo quando, como tantas vezes, ele se tornou uma estética antifuncional); ou para que alguma coisa além das máquinas deva querer ter aspecto de máquina.

Assim, teria sido bastante possível, e na verdade mais lógico, saudar o triunfo da tecnologia revolucionária com a salva completa dos vinte e um tiros da arquitetura convencional, na forma das grandes estações ferroviárias do século XIX. Não havia uma lógica obrigatória no movimento do "modernismo" arquitetônico. O que ele expressava era, basicamente, a convicção emocional de que a linguagem convencional das artes visuais, apoiada na tradição histórica, era de certo modo inadequada ou não apropriada ao mundo moderno. Para ser mais preciso, sentiram que essa linguagem não poderia, de modo nenhum, *expressar* o novo mundo que o século XIX criara, mas apenas ocultá-la. A máquina, agora gigantesca, esfacelara a fachada belas-artes atrás da qual estivera escondida. A antiga linguagem tampouco poderia expressar, sentiam eles, a crise da percepção e dos valores humanos que esse século de revolução produzira e que agora era obrigado a enfrentar.

Em certo sentido, a *avant-garde* acusou tanto os tradicionalistas como os modernistas *fin-de-siècle* daquilo que Marx acusara os revolucionários de 1789-1848, ou seja, de "invocar os espíritos do passado a seu serviço e

AS ARTES TRANSFORMADAS

tomar emprestados seus nomes, lemas de batalha e trajes para apresentar a nova cena de história mundial sob esse disfarce consagrado pela tradição e com essa linguagem emprestada".[18] Só que eles não tinham uma linguagem nova, ou não sabiam como seria. Pois qual era a linguagem para expressar o novo mundo, especialmente quando seu único aspecto identificável (fora a tecnologia) era a desintegração do antigo? Esse era o dilema do "modernismo" no início do novo século.

O que fez os artistas de *avant-garde* seguirem em frente não foi, portanto, uma visão do futuro, mas uma visão invertida do passado. De fato, eles eram com frequência, como na arquitetura e na música, eminentes praticantes de estilos derivados da tradição, os quais abandonaram apenas porque, como o ultrawagneriano Schönberg, sentiram-nos incapazes de suportar modificações adicionais. Os arquitetos abandonaram o ornamento assim que o *art nouveau* o levou a extremos; os compositores, a tonalidade, assim que a música mergulhou no cromatismo pós-wagneriano. Há muito tempo os pintores estavam conturbados pela inadequação das antigas convenções à representação da realidade externa e de seus próprios sentimentos, porém — fora os poucos que iniciaram a "abstração" total, às vésperas da guerra (notadamente os da *avant-garde* russa) — acharam difícil deixar de pintar *algo*. A *avant-garde* tentou várias direções, mas, de maneira geral, optou tanto por aquilo que pareceu, a observadores como Max Raphael, a supremacia da cor e da forma sobre o conteúdo, como pela busca única de um conteúdo não figurativo sob a forma de emoção ("expressionismo") ou por várias maneiras de demolir os elementos convencionais da realidade representacional e remontá-los segundo diferentes tipos de ordem ou desordem (cubismo).[19] Apenas os escritores, presos em sua dependência às palavras com significados e sons conhecidos, achavam, até então, difícil fazer uma revolução formal equivalente, embora uns poucos tenham começado a tentar. Experimentos no sentido de abandonar formas convencionais de composição literária (por exemplo, versos rimados e métrica) não eram novos nem ambiciosos. Os escritores esticaram, torceram e manipularam o conteúdo, isto é, o que pode ser dito com palavras comuns. Felizmente, a poesia do início do século XX foi resultado, não de uma revolta, mas sim de um desenvolvimento linear do simbolismo do final do século XIX. Assim, produziu Rilke (1875-1926), Apollinaire (1880-1918), George (1868-1933), Yeats (1865-1939), Blok (1880-1921) e os grandes espanhóis.

Os contemporâneos, desde Nietzsche, não duvidavam que a crise das artes fosse um reflexo da crise de uma sociedade — a sociedade liberal burguesa do século XIX — que, de um modo ou de outro, estava em processo de destruição das bases de sua existência, dos sistemas de valores, convenção e entendimento intelectual que a estruturavam e ordenavam. Mais tarde, historiadores pesquisaram essa crise nas artes em geral e em casos particulares, como o da "Viena *fin-de-siècle*". Aqui temos que observar apenas duas coisas a esse respeito. Em primeiro lugar, a ruptura nítida entre as *avant-gardes fin-de-siècle* e as do século XX ocorreu em algum momento entre 1900 e 1910. Os amantes de datas podem escolher entre muitas, mas o nascimento do cubismo em 1907 convém tanto como qualquer outra data. Nos últimos anos antes de 1914, praticamente tudo que é característico dos vários tipos de "modernismo" pós-1918 já está presente. Em segundo lugar, a *avant--garde* se viu, por conseguinte, enveredando por caminhos onde o grande público não queria nem podia segui-la. Richard Strauss, já tendo percorrido a estrada que o afastava da tonalidade como artista, decidiu, depois do fracasso de *Elektra* (1909), como fornecedor da grande ópera comercial, que o público não o acompanharia mais além, e voltou (com enorme sucesso) à linguagem mais acessível de *Rosenkavalier* (1911).

Abriu-se, portanto, um largo abismo entre a substância principal do gosto "refinado" e as diversas minorias que afirmavam sua qualidade de rebeldes dissidentes antiburgueses, demonstrando admiração por estilos de criação artística inacessíveis e escandalosos para a maioria. Apenas três pontes principais cruzaram esse abismo. A primeira foi o patrocínio de alguns poucos homens, tão esclarecidos como bem relacionados, como o industrial alemão Walter Rathenau, ou de negociantes como Kahnweiler, que apreciava o potencial comercial desse mercado pequeno, porém financeiramente compensador. A segunda foi um setor da alta sociedade elegante, mais que nunca entusiasta dos estilos mutáveis e garantidos como não burgueses, de preferência exóticos e chocantes. A terceira, paradoxalmente, foram os negócios. Sem preconceitos estéticos, a indústria era capaz de reconhecer a tecnologia de construção revolucionária e a economia de um estilo funcional — já o fizera —, e o mundo dos negócios podia ver que as técnicas da *avant-garde* eram eficazes na publicidade. Critérios "modernistas" tinham valor prático para o desenho industrial e para a produção em massa mecanizada. Após 1918, o patrocínio dos homens de negócios e o desenho industrial seriam as principais vias de assimilação dos estilos originalmente associados à *avant-garde* da cultura erudita. Contudo, antes de 1914, eles permaneceram confinados a enclaves isolados.

É, portanto, ilusório dar muita importância à *avant-garde* "modernista" antes de 1914, salvo como ancestral. É provável que a maioria das pessoas, mesmo entre as de muita cultura, nunca tivesse ouvido falar, digamos, de Picasso ou Schönberg, enquanto os inovadores do último quartel do século XIX já se haviam tornado parte da bagagem da classe média culta. Os novos revolucionários pertenciam uns aos outros, a grupos de discussão dos jovens dissidentes nos cafés dos bairros próprios da cidade, aos críticos e redatores de manifestos a favor dos novos "ismos" (cubismo, futurismo, vorticismo), a pequenas revistas e a uns poucos empresários e colecionadores com faro e gosto pelos novos trabalhos e seus criadores: um Diaghilev, um Alma Schindler, que mesmo antes de 1914 avançara de Gustav Mahler a Kokoschka, Gropius e (um investimento cultural menos bem-sucedido) o impressionista Franz Werfel. Eles foram absorvidos por um setor da última moda. Nada mais.

A ERA DOS IMPÉRIOS

Ao mesmo tempo, as *avant-gardes* dos últimos anos pré-1914 marcaram uma ruptura fundamental na história das artes eruditas desde o renascimento. Mas o que elas *não* realizaram foi a verdadeira revolução cultural do século XX a que visavam. Esta estava ocorrendo simultaneamente como subproduto da democratização da sociedade, mediada por homens de negócios cujos olhos se voltavam para um mercado inteiramente não burguês. As artes populares estavam prestes a conquistar o mundo, tanto em sua própria versão *arts-and-crafts* como por meio da tecnologia de ponta. Esta conquista é o fato mais importante da cultura do século XX.

4.

Nem sempre é fácil situar seus estágios iniciais. Em algum momento do final do século XIX, a migração para grandes cidades em rápido crescimento gerou tanto um mercado lucrativo para os espetáculos e o lazer populares como bairros da cidade a eles dedicados, que boêmios e artistas também acharam atraentes: Montmartre, Schwabing. Por conseguinte, as formas tradicionais de lazer popular foram modificadas, transformadas e profissionalizadas, produzindo versões originais da criação artística popular.

O mundo da cultura erudita, ou antes sua faixa boêmia, tinha, é claro, pleno conhecimento do mundo do entretenimento teatral popular que se desenvolveu em tais bairros das grandes cidades. Os jovens aventureiros, a *avant-garde* ou *bohème* artística, os sexualmente não convencionais, os elementos marginais da classe mais alta que sempre patrocinaram os caprichos de boxeadores, jóqueis e dançarinas sentiam-se à vontade nesses ambientes pouco respeitáveis. Na verdade, em Paris, esses elementos populares foram adaptados ao cabaré e à cultura de espetáculos de Montmartre sobretudo para satisfazer a um público de pessoas de alta

AS ARTES TRANSFORMADAS

sociedade, turistas e intelectuais; e foram imortalizados nos cartazes e litografias do maior de seus habitantes, o aristocrático pintor Toulouse-Lautrec Uma cultura burguesa marginal de *avant-garde* também deu sinais de vida na Europa central, mas na Grã-Bretanha a sala de concertos, que atraiu os estetas intelectuais a partir dos anos 1880, era genuinamente voltada para uma audiência popular. A admiração se justificava. O cinema em breve faria de uma figura do mundo da diversão dos pobres britânicos o artista mais universalmente admirado da primeira metade do século XX: Charlie Chaplin (1889-1977).

Em um nível consideravelmente mais modesto de entretenimento popular, ou entretenimento produzido pelos pobres — taberna, salão de danças, café-concerto e bordel —, surgiu, no final do século, toda uma gama de inovações musicais, que se propagou além das fronteiras e dos oceanos, em parte através do turismo e do teatro musical, mas sobretudo por meio do novo costume da dança social em público. Alguns, como a *canzone* napolitana, então em sua época de ouro, não ultrapassaram suas próprias fronteiras. Outros deram mostras de grande capacidade de expansão, como o *flamenco* andaluz, entusiasticamente absorvido, a partir dos anos 1880, pelos intelectuais populistas espanhóis; ou o tango, produto do bairro dos bordéis de Buenos Aires, que havia chegado ao *beau monde* europeu antes de 1914. Nenhuma dessas criações exóticas e plebeias teria futuro mais triunfal e global que a linguagem musical dos negros norte-americanos, que — uma vez mais, por intermédio do palco, da música popular comercializada e da dança social — já cruzara o oceano em 1914. Houve uma fusão entre essas e as artes do *demi-monde* plebeu das grandes cidades, ocasionalmente reforçada por boêmios desclassificados e saudada por aficionados da classe alta. Tratava-se do equivalente urbano da arte folclórica que agora constituía a base de uma indústria de diversão comercializada, embora seu modo de criação não fosse em nada tributário de seu modo de exploração. Porém, acima de tudo, tratava-se de artes que não deviam substancialmente nada à cultura burguesa, nem sob forma de arte "erudita" nem sob forma de entretenimento ligeiro de classe média. Ao contrário, elas estavam transformando a cultura burguesa de baixo para cima.

Enquanto isso, a verdadeira arte da revolução tecnológica, baseada no mercado de massas, desenvolvia-se com rapidez sem precedentes. Dois desses veículos tecnológico-econômicos ainda tinham uma importância menor: a difusão mecânica do som e a imprensa. O impacto do fonógrafo era limitado pelo custo dos componentes necessários, o que ainda restringia em grande medida sua posse aos relativamente abastados. O impacto da imprensa era limitado por se basear na antiquada palavra impressa. Seu conteúdo era dividido em porções pequenas e independentes para um tipo de leitor de menor nível cultural e menos disposto a se concentrar que as sólidas elites de classe média, que liam *The Times*, o *Journal des Débats* e o *Neue Freie Presse*, mas nada mais. Suas inovações puramente visuais — cabeçalhos em caixa alta, layout da página, mistura de texto e imagens e especialmente a apresentação da publicidade — eram plenamente revolucionárias, como os cubistas reconheceram incluindo pedaços de jornal em seus quadros; mas talvez as únicas formas de comunicação genuinamente inovadoras que a imprensa renovou foram os desenhos (*cartoons*), inclusive as primeiras versões das modernas tiras, transpostas em forma simplificada, por razões técnicas, dos impressos e folhetos populares.[20] A imprensa de massa, que começou a alcançar tiragens que totalizavam um milhão de exemplares ou mais nos anos 1890, transformou as condições da impressão, mas não seu conteúdo ou suas associações — talvez porque os fundadores dos jornais fossem provavelmente cultos e certamente ricos, portanto, sensíveis aos valores da cultura burguesa. Ademais, em princípio não havia nada de novo na atividade dos jornais e revistas.

AS ARTES TRANSFORMADAS

O cinema, por sua vez, que dominaria e transformaria todas as artes do século XX (finalmente também via televisão e vídeo), era totalmente novo em sua tecnologia, em seu modo de produção e em sua maneira de apresentar a realidade. Trata-se, de fato, da primeira arte que não poderia ter existido a não ser na sociedade industrial do século XX e que não tinha paralelo ou precedente nas artes anteriores — nem sequer na fotografia, que podia ser considerada apenas uma alternativa ao desenho ou à pintura (*A era do capital*, capítulo 15:4). Pela primeira vez na história, a apresentação do movimento em imagens visuais se libertava da sua apresentação imediata e ao vivo. E, pela primeira vez na história, o teatro ou o espetáculo estavam livres das restrições impostas pelo tempo, espaço e natureza física do observador, para não falar dos limites do palco em relação ao uso dos efeitos. O movimento da câmera, a variabilidade de seu foco, o espectro ilimitado dos truques fotográficos e, acima de tudo, a possibilidade de cortar a tira de celuloide — que registra tudo — em pedaços e montá-los ou remontá-los à vontade tornaram-se imediatamente evidentes e foram imediatamente explorados pelos realizadores, que raramente tinham qualquer interesse ou afinidade com as artes de vanguarda. Até agora, nenhuma arte representa tão bem quanto o cinema as exigências e o triunfo espontâneo de um modernismo artístico inteiramente não tradicional.

E o triunfo do cinema foi extraordinário e sem precedentes em termos de rapidez e de escala. A fotografia em movimento só se tornou tecnicamente viável em torno de 1890. Embora os franceses tenham sido os principais pioneiros na exibição dessas imagens em movimento, filmes curtos foram primeiro projetados como novidade de *vaudevilles* e feiras em 1895-1896, quase simultaneamente em Paris, Berlim, Londres, Bruxelas e Nova York.[21] No máximo uma dúzia de anos mais tarde, 26 milhões de americanos iam ver filmes *toda semana*, provavelmente nos 8 a 10 mil pequenos cinematógrafos; quer dizer, uma cifra que não chegava

A ERA DOS IMPÉRIOS

a 20% de toda a população dos EUA.[22] Quanto à Europa, até na atrasada Itália havia, à época, quase quinhentos cinemas nas cidades principais, sendo quarenta só em Milão.[23] Em 1914, o público norte-americano de cinema chegava a quase 50 milhões.[24] O cinema era agora um grande negócio. O *star system* fora inventado em 1912, por Carl Laemmle, para Mary Pickford. E a indústria cinematográfica começara a se instalar no que já estava se tornando sua capital mundial: uma colina de Los Angeles.

Essa realização extraordinária se devia, em primeiro lugar, à total falta de interesse dos pioneiros do cinema por qualquer outra coisa além de produzir diversão lucrativa para um público de massa. Eles entraram para o ramo sendo artistas, às vezes obscuros artistas de circo, como o primeiro magnata do cinema, Charles Pathé (1863-1957) da França — embora ele não fosse um empresário europeu típico. Eles eram, com mais frequência, como nos EUA, pobres mas dinâmicos mascates judeus imigrantes, que teriam vendido com o mesmo entusiasmo roupas, luvas, peles, ferramentas ou carne se estes artigos tivessem parecido igualmente lucrativos. Passaram à produção para ter o que exibir. Seu público-alvo era, sem a menor hesitação, os menos instruídos, os menos reflexivos, os menos sofisticados, os menos ambiciosos intelectualmente, que lotavam os cinematógrafos onde Carl Laemmle (Universal Films), Louis B. Mayer (Metro-Goldwyn-Mayer), os irmãos Warner (Warner Brothers) e William Fox (Fox Filmes) começaram por volta de 1905. Em *The Nation* (1913), a democracia populista norte-americana recebeu de braços abertos esse triunfo dos estratos mais baixos, obtido por meio de entradas a cinco centavos, enquanto a democracia social europeia, preocupada em levar aos trabalhadores as coisas mais elevadas da vida, desqualificou os filmes como diversão do lumpemproletariado escapista.[25] O cinema desenvolveu-se, portanto, segundo as fórmulas que conseguiam aplausos garantidos, tentadas e testadas desde a Roma antiga.

Ainda mais, o cinema desfrutou de uma vantagem não prevista, mas absolutamente crucial. Visto que até a década de 1920 ele era apenas

AS ARTES TRANSFORMADAS

capaz de reproduzir imagens, mas não palavras, era forçado ao silêncio interrompido apenas pelos sons do acompanhamento musical; isto multiplicou as oportunidades de emprego para músicos de segunda categoria. Livre das restrições da Torre de Babel, o cinema desenvolveu, portanto, uma linguagem universal que, de fato, lhe permitiu explorar o mercado mundial, independentemente do idioma.

Não há dúvida de que as inovações revolucionárias do cinema como arte, todas elas já praticamente desenvolvidas nos EUA em 1914, deveram-se à necessidade de se dirigir a um público potencialmente universal exclusivamente através da visão — tecnicamente manipulável —, mas também não há dúvida de que essas inovações, que deixaram a *avant-garde* da cultura erudita muito atrás em termos de ousadia, foram prontamente aceitas pelas massas porque essa era uma arte que tudo transformava, salvo o conteúdo. O que o público viu e adorou no cinema foi precisamente o que surpreendeu, animou, divertiu e movimentou todas as plateias desde que existe entretenimento profissional. Paradoxalmente, foi aí que a cultura erudita causou seu único impacto significativo na indústria cinematográfica americana, que em 1914 estava começando a conquistar e dominar totalmente o mercado mundial.

Enquanto os artistas americanos mais famosos estavam prestes a ficar milionários com os centavos dos imigrantes e trabalhadores, outros empresários do setor teatral e do *vaudeville* (sem contar alguns dos mascates do cinematógrafo) sonhavam em atingir a respeitável família de "classe" e de maior poder aquisitivo, especialmente a carteira da "nova mulher" da América e seus filhos. (Pois 75% do público do cinematógrafo era composto de homens adultos.) Eles precisavam de histórias caras e de prestígio ("clássicos da tela"), risco que a anarquia da produção cinematográfica americana de baixo custo não estava disposta a correr. Mas aquelas podiam ser importadas da pioneira indústria francesa, que ainda dominava um terço da produção mundial, ou de outros europeus. Pois

369

A ERA DOS IMPÉRIOS

se o teatro convencional europeu, com seu mercado de classe média já conquistado, tinha sido a fonte natural de um cinema culturalmente mais ambicioso, e se adaptações teatrais de histórias bíblicas e clássicos profanos (Zola, Dumas, Daudet, Hugo) haviam tido sucesso, por que não adaptações cinematográficas? As importações de produções de guarda-roupas sofisticados e atrizes famosas como Sarah Bernhardt, ou a elaborada parafernália épica em que os italianos se especializaram, foram comercialmente bem-sucedidas nos últimos anos do pré-guerra. Incentivados pela dramática mudança de filmes documentários para estórias e comédias, que parece ter ocorrido em 1905-1909, os produtores americanos se sentiram encorajados a realizar seus próprios épicos e novelas cinematográficas. Por sua vez, isso deu a chance para talentos antes menores e desinteressantes de sólida extração americana média, como D. W. Griffith, de transformar o cinema em uma forma de arte importante e original.

Hollywood se baseava na articulação do populismo do cinematógrafo com a mentalidade e o drama cultural e moralmente gratificantes, esperados pela massa igualmente grande de americanos médios. Sua força e sua fraqueza residiam precisamente no seu interesse único pela bilheteria de um mercado de massas. A força era, em primeira instância, econômica. O cinema europeu optou, não sem alguma resistência da parte de artistas populistas,[*] pelo público culto, à custa do popular. De outro modo, quem teria feito os famosos filmes alemães UFA da década de 1920? Enquanto isso, a indústria americana podia explorar ao máximo o mercado de massas de uma população que teoricamente era apenas um terço maior que o proporcionado pela população da Alemanha. Isto lhe permitiu cobrir os custos e obter altos lucros dentro do país e, assim,

---

[*] "Nossa atividade, que progrediu por meio de seu sucesso de público, precisa do apoio de todas as classes sociais. Ela não deve se tornar a preferida apenas das classes mais abastadas, que podem pagar por uma entrada de cinema quase tanto como por uma de teatro" (*Vita Cinematografica*, 1914).[26]

AS ARTES TRANSFORMADAS

conquistar o resto do mundo reduzindo os preços. A Primeira Guerra Mundial acentuaria essa nítida vantagem e tornaria a posição americana inabalável. Recursos ilimitados também permitiriam que Hollywood, depois da guerra, comprasse talentos do mundo inteiro, sobretudo da Europa central, porém, nem sempre fez bom uso deles.

Suas fraquezas eram igualmente óbvias. Hollywood criara um meio extraordinário com um potencial extraordinário, mas com mensagem artística irrelevante, ao menos até a década de 1930. O número de filmes mudos americanos que permanecem no repertório ativo, ou que mesmo as pessoas cultas conseguem lembrar, é ínfimo — salvo as comédias. Considerando-se a enorme quantidade de filmes produzidos, eles representam uma porcentagem completamente insignificante do total. Ideologicamente, na verdade, a mensagem era tudo menos ineficiente ou irrelevante. Se alguém lembrar da grande massa de filmes B, verá que seus valores perpassariam a alta política americana do final do século XX.

Apesar disso, o lazer de massas industrializado revolucionou as artes do século XX, e o fez separada e independentemente da *avant-garde*. Pois, antes de 1914, as vanguardas artísticas não estavam envolvidas com o cinema e aparentemente não tiveram interesse por ele, exceto um cubista de origem russa radicado em Paris, que parece ter pensado numa sequência abstrata para um filme de 1913.[27] A vanguarda só levou realmente a sério o veículo no meio da guerra, quando ele já estava praticamente maduro. A forma típica de *show-business* de *avant-garde* pré-1914 era o balé russo, para o qual o grande empresário Diaghilev mobilizou os compositores e pintores mais exóticos e revolucionários. Mas o balé russo visava, sem hesitações, a uma elite de esnobes culturais bem-nascidos e bem-relacionados, assim como os produtores americanos de filmes visavam ao menor denominador possível de humanidade.

Assim, a arte "moderna", a verdadeira arte "contemporânea" deste século se desenvolveu de modo imprevisto, não notada pelos defensores dos

A ERA DOS IMPÉRIOS

valores culturais, e com a velocidade que se pode esperar de uma genuína revolução cultural. Mas já não era e já não podia ser a arte do mundo burguês e do século burguês, salvo num aspecto crucial: era profundamente capitalista. Seria o cinema "cultura", no sentido burguês? Em 1914, a maioria das pessoas instruídas teria, quase com certeza, pensado que não. No entanto, esse veículo novo e revolucionário era muitíssimo mais forte que a cultura da elite, cuja procura de uma nova maneira de exprimir o mundo preenche a maioria das histórias das artes do século XX.

Poucos vultos representam de maneira mais óbvia a antiga tradição, em suas versões convencional e revolucionária, que dois compositores da Viena de pré-1914: Erich Wolfgang Korngold, uma criança prodígio do meio musical médio, já se lançando às sinfonias, óperas e tudo mais; e Arnold Schönberg. O primeiro chegou ao fim da vida como compositor de muito sucesso de trilhas musicais para os filmes hollywoodianos e diretor musical da Warner Brothers. O segundo, depois de revolucionar a música clássica do século XIX, passou seus últimos dias na mesma cidade, sempre sem público, mas admirado e subsidiado por músicos mais adaptáveis e muito mais prósperos, que ganhavam dinheiro na indústria cinematográfica não aplicando as lições aprendidas com ele.

As artes do século XX foram portanto revolucionadas, mas não por aqueles que assumiram o encargo de fazê-lo. Neste sentido, o caso das ciências foi dramaticamente diferente.

10. CERTEZAS SOLAPADAS: AS CIÊNCIAS

"De que é composto o universo material? Éter, matéria e energia."

S. Laing, 1885[1]

"É geralmente aceito que nosso conhecimento das leis fundamentais da hereditariedade avançou muito nos últimos quinze anos. Na verdade, é justo dizer a esse respeito que conquistou-se mais neste período que em toda a história anterior desse ramo de conhecimento."

Raymond Peal, 1913[2]

"O espaço e o tempo deixaram de ser, para a física relativista, elementos constitutivos do mundo, admitindo-se agora que são construções."

Bertrand Russell, 1914[3]

Há épocas em que o modo de aprender e estruturar o universo é transformado inteiramente num breve lapso de tempo, como nas décadas que antecederam a Primeira Guerra Mundial. Todavia, na época, essa transformação foi entendida, ou mesmo notada, por um número relativamente reduzido de homens e mulheres em alguns países e, às vezes, apenas por minorias, mesmo dentro dos campos de atividade intelectual e criativa que estavam sendo transformados. E nem todas essas áreas passaram por uma transformação, nem foram transformadas da mesma maneira. Um estudo mais completo deveria estabelecer a distinção entre os campos em que as pessoas estavam conscientes de um progresso linear, mais do que de uma transformação (como nas ciências médicas) e os que foram revolucionados (como a física); entre as antigas ciências já revolucionadas e as que, elas próprias, constituíam inovações, pois nasceram no período que nos ocupa (como a genética); entre teorias científicas destinadas a se tornar a base de um novo consenso ou ortodoxia e outras que permaneceriam à margem de suas disciplinas, como a psicanálise. Deveria também ser feita a distinção entre teorias já aceitas, já questionadas, mas retomadas com sucesso sob uma forma mais ou menos modificada, como o darwinismo, e outros componentes da herança intelectual de meados do século XIX que desapareceram, a não ser de certos compêndios menos avançados, como a física de Kelvin. E certamente deveria ser estabelecida, também, a distinção entre as ciências naturais e as ciências sociais, que, tal qual o tradicional campo de saber das humanidades, divergiam cada vez mais das primeiras — criando um crescente abismo no qual o vasto conjunto daquilo que o século XIX considerara "filosofia" parecia desaparecer. Contudo, seja qual for o modo como avaliamos a situação assim apresentada, ela é verdadeira. A paisagem intelectual, na qual visivelmente emergiam sumidades como Planck, Einstein e Freud, para não falar de Schönberg e Picasso, era clara e fundamentalmente diferente daquilo que mesmo observadores inteligentes acreditavam perceber em, digamos, 1870.

A transformação era de dois tipos. Intelectualmente, implicava o fim da compreensão do universo na imagem do arquiteto ou do engenheiro: um edifício ainda inacabado, mas cujo término não tardaria muito; um edifício alicerçado "nos fatos", ligados entre si pelos firmes andaimes de causas determinando efeitos e pelas "leis da natureza", e construído com as ferramentas confiáveis da razão e do método científico; uma construção do intelecto, mas que também expressava, quando vista de forma mais acurada, as realidades objetivas do cosmos. Para a mentalidade do

CERTEZAS SOLAPADAS: AS CIÊNCIAS

mundo burguês triunfante, o gigantesco mecanismo estático do universo, herdado do século XVII e, desde então, ampliado por extensão a novos campos, produzia não apenas permanência e previsibilidade, mas também transformação. Produziu a evolução (que podia facilmente ser identificada como o "progresso" secular, ao menos nos assuntos humanos). Foram esse modelo do universo e a maneira de a mente humana compreendê-lo que agora faliam.

Mas essa falência teve um aspecto psicológico crucial. A estruturação intelectual do mundo burguês excluía as antigas forças religiosas da análise de um universo no qual o sobrenatural e o milagroso não podiam ter nenhum papel, e reservava pouco lugar analítico às emoções, a não ser como produtos das leis da natureza. Contudo, com exceções marginais, o universo intelectual parecia caber em ambas as coisas, com a compreensão intuitiva do mundo material (a "experiência dos sentidos") e com os conceitos intuitivos, ou ao menos muito antigos, da operação do raciocínio humano. Assim, ainda era possível pensar a física e a química por meio de modelos mecânicos (o "átomo bola de bilhar").[*] Mas a nova estruturação do universo viu-se, cada vez mais, obrigada a descartar a intuição e o "bom senso". Em certo sentido, a "natureza" se tornou menos "natural" e mais incompreensível. Na verdade, embora todos nós vivamos hoje com uma tecnologia que repousa na nova revolução científica, em um mundo cuja aparência visual foi por ela transformada e no qual seus conceitos e vocabulário ecoam no discurso leigo culto, ainda hoje não se sabe com clareza até que ponto os processos comuns de pensamento do público leigo assimilaram essa revolução. Pode-se dizer que ela foi mais assimilada existencialmente do que intelectualmente.

---

[*] Enquanto isso, o átomo, que em breve seria quebrado em partículas ainda menores, foi retomado nesse período como elemento básico das ciências físicas, após uma época em que fora relativamente deixado de lado.

A ERA DOS IMPÉRIOS

O processo de divórcio entre ciência e intuição pode talvez ser ilustrado através do exemplo extremo da matemática. Em algum momento de meados do século XIX, o progresso do pensamento matemático começou a gerar não apenas resultados conflitantes com o mundo real (como fizera anteriormente — veja *A era das revoluções*) tal como apreendido pelos sentidos — o caso da geometria não euclidiana —, como também resultados que pareciam chocantes até aos matemáticos, que pensaram, como o grande Georg Cantor, que *"je vois mais ne le crois pas"*.[4]* Começou o que Bourbaki chamou de "patologia" da matemática.[5] Na geometria, uma das duas fronteiras dinâmicas da matemática do século XIX, apareceram todas as formas de fenômenos impensáveis até então, como as curvas sem tangentes. Mas a questão mais dramática e "impossível" talvez tenha sido a exploração de magnitudes infinitas por Cantor, que criou um mundo onde os conceitos intuitivos de "maior" e "menor" não eram mais aplicáveis e a aritmética não dava mais os resultados esperados. Era um avanço instigante, um novo "paraíso" matemático — para usar a expressão de Hilbert — de onde a vanguarda matemática se recusava a ser expulsa.

Uma solução — a seguir adotada pela maioria dos matemáticos — era emancipar a matemática de qualquer correspondência com o mundo real e transformá-la na elaboração de postulados, *quaisquer* postulados, que deviam apenas ser definidos de modo preciso e obrigados a ser não contraditórios entre si A matemática se baseou, daí em diante, numa rigorosa suspensão da crença em tudo que não fossem as regras do jogo. Nas palavras de Bertrand Russell — um dos que mais contribuiu para repensar os fundamentos da matemática, que agora se deslocava para o centro do palco, talvez pela primeira vez em sua história — a matemática era o assunto sobre o qual ninguém sabia do que se estava falando ou se

---

* Em francês no original: "vejo, mas não creio". (N.T.)

376

CERTEZAS SOLAPADAS: AS CIÊNCIAS

o que estava sendo dito era verdade.[6] Seus fundamentos foram reformulados com a exclusão rigorosa da intuição.

Isso acarretou dificuldades psicológicas enormes, bem como algumas de natureza intelectual. A relação das matemáticas com o mundo real era inegável mesmo sendo, do ponto de vista do formalismo matemático, irrelevante. No século XX, a mais pura matemática encontrou uma vez mais alguma correspondência no mundo real, e serviu de fato para explicar esse mundo ou para dominá-la por meio de tecnologia. Até G. H. Hardy, matemático puro especializado em teoria dos números — e, incidentalmente, autor de uma brilhante introspecção autobiográfica —, que se orgulhava de que nada do que fizera tivesse tido aplicação prática, contribuiu com um teorema que é a base da genética populacional moderna (a assim chamada lei de Hardy-Weinberg). Qual era a natureza da relação entre o jogo matemático e a estrutura do mundo real correspondente? Isso talvez não importasse aos matemáticos em sua qualidade de matemáticos, mas na verdade até mesmo muitos dos formalistas, como o grande Hilbert (1862-1943), parecem ter acreditado numa verdade matemática objetiva, isto é, em que não era irrelevante o que os matemáticos pensavam sobre a "natureza" das entidades matemáticas que manipulavam ou sobre a "verdade" de seus teoremas. Toda uma escola de "intuitivos", antecipada por Henri Poincaré (1854-1912) e liderada, a partir de 1907, pelo holandês L. E. J. Brouwer (1882-1966), rejeitou amargamente o formalismo, se necessário, inclusive, à custa de abandonar os próprios triunfos do raciocínio matemático cujos resultados literalmente inacreditáveis haviam acarretado a reavaliação das bases da matemática; notadamente o próprio trabalho de Cantor sobre a teoria dos conjuntos, proposta, contra oposição ferrenha de alguns, nos anos 1870. As paixões suscitadas por essa batalha na estratosfera do pensamento puro indicam a profundidade da crise intelectual e psicológica gerada pela falência das antigas vinculações entre a matemática e a percepção do mundo.

A ERA DOS IMPÉRIOS

Ademais, o próprio repensar dos fundamentos da matemática era bastante problemático, pois a tentativa mesma de baseá-la em definições rigorosas e na não contradição (que também incentivou o desenvolvimento da lógica matemática) conheceu dificuldades que fariam do período entre 1900 e 1930 a época da "grande crise dos fundamentos" (Bourbaki).[7] A própria exclusão implacável da intuição só era possível estreitando-se os horizontes dos matemáticos. Além desses horizontes, encontravam-se os paradoxos que matemáticos e lógicos matemáticos agora descobriam — Bertrand Russell formulou muitos deles nos primeiros anos do século — e que acarretaram as mais profundas dificuldades.[*] Oportunamente (em 1931) o matemático austríaco Kurt Godel provou que, para certos objetivos fundamentais, não há como eliminar a contradição: não podemos provar que os axiomas da aritmética são consistentes por meio de um número finito de passos que não levem a contradições. Contudo, nessa época, os matemáticos já haviam se acostumado a viver com as incertezas de seu objeto. As gerações das décadas de 1890 e 1900 ainda estavam longe de se conformar com elas.

Salvo para um pequeno grupo de pessoas, a crise na matemática podia ficar em segundo plano. Um conjunto muito maior de cientistas bem como, circunstancialmente, a maioria dos seres humanos cultos estavam envolvidos com a crise do universo galileano ou newtoniano da física — cujo início pode ser determinado com bastante exatidão em 1895 — e que seria substituído pelo universo einsteiniano da relatividade. A resistência que encontrou no mundo dos físicos foi menor que a relativa à revolução matemática, provavelmente porque ainda não ficara patente o

---

[*] Um exemplo simples (Berry e Russell) é a afirmação de que "a classe de números inteiros cuja definição pode ser expressa em menos de dezesseis palavras é finita". É impossível definir, sem contradição, um número inteiro como "o menor inteiro não definível em menos de dezesseis palavras", já que a segunda definição contém apenas dez palavras. O mais fundamental desses paradoxos é o "Paradoxo de Russell", que pergunta se o conjunto de todos os conjuntos, que não são elementos de si mesmos, é um elemento dele mesmo. Isto é análogo ao antigo paradoxo do filósofo grego Zenon, sobre se podemos acreditar num cretense que diz que "todos os cretenses são mentirosos".

CERTEZAS SOLAPADAS: AS CIÊNCIAS

desafio que este representava para as crenças tradicionais na certeza e nas leis da natureza. Isso ocorreria só na década de 1920. Em compensação, a resistência dos leigos foi enorme. De fato, mesmo em 1913, um autor alemão de um estudo e de uma história da ciência em quatro volumes, bem-informado e nada tolo (que deixou de mencionar, conscientemente, Planck — salvo como epistemólogo —, Einstein, J. J. Thompson e inúmeros outros que hoje em dia dificilmente seriam omitidos), negou que qualquer acontecimento excepcionalmente revolucionário estivesse em curso nas ciências. "É tendencioso apresentar a ciência como se seus fundamentos tivessem agora se tornado instáveis e nossa era devesse empreender sua reconstrução."[8] Como sabemos, a física moderna continua tão distante para a maioria dos leigos como os aspectos mais elevados da teologia escolástica para a maioria dos que acreditavam na cristandade na Europa do século XIV, até mesmo para os que se dispõem a acompanhar as frequentemente brilhantes tentativas de divulgá-la, multiplicadas desde a Primeira Guerra Mundial. Os ideólogos de esquerda rejeitaram a relatividade por considerá-la incompatível com sua própria ideia de ciência e os de direita a condenaram como judia. Em suma, daqui em diante a ciência tornou-se não apenas algo que poucas pessoas podiam entender, mas também algo de que muitos discordavam, embora crescentemente reconhecessem sua dependência em relação a ela.

O impacto na experiência, no bom senso e nas concepções aceitas do universo pode, talvez, ser mais bem ilustrado pelo problema do "éter luminífero", agora quase tão esquecido como o flogístico, invocado para explicar a combustão no século XVIII, antes da revolução química. Não havia evidência da existência do éter — algo elástico, rígido, incompressível e livre de atrito que, acreditava-se, enchia o universo — mas ele tinha que existir, no contexto de uma imagem de mundo essencialmente mecânico e que excluía qualquer coisa como a assim chamada "ação a distância", sobretudo porque a física do século XIX estava cheia de on-

A ERA DOS IMPÉRIOS

das, começando com as da luz (cuja velocidade real foi determinada pela primeira vez) e multiplicada via progresso das pesquisas em eletromagnetismo que, a partir de Maxwell, incluiu as ondas luminosas. Mas, num universo físico mecanicamente concebido, as ondas tinham que ser ondas em *algo*, assim como as ondas do mar são ondas na água. Na medida em que o movimento das ondas se tornou cada vez mais central na imagem do mundo físico, "o éter foi descoberto neste século, no sentido de que todas as evidências conhecidas de sua existência foram levantadas nesta época" (para citar um contemporâneo muito pouco ingênuo).[9] Em suma, o éter foi inventado porque, como afirmaram todas as "autoridades em física" [com raras vozes discordantes, como Heinrich Hertz (1857-1894), o descobridor das ondas de rádio, e Ernst Mach (1836-1916), mais conhecido como filósofo da ciência], "não devíamos saber nada sobre luz, calor irradiante, eletricidade ou magnetismo; sem isso provavelmente não haveria a gravitação",[10] pois uma imagem mecanicista do mundo exigia também que sua força fosse exercida através de algum meio material.

Contudo, se o éter existia, deveria ter propriedades mecânicas, fossem elas elaboradas ou não por meio dos novos conceitos eletromagnéticos. Estes colocaram dificuldades consideráveis, pois a física (desde Faraday e Maxwell) operava com dois esquemas conceituais que não se combinavam com facilidade e que, na verdade, tendiam a se afastar: a física das partículas discretas (da "matéria") e a dos meios contínuos ou "campos". Pareceu mais fácil supor — a teoria foi elaborada por H. A. Lorentz (1853-1928), um dos eminentes cientistas holandeses que transformaram o período numa idade de ouro para a ciência holandesa comparável ao século XVII — que o éter era estacionário em relação à matéria em movimento. Mas isso agora podia ser testado, e dois americanos, A. A. Michelson (1852-1931) e E. W. Morley (1838-1923), tentaram fazê-lo numa celebrada e imaginativa experiência em 1887, com um resultado que pareceu totalmente inexplicável. Tão inexplicável

CERTEZAS SOLAPADAS: AS CIÊNCIAS

e tão incompatível com crenças profundamente enraizadas que foi periodicamente repetido, com todas as precauções possíveis, até a década de 1920: sempre com o mesmo resultado.

Qual era a velocidade do movimento da Terra através do éter estacionário? Um feixe de luz era dividido em duas partes que percorriam, ida e volta, duas trajetórias iguais em ângulo reto entre si, sendo outra vez reunidos. Se a Terra viajasse pelo éter na direção de um dos feixes, o movimento do aparelho, durante o trânsito da luz, devia fazer com que as trajetórias dos feixes se tornassem desiguais. Isso poderia ser detectado. Mas não pôde. Parecia que o éter, fosse o que fosse, se movimentava com a Terra, ou presumivelmente, com qualquer outro elemento medido. O éter parecia não ter característica física alguma ou estar além de qualquer forma de captação material. A alternativa era abandonar a imagem científica estabelecida do universo.

Os leitores familiarizados com a história da ciência não se surpreenderão por Lorentz ter preferido a teoria ao fato e ter, portanto, tentado descartar a experiência Michelson-Morley, salvando assim o éter, considerado "o fulcro da física moderna",[11] por meio de um exemplar extraordinário de acrobacia teórica que o transformaria no "João Batista da relatividade".[12] Suponha que o tempo e o espaço possam ser ligeiramente separados, de forma que um corpo possa ficar mais curto quando de frente para a direção de seu movimento do que estaria se estivesse em repouso ou colocado transversalmente. Nesse caso, a contração do aparelho de medição de Michelson-Morley poderia ter ocultado a imobilidade do éter. Tal suposição, argumenta-se, era na verdade muito próxima da teoria da relatividade especial de Einstein (1905). Mas o problema de Lorentz e seus contemporâneos foi que eles quebraram o ovo da física tradicional nessa tentativa desesperada de mantê-lo intacto, enquanto Einstein, criança ainda quando Michelson e Morley chegaram à sua surpreendente conclusão, estava pronto para simplesmente abandonar as

A ERA DOS IMPÉRIOS

antigas convicções. Não havia movimento absoluto. Não havia éter, ou, se havia, não apresentava qualquer interesse para os físicos. De uma forma ou de outra, a antiga ordem da física estava condenada.

Duas conclusões podem ser tiradas desse instrutivo episódio. A primeira, compatível com o ideal racionalista que a ciência e seus historiadores herdaram do século XIX, é que os fatos são mais fortes que as teorias. Dado o desenvolvimento do eletromagnetismo, a descoberta de novos tipos de radiação — ondas de rádio (Hertz, 1883), raios X (Roentgen, 1895), radioatividade (Becquerel, 1896); dada a crescente necessidade de adaptar a teoria ortodoxa a formas curiosas; dada a experiência Michelson-Morley, cedo ou tarde a teoria teria que ser fundamentalmente alterada para se adequar aos fatos. Não é surpreendente que isso não tenha se dado imediatamente, mas aconteceu cedo o bastante: a transformação pode ser datada, com alguma precisão, da década de 1895-1905.

A outra conclusão é simetricamente oposta. A visão do universo físico que ruiu em 1895-1905 se baseara não nos "fatos", mas em pressupostos *a priori* sobre o universo, em parte com base no modelo mecânico do século XVII e em parte em intuições ainda mais antigas da experiência sensorial e da lógica. Nunca houvera maiores dificuldades intrínsecas para a aplicação da relatividade à eletrodinâmica ou a qualquer outra área, sobretudo à mecânica clássica, o que era um pressuposto desde Galileu. A única coisa que a física pode dizer sobre dois sistemas, dentro dos quais as leis de Newton se mantêm (por exemplo, dois trens), é que eles se movem um em relação ao outro, mas não que um está "em repouso" em sentido absoluto. O éter foi inventado porque o modelo mecânico aceito de universo precisava de algo assim, e porque parecia intuitivamente inconcebível que de algum modo não houvesse distinção entre movimento absoluto e repouso absoluto *em algum lugar.* Tendo sido inventado, ele barrou o prolongamento da relatividade à eletrodinâmica ou às leis da física em geral. Em suma, o que tornou a revolução na física tão revolu-

CERTEZAS SOLAPADAS: AS CIÊNCIAS

cionária não foi a descoberta de novos fatos, embora isso tenha, por certo, ocorrido, mas a relutância dos físicos em reconsiderar seus paradigmas. Como sempre, não foram as inteligências sofisticadas as preparadas para reconhecer que o rei estava nu: elas passaram o tempo inventando teorias para explicar por que suas roupas eram tão esplêndidas como invisíveis.

Ambas as conclusões são corretas, mas a segunda é muito mais útil ao historiador, já que a primeira não explica realmente de forma adequada como a revolução da física aconteceu. Velhos paradigmas não costumam inibir o progresso da pesquisa, como não o fizeram à época, nem a formação de teorias que sejam tanto consistentes com os fatos como intelectualmente fecundas. Produziram apenas o que, retrospectivamente, pode ser visto (como no caso do éter) como teorias desnecessárias e indevidamente complicadas. Reciprocamente, os revolucionários em física — pertencendo sobretudo àquela "física teórica", que ainda era pouco reconhecida como um campo, e que se autossituava em algum lugar entre a matemática e os aparelhos de laboratório — não estavam fundamentalmente motivados por qualquer desejo de esclarecer inconsistências entre observação e teoria. Trabalharam a seu próprio modo, às vezes movidos por preocupações puramente filosóficas ou mesmo metafísicas, como a procura de Max Planck "do Absoluto", que os levou à física contra o conselho dos professores, que estavam convencidos de que faltavam apenas detalhes a serem ajustados nessa ciência, e a partes da física que outros consideravam desinteressantes.[13] Nada é mais surpreendente na breve peça autobiográfica escrita na velhice por Max Planck — cuja teoria quântica (anunciada em 1900) marcou a irrupção pública da nova física — que o sentimento de isolamento, de não ser compreendido, quase de fracasso, que obviamente nunca o abandonou. Afinal, poucos físicos foram mais homenageados em vida, em seu próprio país e internacionalmente. Muito desse sentimento foi, evidentemente, resultado dos 25 anos, a partir de sua tese de doutoramento em 1875, em que o jovem Planck tentou em vão fazer seus admirados mestres — inclusive homens que ele finalmente convenceria — entenderem, reagirem ou mesmo lerem o trabalho que lhes apresentava: trabalho em sua opinião indubitavelmente conclusivo. Olhamos para trás e vemos cientistas identificando problemas cruciais não resolvidos em suas áreas e empreendendo sua solução, alguns pelo caminho correto, a maioria pelo errado. Mas, na verdade, como os historiadores da ciência nos lembraram, pelo menos desde Thomas Kuhn (1962), não é dessa maneira que as revoluções científicas ocorrem.

O que explica, então, a transformação da matemática e da física nesse período? Essa é a questão crucial para o historiador. Ademais, para o historiador que não se concentra exclusivamente nos debates especializados entre teóricos, a questão não se refere apenas à mudança da imagem científica do universo, mas também à relação entre essa mudança e tudo mais que estava acontecendo no período. Os processos do intelecto não são autônomos. Sejam quais forem a natureza das relações entre a ciência e a sociedade onde está embutida e a conjuntura histórica particular onde ocorre, essa relação existe. Os problemas que os cientistas identificam, os métodos que usam, os tipos de teorias que consideram satisfatórias em geral ou adequadas em particular, as ideias e modelos que usam para resolvê-los são os de homens e mulheres cujas vidas, mesmo no presente, não se restringem ao laboratório ou ao estudo.

Algumas dessas relações são de uma simplicidade crua. Uma parte substancial do ímpeto do desenvolvimento da bacteriologia e da imunologia foi uma função do imperialismo, pois os impérios ofereciam um forte incentivo ao controle das doenças tropicais, como a malária e a febre amarela, que prejudicavam as atividades dos homens brancos nas regiões coloniais.[14] Há, portanto, uma vinculação direta entre Joseph Chamberlain e (*Sir*) Ronald Ross, prêmio Nobel de Medicina em 1902. O papel desempenhado pelo nacionalismo está longe de ser secundário.

CERTEZAS SOLAPADAS: AS CIÊNCIAS

Wassermann, cujo teste de sífilis proporcionou o incentivo para o desenvolvimento da serologia, foi instado a pesquisá-lo em 1906 pelas autoridades alemãs, ansiosas para atingir o nível do que eles consideravam o avanço indevido da pesquisa francesa sobre sífilis.[15] Se, por um lado, não seria aconselhável deixar de lado essas vinculações diretas entre ciência e sociedade, sejam elas sob a forma de patrocínio ou pressão governamental ou da iniciativa privada, ou sob a forma menos trivial de trabalho científico estimulado por ou proveniente do progresso industrial prático ou de suas exigências técnicas, por outro lado essas relações não podem ser satisfatoriamente analisadas nestes termos, ainda menos no período 1873-1914. Ademais, as relações entre ciência e suas aplicações práticas eram tudo, menos próximas, salvo na química e na medicina. Assim, na Alemanha dos anos 1880 e 1890 — poucos países levaram tão a sério as implicações práticas da ciência — as academias técnicas (*Technische Hochschulen*) se queixavam de que seus matemáticos não se limitavam apenas ao ensino da matemática necessária aos engenheiros, e os professores de engenharia enfrentaram os de matemática numa batalha frontal em 1897. De fato, a massa dos engenheiros alemães, embora inspiradas pelo progresso americano a instalar laboratórios de tecnologia na década de 1890, não mantinha contato estreito com a atualidade científica. A indústria, reciprocamente, se queixava de que as universidades não estavam interessadas em seus problemas e faziam suas próprias pesquisas — embora lentamente. Krupp (que só autorizou seu filho a frequentar uma faculdade técnica em 1882) só se interessou pela física, como algo diferenciado da química, em meados da década de 1890.[16] Em suma, universidades, academias técnicas, indústria e governo estavam longe de coordenar seus interesses e esforços. Instituições de pesquisa financiadas pelo governo começavam, de fato, a surgir, mas não se pode dizer que estivessem avançadas: a Kaiser Wilhelm Gesellschaft (hoje Max Planck Gesellschaft), que financiava e coordenava a pesquisa fundamental, só foi

A ERA DOS IMPÉRIOS

criada em 1911, embora tenha tido predecessores privados. Além disso, mesmo se os governos estivessem, sem dúvida, começando a garantir e até a agilizar pesquisas que consideravam significativas, ainda é problemático falar do governo como uma força de peso que garantisse a pesquisa fundamental; não mais que a indústria, com a possível exceção dos laboratórios Bell. Ademais, a única ciência, além da medicina, na qual a pesquisa pura e as aplicações práticas estavam, à época, adequadamente integradas era a química, que por certo não estava passando então por nenhuma transformação fundamental ou revolucionária.

Essas transformações científicas não teriam sido possíveis sem o desenvolvimento técnico da economia industrial, com, por exemplo, o advento da livre disponibilidade da eletricidade, a fabricação de bombas de vácuo adequadas e instrumentos precisos de medida. Mas um elemento necessário a qualquer explicação não é, em si, explicação suficiente. Temos que olhar mais além. É possível compreender a crise da ciência tradicional analisando as preocupações sociais e políticas dos cientistas?

Essas eram, obviamente, dominantes nas ciências sociais; e, mesmo nas ciências naturais mais relevantes para a sociedade e suas preocupações, o elemento social e político era muitas vezes crucial. No período que nos interessa, este era plenamente o caso de todas as áreas da biologia que atingiam diretamente o homem social, e de todas as que podiam ser vinculadas ao conceito de "evolução" e ao nome cada vez mais carregado de conotações políticas de Charles Darwin. Ambos tinham um conteúdo ideológico forte. Sob a forma de racismo, cujo papel central no século XIX nunca será demais ressaltar, a biologia era essencial para uma ideologia burguesa teoricamente igualitária, pois deslocava a culpa das evidentes desigualdades humanas da sociedade para a "natureza" (*A era do capital*, capítulo 14:2). Os pobres eram pobres por terem nascido inferiores. Assim, a biologia não era só potencialmente a ciência da direita política como também a ciência dos que desconfiavam da ciência,

CERTEZAS SOLAPADAS: AS CIÊNCIAS

da razão e do progresso. Poucos pensadores foram mais céticos em relação às verdades dos meados do século XIX, inclusive à ciência, do que Nietzsche. Contudo, seus próprios escritos, e notadamente seu trabalho mais importante, *A vontade de poder*,[17] podem ser lidos como uma variante do darwinismo social, um discurso desenvolvido com a linguagem da "seleção natural", neste caso uma seleção destinada a produzir a nova raça dos "super-homens", que iria dominar os humanos inferiores como o homem, na natureza, domina e explora a criação bruta. E as vinculações entre biologia e ideologia são, de fato, particularmente evidentes no intercâmbio entre a "eugenia" e a nova ciência da "genética", que praticamente veio à luz por volta de 1900, sendo batizada pouco depois por William Bateson (1905).

A eugenia, que era um programa para a aplicação, às pessoas, do cruzamento seletivo comum na agricultura e pecuária, foi muito anterior à genética. O nome data de 1883. Era, essencialmente, um movimento político, em sua esmagadora maioria composto de membros da classe média e burguesia, que pressionavam os governos para que implantassem programas de ações positivas ou negativas visando melhorar a condição genética da espécie humana. Os eugenistas extremistas acreditavam que as condições do homem e da sociedade poderiam ser melhoradas *apenas* através da melhoria genética da espécie humana — por meio da concentração e do incentivo às estirpes humanas de valor (em geral identificadas com a burguesia ou com raças adequadamente coloridas, como a "nórdica"), e da eliminação das indesejáveis (em geral identificadas com os pobres, colonizados ou estrangeiros impopulares). Os eugenistas menos extremistas deixavam alguma margem às reformas sociais, educação e mudanças ambientais em geral. Se a eugenia, por um lado, podia se tornar a pseudociência fascista e racista tornada genocídio deliberado com Hitler, por outro lado não se identificava exclusivamente com qualquer setor político de classe média antes de 1914, não mais que as teorias sobre

A ERA DOS IMPÉRIOS

a raça, muito populares, entre as quais figurava. Temas ligados à eugenia surgiram na música ideológica dos liberais, dos reformadores sociais, dos socialistas fabianos e alguns outros setores de esquerda, nos países em que o movimento ficou na moda,* embora na batalha entre hereditariedade e meio ambiente ou, na expressão de Karl Pearson, "natureza" e "criação",** fosse praticamente impossível que a esquerda optasse *exclusivamente* pela hereditariedade. Daí, aliás, a acentuada falta de entusiasmo pela genética por parte dos profissionais da área médica nesse período. Pois os grandes triunfos da medicina da época se davam na esfera ambiental, tanto por meio dos novos tratamentos das doenças microbianas (que, a partir de Pasteur e Koch, haviam propiciado o surgimento da nova ciência da bacteriologia) como do saneamento básico. Os médicos eram tão relutantes como os reformadores sociais em acreditar, com Pearson, que "1.500.000 libras esterlinas gastas no incentivo da reprodução sadia seriam mais proveitosas para a erradicação da tuberculose que a criação de um sanatório em cada aglomeração urbana".[18] Eles tinham razão.

O que tornou a eugenia "científica" foi justamente o surgimento da genética após 1900, que parecia sugerir a exclusão total das influências ambientais na hereditariedade e a determinação, por um único gene, da maioria ou de todas as características; isto é, que o cruzamento seletivo dos seres humanos segundo o processo mendeliano era possível. Seria pouco admissível argumentar que a genética cresceu devido às preocupações da eugenia, embora haja casos de cientistas que foram atraídos para a pesquisa sobre hereditariedade "como *consequência* de um compromisso anterior com a cultura da raça", notadamente *Sir* Francis Galton e Karl Pearson.[19] Contudo, é possível demonstrar que as vinculações entre genética e eugenia eram estreitas no período 1900-1914 e que, tanto

---

* O movimento pelo controle da natalidade guardava relações estreitas com os argumentos eugenistas.

** *Nature* e *nurture*, no original. (N.T.)

CERTEZAS SOLAPADAS: AS CIÊNCIAS

na Grã-Bretanha como nos EUA, as figuras de proa da ciência estavam associadas ao movimento, embora antes de 1914, pelo menos na Alemanha e nos EUA, a demarcação entre ciência e pseudociência racista não fosse nada clara.[20] Isso levou geneticistas sérios a sair das organizações de eugenistas comprometidos no período entre as duas guerras mundiais. O elemento "político" da genética fica evidenciado em todos os acontecimentos. O futuro prêmio Nobel H. J. Muller declararia em 1918: "Nunca me interessei pela genética como pura abstração, mas sempre devido a sua relação fundamental com o ser humano — suas características e meios de autoaperfeiçoamento".[21]

Se o desenvolvimento da genética deve ser situado no contexto da premente preocupação com problemas sociais aos quais a eugenia dizia oferecer soluções biológicas (por vezes alternativas às socialistas), o desenvolvimento da teoria evolucionista, na qual estava imbricada, também tinha uma dimensão política. O desenvolvimento da "sociobiologia" em anos recentes chamou mais uma vez a atenção sobre esse ponto. Essa dimensão ficara evidente desde o início da teoria da "seleção natural", cujo modelo-chave, a "luta pela sobrevivência", fora basicamente derivado das ciências sociais (Malthus). Observadores da virada do século registraram uma "crise no darwinismo" que produziu várias especulações alternativas — o assim chamado "vitalismo", o "neolamarckismo" (como era chamado em 1901) e outras. Isso se devia não apenas às dúvidas científicas sobre as formulações do darwinismo, que se tornara uma espécie de ortodoxia biológica na década de 1880, mas também a dúvidas quanto a suas implicações mais amplas. O acentuado entusiasmo dos social-democratas pelo darwinismo bastou para garantir que ele não seria discutido em termos exclusivamente científicos. Por outro lado, enquanto a tendência político-darwinista na Europa o via como um reforço para a perspectiva marxista, segundo a qual os processos evolucionistas na natureza e na sociedade ocorriam independentemente da vontade e da consciência dos

A ERA DOS IMPÉRIOS

homens — e todos os socialistas sabiam aonde esses processos inevitavelmente levariam — nos EUA o "darwinismo social" destacava a livre concorrência como lei fundamental da natureza, e o triunfo do mais apto (isto é, do homem de negócios bem-sucedido) sobre os menos aptos (isto é, os pobres). A sobrevivência do mais apto também podia ser indicada, e de fato assegurada, pela conquista das raças e povos inferiores ou pelas guerras contra Estados rivais (como sugeriu o general alemão Bernhardi em 1913 em seu livro *Germany and the Next War*).[22]

Tais temas sociais se inseriram nos debates dos próprios cientistas. Assim, os primeiros anos da genética foram atormentados por uma briga amarga e persistente entre mendelianos (mais influentes nos EUA e entre os experimentalistas) e os assim chamados biométricos (relativamente mais fortes na Grã-Bretanha e entre os estatísticos matematicamente avançados). Em 1900, as pesquisas de Mendel sobre as leis da hereditariedade, tanto tempo negligenciadas, foram simultânea e separadamente redescobertas em três países e propiciariam — contra a oposição biométrica — as bases da genética moderna, embora tenha sido sugerido que os biólogos de 1900 leram nos velhos relatórios sobre o cultivo de ervilhas uma teoria de determinantes genéticos que não passava pela cabeça de Mendel em seu jardim de mosteiro, em 1865. Os historiadores da ciência aduziram várias razões para esse debate, algumas delas com clara dimensão política.

A inovação mais importante que, junto com a genética mendeliana, restaurou um "darwinismo" marcadamente modificado em sua posição de teoria cientificamente ortodoxa da evolução biológica, foi a incorporação à teoria de Darwin de imprevisíveis e descontínuos "saltos", bizarros e originais, em sua maioria inviáveis, mas tendo, ocasionalmente, vantagens evolutivas potenciais sobre as quais operaria a seleção natural. Foram chamados de "mutações" por Hugo De Vries, um dos muitos redescobridores contemporâneos das esquecidas pesquisas de Mendel. O

CERTEZAS SOLAPADAS: AS CIÊNCIAS

próprio De Vries tinha sido influenciado pelo mais importante mende-liano britânico e inventor da palavra "genética", William Bateson, cujos estudos sobre a variação (1894) foram conduzidos "com especial atenção à descontinuidade na origem das espécies". Contudo, continuidade e descontinuidade não eram apenas uma questão de cruzamento de plantas. O líder dos biométricos, Karl Pearson, rejeitou a descontinuidade até mesmo antes de se interessar pela biologia, pois "nenhuma grande reconstrução social, que beneficiasse de modo permanente qualquer classe da comunidade, jamais foi feita através de uma revolução... o progresso humano, como o da natureza, nunca dá saltos".[23]

Bateson, seu grande antagonista, estava longe de ser um revolucionário. Entretanto, se há algo claro sobre as ideias desse curioso personagem é seu desgosto pela sociedade existente (fora a Universidade de Cambridge, que ele queria preservar contra qualquer reforma, salvo a admissão de mulheres), seu ódio pelo capitalismo industrial e pelo "sórdido lucro de lojista" e sua nostalgia de um passado feudal orgânico. Em suma, tanto para Pearson como para Bateson, a variabilidade das espécies era uma questão de ideologia tanto quanto de ciência. É inútil, e de fato costuma ser impossível, tentar um paralelo entre teorias científicas específicas e posições políticas específicas, ainda menos em áreas que, como a "evolução", se prestam a uma gama de diferentes metáforas ideológicas. É quase tão inútil quanto analisá-las em termos da classe social dos cientistas, pois praticamente todos eles eram, nesse período, quase por definição, profissionais liberais de classe média. Contudo, a política, a ideologia e a ciência são aspectos inseparáveis em áreas como a biologia, pois suas vinculações são por demais óbvias.

Apesar de os físicos teóricos e mesmo os matemáticos serem também seres humanos, essas ligações em seu caso não são óbvias. Influências políticas conscientes ou inconscientes podem ser lidas em seus debates, mas não com muito proveito. O imperialismo e o surgimento dos movimentos de massa trabalhistas podem ajudar a elucidar questões de biologia, mas dificilmente terão a mesma utilidade em lógica simbólica ou teoria quântica. Os acontecimentos do mundo exterior aos seus estudos não eram, entre 1875 e 1914, catastróficos a ponto de intervir diretamente em seus trabalhos — como seria o caso após 1914 e como pode ter sido no fim do século XVIII, início do XIX. As revoluções no mundo do intelecto nesse período dificilmente poderiam ser derivadas por analogia das revoluções externas à ciência. No entanto, todos os historiadores ficam surpresos com o fato de a transformação revolucionária na visão de mundo científica naqueles anos estar inserida em um abandono mais geral e dramático dos valores, verdades e maneiras estabelecidos e longamente aceitos de encarar o mundo e estruturá-lo conceitualmente. Pode ser puro acaso, ou escolha arbitrária, que a teoria quântica de Planck, a redescoberta de Mendel, as *Logische Untersuchungen* de Husserl, a *Interpretação dos sonhos* de Freud e a *Natureza morta com cebolas* de Cézanne possam todos ser datados de 1900 — como teria sido possível inaugurar o novo século com a *Química Inorgânica* de Ostwald, a *Tosca* de Puccini, a primeira novela *Claudine* de Colette e *L'Aiglon* de Rostand —, mas a coincidência de inovações dramáticas em diversas áreas não deixa de ser impressionante.

Uma pista da transformação já foi sugerida. Era mais negativa que positiva, na medida em que substituía o que fora considerado, com ou sem razão, como uma visão científica de mundo coerente e potencialmente abrangente, onde razão e intuição não se contrapunham, por uma alternativa que não lhe era equivalente. Como vimos, os próprios teóricos estavam confusos e desorientados. Nem Planck nem Einstein estavam preparados para desistir do universo racional, causal e determinista para cuja destruição seus trabalhos tanto colaboraram. Planck era tão hostil ao neopositivismo de Ernst Mach como Lenin. Mach, por sua vez, embora sendo um dos raros primeiros céticos em relação ao universo físico dos cientistas do final

CERTEZAS SOLAPADAS: AS CIÊNCIAS

do século XIX, seria igualmente cético quanto à teoria da relatividade.[24] O pequeno mundo da matemática, como vimos, estava dividido por batalhas sobre se a verdade matemática podia ser mais do que formal. Ao menos os números naturais e o tempo eram "reais", pensava Brouwer. A verdade é que os próprios teóricos se viram confrontados com contradições que não podiam resolver, pois nem os "paradoxos" (um eufemismo para contradições), que os lógicos simbólicos tanto se empenharam em superar, não foram satisfatoriamente eliminados — nem sequer pelo monumental trabalho de Russell e Whitehead, os *Principia Mathematica* (1910-1913), como o primeiro admitiria. A solução menos perturbadora era refugiar-se naquele neopositivismo que se tornaria no que há de mais próximo a uma filosofia da ciência aceita no século XX. A corrente neopositivista que surgiu no final do século XIX, com autores como Duhem, Mach, Pearson e o químico Ostwald, não deve ser confundida com o positivismo que dominou as ciências naturais e sociais antes da nova revolução científica. Aquele positivismo acreditava que podia fundamentar a visão coerente de mundo, que estava prestes a ser questionada, em verdadeiras teorias apoiadas na experiência testada e sistematizada das ciências (idealmente experimentais), isto é, nos "fatos" da natureza tal como descobertos pelo método científico. Por seu lado, as ciências "positivas", ao contrário da especulação indisciplinada da teologia e da metafísica, propiciariam uma base sólida ao direito, à política, à moralidade e à religião — em suma, às maneiras de o ser humano viver em sociedade e articular suas esperanças para o futuro.

Críticos não científicos, como Husserl, ressaltaram que "a exclusividade com que a totalidade da visão de mundo do homem moderno se deixou, na segunda metade do século XIX, ser determinada pelas ciências positivas e ofuscada pela 'prosperidade' que estas produziram significou um afastamento descuidado das questões que eram decisivas para uma verdadeira humanidade".[25] Os neopositivistas se concentraram nas deficiências con-

393

A ERA DOS IMPÉRIOS

ceituais das próprias ciências positivas. Confrontados com teorias científicas que, sendo agora consideradas inadequadas, poderiam também ser vistas como um "constrangimento da linguagem e deformação das definições";[26] e com modelos representativos insatisfatórios (como o "átomo bola de bilhar"), eles escolheram duas vias interligadas por onde escapar à dificuldade. Por um lado propuseram uma reconstrução da ciência a partir de uma base estritamente empirista e até fenomenalista e, por outro lado, uma rigorosa formalização e axiomatização das bases da ciência. Isso eliminava especulações sobre as relações entre o "mundo real" e nossa interpretação dele, isto é, sobre a "verdade" como distinta da consistência interna e utilidade das proposições, sem interferir na prática real da ciência. As teorias científicas, como disse peremptoriamente Henri Poincaré, "nunca eram verdadeiras nem falsas", mas apenas úteis.

Foi sugerido que a emergência do neopositivismo no final do século viabilizou a revolução científica, ao propiciar uma transformação das ideias físicas sem qualquer preocupação com as concepções anteriores de universo, causalidade e leis naturais. Isso significa, apesar da admiração de Einstein por Mach, tanto dar crédito excessivo aos filósofos da ciência — inclusive àqueles que dizem aos cientistas que não se incomodem com a filosofia — como subestimar a crise, bastante generalizada no período, das ideias aceitas no século XIX, das quais o agnosticismo neopositivista e o repensar da matemática e da física eram apenas aspectos. Para considerar essa transformação em seu contexto histórico global, é preciso encará-la como parte da crise generalizada. E se quisermos encontrar um denominador comum aos múltiplos aspectos dessa crise, que atingiu praticamente todos os setores de atividade intelectual, em graus diversos, este deve ser o fato de todos se defrontarem, depois dos anos 1870, com inesperados, imprevistos e muitas vezes incompreensíveis resultados do progresso. Ou, para ser mais preciso, com as contradições que este havia gerado.

CERTEZAS SOLAPADAS: AS CIÊNCIAS

Para usar uma metáfora adequada à Era do Capital, esperava-se que os trilhos de estradas de ferro construídos pela humanidade levassem a destinos que os viajantes podiam não conhecer, pois lá ainda não haviam chegado, mas sobre cuja existência e natureza geral não tinham dúvida. Do mesmo modo, os viajantes à Lua, de Júlio Verne, não duvidavam da existência desse satélite ou de que, uma vez lá chegando, realmente saberiam o que restaria a ser descoberto por meio de uma inspeção mais detalhada do solo. O século XX podia ser predito, por extrapolação, como uma versão melhorada e mais esplêndida dos meados do século XIX.* Ainda assim, a paisagem imprevista, enigmática e perturbadora que os viajantes viam pela janela do trem da humanidade, enquanto ele rumava sem hesitações para o futuro, seria realmente a do caminho que levaria ao destino indicado em suas passagens? Não teriam tomado o trem errado? Pior: teriam tomado o trem certo que, de algum modo, os estava levando a uma direção que eles não queriam nem da qual gostavam? Se fosse o caso, como começara na situação de pesadelo?

A história intelectual das décadas após 1875 é repleta do sentimento de expectativas não apenas logradas — "como era bela a República quando ainda tínhamos um imperador", como brincou o desiludido francês — mas que de certa forma, estavam se transformando em seu oposto. Vimos esse sentimento de inversão perturbando tanto os ideólogos como os profissionais da política à época (veja o capítulo 4). Já o observamos no terreno da cultura, onde foi produzido um pequeno, mas pródigo gênero de cultura burguesa sobre o declínio e a queda da civilização moderna a partir dos anos 1880. *Degeneration*, do futuro sionista Max Nordau (1893), é um bom exemplo, adequadamente histérico.

---

* Salvo na medida em que a segunda lei da termodinâmica predisse a morte do universo por congelamento, proporcionando assim uma base vitoriana adequada ao pessimismo.

Nietzsche, o eloquente e ameaçador profeta de uma catástrofe iminente, cuja natureza exata ele não definiu muito bem, expressa melhor que ninguém essa crise das expectativas. Seu próprio modo de exposição literária, uma sucessão de aforismos poéticos e proféticos contendo intuições visionárias e verdades não discutidas, parecia contraditório com o discurso filosófico racionalista próprio para a construção de sistemas, com o qual ele dizia operar. Seus admiradores entusiásticos se multiplicaram entre os jovens (do sexo masculino) de classe média a partir de 1890.

Para Nietzsche, a decadência da vanguarda, o pessimismo e o niilismo dos anos 1880 eram mais que uma moda. Eram o "resultado final lógico de nossos grandes valores e ideais".[27] As ciências naturais, dizia ele, produziram sua própria desintegração interna, seus próprios inimigos, uma anticiência. As consequências das modalidades de pensamento aceitas pela política e pela economia do século XIX eram niilistas.[28] A cultura da época estava ameaçada por seus próprios produtos culturais. A democracia produziu o socialismo, a submersão fatal do gênio pela mediocridade, da força pela fraqueza — uma tecla em que também os eugenistas bateram, contudo de modo mais prosaico e positivista. Assim sendo, não seria essencial rever todos esses valores e ideais, e o sistema de ideias de que eles faziam parte, já que de qualquer modo estava ocorrendo uma "reavaliação de todos os valores"? Tais reflexões foram se multiplicando à medida que o velho século ia chegando ao fim. A única ideologia de peso que continuou firmemente ligada à ideia de ciência, razão e progresso do século XIX foi o marxismo, não afetado pela desilusão em relação ao presente, porque esperava ansiosamente o futuro triunfo justamente daquelas "massas" cuja irrupção causou tanto desconforto aos pensadores de classe média.

As próprias questões científicas desenvolvidas, que quebraram os moldes das explicações estabelecidas, faziam parte desse processo geral de expectativas transformadas e invertidas, que é encontrado, à época,

CERTEZAS SOLAPADAS: AS CIÊNCIAS

em todos os lugares onde homens e mulheres, em sua vida pública ou privada, enfrentaram o presente e o compararam às suas próprias expectativas ou às de seus pais. Será lícito supor que em tal ambiente os pensadores pudessem estar mais dispostos que em outras épocas a questionar os caminhos estabelecidos do intelecto, a pensar, ou ao menos a ponderar, o que até então era impensável? Ao contrário do início do século XIX, as revoluções cujos ecos podiam em certo sentido ser encontrados nos produtos da mente não estavam ocorrendo de fato, mas antes deveriam ser esperadas. Estavam implícitas na crise de um mundo burguês que simplesmente não podia mais ser compreendido em seus velhos e mesmos termos. Olhar o mundo de outro modo, mudar o próprio ponto de vista não era apenas mais fácil. Foi o que, de uma forma ou de outra, a maioria das pessoas de fato teve de fazer em suas vidas.

Entretanto, essa sensação de crise intelectual era um fenômeno estritamente minoritário. Entre os que tinham formação científica, imagina-se que essa sensação ficou restrita a poucas pessoas diretamente envolvidas com a falência da maneira de encarar o mundo do século XIX, e dentre elas nem todas o sentiram agudamente. Os dados envolvidos eram exíguos, pois mesmo onde a formação científica se expandira dramaticamente — como na Alemanha, onde o número de estudantes de ciências se multiplicou por oito entre 1880 e 1910 — eles ainda eram da ordem dos milhares e não de dezenas de milhares.[29] E a maioria deles se dirigia à indústria ou a atividades docentes bastante rotineiras, onde era pouco provável que se preocupassem muito com a falência da imagem estabelecida do universo. (Um terço dos diplomados em ciência na Grã-Bretanha em 1907-1910 se dedicavam basicamente ao ensino de primeiro e segundo graus.)[30] A posição dos químicos, de longe o maior corpo de cientistas profissionais da época, ainda era marginal à nova revolução científica. Os que sentiram diretamente o terremoto intelectual foram os matemáticos e os físicos, cujo número não aumentava muito depressa.

A ERA DOS IMPÉRIOS

Em 1910, as Sociedades de Física da Alemanha e da Grã-Bretanha, juntas, tinham apenas cerca de 700 membros, contra mais de dez vezes esse número nas sociedades associadas de química de ambos os países.[31]

Ademais, a ciência moderna, até em sua acepção mais ampla, continuou restrita a uma comunidade geograficamente concentrada. A distribuição dos novos prêmios Nobel mostra que suas maiores realizações ainda ficavam agrupadas na região tradicional do avanço científico, o centro e o nordeste da Europa. Dos primeiros 76 ganhadores do prêmio Nobel,[32] só dez não eram da Alemanha, Grã-Bretanha, França, Escandinávia, Países Baixos, Áustria-Hungria ou Suíça. Apenas três eram mediterrâneos, dois da Rússia e três da comunidade científica dos EUA, em crescimento acelerado porém ainda secundário. Os demais cientistas e matemáticos não europeus se destacavam — por vezes com brilho, como o físico neozelandês Ernest Rutherford — sobretudo através de seu trabalho na Grã-Bretanha. Na verdade, a comunidade científica estava ainda mais concentrada do que esses próprios dados indicam. Mais de 60% de todos os laureados com prêmios Nobel vinham de centros científicos da Alemanha, Grã-Bretanha e França.

Uma vez mais, os intelectuais ocidentais que tentaram elaborar alternativas ao liberalismo do século XIX, a juventude burguesa culta que acolheu Nietzsche e o irracionalismo, constituíam ínfimas minorias. Seus porta-vozes contavam-se a poucas dúzias, seu público era composto essencialmente das novas gerações dos educados nas universidades, que eram, fora dos EUA, uma elite minúscula. Em 1913, havia 14 mil estudantes universitários na Bélgica e na Holanda, para uma população total de 13-14 milhões de habitantes, 11.400 na Escandinávia (fora a Finlândia) para quase 11 milhões; e até na estudiosa Alemanha, apenas 77 mil para 65 milhões.[33] Quando os jornalistas falavam da "geração de 1914", normalmente queriam se referir a uma mesa de café cheia de rapazes falando para o círculo de amizades que haviam feito quando entraram para a *École Normale Supérieure* de Paris, ou a alguns líderes autoproclamados das modas intelectuais das universidades de Cambridge ou Heidelberg.

CERTEZAS SOLAPADAS: AS CIÊNCIAS

Tais dados não devem nos levar a subestimar o impacto das novas ideias, pois os números não são indicadores de influência intelectual. O número total de homens escolhidos para a pequena sociedade de discussão de Cambridge, normalmente conhecida como os "Apóstolos", entre 1890 e a guerra foi de apenas 37; mas entre eles estavam os filósofos Bertrand Russell, G. E. Moore e Ludwig Wittgenstein, o futuro economista J. M. Keynes, o matemático G. H. Hardy e algumas personalidades razoavelmente famosas da literatura inglesa.[34] Nos círculos intelectuais russos, o impacto da revolução na física e na filosofia já era tão importante em 1908 que Lenin sentiu a necessidade de escrever um longo livro contra Ernst Mach, cuja influência política entre os bolcheviques ele considerava tão séria quanto perniciosa: *Materialismo e empiriocriticismo*. Seja qual for a nossa visão das opiniões de Lenin sobre ciência, sua avaliação da realidade política era extremamente realista. Ademais, num mundo já formado pela mídia moderna (no dizer de Karl Kraus, satírico e inimigo da imprensa), as noções vulgarizadas das principais mudanças intelectuais não demorariam a ser absorvidas por um público mais amplo. Em 1914, o nome de Einstein não era conhecido fora das famílias dos próprios grandes físicos, mas, no final da guerra mundial, a "relatividade" já era tema de piadas apreensivas nos cabarés da Europa central. No curto lapso da Primeira Guerra Mundial, Einstein se tornara, apesar da total impenetrabilidade de sua teoria para a maioria dos leigos, talvez o único cientista depois de Darwin cujo nome e imagem eram reconhecidos, de maneira geral, pelo público leigo instruído do mundo inteiro.

11. RAZÃO E SOCIEDADE

"Eles acreditavam na Razão como os católicos na Virgem Maria."

Romain Rolland, 1915[1]

"Nos neuróticos, o instinto de agressão está inibido, ao passo que a consciência de classe o libera; Marx mostra como ele pode ser gratificado sem prejuízo para o significado da civilização; pela apreensão das verdadeiras causas da opressão e pela organização adequada."

Alfred Adler, 1909[2]

"Não partilhamos a crença obsoleta de que todos os fenômenos culturais podem ser deduzidos, como produto ou função, de constelações de interesses "materiais". No entanto, acreditamos que foi cientificamente criativo e fecundo analisar os fenômenos sociais e os fatos culturais sob esse ângulo específico, na extensão em que eles são economicamente condicionados. Assim continuará sendo no futuro previsível, desde que esse princípio seja aplicado com cuidado e não restringido pela parcialidade dogmática."

Max Weber, 1904[3]

Há outra forma de enfrentar a crise intelectual que deve ser mencionada aqui. Pois uma forma de pensar o então impensável era rejeitar ao mesmo tempo a razão e a ciência. É difícil medir a força dessa reação contra o intelecto nos últimos anos do velho século, ou mesmo, retrospectivamente, apreciar essa força. Muitos de seus defensores mais expressivos pertenciam ao submundo, ou *demi-monde*, da inteligência, e hoje estão

A ERA DOS IMPÉRIOS

esquecidos. Nós temos tendência a negligenciar a voga do ocultismo, da necromancia, da magia, da parapsicologia (que preocupou alguns destacados intelectuais britânicos) e das várias versões do misticismo e da religiosidade orientais, que vicejaram nas margens da cultura ocidental. O desconhecido e o incompreensível tornaram-se mais populares do que já tinham sido desde o início da época romântica (veja *A era das revoluções*, capítulo 14:2). Podemos observar de passagem que a moda desses temas, antes principalmente limitada à esquerda autodidata, agora tendia a se deslocar de modo notável em direção à direita política. Pois as disciplinas heterodoxas não eram mais, como haviam sido, pretensas ciências como a frenologia, a homeopatia, o espiritualismo e outras formas de parapsicologia, preferidas por aqueles que eram céticos em relação ao aprendizado convencional do *establishment*, mas sim significavam *rejeição* da ciência e de todos os seus métodos. Entretanto, embora essas formas de obscurantismo tenham dado algumas contribuições substantivas às artes de vanguarda (como, por exemplo, através do pintor Kandinsky e do poeta W. B. Yeats), seu impacto nas ciências naturais foi irrelevante.

Na verdade, seu impacto no grande público tampouco foi muito grande. Para a grande maioria das pessoas instruídas, sobretudo os recentemente educados, as antigas verdades intelectuais não estavam em questão. Ao contrário, eram triunfantemente reafirmadas por homens e mulheres para quem o "progresso" estava longe de ter exaurido suas promessas. O maior avanço intelectual dos anos 1875-1914 foi o desenvolvimento maciço da instrução e do autodidatismo populares e o aumento do público leitor nesses estratos. Na verdade, o autodidatismo e o autoaperfeiçoamento foram uma das principais funções dos novos movimentos da classe trabalhadora e um dos maiores atrativos para seus militantes. E o que as massas recém-instruídas de leigos absorveram e aceitaram, sobretudo se eram politicamente da esquerda democrática ou socialista, foram as certezas racionais da ciência do século XIX, inimiga da superstição e do privilégio, espírito

RAZÃO E SOCIEDADE

que presidia a instrução e o esclarecimento, prova e garantia do progresso e da emancipação das classes menos favorecidas. Uma das vantagens decisivas do marxismo em relação a outras tendências socialistas era justamente o fato de ele ser um "socialismo científico". Darwin e Gutenberg, o inventor da imprensa, eram tão respeitados pelos radicais e social-democratas quanto Tom Paine e Marx. A frase de Galileu — "E, contudo, se move" — era persistentemente citada na retórica socialista, indicando o triunfo inevitável da causa dos trabalhadores.

As massas estavam ao mesmo tempo em movimento e sendo instruídas. Entre meados da década de 1870 e a guerra, o número de professores de primeiro grau aumentou em cerca de um terço nos países com um bom sistema educacional, como a França, e em sete ou até treze vezes a cifra de 1875 em países anteriormente deficientes em educação, como a Inglaterra e a Finlândia; o número de professores de segundo grau deve ter-se multiplicado por quatro ou cinco (Noruega, Itália). Essa própria conjugação de movimento e instrução fez a linha de frente da velha ciência avançar mais, enquanto seu reforço, na retaguarda, estava se preparando para a reorganização. Para os professores de segundo grau, ao menos nos países latinos, dar aulas de ciência significava inculcar o espírito dos enciclopedistas, do progresso e do racionalismo, daquilo que um manual francês (1898) chamou de "libertação do espírito",[4] fácil de identificar ao "livre-pensamento" ou à libertação da Igreja de Deus. Se alguma crise existia para esses homens e mulheres, não era a da ciência ou da filosofia, mas a do mundo daqueles que viviam no privilégio, na exploração e na superstição. E no mundo fora da democracia ocidental e do socialismo, a ciência significava poder e progresso em um sentido menos metafórico. Significava a ideologia da modernização, imposta às atrasadas e supersticiosas massas rurais pelos *científicos*,* elites políticas

---

* Em espanhol no original. (N.T.)

A ERA DOS IMPÉRIOS

esclarecidas de oligarcas inspirados pelo positivismo — como no Brasil da República Velha e no México de Porfirio Díaz. Significava o segredo da tecnologia ocidental. Significava o darwinismo social que legitimava os multimilionários americanos.

A prova mais impressionante desse avanço do evangelho simples da ciência e da razão foi o recuo dramático da religião tradicional, ao menos no centro dos países europeus de sociedade burguesa. Isto não quer dizer que a maioria da espécie humana estivesse prestes a se tornar "livre-pensadora" (para usar a expressão da época). A grande maioria dos seres humanos, inclusive praticamente todas as mulheres, manteve seu compromisso com a fé nas divindades ou espíritos, bem como com seus ritos, fosse qual fosse sua religião, localidade ou comunidade. Como vimos, as igrejas cristãs foram, por conseguinte, acentuadamente feminizadas. Considerando-se que todas as principais religiões desconfiavam das mulheres e insistiam firmemente em sua inferioridade, e algumas, como a judaica, praticamente as excluíam do culto religioso formal, a lealdade das mulheres aos deuses parecia incompreensível e surpreendente aos homens racionalistas, sendo com frequência considerada mais uma prova da inferioridade de seu gênero. Assim, deuses e antideuses conspiravam contra elas, embora os partidários do livre-pensamento, teoricamente comprometidos com a igualdade dos sexos, tivessem uma participação envergonhada nessa conspiração.

Uma vez mais, na maior parte do mundo não branco, a religião ainda continuava sendo a única linguagem para falar do cosmos, da natureza, da sociedade e da política, tanto formulando como sancionando o que as pessoas pensavam e faziam. A religião era o que mobilizava homens e mulheres para objetivos que os ocidentais expressavam em termos seculares, mas que, na verdade, não podiam ser inteiramente traduzidos na linguagem secular. Os políticos britânicos podem querer reduzir Mahatma Ghandi a um mero agitador anti-imperialista que usava a

RAZÃO E SOCIEDADE

religião para inflamar as massas supersticiosas, mas, para o Mahatma, uma vida santa e espiritual era mais do que um instrumento político para a conquista da independência. Qualquer que fosse seu significado, a religião era ideologicamente onipresente. Os jovens terroristas bengalis da virada do século, a infância do que mais tarde veio a ser o marxismo indiano, eram inicialmente inspirados por um asceta bengali e seu sucessor Swami Vivekananda (cuja doutrina Vedanta é provavelmente mais conhecida através de uma versão californiana mais anódina), cuja mensagem eles interpretavam de modo plausível como um chamado à sublevação do país, então submetido a uma potência estrangeira, embora destinado a oferecer uma fé universal à humanidade.* Afirmou-se que "não foi através da política secular e sim de sociedades quase religiosas que os indianos instruídos adquiriram o hábito de pensar e se organizar em escala nacional".[5] Tanto a absorção do Ocidente (por intermédio de grupos como o Brahmo Samaj — veja *A era das revoluções*, capítulo 12:2) como a rejeição do Ocidente pela classe média nativista (por meio do Arya Samaj, fundado em 1875) revestiram-se dessa forma; sem contar a Sociedade Teosófica, cujas vinculações ao movimento nacional indiano serão destacadas mais adiante.

E se em países como a Índia os estamentos instruídos e emancipados que acolheram a modernidade acharam as ideologias desta inseparáveis da religião (ou, se as acharam separáveis, tinham de ocultar cuidadosamente o fato), fica óbvio que a atração que uma linguagem ideológica puramente secular exercia sobre as massas era irrelevante e que uma ideologia essencialmente secular era incompreensível. Onde as massas se rebelaram, o fizeram provavelmente sob a bandeira de seus deuses; como ainda, depois da Primeira Guerra Mundial, contra os britânicos por causa da

---

Oh, Índia... alcançarás tu, por meio de tua graciosa covardia, aquela liberdade merecida apenas pelos bravos e os heroicos?... Oh, tu, Mãe da força, tira de mim a fraqueza, tira de mim a falta de hombridade e faz de mim um homem" (Vivekananda).[6]

queda do sultão turco, que fora um califa *ex officio*, ou chefe de todos os muçulmanos; ou contra a revolução mexicana por Cristo Rei. Em suma, em escala mundial, seria absurdo considerar a religião significativamente mais fraca em 1914 do que em 1870 ou 1780.

Contudo, no centro dos países burgueses, embora talvez não nos EUA, a religião tradicional estava recuando com uma rapidez sem precedentes, tanto em sua força intelectual como entre as massas. Tratava-se, até certo ponto, de uma consequência quase automática da urbanização, pois é praticamente certo que, outros fatores permanecendo iguais, a cidade teria mais probabilidades de desencorajar a devoção que o campo, e a grande cidade mais que a pequena. Mas até as cidades se tornaram menos religiosas com a assimilação dos imigrantes das devotas regiões rurais aos urbanos a-religiosos ou céticos. Em Marselha, metade da população ainda frequentava o culto dominical em 1840, mas em 1901 a proporção caíra a 16%.[7] Mais ainda, nos países católicos, que englobavam 45% da população europeia, a fé recuou com especial rapidez no período, diante da ofensiva conjunta (citando uma queixa clerical francesa) do racionalismo da classe média e do socialismo dos professores das escolas,[8] mas particularmente diante da combinação de ideais emancipatórios e cálculo político que tornou a luta contra a Igreja o problema político-chave. A palavra "anticlerical" surgiu na França nos anos 1850, e o anticlericalismo se tornou um ponto central da política do centro e da esquerda franceses a partir de meados do século, quando o controle da maçonaria passa para as mãos de anticlericais.[9]

O anticlericalismo se tornou um problema central da política dos países católicos por duas razões principais: porque a Igreja Católica Romana optara por uma rejeição total da ideologia da razão e do progresso, podendo ser identificada somente à direita política, e porque a luta contra a superstição e o obscurantismo, mais que dividir capitalistas e proletários, uniu a burguesia liberal e a classe trabalhadora. Os políticos astutos não

RAZÃO E SOCIEDADE

deixaram de ter isso em mente ao lançar apelos à unidade de todos os homens de bem: a França superou o caso Dreyfus com essa frente unida, desestabilizando imediatamente a Igreja Católica.

Um dos subprodutos dessa luta, que acarretou a separação entre Igreja e Estado na França em 1905, foi uma acentuada aceleração da descristianização militante. Em 1889, só 2,5% das crianças da diocese de Limoges não haviam sido batizadas; em 1904 — o auge do movimento — essa porcentagem foi de 34%. Mas mesmo lá onde a luta entre Igreja e Estado não ocupava o centro da cena política, a organização dos movimentos de massa de trabalhadores ou a entrada dos homens comuns na vida política (pois a mulheres eram muito mais leais à fé) tiveram o mesmo efeito. No piedoso vale do Pó, no norte da Itália, as queixas relativas ao declínio da religião se multiplicaram no fim do século. (Na cidade de Mântua, dois terços se abstiveram da comunhão pascal já em 1885.) Os trabalhadores italianos que se incorporaram ao operariado siderúrgico da Lorena antes de 1914 já eram ateus.[10] Nas dioceses espanholas (ou antes, catalãs) de Barcelona e Vich, a proporção de crianças batizadas na primeira semana de vida caiu à metade entre 1900 e 1910.[11] Em suma, para a maior parte da Europa, progresso e secularização andavam de mãos dadas. E a velocidade do avanço de ambos era diretamente proporcional à perda do *status* das igrejas, que lhes havia dado as vantagens de um monopólio. As universidades de Oxford e Cambridge, que haviam excluído ou discriminado os não anglicanos até 1871, deixaram rapidamente de ser um refúgio do clero anglicano. Em Oxford (1891) a maioria dos diretores de faculdades ainda pertenciam às ordens religiosas, mas não mais nenhum de seus professores.[12]

Houve, na verdade, pequenos retrocessos: a classe alta anglicana, convertida à fé mais vigorosa do catolicismo; os estetas *fin-de-siècle*, atraídos pelo ritual colorido; talvez especialmente os irracionalistas, para quem o próprio absurdo intelectual da fé tradicional provava sua superioridade em relação à razão; e os reacionários, que constituíram o grande baluarte

A ERA DOS IMPÉRIOS

da antiga tradição e hierarquia mesmo quando não acreditavam nelas, como foi o caso de Charles Maurras, líder intelectual na França da monarquista e ultracatólica *Action Française*. Havia, de fato, muitos que praticavam suas religiões, e até alguns fervorosos fiéis entre docentes, cientistas e filósofos, mas a fé religiosa destes poucos poderia ter sido inferida a partir de seus escritos.

Em suma, intelectualmente, a religião ocidental nunca tivera tão pouco espaço como no início do século XX, e politicamente estava batendo em retirada, para dentro de muralhas confessionais fortificadas contra assaltos de fora.

O beneficiário natural dessa combinação de democratização e secularização foi a esquerda política e ideológica, e foi nesse campo que se deu o florescimento da velha crença burguesa na ciência, na razão e no progresso.

O herdeiro de mais peso das velhas certezas (política e ideologicamente transformadas) foi o marxismo, o corpo teórico e doutrinário elaborado após a morte de Karl Marx a partir de seus escritos e dos de Friedrich Engels, sobretudo dentro do Partido Social-Democrata alemão. Em muitos sentidos o marxismo, na versão de Karl Kautsky (1854-1938), definidor de sua ortodoxia, foi o último triunfo da confiança científica positivista do século XIX. Era materialista, determinista, inevitabilista, evolucionista, e identificava firmemente as "leis da história" com as "leis da ciência". O próprio Kautsky considerou inicialmente a teoria da história de Marx como "nada além da aplicação do darwinismo ao desenvolvimento social", afirmando, em 1880, que o darwinismo nas ciências sociais ensinava que "a transição de uma concepção de mundo velha a uma nova ocorre inelutavelmente".[13] Paradoxalmente para uma teoria que prezava tanto a ciência, o marxismo tinha, de maneira geral, muitas desconfianças em relação às dramáticas inovações contemporâneas na ciência e na filosofia, talvez porque pareciam trazer um enfraquecimento das certezas do materialismo (por exemplo, livre-pensamento e deter-

RAZÃO E SOCIEDADE

minismo) que eram tão atraentes. Foi só nos círculos Austro-Marxistas da Viena intelectual, onde ocorreram tantas inovações, que o marxismo manteve o contato com esses avanços, embora possa tê-lo feito ainda mais entre os intelectuais russos revolucionários devido à ligação ainda mais militante de seus gurus marxistas ao materialismo.* Os cientistas da natureza da época tinham, portanto, pouca motivação profissional para se interessar por Marx e Engels, e assim, embora alguns fossem politicamente de esquerda, como na França do caso Dreyfus, poucos se interessaram por eles. Kautsky nem publicou a *Dialética da natureza*, de Engels, a conselho do único físico profissional do partido, para quem o Império Alemão aprovou a assim chamada Lex Arons (1898), que excluiu os docentes social-democratas de designações universitárias.[14]

Contudo, qualquer que fosse o interesse pessoal de Karl Marx no progresso das ciências naturais de meados do século XIX, seu tempo e sua energia intelectual foram inteiramente dedicados às ciências sociais. E neste terreno, bem como na história, o impacto das ideias marxianas foi substancial.

Sua influência foi tanto direta como indireta.[15] Na Itália, no centro--leste da Europa e, sobretudo, no Império Czarista, regiões que pareciam à beira da revolução social ou da desintegração, Marx conquistou imediatamente um apoio intelectual amplo, extremamente brilhante, mas às vezes temporário. Nesses países ou regiões houve momentos, como por exemplo durante os anos 1890, em que praticamente todos os intelectuais acadêmicos mais jovens eram, de uma forma ou de ou-tra, revolucionários ou socialistas, e a maioria se considerava marxista, como tem acontecido com frequência na história do Terceiro Mundo

---

* Por exemplo, Sigmund Freud ficou com o apartamento do líder da social-democracia austríaca, Victor Adler, na Berggasse, onde Alfred Adler (não era parente do primeiro), um psicanalista compro-metido com a social-democracia, apresentou em 1909 um trabalho sobre "A psicologia do marxismo". O filho de Victor Adler, Friedrich, era, em compensação, cientista e admirador de Ernst Mach.[16]

desde então. Na Europa ocidental poucos intelectuais eram profundamente marxistas, apesar das dimensões dos movimentos de massas dos trabalhadores comprometidos com uma social-democracia marxiana — salvo, estranhamente, na Holanda, dando então início à sua revolução industrial. O Partido Social-Democrata alemão importou suas teorias marxistas do Império Habsburgo (Kautsky, Hilferding) e do Império Czarista (Rosa Luxemburgo, Parvus). Aqui, o marxismo era influente sobretudo através de pessoas suficientemente impressionadas, tanto pelo seu desafio intelectual como político, para tentar a crítica de sua teoria ou buscar respostas alternativas não socialistas às questões intelectuais que ele colocava. Tanto no caso de seus paladinos como de seus críticos, para não falar dos ex-marxistas ou pós-marxistas que começaram a aparecer a partir do final da década de 1890, como o eminente filósofo italiano Benedetto Croce (1866-1952), o elemento político era nitidamente dominante; em países como a Grã-Bretanha, que não precisava se preocupar com um forte movimento marxista de trabalhadores, ninguém deu muita atenção a Marx. Em países onde havia movimentos fortes desse tipo, eminentes professores, como Eugen von Bohm-Bawerk (1851-1914), na Áustria, usaram o tempo que lhes sobrava de suas tarefas como professores ou ministros para refutar a teoria marxista.[17] Mas é claro que o marxismo dificilmente teria suscitado uma produção intelectual tão substancial e prestigiosa, a favor e contra, se suas ideias não tivessem uma importância intelectual considerável.

O impacto de Marx nas ciências sociais ilustra a dificuldade de comparar seu desenvolvimento ao das ciências naturais nesse período. As ciências sociais lidavam essencialmente com o comportamento e os problemas de seres humanos que estão longe de ser observadores neutros e isentos de seus próprios problemas. Como vimos, até nas ciências naturais a ideologia torna-se mais importante à medida que vamos passando do mundo inanimado para a vida e, especialmente, para os problemas

RAZÃO E SOCIEDADE

de biologia diretamente implicados e referidos a seres humanos. As ciências sociais e humanas operam inteiramente, e por definição, na zona explosiva onde todas as teorias têm implicações políticas diretas e onde o impacto da ideologia, da política e da situação em que os pensadores se encontram é preponderante. É perfeitamente possível, no período que nos interessa (como em qualquer outro), ser tanto um astrônomo de destaque como um revolucionário marxista, como A. Pannekoek (1873-1960), cujos colegas de profissão sem dúvida achavam sua política tão irrelevante para sua astronomia como seus camaradas sua astronomia para a luta de classes. Se se tratasse de um sociólogo, ninguém teria considerado sua política irrelevante para suas teorias. As ciências sociais ziguezaguearam, passaram e tornaram a passar pelo mesmo território ou muitas vezes andaram em círculo por esse motivo. Ao contrário das ciências naturais, faltava-lhes um corpo central de conhecimento e teoria cumulativos universalmente aceito e um campo estruturado de pesquisa no qual se pudesse dizer que o progresso era resultado de um ajuste da teoria às novas descobertas. E, durante o período que analisamos, a divergência entre os dois ramos de "ciência" se tornou acentuada.

De certo modo isso era novo. No auge da crença liberal no progresso, parecia que a maioria das ciências sociais — etnografia/ antropologia, filologia/linguística, sociologia e diversas escolas importantes de economia — partilhava um quadro básico de pesquisa e teoria com as ciências naturais, o evolucionismo (veja *A era do capital*, capítulo 14:2). O cerne da ciência social era o estudo da ascensão do homem de um estado primitivo até o atual e a compreensão racional deste presente. Esse processo era habitualmente considerado como um progresso da humanidade passando por vários "estágios", embora mantendo em suas margens sobrevivências de estágios anteriores, bastante semelhantes a fósseis vivos. O estudo da sociedade humana era uma ciência positiva como qualquer outra disciplina evolucionária, da geologia à biologia. Parecia perfeitamente natural

A ERA DOS IMPÉRIOS

a um autor escrever um estudo das condições do progresso com o título de *Physics and politics, or Thoughts on the application of the principles of "natural selection" and "inheritance" to the political society*,* como um livro que seria publicado na década de 1880 na Coleção Científica Internacional por uma editora de Londres, lado a lado com volumes como *The Conservation of Energy, Studies in Spectrum Analysis, The Study of Sociology, General Physiology of Muscles and Nerves* e *Money and the Mechanism of Exchange*.[18]**

Entretanto, esse evolucionismo não tinha afinidades nem com as novas modas em filosofia nem com o neopositivismo, como tampouco com os que começaram a ter suas dúvidas sobre um progresso que parecia estar levando para a direção errada e, portanto, sobre as "leis históricas" que o tornavam aparentemente inevitável. A história e a ciência, combinadas de maneira tão triunfal na teoria da evolução, estavam agora sendo separadas. Os historiadores acadêmicos alemães rejeitaram as "leis históricas" como parte de uma ciência que pudesse operar generalizações, pois não havia lugar para tanto em disciplinas humanas dedicadas especificamente ao único e irrepetível, ou até à "maneira subjetivo-psicológica de ver as coisas", separada "do objetivismo cru dos marxistas por um vastíssimo abismo".[19] A pesada artilharia da teoria mobilizada nos anos 1890 na mais graduada publicação europeia dedicada à história, a *Historische Zeitschrift* — embora originalmente dirigida contra outros historiadores com excessiva propensão à ciência social, ou qualquer outra — logo dirigiria seu poder de fogo basicamente contra os social-democratas.[20]

Por outra parte, estas ciências sociais e humanas, na medida em que podiam aspirar à argumentação rigorosa ou matemática ou a métodos

---

* *Física e política, ou Pensamentos sobre a aplicação dos princípios da "seleção natural" e "herança" à política.* (N.T.)

** *A conservação da energia, Estudos sobre análise espectral, O estudo da Sociologia, Fisiologia geral de músculos e nervos* e *O dinheiro e o mecanismo de câmbio.* (N.T.)

RAZÃO E SOCIEDADE

experimentais das ciências naturais, também abandonaram a evolução histórica, às vezes com alívio. Foi o caso até de algumas que não podiam aspirar a nenhum dos dois, como a psicanálise, que foi descrita por um historiador sagaz como "uma teoria a-histórica do homem e da sociedade que podia tornar suportável (aos correligionários liberais de Freud em Viena) um mundo sem rumo e fora de controle".[21] Em economia, uma "batalha de métodos" bem amarga entrou para a história na década de 1880. O lado vencedor (liderado por Carl Menger, outro liberal vienense) representava não apenas uma visão do método científico — argumentação dedutiva contra a indutiva —, mas um estreitamento proposital das até então amplas perspectivas da ciência dos economistas. Os economistas com preocupações históricas eram ou bem expulsos para o limbo dos excêntricos e agitadores, como Marx, ou bem, como a "escola histórica", dominante na economia alemã, instados a se reclassificarem em outra categoria, por exemplo historiadores da economia ou sociólogos, deixando a verdadeira teoria aos analistas dos equilíbrios neoclássicos. Isso significou que questões de dinâmica histórica, desenvolvimento econômico e mesmo de flutuações econômicas e crises foram em grande parte expulsas da nova ortodoxia acadêmica. A economia tornou-se assim a única ciência social do período que analisamos a não ser incomodada pelo problema do comportamento não racional, pois era definida de modo tal que excluía todas as transações que não pudessem ser descritas de algum modo como racionais.

De maneira similar, a linguística, que fora (junto com a economia) a primeira e mais confiante das ciências sociais, agora parecia perder o interesse no modelo de evolução linguística que fora sua maior realização. Ferdinand de Saussure (1857-1913), que foi o inspirador póstumo de todas as modas estruturalistas após a Segunda Guerra Mundial, concentrou-se, ao contrário, na estrutura de comunicação estática e abstrata, da qual as palavras eram um veículo possível. Sempre que as ciências sociais e humanas puderam, assimilaram-se às ciências experimentais, como,

A ERA DOS IMPÉRIOS

notadamente, uma parte da psicologia, que correu para o laboratório para dar continuidade a seus estudos sobre a percepção, a aprendizagem e a modificação experimental do comportamento. Isso produziu uma teoria russoamericana do "behaviorismo" (I. Pavlov, 1849-1936; J. B. Watson, 1878-1958), que dificilmente pode servir de orientação para a mente humana: a complexidade das sociedades humanas, ou mesmo as vidas e as relações humanas comuns, não se prestam ao reducionismo dos positivistas de laboratório, por mais eminentes que sejam, nem o estudo de suas transformações no tempo pode ser feito experimentalmente. Assim, a consequência prática de maior projeção da psicologia experimental, os testes de inteligência (cujo pioneiro foi Binet, na França, a partir de 1905), foi achar mais fácil determinar os limites do desenvolvimento intelectual das pessoas por meio de um QI aparentemente permanente, do que determinar a natureza desse desenvolvimento, ou como ocorreu, ou aonde podia levar.

Essas ciências sociais positivistas ou "rigorosas" cresceram, gerando departamentos universitários e profissões, mas sem algo mais que possa ser comparado à capacidade de surpreender e chocar das ciências naturais revolucionárias do período. De fato, onde as primeiras estavam sendo transformadas, os pioneiros desta transformação já haviam feito seu trabalho em período anterior. A nova economia do lucro marginal e do equilíbrio voltava-se para W. S. Jevons (1835-1882), Léon Walras (1834-1910) e Carl Menger (1840-1921), cujo trabalho original fora desenvolvido nos anos 1860 e 1870; os psicólogos experimentais, embora sua primeira publicação com esse título tenha sido a do russo Bekhterev em 1904, voltavam-se para a escola alemã de Wilhelm Wundt, criada nos anos 1860. Entre os linguistas, o revolucionário Saussure era ainda mal conhecido fora de Lausanne, pois sua fama se baseia em anotações de aula publicadas após sua morte.

As questões mais dramáticas e controvertidas das ciências sociais e humanas guardavam estreita relação com a crise intelectual *fin-de-siècle* do

RAZÃO E SOCIEDADE

mundo burguês. Como vimos, ela revestiu duas formas. Sociedade e política pareciam necessitar ser repensadas na era das massas, em particular os problemas da estrutura e coesão sociais, ou (em termos políticos) a lealdade dos cidadãos e a legitimidade do governo. O que preservou a ciência econômica de convulsões intelectuais maiores foi, talvez, o fato de a economia capitalista ocidental não estar, manifestamente, enfrentando problemas da mesma gravidade — ou, ao menos, eles eram temporários. De maneira geral, tratava-se das novas dúvidas a respeito dos pressupostos do século XIX em relação à racionalidade humana e à ordem natural das coisas.

É na psicologia que a crise da razão fica mais óbvia, ao menos na medida em que ela tentava se conciliar não com situações experimentais, mas com a mente humana como um todo. O que restaria do próspero cidadão visando a objetivos racionais através da maximização do lucro pessoal, se esse processo se baseava em uns quantos "instintos" como os dos animais (Mac-Dougall);[22] se a mente racional não passava de um barco navegando nas ondas e correntezas do inconsciente (Freud); ou mesmo se a consciência racional era apenas um tipo especial de consciência, "ao passo que em sua totalidade, dela separadas pela mais frágil película, residem formas potenciais de consciência totalmente diferentes" (William James, 1902)?[23] Qualquer leitor da grande literatura, qualquer apreciador da arte ou pessoas introspectivas amadurecidas já estavam, é claro, familiarizados com tais observações. Contudo, foi agora e não antes que essas observações se tornaram parte do que se autodenominava o estudo científico da psique humana. Elas não se ajustavam à psicologia de laboratório ou dos testes; a coexistência de dois ramos de investigação da psique humana foi incômoda. Na verdade, o inovador mais marcante nessa área, Sigmund Freud, criou uma disciplina, a psicanálise, que se separou do resto da psicologia e cuja pretensão a um *status* científico e valor terapêutico foi, desde então, tratada com desconfiança nos círculos científicos convencionais. Por outro lado, seu impacto em uma minoria

A ERA DOS IMPÉRIOS

de homens e mulheres emancipados foi rápido e considerável, inclusive em parte das ciências humanas e sociais (Weber, Sombart). Uma terminologia vagamente freudiana se incorporaria ao discurso corrente de leigos instruídos após 1918, ao menos na Alemanha e nas regiões de cultura anglo-saxônica. Além de Einstein, Freud é provavelmente o único cientista do período (pois ele assim se considerava) cujo nome é conhecido pelo homem da rua. Isso foi devido, sem dúvida, à conveniência de uma teoria que autorizava homens e mulheres a jogarem a culpa de suas ações em algo independente de sua vontade como seu inconsciente, mas ainda mais ao fato de Freud poder ser visto, acertadamente, como alguém que rompeu tabus sexuais e, erradamente, como paladino da libertação da repressão sexual. Pois a sexualidade — assunto aberto à discussão e pesquisa públicas e a uma abordagem literária com poucos disfarces no período que analisamos (basta pensar em Proust na França, Arthur Schnitzler na Áustria e Frank Wedekind na Alemanha)[*] — era central para a teoria de Freud. Freud não foi, é claro, o único, nem sequer o primeiro, autor a pesquisá-la em profundidade. Ele não pertence ao crescente contingente de sexólogos que apareceu após a publicação do livro *Psychopathia Sexualis* (1886), de Richard von Krafft-Ebing, que inventou o termo "masoquismo". Ao contrário de Krafft-Ebing, a maioria dos sexólogos era reformista, visando conseguir tolerância pública para várias formas de tendências sexuais não convencionais ("anormais"); e informar e libertar da culpa os que pertenciam a tais minorias sexuais (Havelock Ellis, 1859-1939, Magnus Hirschfeld).[**] Ao contrário dos

---

[*] Proust no que se refere às homossexualidades masculina e feminina; Schnitzler — médico — a favor de uma abordagem honesta da promiscuidade sexual fortuita (*Reigen*, 1903, escrito originalmente em 1896-1897); Wedekind (*Frühlings Erwachen*, 1891), sobre a sexualidade da adolescência.

[**] Ellis começou a publicar seus *Studies in the Psychology of Sex* em 1897; dr. Magnus Hirschfeld começou a publicar seu *Jahrbuch für sexuelle Zwischenstufen* (Anuário de casos sexuais fronteiriços) no mesmo ano.

RAZÃO E SOCIEDADE

novos sexólogos, Freud não despertou tanto o interesse de um público especificamente preocupado com problemas sexuais, mas o de homens e mulheres cultos e suficientemente emancipados dos tabus judaico-cristãos tradicionais para aceitar o que há muito imaginavam, ou seja, o enorme poder, ubiquidade e multiformidade do impulso sexual.

Freudiana ou não freudiana, individual ou social, o que preocupava a psicologia não era como os seres humanos raciocinavam, mas quão pouco essa capacidade de raciocinar afetava seu comportamento. A partir daí foi capaz de refletir a era da política e da economia das massas de duas maneiras, ambas críticas: por meio da "psicologia das multidões", conscientemente antidemocrática, de Le Bon (1841-1931), Tarde (1843-1904) e Trotter (1872-1939), que afirmava que todos os homens abandonavam o comportamento racional quando reunidos em multidão; e por meio da publicidade, cujo entusiasmo pela psicologia era notório e que há muito descobrira que sabão não era vendido por argumentos. Publicaram-se trabalhos sobre a psicologia da publicidade desde antes de 1909. Entretanto, a psicologia, lidando principalmente com o indivíduo, não precisou se entender com os problemas de uma sociedade em processo de mudança. A disciplina transformada da sociologia, sim.

A sociologia foi, provavelmente, o produto mais original das ciências sociais no período que nos ocupa; ou, em termos mais precisos, a tentativa mais significativa de compreender intelectualmente as transformações históricas que são o tema central deste livro. Pois os problemas fundamentais que preocuparam seus expoentes mais notáveis eram políticos. Como mantinham as sociedades sua coesão fora dos costumes e da aceitação tradicional da ordem cósmica, em geral sancionada por alguma religião, que um dia haviam justificado a subordinação social e as normas? Como funcionam as sociedades enquanto sistemas políticos sob tais condições? Em suma, como pode lidar uma sociedade com as consequências imprevistas e perturbadoras da democratização e da cultura

A ERA DOS IMPÉRIOS

de massas, ou, numa formulação mais geral, de uma evolução da sociedade burguesa que parecia levá-la a algum outro tipo de sociedade? Esse conjunto de problemas é o que distingue os homens, hoje considerados como fundadores da sociologia, da legião de evolucionistas positivistas inspirados em Comte e Spencer (veja *A era do capital*, capítulo 14:2), hoje esquecidos, que até então representavam esse tema.

A nova sociologia não era uma disciplina acadêmica estabelecida nem sequer bem definida, e até hoje não conseguiu estabelecer um consenso internacional em torno de seu conteúdo exato. No máximo, algo como uma "área" acadêmica surgiu nesse período em alguns países europeus, em torno de alguns poucos homens, revistas, sociedades e inclusive uma ou duas cátedras universitárias; mais notavelmente na França, em torno de Émile Durkheim (1858-1917), e na Alemanha em torno de Max Weber (1864-1920). Apenas nas Américas, e em especial nos EUA, havia um número significativo de sociólogos com esse nome. Na verdade, boa parte do que hoje seria classificado como sociologia era trabalho de homens que ainda continuavam a se considerar de outras áreas: Thorstein Veblen (1857-1929), economista, Ernst Troeltsch (1865-1923), teólogo, Vilfredo Pareto (1848-1923), economista, Gaetano Mosca (1858-1941), cientista político, e até Benedetto Croce, filósofo. O que deu a esse campo alguma unidade foi a tentativa de entender uma sociedade que as teorias do liberalismo político e econômico não podiam, ou não podiam mais, abranger. Contudo, ao contrário da moda sociológica em algumas de suas fases posteriores, sua preocupação maior nesse período era refrear a mudança da sociedade, antes que transformá-la, para não falar de revolucioná-la. Daí sua relação ambivalente com Karl Marx, hoje muitas vezes citado, com Durkheim e Weber, como fundador da sociologia do século XX, mas cujos discípulos nem sempre gostam muito desse rótulo. Nas palavras de um intelectual alemão contemporâneo: "Deixando de lado as consequências práticas de suas doutrinas e a organização de seus seguidores com elas comprometidos, Marx levantou questões intrincadas

RAZÃO E SOCIEDADE

mesmo do ponto de vista científico, às quais temos de nos esforçar para desemaranhar".[24]

Alguns dos que se dedicavam à nova sociologia se concentraram em saber como as sociedades realmente funcionavam, de modo diferente do que supunha a teoria liberal. Daí a profusão de publicações versando sobre o que hoje seria chamado de "sociologia política", baseadas, em grande medida, na experiência da nova política democrático-eleitoral e dos movimentos de massas, ou de ambos (Mosca, Pareto, Michels, S. e B. Webb). Alguns se concentraram em saber o que mantinha as sociedades coesas contra as forças desagregadoras, oriundas dos conflitos entre as classes e entre os grupos que as compunham, e na tendência da sociedade liberal a reduzir a humanidade a indivíduos dispersos, desorientados e desenraizados ("anomia"). Daí a preocupação dos principais pensadores — quase invariavelmente agnósticos e ateus — como Weber e Durkheim, com o fenômeno da religião, e daí a crença de que todas as sociedades precisam, seja da religião, seja de seu equivalente funcional para manter seu tecido social; e de que os elementos de todas as religiões podiam ser encontrados nos ritos dos aborígines australianos, à época normalmente considerados sobreviventes da infância da espécie humana (*A era do capital*, capítulo 14:2). Reciprocamente, as tribos primitivas e bárbaras que o imperialismo agora permitia, e às vezes exigia, que os antropólogos estudassem minuciosamente — o "trabalho de campo" se tornou parte integrante da antropologia social no início do século XX —, eram agora vistas basicamente não como demonstrações de estágios evolucionários passados, mas como sistemas sociais em funcionamento efetivo.

Mas qualquer que fosse a natureza da estrutura e da coesão das sociedades, a nova sociologia não podia eludir o problema da evolução histórica da humanidade. Na verdade, a evolução social ainda continuava sendo o cerne da antropologia, e, para homens como Max Weber, a questão de saber de onde a sociedade burguesa tinha vindo e para onde estava evoluindo permanecia candente tanto quanto para os marxistas, e por

A ERA DOS IMPÉRIOS

razões análogas. Weber, Durkheim e Pareto — os três liberais com graus variáveis de ceticismo — estavam preocupados com o novo movimento socialista e se encarregaram de refutar Marx, ou antes sua "concepção materialista da história", por meio da elaboração de uma perspectiva mais geral de evolução social. Empreenderam, por assim dizer, a elaboração de respostas não marxianas a perguntas marxianas. Isso é menos óbvio em Durkheim, pois Marx não tinha influência na França, a não ser como aquele que propiciou um tom ligeiramente mais vermelho ao velho revolucionarismo *jacobino-communard.*[*] Na Itália, Pareto (mais lembrado como economista matemático brilhante) aceitou a realidade da luta de classes, mas replicou que ela não levaria à derrubada de todas as classes dirigentes, e sim à substituição de uma elite dirigente por outra. Na Alemanha, Weber foi chamado de "o Marx burguês", por ter aceito muitas das perguntas de Marx, virando, contudo, de cabeça para baixo seu método ("materialismo histórico") de respondê-las.

O que motivou e determinou o desenvolvimento da sociologia no período que abordamos foi, portanto, a percepção da crise nas questões da sociedade burguesa, a consciência da necessidade de fazer algo para evitar sua desintegração ou transformação em tipos diferentes de sociedade, sem dúvida menos desejáveis. Isso terá revolucionado as ciências sociais ou até criado uma base adequada para a ciência geral da sociedade cuja construção seus pioneiros empreenderam? As opiniões divergem, mas são, em sua maioria, provavelmente céticas. Contudo, há uma pergunta que pode ser respondida com mais segurança: esses homens terão propiciado os meios para evitar a revolução e a desintegração que eles esperavam represar ou reverter?

A resposta é negativa. A cada ano que passava a combinação de revolução e guerra ficava mais próxima. Acompanhemos agora a sua trajetória.

---

[*] *Communard*: partidário/participante da Comuna de Paris (1871). (N.T.)

12. RUMO À REVOLUÇÃO

"Ouviu falar do Sinn Fein, da Irlanda? ... É um movimento interessantíssimo e muito parecido ao assim chamado Movimento Extremista da Índia. Sua política é não mendigar favores, mas arrancá-los."

Jawaharlal Nehru (aos dezoito anos) a seu pai, 12.9.1907[1]

"Na Rússia, tanto o soberano como o povo são de raça eslava, mas, simplesmente porque o povo não suporta o veneno da autocracia, estão dispostos a sacrificar milhões de vida para comprar a liberdade... Mas, quando olho para meu país, não consigo controlar meus sentimentos. Não apenas tem a mesma autocracia que a Rússia, como temos sido pisoteados por bárbaros estrangeiros há 200 anos."

Um revolucionário chinês, c. 1903-1904[2]

"Operários e camponeses da Rússia, vocês não estão sozinhos! Se conseguirem derrubar, esmagar e destruir os tiranos da Rússia feudal, policiada pelos senhores e czarista, sua vitória servirá como sinal para uma luta mundial contra a tirania do capital."

V. I. lenin, 1905[3]

1.

Os últimos anos do capitalismo do século XIX têm sido até hoje considerados um período de estabilidade social e política: de regimes que não apenas sobreviviam como também prosperavam. E, na verdade, se nos concentrássemos só nos países de capitalismo "desenvolvido", tal ideia seria razoavelmente plausível. Economicamente, as sombras dos anos da Grande Depressão se dissipavam, dando lugar ao sol radioso da expansão e da prosperidade da década de 1900. Sistemas políticos que não sabiam muito bem como lidar com as agitações sociais da década de 1880 — com a súbita emergência dos partidos de massas das classes trabalhadoras voltados para a revolução ou com as mobilizações de massa de cidadãos contra o Estado em outras bases — aparentemente descobriram maneiras flexíveis de conter e integrar alguns e isolar outros. Os quinze anos entre 1899 e 1914 foram a *belle époque* não só por terem sido prósperos — e a vida era incrivelmente atraente para os que tinham dinheiro e dourada para os ricos —, mas também porque os dirigentes da maioria dos países ocidentais, embora preocupados talvez com o futuro, não estavam com medo do presente. Suas sociedades e regimes pareciam, de maneira geral, administráveis.

Entretanto, no mundo havia áreas consideráveis onde claramente este não era o caso. Nessas regiões, os anos entre 1880 e 1914 foram um período de revoluções continuamente possíveis, iminentes ou mesmo reais. Embora alguns desses países fossem mergulhar na guerra mundial, nem nesse caso 1914 foi a ruptura aparentemente súbita que separa a tranquilidade, a estabilidade e a ordem de uma era de dilaceramento. Em alguns deles — o Império Otomano, por exemplo — a própria guerra mundial foi só mais um episódio de uma série de conflitos militares que já haviam começado alguns anos antes. Em outros — talvez a Rússia e com certeza o Império Habsburgo — a própria guerra mundial foi, em boa medida, produto da insolubilidade dos problemas políticos internos. Para outro grupo de países ainda — China, Irã, México — o papel da guerra de 14 não foi de forma alguma significativo. Em suma, no que tange à vasta área do planeta que então constituía o que Lenin sagazmente chamou, em 1908, de "material inflamável na política mundial",[4] a ideia de que,

RUMO À REVOLUÇÃO

de uma forma ou de outra, a estabilidade, a prosperidade e o progresso liberal teriam continuado, se não fosse a imprevista e evitável intervenção da catástrofe de 1914, não tem a mais remota plausibilidade. Ao contrário. Após 1917, ficou claro que até os países prósperos e estáveis da sociedade burguesa ocidental teriam, de um modo ou de outro, sido atingidos pelos levantes revolucionários globais que começaram na periferia do sistema mundial, único e interdependente, que essa sociedade criara.

O século burguês desestabilizou sua periferia de dois modos principais: solapando as antigas estruturas de suas economias e sociedades e tornando inviáveis seus regimes e instituições políticas estabelecidas. Os efeitos do primeiro foram mais profundos e explosivos. Foi o responsável pela diferença entre o impacto histórico das revoluções russa e chinesa, persa e turca. Mas o segundo era mais prontamente visível, pois, com exceção do México, a zona atingida pelo terremoto político global de 1900-1914 foi sobretudo o grande cinturão geográfico de antigos impérios, alguns deles datando das brumas da antiguidade, que se estendiam da China, a leste, ao Habsburgo, e talvez Marrocos, a oeste.

Pelos padrões dos impérios e Estados-nação ocidentais, essas estruturas políticas arcaicas eram frágeis, obsoletas e, como diriam muitos partidários contemporâneos do darwinismo social, fadadas a desaparecer. Foi seu colapso e desintegração que propiciou as condições para as revoluções de 1910-1914 e, na Europa, o cenário imediato tanto para a guerra mundial que se aproximava como para a Revolução Russa. Os impérios que caíram naqueles anos estavam entre as mais antigas forças políticas da História. A China, embora às vezes dilacerada e ocasionalmente conquistada, fora um grande império e o centro da civilização pelo menos durante dois milênios. Os grandes concursos para o serviço civil imperial, que selecionava a elite intelectual que a dirigia, fora realizado anualmente — com interrupções esporádicas — por mais de dois mil anos. Quando foram abandonados, em 1905, o fim do império só podia

A ERA DOS IMPÉRIOS

estar próximo. (Estava de fato a seis anos de distância.) A Pérsia fora um grande império e centro de cultura por um período similar, embora sua sorte tenha conhecido flutuações mais dramáticas. Sobreviveu a seus maiores antagonistas, os Impérios Romano e Bizantino, ressurgiu após ter sido conquistada por Alexandre, o Grande, pelo Islã, pelos mongóis e pelos turcos.

O Império Otomano, embora muitíssimo mais jovem, foi o último daquela sucessão de conquistadores nômades que saíram da Ásia Central, desde a época de Átila, o Huno, para derrubar e tomar posse de reinos orientais e ocidentais: ávaros, mongóis, várias mesclas de turcos. Com sua capital em Constantinopla, a antiga Bizâncio, a cidade dos Césares (Tzarigrado), ele era herdeiro em linha direta do Império Romano, cuja metade ocidental ruíra no século V d.C., mas cuja metade oriental sobrevivera — até ser conquistada pelos turcos — por mais mil anos. Embora o Império Otomano tenha retrocedido a partir do final do século XVII, continuava sendo um respeitável território tricontinental. Ademais, o sultão, seu mandatário absoluto, era considerado pela maioria dos muçulmanos do mundo como seu califa, o chefe de sua religião e, assim sendo, sucessor do profeta Maomé e seus discípulos triunfantes do século VII. Os seis anos que assistiram à transformação desses três impérios em monarquias constitucionais ou repúblicas, segundo o modelo ocidental burguês, marcam indiscutivelmente o fim de uma fase importante da história mundial.

Os dois grandes e instáveis impérios multinacionais europeus que também estavam às vésperas do colapso, a Rússia e o de Habsburgo, não eram muito comparáveis entre si, salvo na medida em que ambos representavam um tipo de estrutura política — países governados, por assim dizer, como propriedades familiares — que cada vez mais pareciam sobreviventes pré-históricos no século XIX. Mais ainda, ambos reclamavam o título de César (czar, Kaiser), o primeiro através de ancestrais bárbaros medievais com os olhos voltados para o Império Romano do Oriente, o segundo devido a ancestrais equivalentes que reviviam a lembrança do Império Romano do Ocidente. Na verdade, enquanto impérios e potências europeias, ambos eram relativamente recentes. Ademais, em contraste com os impérios antigos, ficavam na Europa, na fronteira entre as zonas de economias desenvolvida e atrasada, e portanto, desde o início, parcialmente integrados ao mundo economicamente "avançado"; e, sendo "grandes nações", totalmente integrados ao sistema político da Europa, um continente cuja definição mesma sempre foi política.* Daí, a propósito, as enormes repercussões da revolução russa e, de maneira diferente, da ruína do Império Habsburgo no panorama europeu e político global, comparadas às repercussões relativamente modestas ou puramente regionais das revoluções, digamos, chinesa, mexicana ou iraniana.

O problema dos impérios obsoletos da Europa era que eles estavam simultaneamente em dois campos: avançado e atrasado, forte e fraco, lobo e cordeiro. Os impérios antigos estavam apenas no das vítimas. Pareciam destinados à ruína, conquista ou dependência, salvo se pudessem aprender com os imperialistas ocidentais o que os tornava tão poderosos. No final do século XIX isto era perfeitamente claro, e a maioria dos Estados maiores e dos dirigentes do antigo mundo dos impérios tentou, em graus diversos, assimilar o que eles consideravam como as lições do Ocidente; mas apenas o Japão foi bem-sucedido nessa tarefa difícil, e em 1900 tornou-se um lobo entre os lobos.

2.

Sem a pressão da expansão imperialista, não é provável que tivesse ocorrido uma revolução no antigo Império Persa, bastante decrépito no século XIX, como tampouco no mais ocidental dos reinos islâmicos, o Marro-

---

* Desde então não há uma característica geográfica que demarque claramente o prolongamento ocidental da massa de terra asiática, que chamamos de Europa, do resto da Ásia.

cos, onde o governo do sultão (o Maghzen) tentou, com pouquíssimo sucesso, ampliar a área sob sua administração e estabelecer uma espécie de controle efetivo sobre o mundo anárquico e terrível das tribos guerreiras berberes. (De fato, não se pode dizer com certeza que os acontecimentos de 1907-1908 no Marrocos mereçam sequer como cortesia o título de revolução.) A Pérsia era pressionada ao mesmo tempo pela Rússia e pela Grã-Bretanha, das quais havia desesperadamente tentado escapar ao lançar mão de consultores e ajuda de outros Estados ocidentais — a Bélgica (cuja constituição serviria de modelo à persa), os EUA e, após 1914, a Alemanha — que não tinham reais condições de contrabalançar a pressão britânica. A política iraniana já encerrava as três forças cuja conjunção acarretaria uma revolução ainda maior em 1979: os intelectuais emancipados e ocidentalizados, com aguda consciência da fraqueza do país e da injustiça social nele reinante; os comerciantes do mercado (*bazaar*) com aguda consciência da concorrência econômica estrangeira; e a coletividade do clero muçulmano, representantes do ramo Shia do Islã, que funcionava como uma espécie de religião nacional persa, capaz de mobilizar as massas tradicionais. Estes, por sua vez, tinham aguda consciência da incompatibilidade entre a influência ocidental e o Corão. A aliança entre radicais, *bazaris* e o clero já dera uma demonstração de força em 1890-1892, quando a concessão imperial do monopólio do tabaco a um homem de negócios britânico teve de ser cancelada em decorrência de tumultos, sublevações e um notavelmente bem-sucedido boicote nacional de venda e uso do tabaco, do qual até as esposas do xá participaram. A guerra russo-japonesa de 1904-1905 e a primeira Revolução Russa eliminaram temporariamente um dos atormentadores da Pérsia e deram aos revolucionários persas tanto um incentivo como um programa, pois a potência que derrotara um imperador europeu não era apenas asiática, mas também uma monarquia constitucional. Uma constituição podia, assim, ser encarada (pelos radicais emancipados) não só como a reivindicação óbvia

RUMO À REVOLUÇÃO

de uma revolução ocidental, mas igualmente (por setores mais amplos da opinião pública) como uma espécie de "segredo da força". De fato, uma viagem maciça de aiatolás à cidade santa de Qom e de mercadores do *bazaar* à legação britânica — que incidentalmente paralisou os negócios de Teerã — garantiu a eleição de uma assembleia legislativa e uma constituição em 1906. Na prática, o acordo de 1907 entre a Grã-Bretanha e a Rússia, dividindo a Pérsia entre ambos, deixava poucas opções à política persa. Na realidade, o primeiro período revolucionário terminou em 1911, embora a Pérsia tenha permanecido, nominalmente, sob a autoridade de algo como a constituição de 1906-1907 até a revolução de 1979.[5] Por outro lado, o fato de nenhum outro poder imperialista ter reais condições de desafiar a Grã-Bretanha e a Rússia provavelmente salvou a existência da Pérsia como Estado e a de sua monarquia, que detinha pouco poder próprio: uma brigada de cossacos, cujo comandante se autoproclamou, no fim da Primeira Guerra Mundial, o fundador da última dinastia imperial, os Pahlevi (1921-1979).

Desse ponto de vista, o Marrocos teve menos sorte. Situado num ponto particularmente estratégico do mapa-múndi, o canto noroeste da África, foi considerado uma presa adequada pela França, Grã-Bretanha, Alemanha e Espanha, bem como por todos os outros que se situavam a uma distância naval. A debilidade interna da monarquia tornou-o particularmente vulnerável a ambições estrangeiras, e a crise internacional gerada pela briga entre os diversos predadores — notadamente em 1906 e 1911 — teve um papel de destaque na gênese da Primeira Guerra Mundial. A França e a Espanha dividiram o país entre si, sendo que os interesses internacionais (isto é, britânicos) eram preservados por meio de um porto livre em Tânger. Por outro lado, a perda da independência do Marrocos, com a subsequente ausência de controle do sultão sobre os clãs guerreiros berberes, tornaria difícil e lenta a conquista militar real do território pelos franceses, e mais ainda pelos espanhóis.

A ERA DOS IMPÉRIOS

3.

As crises internas dos grandes Impérios Chinês e Otomano eram mais antigas e mais profundas. O Império Chinês vinha sendo abalado por uma crise social importante desde meados do século XIX (*A era do capital*). Só conseguira superar a ameaça revolucionária do Taiping à custa de praticamente liquidar o poder administrativo central do império e de deixá-lo à mercê dos estrangeiros, que haviam estabelecido enclaves extraterritoriais e praticamente assumido o controle da fonte principal das finanças imperiais, a administração alfandegária chinesa. O enfraquecido império, dirigido pela imperatriz (viúva do imperador) Tzu-hsi (1835-1908), mais temida dentro do império que fora dele, parecia fadado a desaparecer sob os ataques violentos e combinados do imperialismo. A Rússia avançou sobre a Manchúria, de onde seria expulsa por seus rivais japoneses, que separaram Taiwan e a Coreia da China, após uma guerra vitoriosa em 1894-1895, e se preparavam para abocanhar maiores porções do território. Enquanto isso, os britânicos alargaram sua colônia de Hong Kong e praticamente separaram o Tibete, que eles viam como uma dependência de seu Império Indiano; a Alemanha preparou terreno para si no norte da China; os franceses exerceram alguma influência nas vizinhanças de seu Império da Indochina (também separado da China) e ampliaram suas posições no sul; até o fraco Portugal obteve a concessão de Macau (1887). Se, por um lado, os lobos estavam dispostos a formar um bloco contra a presa, como fizeram quando Grã-Bretanha, França, Rússia, Itália, Alemanha, EUA e Japão uniram-se para ocupar e saquear Pequim em 1900, sob o pretexto de debelar a assim chamada Guerra dos Boxers, por outro lado, não conseguiam chegar a um acordo quanto à divisão da imensa carcaça. Ainda mais pelo fato de uma das potências imperiais mais recentes, os Estados Unidos, agora cada vez mais proeminente no Pacífico Ocidental — que há muito era área de interesse dos EUA —,

RUMO À REVOLUÇÃO

insistir na "abertura das portas" da China, isto é, que tinham tanto direito de saqueá-la quanto os primeiros imperialistas. Como no Marrocos, essa rivalidade no Pacífico pelo corpo em decomposição do Império Chinês contribuiu para a gênese da Primeira Guerra Mundial. Seus efeitos mais imediatos foram tanto a preservação da independência nominal da China como a aniquilação final da mais antiga entidade política viva do mundo.

Existiam na China três forças principais de resistência. A primeira, a instituição imperial da corte e dos servidores civis confucianos graduados, reconheceu com toda clareza que só a modernização segundo o modelo ocidental (ou talvez mais exatamente, o japonês, inspirado no ocidental) poderia preservar a China. Mas isso teria significado a destruição precisamente do sistema moral e político que eles representavam. As reformas de cunho conservador estariam fadadas ao fracasso ainda que não tivessem sido dificultadas pelas intrigas e divisões palacianas, enfraquecidas pela ignorância técnica e periodicamente arrasadas, com intervalos de poucos anos, por repetidos assaltos da agressão estrangeira. A segunda, a antiga e poderosa tradição de rebelião popular e de sociedades secretas impregnadas de ideologias de oposição, não perdera nada de seu vigor. Na verdade, apesar da derrota de Taiping, tudo contribuía para reforçá-la, pois entre 9 e 13 milhões de pessoas morreram de fome no norte da China no final da década de 1870, e os diques do rio Amarelo se romperam, significando a ruína de um império cujo dever era protegê-los. A assim chamada Guerra dos Boxers de 1900 foi, na verdade, um movimento de massas, cuja vanguarda era a organização Lutadores-com-os-punhos pela Justiça e a Unidade, oriunda da grande e antiga sociedade secreta budista conhecida como Lótus Branco. Contudo, por motivos óbvios, a xenofobia e o antimodernismo militantes constituíam o ponto crítico dessas rebeliões. Elas visavam aos estrangeiros, à cristandade e às máquinas, o que, embora proporcionasse uma parte da força necessária à revolução chinesa, não podia lhe oferecer nem programa nem perspectiva.

A ERA DOS IMPÉRIOS

A base para tais transformações só existia, embora estreita e instável, no sul da China, onde os negócios e o comércio sempre haviam sido importantes e onde o imperialismo estrangeiro assentou as bases para algum desenvolvimento burguês autóctone. Os grupos dirigentes locais já estavam se afastando tranquilamente da dinastia manchu, e foi só aqui que as antigas sociedades secretas de oposição se interessaram e se aliaram a algo como um programa moderno e concreto para a renovação chinesa. As relações entre as sociedades secretas e o jovem movimento sulista de revolucionários republicanos, dos quais emergeria Sun Yat-sen (1866-1925) como principal inspirador da primeira fase da revolução, foram objeto de muito debate e incerteza, mas não resta dúvida de que eram muito próximas e essenciais. (Os republicanos chineses no Japão, base de sua agitação, até criaram um local especial das Tríades em Yokohama para seu próprio uso.)[6] Ambos partilhavam uma enraizada oposição à dinastia manchu — as Tríades ainda se dedicavam à restauração da antiga dinastia Ming (1368-1644) —, um ódio ao imperialismo — que podia ser formulado na linguagem da xenofobia tradicional ou na do nacionalismo moderno, tirada da ideologia revolucionária ocidental — e um conceito de revolução social, que os republicanos transpuseram do registro da antiga insurreição antidinástica ao da moderna revolução ocidental. Os famosos "três princípios" — nacionalismo, republicanismo e socialismo (ou, mais exatamente, reforma agrária) — de Sun Yat-sen podem ter sido formulados em termos derivados do Ocidente, notadamente de John Stuart Mill, mas na verdade até os chineses que não dispunham dessa base ocidental (como o médico praticante formado nas missões e muito viajado) podiam considerá-los extensões lógicas de conhecidas reflexões antimanchus. E os poucos intelectuais urbanos republicanos viam as sociedades secretas como essenciais para atingir as massas urbana e, especialmente, rural. Essas sociedades provavelmente também ajudaram a organizar o apoio das comunidades de imigrantes

RUMO À REVOLUÇÃO

chineses que o movimento de Sun Yat-sen foi o primeiro a mobilizar politicamente para objetivos nacionais.

No entanto, as sociedades secretas (como os comunistas mais tarde descobririam) dificilmente poderiam ser a melhor base para a construção de uma nova China, e os intelectuais radicais ocidentalizados ou semiocidentalizados do litoral sul ainda não eram suficientemente numerosos, influentes, nem organizados para tomar o poder. Tampouco os modelos liberais ocidentais em que se inspiravam lhes davam uma receita para governar o império. O império caiu em 1911 devido a uma revolta (no sul e no centro) onde se combinavam elementos de rebelião militar, da insurreição republicana, da retirada da lealdade por parte dos fidalgos, e da revolta popular e das sociedades secretas. Na prática, contudo, ele foi substituído à época não por um novo regime, mas por um amontoado de estruturas de poder regional instáveis e que se sucediam com muita rapidez, principalmente sob controle militar ("senhores da guerra"). Nenhum novo regime nacional estável surgiria na China por quase quarenta anos — até o triunfo do Partido Comunista em 1949.

4.

O Império Otomano há muito vinha desmoronando, embora, ao contrário de todos os outros impérios antigos, continuasse sendo uma força militar capaz de dar bastante trabalho até aos exércitos das grandes nações. Desde o fim do século XVII, suas fronteiras setentrionais vinham sendo forçadas a retroceder para dentro da península balcânica e da Transcaucásia pelo avanço dos Impérios Russo e Habsburgo. Os povos cristãos dos Bálcãs estavam cada vez mais inquietos e, com o incentivo e a ajuda de grandes nações rivais, já haviam transformado boa parte dos Bálcãs numa série de Estados mais ou menos independentes, o que havia

A ERA DOS IMPÉRIOS

roído e esfarelado o que restava do território otomano. A maioria das regiões remotas do império, no norte da África e no Oriente Médio, não estava mais submetida de maneira regular e efetiva ao governo otomano há muito tempo. Agora, cada vez mais, se não quase oficialmente, essas regiões passavam para as mãos dos imperialistas britânicos e franceses. Em 1900, era claro que tudo que ficava entre a fronteira ocidental do Egito e do Sudão e o Golfo Pérsico provavelmente viria a ser área de influência ou domínio britânico, salvo a Síria a partir do norte do Líbano, que a França reivindicava, e a maior parte da península arábica, onde, como ainda não fora encontrado petróleo ou qualquer outra coisa de valor comercial, as disputas entre os chefes tribais locais e os movimentos de revivificação islâmicos de pregadores beduínos podiam ser entregues à própria sorte. De fato, em 1914 a Turquia desaparecera quase por completo da Europa, fora totalmente eliminada da África e conservava um império débil apenas no Oriente Médio, onde não sobreviveu à guerra mundial. Contudo, ao contrário da Pérsia e da China, a Turquia tinha uma alternativa potencial imediata ao império em processo de desintegração: uma grande população étnica e linguisticamente muçulmana turca na Ásia Menor, que podia constituir a base de algo como um "Estado-nação" segundo o modelo ocidental aprovado do século XIX.

É quase certo que isso não estava, inicialmente, nos planos das autoridades ocidentalizadas e dos funcionários públicos, aos quais se uniram os membros das novas profissões liberais, como a advocacia e o jornalismo,[*] para empreender a tarefa de fazer o império reviver por meio da revolução, pois as fracas tentativas, sem muito empenho, do próprio império visando a se modernizar — a mais recente data dos anos 1870 — malograram. O Comitê para a União e o Progresso, mais conhecido

---

[*] A lei islâmica não exigia autorização legal para exercer a profissão. O número de pessoas alfabetizadas triplicou entre 1875-1900, criando um mercado maior para a imprensa.

RUMO À REVOLUÇÃO

como os Jovens Turcos (fundado nos anos 1890), que tomou o poder em 1908 na esteira da Revolução Russa, desejava implantar um patriotismo que abarcasse todos os otomanos, passando por cima de divisões étnicas, linguísticas e religiosas, e baseado nas verdades seculares do Iluminismo (francês) do século XVIII. A versão do Iluminismo que mais lhes agradava se inspirava no positivismo de Auguste Comte, que combinava uma fé cega na ciência e na modernização inevitável com o equivalente secular da religião, o progresso não democrático ("ordem e progresso", para citar o lema positivista) e um planejamento social de cima para baixo. Por motivos óbvios, essa ideologia seduziu as ínfimas elites modernizadoras no poder em países atrasados e tradicionalistas, que elas tentaram arrastar à força para o século XX. Essa ideologia provavelmente nunca foi tão influente como na última parte do século XIX, nos países não europeus.

Nesse sentido, como em outros, a Revolução Turca de 1908 fracassou. Na verdade, ela acelerou a derrocada do que restava do Império Turco, ao mesmo tempo que carregava o Estado com uma constituição liberal clássica e um Parlamento multipartidário feitos para países burgueses onde não se esperava que os governos governassem muito, pois as questões da sociedade estavam nas mãos ocultas de uma economia capitalista dinâmica e autorregulada. O fato de o regime dos Jovens Turcos ter dado continuidade ao compromisso econômico e militar do império com a Alemanha, o que colocou a Turquia no lado perdedor da Primeira Guerra Mundial, lhe seria fatal.

Assim, a modernização turca passou de um quadro liberal-parlamentar a um militar-ditatorial e da esperança em uma lealdade política secular-imperial à realidade de um nacionalismo exclusivamente turco. Incapaz de continuar a ignorar as lealdades grupais ou de dominar as comunidades não turcas, a Turquia optaria, após 1915, por uma nação etnicamente homogênea, o que implicou a assimilação forçada dos gregos, armênios, curdos e outros, quando não foram expulsos em bloco ou

433

massacrados. Um nacionalismo turco etnolinguístico deu margem até a sonhos imperiais baseados no nacionalismo secular, pois amplas regiões da Ásia Ocidental e Central, principalmente na Rússia, eram habitadas por povos que falavam variantes da língua turca; o destino da Turquia lhe impunha, sem dúvida, reuni-lo numa grande união "pan-turca". Assim, entre os Jovens Turcos a balança pendeu não do lado dos modernizadores partidários da ocidentalização e da transnacionalização, mas para o dos modernizadores também ocidentalizados, porém defensores de uma enfatização da etnia ou mesmo da raça, como o poeta e ideólogo nacional Zia Gökalp (1876-1924). A verdadeira Revolução Turca, que começou de fato com a abolição do próprio império, teve lugar sob tais auspícios após 1918. Mas seu conteúdo já estava implícito nos objetivos dos Jovens Turcos.

Assim pois, ao contrário da Pérsia e da China, a Turquia não apenas liquidou um antigo regime como também passou bem depressa a construir um novo. A Revolução Turca inaugurou, talvez, o primeiro dos regimes modernizadores contemporâneos do Terceiro Mundo: intensamente comprometido com o progresso e as luzes contra a tradição, com o "desenvolvimento" e com uma espécie de populismo não perturbado pelo debate liberal. Na falta de uma classe média revolucionária, ou, na verdade, de qualquer outra classe revolucionária, os intelectuais e especialmente, após a guerra, os soldados assumiriam o controle do processo. Seu líder, Kemal Atatürk, um general duro e bem-sucedido, implementaria de maneira implacável o programa modernizador dos Jovens Turcos: foi proclamada uma república, o islamismo deixou de ser uma religião oficial, o alfabeto romano substituiu o árabe, o véu das mulheres foi abolido e estas mandadas para a escola, e os homens turcos — quando necessário, por meio de força militar — foram obrigados a usar chapéu-coco ou de qualquer outro modelo ocidental, em vez dos turbantes. A fraqueza da Revolução Turca, observável em sua economia, residia em sua incapacidade de se impor à

RUMO À REVOLUÇÃO

grande massa da população rural turca ou mudar a estrutura da sociedade agrária. Contudo, os corolários históricos dessa revolução foram importantes, mesmo se insuficientemente reconhecidos pelos historiadores, cujos olhos tendem a se fixar, no período anterior a 1914, nas consequências internacionais imediatas da Revolução Turca — a derrocada do império e seu papel na gênese da Primeira Guerra Mundial — e, quando se voltam para depois de 1917, na Revolução Russa, muito mais importante. Por motivos óbvios os fatos relativos a esta última eclipsaram os acontecimentos contemporâneos na Turquia.

5

Uma revolução, ainda mais ignorada, começou no México em 1910. Ela atraiu pouca atenção no exterior, salvo nos Estados Unidos, em parte porque do ponto de vista diplomático a América Central era o quintal exclusivo de Washington (nas palavras de seu ditador derrubado, "Pobre México, tão longe de Deus e tão perto dos Estados Unidos"), e em parte porque, inicialmente, suas implicações não eram nada claras. Não parecia haver, de imediato, uma distinção evidente entre essa e as outras 114 mudanças violentas de governo na América Latina do século XIX, que ainda constituem o grupo mais numeroso entre os acontecimentos habitualmente conhecidos como "revoluções".[7] Ademais, à época em que a Revolução Mexicana manifestou-se como um levante social importante, a primeira do gênero num país agrário do Terceiro Mundo, estava fadada a ser, uma vez mais, eclipsada pelos acontecimentos na Rússia.

No entanto, a Revolução Mexicana é significativa, pois nasceu diretamente das contradições internas do mundo do império e por ter sido a primeira das grandes revoluções no mundo colonial e dependente em que as massas trabalhadoras tiveram um papel importante. Pois os

435

movimentos anti-imperialistas e os que mais tarde seriam chamados de movimentos de libertação colonial estavam, de fato, desenvolvendo-se no interior dos velhos e novos impérios coloniais das metrópoles, sem, contudo, ainda representar uma ameaça séria ao poder imperial.

De maneira geral, os impérios coloniais eram controlados com a mesma facilidade com que haviam sido conquistados — fora as regiões guerreiras montanhosas como as do Afeganistão, Marrocos e Etiópia, ainda fora do domínio estrangeiro. "Sublevações nativas" eram reprimidas sem muitos problemas, embora por vezes — como no caso do Herero, no sudoeste africano alemão (atual Namíbia) — com notável brutalidade. Os movimentos anticolonialistas ou autonomistas estavam, de fato, começando a se desenvolver nos países colonizados social e politicamente mais complexos, mas normalmente não se consumava aquela aliança entre a minoria instruída e ocidentalizada e os defensores xenófobos da tradição antiga que (como na Pérsia) os transformou numa força política respeitável. Ambos os grupos nutriam desconfianças mútuas, por motivos óbvios, o que era proveitoso para o poder colonial. Na Argélia francesa, o núcleo da resistência foi o clero muçulmano (ulemá) que já se organizava, enquanto os leigos *évolués*[*] tentavam se tornar franceses da esquerda republicana. No protetorado da Tunísia, seu cerne foram os ocidentalizados instruídos, então formando um partido que reivindicava uma constituição (o Destour), do qual descendeu em linha direta o Partido Neo-Destour, cujo líder, Habib Bourguiba, tornou-se o chefe da Tunísia independente em 1954.

Das grandes potências coloniais, apenas a mais antiga e maior, a Grã-Bretanha, pressentia a transitoriedade. Aquiesceu à virtual independência das colônias povoadas por brancos (chamadas de "domínios" a partir de 1907). Como essa medida não era de natureza a despertar resistência,

---

[*] Em francês, no original: evoluído. (N.T.)

RUMO À REVOLUÇÃO

não se esperava que criasse problemas; nem sequer na África do Sul, onde os conflitos com os *boers*, recentemente anexados após sua derrota numa guerra difícil, pareciam sanados por um acordo liberal generoso e pela frente comum constituída pelos britânicos e *boers* brancos contra a maioria não branca. De fato, a África do Sul não causou qualquer transtorno sério em nenhuma das duas guerras mundiais, após as quais os *boers* tornaram a se apossar do subcontinente. A outra colônia britânica "branca", a Irlanda, foi — e continua sendo — fonte de intermináveis problemas, embora a explosiva agitação dos anos da Land League e Parnell pareceu se acalmar após 1890 devido às brigas políticas irlandesas e a uma poderosa combinação de repressão e ampla reforma agrária. Os problemas da política parlamentar britânica fizeram ressurgir a questão irlandesa após 1910, mas a base de sustentação dos revoltosos irlandeses permaneceu tão estreita e instável que sua estratégia visando a ampliá-la consistia essencialmente em procurar o martírio através de uma rebelião destinada de antemão ao fracasso, cuja repressão ganharia o povo para sua causa. Isto de fato aconteceu após o Levante da Páscoa de 1916, um pequeno golpe de Estado dado por um pequeno número de militantes armados totalmente isolados. A guerra, como tantas outras vezes, revelou a fragilidade de edifícios políticos que pareciam estáveis.

Não parecia haver qualquer ameaça imediata ao domínio britânico em nenhum outro lugar. Contudo, um movimento autêntico de libertação colonial estava se desenvolvendo visivelmente tanto nas mais antigas como na mais nova possessão britânica. O Egito, mesmo após a repressão da insurreição dos soldados de Arabi Pasha em 1882, nunca estivera em bons termos com a ocupação britânica. Seu governante, o quediva, e a classe dominante local de latifundiários, cuja economia há muito se integrara ao mercado mundial, aceitaram a administração do "procônsul" britânico, *Lord* Cromer, com acentuada falta de entusiasmo. O movimento-organização-partido autonomista, mais tarde conhecido como Wafd, já estava criando corpo. O controle britânico continuou bastante firme — duraria até 1952 —, mas a impopularidade do domínio colonial direto era tanta que ele seria trocado, após a guerra (1922), por uma forma menos direta de gerenciamento, o que implicou uma certa egipcianização da administração. A semi-independência da Irlanda e a semiautonomia do Egito, ambas ganhas em 1921-1922, marcariam o primeiro recuo parcial dos impérios.

O movimento de libertação era muitíssimo mais sério na Índia. Nesse subcontinente de quase 300 milhões de habitantes, a burguesia poderosa — tanto comercial como financeira, industrial e de profissionais liberais — e o importante quadro de funcionários instruídos que o administrava para a Grã-Bretanha se ressentiam cada vez mais da exploração econômica, da impotência política e da inferioridade social. Basta ler E. M. Forster em *Passagem para a Índia* para compreender o porquê. Já surgira um movimento autonomista. Sua principal organização, o Congresso Nacional Indiano (fundado em 1885), que se tornaria o partido de libertação nacional, refletia inicialmente tanto o descontentamento dessa classe média como a tentativa de administradores britânicos inteligentes, como Allan Octavian Hume (o verdadeiro fundador da organização), de serenar a agitação acatando os protestos sérios. Contudo, no começo do século XX, o Congresso começará a escapar da tutela britânica, em parte graças à influência da aparentemente apolítica ideologia da teosofia. Como admiradores do misticismo indiano, adeptos ocidentais dessa filosofia eram capazes de partilhar dos sentimentos nacionais indianos e, alguns deles, como a ex-secularista e ex-militante socialista Annie Besant, não tinham qualquer dificuldade em converter-se em paladinos do nacionalismo indiano. Os indianos cultos e sobretudo os ceilandeses acharam, é claro, o reconhecimento ocidental de seus próprios valores culturais agradável. O Congresso, contudo, embora com força crescente — e, a propósito, estritamente secular e de mentalidade ocidental —

RUMO À REVOLUÇÃO

continuou sendo uma organização de elite. Entretanto, uma agitação que empreendeu a mobilização das massas não instruídas por meio da religião tradicional ja estava em cena no oeste da Índia. Bal Ganghadar Tilak (1856-1920) defendeu as vacas sagradas do hinduísmo contra a ameaça estrangeira com algum sucesso popular.

Ademais, no início do século XX havia outros dois viveiros ainda mais portentosos de agitação popular na Índia. Os imigrantes indianos da África do Sul começavam a se organizar coletivamente contra o racismo da região, e o principal porta-voz de seu bem-sucedido movimento de resistência passiva ou não violenta de massa era, como vimos, o jovem advogado gujerati que, ao retornar à Índia em 1915, se tornaria a maior força mobilizadora das massas indianas pela causa da independência nacional: Gandhi. Gandhi inventou o perfil, imensamente poderoso na política do Terceiro Mundo, do político moderno como um santo. Ao mesmo tempo, surgia em Bengala uma versão mais radical da política de libertação, com sua cultura vernácula sofisticada, sua ampla classe média hindu, sua vasta massa de classe média baixa instruída e com empregos modestos e seus intelectuais. O plano britânico de dividir essa grande província, criando uma região predominantemente muçulmana, propiciou a ampliação da agitação antibritânica a uma escala maciça. (O esquema foi abandonado.) O movimento nacionalista bengali, que desde o início constituiu a esquerda do Congresso e nunca se integrou de todo a este, combinou — a esta altura — um apelo religioso-ideológico ao hinduísmo a uma imitação proposital de movimentos revolucionários ocidentais afins, tais como o irlandês e o russo Narodniks. Isso criou o primeiro movimento terrorista sério na Índia — no período imediatamente anterior à guerra haveria outros no norte do país, cuja base eram os imigrantes punjabis retornados da América (o "partido Ghadr") — que, em 1905, já constituía um problema grave para a polícia. Além disso, os primeiros comunistas indianos [por exemplo, M. N. Roy

A ERA DOS IMPÉRIOS

(1887-1954)] viriam do movimento terrorista bengali durante a guerra.[8] Mesmo continuando o controle britânico firme na Índia, para alguns administradores inteligentes já era claro que alguma espécie de revolução se tornaria inevitável, por mais lenta que fosse, levando a algum grau, de preferência modesto, de autonomia. De fato, a primeira proposta nesse sentido seria feita por Londres durante a guerra.

A região de maior vulnerabilidade imediata do imperialismo mundial situava-se mais na zona nebulosa do império informal do que no formal, ou o que após a Segunda Guerra Mundial seria chamado de "neocolonialismo". O México era, sem dúvida, um país tanto econômica como politicamente dependente do grande vizinho do norte, mas tecnicamente era um Estado soberano independente, com suas próprias instituições e decisões políticas. Era mais um Estado como a Pérsia que uma colônia como a Índia. Ademais, o imperialismo econômico não era inaceitável para suas classes dirigentes nativas, na medida em que era uma força potencialmente modernizadora. Pois em toda a América Latina os proprietários rurais, comerciantes, industriais e intelectuais que constituíam as classes dirigentes e as elites locais sonhavam com a realização do progresso, o qual daria a seus países — que sabiam atrasados, frágeis, não respeitados e marginais à civilização ocidental, da qual eles se consideravam parte integrante — a oportunidade de cumprir seu destino histórico. Progresso significava Grã-Bretanha, França e, de modo cada vez mais claro, EUA. As classes dirigentes do México, especialmente no norte, onde a influência da economia americana vizinha era forte, não tinham objeções a se integrarem ao mercado mundial e, assim, ao mundo do progresso e da ciência, mesmo desprezando a rude grosseria dos homens de negócios e políticos gringos. De fato, quem surgiria como grupo político decisivo no país, após a revolução, seria a "gangue de Sonora", chefes da classe média agrária economicamente mais avançada dos estados mexicanos do norte. Inversamente, o grande obstáculo à modernização foi a vasta

RUMO À REVOLUÇÃO

massa da população rural, imóvel e inflexível, em todo ou em parte índia ou negra, mergulhada na ignorância, na tradição e na superstição. Houve momentos em que os dirigentes e intelectuais da América Latina, como os do Japão, perderam as esperanças em seus povos. Sob a influência do racismo generalizado do mundo burguês (veja *A era do capital*, capítulo 14:2) eles sonharam com uma transformação biológica de suas populações que as tornassem receptivas ao progresso: pela imigração maciça de pessoas de origem europeia no Brasil e no Cone Sul da América do Sul, pelo cruzamento maciço com brancos no Japão.

Os dirigentes mexicanos não eram particularmente entusiastas da imigração maciça de brancos, pois a probabilidade de esses serem norte-americanos era alta demais, e sua luta de independência contra a Espanha já buscara legitimação invocando um passado pré-colombiano, independente e amplamente fictício, identificado aos astecas. Assim sendo, a modernização do México deixou os sonhos biológicos para outros e se concentrou diretamente no lucro, na ciência e no progresso mediados pelo investimento estrangeiro e pela filosofia de Auguste Comte. O grupo dos assim chamados *científicos* se dedicou sinceramente a esses objetivos. Seu líder inconteste e chefe político do país desde 1870, isto é, durante todo o período a partir do grande avanço da economia imperialista mundial, era o presidente Porfirio Díaz (1830-1915). E, de fato, o desenvolvimento econômico do México durante sua presidência fora impressionante, para não falar da riqueza que alguns mexicanos acumularam por meio dele, especialmente os que estavam em condições de jogar, em benefício próprio, grupos rivais de empresários europeus (como o magnata britânico do petróleo e da construção, Weetman Pearson), uns contra os outros e contra os mais permanentemente dominantes norte-americanos.

À época, como agora, a estabilidade dos regimes entre o Rio Grande e o Panamá era ameaçada pela perda da boa vontade de Washington, que

A ERA DOS IMPÉRIOS

era imperialista militante e opinava "que o México hoje não passa de um anexo da economia americana".[9] As tentativas de Díaz de manter a independência de seu país jogando o capital europeu contra o americano tornaram-o extremamente impopular ao norte de suas fronteiras. O país era grande demais para lançar mão da intervenção militar, que os EUA praticavam com entusiasmo à época em países menores da América Central; mas em 1910 Washington não estava propenso a desencorajar seus simpatizantes (como a Standard Oil, irritada com a influência britânica no país, que já era um dos maiores produtores de petróleo do mundo), que podiam colaborar com a derrubada de Díaz. Não há dúvida de que os revolucionários mexicanos se beneficiaram grandemente de uma fronteira norte amistosa; e Díaz ficava ainda mais vulnerável porque, depois de conquistar o poder como líder militar, ele propiciara uma atrofia do exército, pois supunha — o que é compreensível — que os golpes militares eram mais perigosos que as insurreições populares. Para azar dele, viu-se confrontado com uma revolução popular armada importante que seu exército, ao contrário da maioria das Forças Armadas latino-americanas, foi incapaz de esmagar.

Tal confronto deveu-se justamente ao notável desenvolvimento da economia, terreno em que sua presidência fora tão bem-sucedida. O regime apoiou os proprietários rurais (*hacendados*) com mentalidade empresarial, ainda mais depois da rápida expansão geral e do desenvolvimento substancial de as ferrovias terem transformado faixas de terra antes inacessíveis em produtoras potenciais de tesouros. As comunidades livres dos povoados, localizadas sobretudo no centro e no sul do país, que haviam sido preservadas pela lei real espanhola e provavelmente fortalecidas nas primeiras gerações após a independência, foram sistematicamente expulsas de suas terras em uma geração. Elas seriam o cerne da revolução agrária, cujo líder e porta-voz foi Emiliano Zapata (1879-1919). Duas das áreas onde a inquietação rural foi mais intensa e prontamente mobilizada, os estados de

RUMO À REVOLUÇÃO

Morelos e Guerrero, estavam a uma distância da capital fácil de ser vencida a cavalo e, portanto, em condições de influenciar os assuntos nacionais.

A segunda área conturbada ficava no norte, rapidamente transformada de região-limite indígena (especialmente após a derrota dos apaches, em 1885), numa fronteira economicamente dinâmica, vivendo numa espécie de dependência simbiótica com as áreas vizinhas dos EUA. Ali estavam contidos inúmeros descontentamentos potenciais, como o das comunidades de ex-pioneiros que lutaram contra os índios e que agora estavam privados de suas terras; o dos índios yaqui, ressentidos com a derrota; o da nova e crescente classe média e o do número considerável de homens livres e seguros de si, frequentemente possuidores de seus cavalos e armas, que podiam ser encontrados nas áreas de fazendas e minas abandonadas. Pancho Villa, bandido, ladrão de gado e, por fim, general revolucionário, era um exemplo típico destes últimos. Havia também grupos de proprietários rurais poderosos e prósperos como os Madero, talvez a família mais rica do México — que disputavam o controle de seus próprios estados com o governo central ou os seus aliados, os *hacendados* locais.

Muitos desses grupos potencialmente dissidentes, na verdade, beneficiaram-se com os investimentos estrangeiros maciços e o crescimento econômico da época de Porfirio Díaz. O que os transformou em dissidentes, ou melhor, o que transformou uma luta política corriqueira em torno da reeleição ou possível afastamento do presidente Díaz em uma revolução foi, provavelmente, a crescente integração da economia mexicana à economia mundial (ou antes, à americana). Mas a recessão americana de 1907-1908 teve efeitos desastrosos no México: diretos, na ruína do próprio mercado mexicano e na pressão financeira sobre a indústria do país; indiretos, na enxurrada de trabalhadores mexicanos que voltavam ao país sem um tostão, depois de perderem seus empregos nos EUA. As crises moderna e antiga coincidiam; recessão cíclica e quebra de safra, com os preços dos alimentos disparando para níveis fora do alcance dos pobres.

A ERA DOS IMPÉRIOS

Foi nessas circunstâncias que uma campanha eleitoral virou terremoto. Díaz, tendo autorizado erroneamente a oposição a fazer campanha pública, "venceu" com facilidade as eleições contra seu principal adversário, Francisco Madero. Mas o levante de rotina do candidato derrotado se transformou, para surpresa geral, num levante social e político nas terras fronteiriças do norte e no centro camponês rebelde que não pôde mais ser controlado. Díaz caiu. Madero assumiu, mas em breve seria assassinado. Os EUA procuraram sem sucesso, entre os generais e políticos rivais, alguém que fosse ao mesmo tempo suficientemente dócil ou corrupto e capaz de implantar um regime estável. Zapata fez uma redistribuição de terras aos seus seguidores camponeses no sul, Villa expropriou fazendas no norte quando lhe foi conveniente, para pagar seu exército revolucionário, e afirmou que, como homem de origem pobre, estava cuidando dos seus. Em 1914, ninguém tinha a mais pálida ideia do que aconteceria no México, mas não podia haver qualquer tipo de dúvida de que o país estava convulsionado por uma revolução social. O perfil do México pós-revolução só ficaria claro no final da década de 1930.

6.

Alguns historiadores pensam que a Rússia, a economia que mais rapidamente se desenvolvia no fim do século XIX, teria continuado a avançar e a evoluir rumo a uma sociedade liberal próspera se seu progresso não tivesse sido interrompido por uma revolução que só podia ter sido evitada pela Primeira Guerra Mundial. Nenhuma previsão teria surpreendido mais os contemporâneos do que essa. Se havia um Estado onde se acreditava que a revolução fosse não só desejável como inevitável, era o Império dos Czares. Gigantesco, pesado e ineficiente, econômica e tecnologicamente atrasado, com 126 milhões de habitantes (1897), 80% de camponeses e 1% de nobreza hereditária, ele era organizado de uma

RUMO À REVOLUÇÃO

forma que todos os europeus instruídos consideravam francamente pré-histórica no fim do século XIX: a autocracia burocrática. Esse mesmo fato tornou a revolução o *único* método passível de mudar a política do Estado que não fosse dar um puxão de orelhas no czar ou fazer a máquina estatal se movimentar de cima para baixo: poucas pessoas poderiam optar pela primeira possibilidade, e ela não implicava necessariamente a segunda. Como havia a consciência quase universal da necessidade de um tipo ou outro de mudança, praticamente todos — desde os que no Ocidente teriam sido chamados de conservadores moderados até a extrema esquerda — eram obrigados a ser revolucionários. A única indagação era, de que tipo?

O governo do czar estava ciente, desde a Guerra da Crimeia (1854-1856), de que a posição russa de grande nação de primeira linha não podia mais se basear, com segurança, apenas no tamanho do país, em sua grande população e nas consequentemente vastas, porém primitivas, Forças Armadas. A Rússia precisava se modernizar. A abolição da servidão, em 1861 — junto com a Romênia, a Rússia era o último baluarte da servidão camponesa na Europa —, visava puxar a agricultura russa para o século XIX, mas não produziu nem um campesinato satisfeito (cf. *A era do capital*, capítulo 10:2) nem uma agricultura modernizada. O rendimento da produção de cereais na Rússia europeia era (1898-1902) de pouco menos de 63 hectolitros por hectare, contra cerca de 100 nos EUA e 246 na Grã-Bretanha.[10] Mesmo assim, a expansão da fronteira agrícola para a produção cerealista de exportação transformou a Rússia num dos maiores fornecedores mundiais de grãos. A safra líquida do conjunto dos cereais aumentou 160% entre o início da década de 1860 e o começo da de 1900, e as exportações quintuplicaram ou sextuplicaram, aumentando em contrapartida a dependência dos camponeses russos em relação aos preços do mercado mundial, que (para o trigo) caíram a quase a metade durante a Depressão agrícola mundial.[11]

A ERA DOS IMPÉRIOS

Como os camponeses não eram nem vistos nem ouvidos coletivamente fora de seus povoados, o descontentamento de quase 100 milhões de camponeses podia facilmente passar despercebido, embora o flagelo da fome de 1891 tenha chamado a atenção para o problema. Entretanto, esse descontentamento não foi só acentuado pela pobreza, pelos sem-terra, pelos impostos elevados e preços baixos para os cereais, mas tinha também formas potenciais de organização significativas através das comunidades coletivas dos povoados, cuja posição como instituições oficialmente reconhecidas foi, paradoxalmente, fortalecida pela libertação dos servos e reforçada ainda mais na década de 1880, quando alguns burocratas as consideraram como um inestimável bastião da lealdade tradicionalista contra os revolucionários sociais. Outros, no terreno oposto do liberalismo econômico, faziam pressão para que elas fossem rapidamente eliminadas e suas terras transformadas em propriedade privada. Um debate análogo dividia os revolucionários. Os *narodniks* (veja *A era do capital*, capítulo 9) ou populistas — com, é preciso que se diga, algum apoio instável e hesitante do próprio Marx – pensavam que uma comuna camponesa revolucionária podia constituir a base de uma transformação socialista direta da Rússia, poupando o país dos horrores do desenvolvimento capitalista; os marxistas russos acreditavam que isso não era mais possível, porque a comuna já estava se dividindo em dois grupos mutuamente hostis, burguesia e proletariado rurais. Eles também teriam preferido essa situação, pois só tinham fé nos trabalhadores. Ambos os lados, nos dois debates, testemunham a importância das comunas camponesas, que detinham 80% da terra, em cinquenta províncias da Rússia europeia, em posse comunitária, a ser periodicamente redistribuída por decisão da comunidade. A comuna estava, de fato, desintegrando-se nas regiões do sul, onde a comercialização estava mais implantada, com menos rapidez, porém, do que acreditavam os marxistas: permanecia quase universalmente inabalada no norte e no centro. Nos locais onde continuava forte, era um organismo

RUMO À REVOLUÇÃO

que articulava o consenso do povoado em torno da revolução bem como, em outras circunstâncias, a favor do czar e da Sagrada Rússia. Nos lugares em que estava se desfazendo, levou a maioria de seus habitantes a se unirem para defendê-la ativamente. Na verdade, felizmente para a revolução, o desenvolvimento da "luta de classes no povoado", predita pelos marxistas, ainda não fora suficiente para comprometer a imagem do movimento, que parecia ser maciço de *todos* os camponeses, mais ricos e mais pobres, contra a nobreza e o Estado.

Independentemente de suas opiniões, quase todos os participantes da vida pública russa, legal ou ilegal, concordavam em que o governo do czar administrara mal a reforma agrária e negligenciara os camponeses. Agravara, na verdade, seu descontentamento quando este já era agudo, desviando recursos da população rural para uma maciça industrialização patrocinada pelo Estado na década de 1890. Isto porque o grosso da receita fiscal da Rússia vinha da área rural, e os impostos elevados, juntamente com tarifas protecionistas vultosas e muita importação de capital, eram essenciais para o projeto de aumentar o poder da Rússia czarista através da modernização econômica. Os resultados, obtidos por meio de uma mescla de capitalismo privado e de Estado, foram espetaculares. Entre 1890 e 1904, foram duplicados os quilômetros de ferrovias (em parte devido à construção da linha transiberiana), enquanto a produção de carvão, ferro e aço dobrou nos últimos cinco anos do século.[12] Mas o outro lado da moeda foi o fato de a Rússia czarista passar a ter um proletariado industrial em rápida expansão, concentrado em complexos fabris extraordinariamente grandes de poucos centros principais e, por conseguinte, ter também um começo de movimento de trabalhadores comprometido, é claro, com a revolução social.

Uma terceira consequência da industrialização rápida foi o desenvolvimento desproporcional de regiões não pertencentes à Grande Rússia, situadas nas extremidades oeste e sul do império, como a Polônia, a

A ERA DOS IMPÉRIOS

Ucrânia e o Azerbaijão (petróleo). As tensões nacionais e sociais se intensificaram, sobretudo com a tentativa do governo czarista de aumentar seu controle político por meio de uma política sistemática de russificação através da educação a partir dos anos 1880. Como vimos, a combinação dos descontentamentos sociais aos nacionais é indicada pelo fato de as variantes dos novos movimentos sociais democráticos (marxistas) da maioria dos povos minoritários e politicamente mobilizados do Império Czarista terem se tornado de fato partidos nacionais. O fato de um georgiano (Stalin) vir a ser dirigente de uma Rússia revolucionária constitui menos um acidente histórico, que o de um corso (Napoleão) ter-se tornado dirigente de uma França revolucionária.

Todos os liberais europeus, a partir de 1830, tinham conhecimento e eram favoráveis a um movimento de libertação nacional polonês, alicerçado na burguesia, contra o governo czarista, que ocupava a maior parte daquele país dividido, embora o nacionalismo revolucionário não fosse muito visível ali desde a insurreição derrotada de 1863.* A partir de cerca de 1870, eles também se acostumaram — e apoiaram — à nova ideia de uma revolução iminente no próprio coração do império, governado pelo "autocrata de todas as Rússias", tanto pelo fato de o próprio czarismo dar sinais de fraqueza interna e externa, como pelo surgimento de um movimento revolucionário muito visível, no início composto quase inteiramente de integrantes da assim chamada *intelligentsia*: filhos e, em grau elevado e sem precedentes, filhas da nobreza e da burguesia, os estamentos médios e outros instruídos, inclusive — pela primeira vez — uma proporção substancial de judeus. A primeira geração desses revolucionários era majoritariamente *Narodnik* (populista) (cf. *A era do*

---

* As partes anexadas pela Rússia formavam o núcleo da Polônia. Os nacionalistas poloneses também resistiram, na condição mais fraca de minoria, na parte anexada pela Alemanha, mas chegaram a uma solução de compromisso bastante confortável no setor austríaco com a monarquia dos Habsburgo, que precisava do apoio polonês para criar um equilíbrio político entre suas nacionalidades em conflito.

RUMO À REVOLUÇÃO

capital, capítulo 9), voltada para o campesinato, que não tomou conhecimento deles. Foram muito mais bem-sucedidos agindo em pequenos grupos terroristas — especialmente quando, em 1881, conseguiram assassinar o czar, Alexandre II. Embora o terrorismo não tenha podido enfraquecer significativamente o czarismo, deu destaque internacional ao movimento revolucionário russo e ajudou a cristalizar um consenso praticamente universal, com exceção da extrema direita, em torno da necessidade e da inevitabilidade de uma revolução russa.

Os *Narodniks* foram destruídos e dispersos após 1881, mas renasceram sob a forma de um partido "Revolucionário Social" no início da década de 1900; desta vez, porém, os povoados estavam preparados para escutá-los. Eles se tornariam o principal partido rural de esquerda, embora também tenham ressuscitado a ala terrorista, onde, à época, estava infiltrada a polícia secreta.* Como todos que esperavam algum tipo de revolução russa, eles haviam sido estudantes aplicados de teorias ocidentais apropriadas e, portanto, graças à Primeira Internacional, do mais vigoroso e proeminente teórico da revolução social: Karl Marx. Na Rússia, dada a inviabilidade social e política das soluções liberais ocidentais, até as pessoas que em outros lugares teriam sido liberais eram marxistas antes de 1900, pois o marxismo ao menos predizia uma fase de desenvolvimento capitalista no caminho que levava à sua derrubada pelo proletariado.

Não é surpreendente o fato de os movimentos revolucionários que cresceram sobre as ruínas do populismo dos anos 1870 serem marxistas, embora só tivessem se organizado num partido social-democrata russo — ou, antes, num complexo de organizações social-democratas rivais, que ocasionalmente agiam em conjunto, sob o manto geral da Internacional — no final da década de 1890. A esta altura, a ideia de um partido

---

* Seu cabeça, o policial Azev (1869-1918), enfrentou a complexa tarefa de assassinar um número suficiente de pessoas proeminentes para satisfazer seus camaradas e entregar um número suficiente destes para satisfazer a polícia, sem perder a confiança de nenhum dos dois lados.

A ERA DOS IMPÉRIOS

apoiado no proletariado industrial tinha algum fundamento real, mesmo se o mais forte apoio de massa fosse para a social-democracia, à época ainda provavelmente composta de artesãos e trabalhadores autônomos empobrecidos e proletarizados do norte da região onde eram confinados os judeus, baluarte da Liga Judaica (1897). Nós costumamos acompanhar o avanço do grupo específico de revolucionários marxistas que finalmente prevaleceu, ou seja, aquele liderado por Lenin (V. I. Ulyanov, 1870-1924), cujo irmão fora executado devido à sua participação no assassinato do czar. Por mais relevante que possa ser — e a genialidade de Lenin na combinação de teoria e prática revolucionárias não é a menor das causas dessa importância — é preciso lembrar três coisas. Os bolcheviques* eram apenas uma entre várias tendências dentro ou próximo da social-democracia russa (por sua vez diferente de outros partidos socialistas da base nacional do império). De fato, eles só se transformaram em partido autônomo em 1912, quando quase certamente se tornaram a força majoritária da classe trabalhadora organizada. Em terceiro lugar, para os socialistas estrangeiros, como provavelmente para a massa dos trabalhadores russos, as distinções entre diferentes tipos de socialistas ou eram incompreensíveis ou pareciam secundárias, todos sendo igualmente merecedores de apoio e solidariedade como inimigos do czarismo. A principal diferença entre os bolcheviques e os outros era que os camaradas de Lenin eram mais bem organizados, mais eficientes e mais confiáveis.[13]

O fato de a inquietação social e política ser crescente e perigosa ficou óbvio para o governo do czar, embora a inquietação camponesa viesse a continuar por algumas décadas após a emancipação. O czarismo não desencorajou, vezes até encorajou, o antissemitismo de massa, que desfrutava de enorme apoio popular, como a vaga de *pogroms* de 1881 revelou,

---

* Assim chamados devido a uma maioria temporária no primeiro verdadeiro congresso do Partido Trabalhista Social Democrata Russo (1903). Em russo: *bolshe* = mais, *menshe* = menos.

RUMO À REVOLUÇÃO

embora esse apoio fosse menor na Grande Rússia que na Ucrânia e nas regiões bálticas, onde estava concentrado o grosso da população judaica. Os judeus, cada vez mais maltratados e discriminados, eram ainda mais atraídos pelos movimentos revolucionários. Por outro lado, o regime, consciente do perigo potencial que o socialismo representava, jogou com a legislação trabalhista, e inclusive organizou com presteza contrassindicatos sob o controle da polícia no início da década de 1900, que efetivamente se transformaram em sindicatos de fato. Foi o massacre de uma manifestação organizada por eles que, na verdade, precipitou a Revolução de 1905. Entretanto, a partir de 1900, o rápido aumento da inquietação social ficou cada vez mais evidente. Os tumultos provocados por camponeses, há muito semiadormecidos, recrudesceram inegavelmente a partir de cerca de 1902, ao mesmo tempo que os trabalhadores organizavam o que veio a desembocar em greves gerais em Rostov-on-Don, Odessa e Baku (1902-1903).

Regimes inseguros prudentes evitam políticas externas temerárias. A Rússia czarista enveredou por esse terreno, como uma grande potência (por mais que tivesse pés de barro) que insistia em desempenhar o que ela sentia ser o papel que lhe cabia na conquista imperial. O território escolhido foi o Extremo Oriente — a ferrovia transiberiana fora, em boa medida, construída para penetrar nesse território. A conquista russa ali esbarrou na expansão japonesa, ambas à custa da China. Como sempre nesses episódios ¡mperialistas, negócios obscuros e auspiciosamente lucrativos de empresários que ficam na sombra complicavam o quadro. Como apenas a infeliz e gigantesca China enfrentara uma guerra contra o Japão, o Império Russo foi o primeiro a subestimar, no século XX, aquele formidável Estado. A guerra russo-japonesa de 1904-1905, embora tenha matado 84 mil japoneses e ferido 143 mil,[14] foi um rápido e humilhante desastre para a Rússia, ressaltando a fraqueza do czarismo. Até os liberais de classe média, que haviam começado a se organizar como oposição política em 1900, aventuraram-se a fazer manifestações públicas. O

A ERA DOS IMPÉRIOS

czar, consciente das ondas revolucionárias cada vez mais altas, acelerou as negociações de paz: antes de sua conclusão, a revolução estourou, em janeiro de 1905.

A Revolução de 1905 foi, como disse Lenin, uma "revolução burguesa realizada por meios proletários". "Por meios proletários" talvez seja uma simplificação excessiva, embora o início do recuo do governo se tenha dado devido às greves maciças de trabalhadores na capital e às greves de solidariedade na maioria das cidades industriais do império; embora mais tarde as greves tenham, outra vez, exercido a pressão que propiciou algo parecido a uma constituição em 17 de outubro. Ademais, foram os trabalhadores que — sem dúvida a partir da experiência dos povoados — se organizaram espontaneamente nos "conselhos" (em russo: *soviets*), dentre os quais o Soviete de Delegados de Trabalhadores de São Petersburgo, instalado em 13 de outubro, funcionou não apenas como uma espécie de Parlamento de trabalhadores, mas provavelmente, por um curto período, como a autoridade mais efetiva e real da capital do país. Os partidos socialistas reconheceram bem depressa a relevância dessas assembleias, e alguns tiveram participação destacada nelas — como o jovem L. B. Trotskyi (1879-1940) em São Petersburgo.* Isso porque, por mais crucial que fosse a intervenção dos trabalhadores, concentrados na capital e em outros centros politicamente candentes, foi a irrupção das revoltas camponesas em escala maciça na região da Terra Negra, no vale do Volga e em partes da Ucrânia, bem como o desmoronamento das Forças Armadas, dramatizado pelo motim do encouraçado *Potemkim*, que quebrou a resistência czarista — como em 1917. A mobilização simultânea da resistência revolucionária das nacionalidades menores foi igualmente significativa.

---

* A maioria dos outros socialistas conhecidos estava no exílio e não pôde voltar à Rússia a tempo de atuar eficazmente.

RUMO À REVOLUÇÃO

O caráter "burguês" da revolução podia ser, e foi, dado por certo. Não apenas a esmagadora maioria da classe média era favorável à revolução e a esmagadora maioria dos estudantes (ao contrário de outubro de 1917) estavam mobilizados para lutar por ela, como também tanto os liberais como os marxistas admitiam, quase sem discordância, que a revolução, se fosse bem-sucedida, *só* poderia levar à implantação de um sistema parlamentarista ocidental burguês, com suas liberdades civis e políticas características, dentro do qual os estágios posteriores da luta de classes marxiana seriam travados. Em suma, havia consenso de que a construção do socialismo não estava na pauta revolucionária imediata, quanto mais não fosse porque a Rússia era muito atrasada. Não estava nem econômica nem socialmente pronta para o socialismo.

Todos concordavam nesse ponto, salvo os social-revolucionários, que ainda sonhavam com um projeto cada vez menos plausível de ver as comunas camponesas transformadas em unidades socialistas — projeto paradoxalmente realizado apenas nos *kibutzim* da Palestina, produtos do que há no mundo de menos parecido a um mujique, os judeus urbanos socialistas-nacionalistas que emigraram da Rússia para a Terra Santa após o fracasso da Revolução de 1905.

No entanto, Lenin viu, com a mesma clareza que as autoridades czaristas, que a burguesia — liberal ou outra — na Rússia era numérica e politicamente fraca demais para assumir o governo após o czarismo, da mesma maneira como a empresa capitalista privada russa era fraca demais para modernizar o país sem as iniciativas das empresas estrangeiras e do Estado. Mesmo no auge da revolução, as concessões políticas feitas pelas autoridades foram modestas, muito mais restritas que as de uma constituição liberal-burguesa — pouco mais que um Parlamento indiretamente eleito (Duma) com poderes limitados no que se refere às finanças e nulos em relação ao governo e às "leis fundamentais"; em 1907, quando a agitação revolucionária amainara e a manipulação do direito de voto ainda

453

não produzira uma Duma suficientemente inofensiva, a maior parte da constituição foi revogada. Não foi, na verdade, um retorno à autocracia, mas, na prática, o czarismo tornara a se implantar.

Entretanto, como 1905 já provara, ele podia ser derrubado. O que a posição de Lenin tinha de novo em relação à de seus principais rivais, os mencheviques, era o fato de ele reconhecer que, devido à fraqueza ou à ausência da burguesia, a revolução burguesa deveria, por assim dizer, ser feita sem a burguesia. Seria feita pela classe operária, organizada e conduzida pelo disciplinado partido de vanguarda de revolucionários profissionais — a notável contribuição de Lenin à política do século XX — com o apoio do campesinato que ansiava por terra, cujo peso político na Rússia era decisivo e cujo potencial revolucionário agora estava sendo demonstrado. Essa foi, em suas grandes linhas, a posição leninista até 1917. A ideia de que os próprios operários podiam, dada a ausência de uma burguesia, tomar o poder e passar diretamente à etapa seguinte da revolução social ("revolução permanente") de fato havia sido brevemente ventilada durante a revolução — quanto mais não fosse para estimular uma revolução proletária no Ocidente, sem a qual acreditava-se que as chances de um regime socialista sobreviver fossem mínimas, a longo prazo. Lenin pensou nessa possibilidade, mas continuou a rejeitá-la como impraticável.

A perspectiva leninista repousava num crescimento da classe operária, num campesinato que continuasse sendo uma força revolucionária — e, é claro, também na mobilização, na aliança ou, ao menos, na neutralização das forças de libertação nacional, pois elas eram recursos revolucionários importantes, na medida em que inimigas do czarismo. (Daí a insistência de Lenin no direito à autodeterminação, ou mesmo à separação da Rússia, embora os bolcheviques estivessem organizados em um partido único para todo o território e, por assim dizer, a-nacional.) O proletariado de fato estava crescendo, pois a Rússia empreendera outra ofensiva industrializadora nos últimos anos antes de 1914; e era mais provável que os jovens migrantes vindos do campo, numa grande torrente fluindo em direção às fábricas de Moscou e São Petersburgo, seguissem mais os radicais bolcheviques do que os moderados mencheviques, sem contar os miseráveis acampamentos provinciais de fumaça, carvão, ferro, têxteis e lama — o Donets, os Urais, Ivanovo —, que sempre se inclinaram para o bolchevismo. Após poucos anos de desânimo na esteira da derrota da Revolução de 1905, uma enorme e nova vaga de inquietação proletária tornou a se erguer em 1912, com seu ascenso dramatizado pelo massacre de duzentos operários grevistas nas longínquas minerações de ouro (de propriedade britânica) siberianas no rio Lena.

Mas continuariam os camponeses revolucionários? A reação do governo do czar a 1905, através do competente e decidido ministro Stolypin, criaria uma massa substancial de camponeses conservadores, incrementando ao mesmo tempo a produtividade agrícola por meio de um mergulho entusiástico no equivalente russo do "cerceamento de terras" britânico. A comuna camponesa foi sistematicamente dividida em lotes privados em benefício de uma classe de camponeses prósperos com mentalidade empresarial, os *kulaks*. Se Stolypin ganhasse sua aposta nos "fortes e sérios", a polarização social entre os ricos do povoado, de um lado, e os sem-terra, de outro, a diferenciação das classes rurais anunciada por Lenin realmente teria ocorrido; mas, diante do panorama real, ele reconheceu, com seu habitual tino político certeiro, que ela não seria positiva para a revolução. Se a legislação de Stolypin poderia ou não ter dado os resultados políticos esperados a longo prazo, não podemos saber. Ela foi implementada de maneira bastante ampla nas províncias do sul, onde a comercialização estava mais enraizada, notadamente na Ucrânia, e muito menos nas outras regiões.[15] Entretanto, já que o próprio Stolypin foi afastado do governo do czar em 1911 e assassinado pouco depois, e já que, em 1906, o próprio império teria só mais oito anos de paz, a indagação é acadêmica.

A ERA DOS IMPÉRIOS

O que é claro é que a derrota da Revolução de 1905 nem gerara uma alternativa "burguesa" potencial ao czarismo nem lhe dera mais do que meia dúzia de anos de trégua. Em 1912-1914, o país estava uma vez mais em ebulição, devido à inquietação social. Lenin estava convencido de que uma vez mais uma situação revolucionária se aproximava. No verão de 1914, os únicos obstáculos que se lhe opunham eram a força e a firme lealdade da burocracia do czar, da polícia e das Forças Armadas que — ao contrário de 1904-1905 — não estavam nem desmoralizadas nem engajadas no campo oposto;[16] e talvez a passividade da classe média intelectual russa, cuja grande maioria, desanimada pela derrota de 1905, trocara o radicalismo político pelo irracionalismo e a vanguarda cultural.

Como em tantos outros Estados europeus, a deflagração da guerra deu vazão ao ardor social e político. Quando este arrefeceu, foi ficando cada vez mais evidente que o czarismo estava acabado. Caiu em 1917.

Em 1914, a revolução convulsionara todos os antigos impérios do planeta, das fronteiras da Alemanha aos mares da China. Como a Revolução Mexicana, as agitações egípcias e o movimento nacional indiano mostraram, ela estava começando a corroer os novos impérios formais ou informais do imperialismo. Entretanto, seus resultados ainda não estavam claros em parte alguma, e era fácil subestimar a significação de seu fogo, bruxuleando entre o que Lenin chamou de "material inflamável na política mundial". Ainda não estava claro que a Revolução Russa produziria um regime comunista — o primeiro da história, e se tornaria o acontecimento central da política mundial do século XX, como a Revolução Francesa fora o acontecimento central da política do século XIX.

E contudo, já era óbvio que, de todas as erupções ocasionadas pelo vasto terremoto social do planeta, a Revolução Russa teria a maior repercussão internacional, pois até a convulsão incompleta e temporária de 1905-1906 tivera resultados dramáticos e imediatos. Quase com certeza precipitou as revoluções persa e turca, provavelmente acelerou a chinesa e, ao incentivar

RUMO À REVOLUÇÃO

o imperador da Áustria a introduzir o sufrágio universal, transformou, tornando ainda mais instável, a conturbada política do Império Habsburgo. Pois a Rússia era uma "grande potência", uma das cinco pedras angulares do sistema internacional centrado na Europa e, levando em conta apenas territórios próprios, de longe o maior, mais populoso e mais dotado de recursos. Uma revolução social num Estado assim estava fadada a ter efeitos mundiais poderosos, exatamente pelo mesmo motivo que haviam tornado a Revolução Francesa muitíssimo mais significativa internacionalmente que as numerosas revoluções do fim do século XVIII.

Mas as repercussões potenciais de uma revolução russa seriam ainda mais amplas que as de 1789. A simples extensão física e a plurinacionalidade de um império que ia do Pacífico à fronteira alemã significava que sua queda afetava um número muito maior de países, em dois continentes, que a de um Estado mais marginal ou isolado na Europa ou na Ásia. E o fato crucial de a Rússia estar com um pé no mundo dos conquistadores e outro no das vítimas, no avançado e no atrasado, fez com que sua revolução tivesse repercussões potenciais consideráveis em ambos. A Rússia era tanto um país industrial importante como uma economia camponesa tecnologicamente medieval; uma nação imperial e uma semicolônia; uma sociedade cujas realizações intelectuais e culturais eram capazes de superar os mais avançados similares do mundo ocidental e um país cujos soldados camponeses ficaram pasmos com a modernidade dos japoneses que os capturaram em 1904-1905. Em suma, a Revolução Russa podia ser relevante ao mesmo tempo para os organizadores ocidentais dos trabalhadores e para os revolucionários orientais, na Alemanha e na China.

A Rússia czarista exemplifica todas as contradições do planeta na Era dos Impérios. O único elemento que faltava para fazê-las explodir em erupções simultâneas era a guerra mundial, que a Europa cada vez mais esperava e que foi incapaz de evitar.

13. DA PAZ À GUERRA

"Durante o debate [de 27 de março de 1900] expliquei... que eu entendia por política mundial tão somente o apoio e o avanço nas tarefas geradas pela expansão de nossa indústria, de nosso comércio, da força de trabalho, da atividade e da inteligência de nosso povo. Não temos a intenção de implementar uma política agressiva de expansão. Queríamos apenas proteger os interesses vitais que conquistamos no mundo inteiro, no desenrolar natural dos acontecimentos."

Chanceler alemão Von Büllow, 1900[1]

"Não é certo que uma mulher vá perder seu filho se ele for para o front; na verdade, a mina de carvão e o pátio de manobras de uma ferrovia são lugares mais perigosos que o campo militar."

Bernard Shaw, 1902[2]

"Glorificaremos a guerra — a única higiene do mundo —, o militarismo, o patriotismo, o gesto destrutivo dos construtores da liberdade, belas ideias pelas quais vale a pena morrer e que as mulheres desprezam."

F. T. Marinetti, 1909[3]

1.

A partir de agosto de 1914, a presença da guerra mundial rondou, impregnou e assombrou a vida dos europeus. Quando da redação do presente texto, a maioria das pessoas deste continente, com mais de 70

A ERA DOS IMPÉRIOS

anos, passou ao menos por uma parte de duas guerras no curso de suas vidas; todas as de mais de 50, com exceção dos suecos, suíços, irlandeses do sul e portugueses, têm a experiência de ao menos parte de uma delas. Mesmo os nascidos depois de 1945, depois de as armas terem silenciado nas fronteiras dos países europeus, conheceram raros anos em que em algum lugar do mundo não houvesse guerra, e viveram a vida toda com o sombrio espectro de um terceiro conflito mundial, nuclear, mantido sob controle apenas pela infindável concorrência visando a garantir a destruição mútua, como praticamente todos os governos lhes disseram. Como podemos chamar tal época de tempo de paz, mesmo que a catástrofe global esteja sendo evitada por quase tanto tempo quanto o foi uma guerra importante entre potências europeias, entre 1871 e 1914? Pois, como observou o grande filósofo Thomas Hobbes,

> a guerra não consiste apenas na batalha, ou no ato de lutar, mas num lapso de tempo durante o qual o desejo de rivalizar através de batalhas é suficientemente conhecido.[4]

Quem pode negar que esta tem sido a situação do mundo desde 1945?

Não era assim antes de 1914: a paz era o quadro normal e esperado das vidas europeias. Desde 1815, não houvera nenhuma guerra envolvendo as potências europeias. Desde 1871, nenhuma nação europeia ordenara a seus homens em armas que atirassem nos de qualquer outra nação similar. As grandes potências escolhiam suas vítimas no mundo fraco e não europeu, embora às vezes calculassem mal a resistência de seus adversários: os *boers* deram aos britânicos muito mais trabalho que o esperado, e os japoneses conquistaram seu lugar entre as grandes nações ao derrotar a Rússia em 1904-1905, surpreendentemente com poucos transtornos. No território da maior e mais próxima vítima potencial — o Império Otomano, há muito em processo de desintegração — a guerra era, de fato, uma possibilidade permanente, visto que os povos a

DA PAZ À GUERRA

ele submetidos procuravam se estabelecer ou se expandir como Estados independentes e, por conseguinte, guerreavam entre si, arrastando as grandes nações em seus conflitos. Os Bálcãs eram conhecidos como o barril de pólvora da Europa, e foi, de fato, ali que a explosão global de 1914 começou. Mas a "Questão Oriental" era um ponto conhecido da pauta da diplomacia internacional, e embora tivesse gerado crises internacionais sucessivas durante um século, inclusive uma guerra internacional bastante substancial (a Guerra da Crimeia), nunca escapara totalmente ao controle. Ao contrário do Oriente Médio, desde 1945, os Bálcãs pertenciam, para a maioria dos europeus que não viviam ali, ao reino das estórias de aventuras, como as do autor alemão de literatura infantil Karl May, ou das operetas. A imagem das guerras balcânicas, no final do século XIX, era a do livro *Arms and the Man*, de Bernard Shaw, que, caracteristicamente, foi transformada em musical (*The Chocolate Soldier*, de um compositor vienense, em 1908).

A possibilidade de uma guerra generalizada na Europa fora, é claro, prevista, e preocupava não apenas os governos e as administrações, como também um público mais amplo. A partir do início da década de 1870, a ficção e a futurologia produziram, sobretudo na Grã-Bretanha e na França, *sketches*, geralmente não realistas, sobre uma futura guerra. Na década de 1880, Friedrich Engels já analisava as probabilidades de uma guerra mundial, enquanto o filósofo Nietzsche, louca, porém profeticamente, saudou a militarização crescente da Europa e predisse uma guerra que "diria sim ao animal bárbaro, ou mesmo selvagem, que existe entre nós".[5] Na década de 1890, a preocupação com a guerra foi suficiente para gerar o Congresso Mundial (Universal) para a Paz — o 21º estava previsto para setembro de 1914, em Viena —, o prêmio Nobel da Paz (1897) e a primeira das Conferências de Paz de Haia (1899), reuniões internacionais de representantes majoritariamente céticos de governos, e a primeira de muitas das reuniões que tiveram lugar desde então, nas quais

A ERA DOS IMPÉRIOS

os governos declararam seu compromisso decidido, porém teórico, com o ideal da paz. Nos anos 1900, a guerra ficou visivelmente mais próxima e nos anos 1910 podia ser e era considerada iminente.

E, contudo sua deflagração não era realmente *esperada*. Nem durante os últimos dias da crise internacional — já irreversível — de julho de 1914, os estadistas, dando os passos fatais, acreditavam que realmente estivessem dando início a uma guerra mundial. Uma fórmula seria com certeza encontrada, como tantas vezes no passado. Os que se opunham à guerra também não podiam acreditar que a catástrofe há tanto tempo predita por eles chegara. Bem no final de julho, *depois* de a Áustria ter declarado guerra à Sérvia, os líderes do socialismo internacional se reuniram, profundamente abalados mas ainda convencidos de que uma guerra generalizada era impossível e que uma solução pacífica para a crise seria encontrada. "Eu, pessoalmente, não acredito que haverá uma guerra generalizada", disse Victor Adler, chefe da social-democracia do Império Habsburgo, no dia 29 de julho.[6] Nem aqueles que estavam apertando os botões da destruição nela acreditavam, não porque não quisessem, mas porque era independente de sua vontade: como o imperador Guilherme perguntando a seus generais, no último minuto, se a guerra, afinal de contas, não poderia ser situada na Europa oriental, se se evitasse atacar a França e a Rússia — e ouvindo a resposta de que infelizmente isso era impraticável. Aqueles que haviam construído os mecanismos da guerra e ligado os interruptores agora estavam vendo, com uma espécie de incredulidade estupefata, as engrenagens começarem a se pôr em movimento. Para os que nasceram após 1914, é difícil imaginar como a crença de que uma guerra mundial não podia "realmente" acontecer estava profundamente enraizada no tecido da vida antes do dilúvio.

Assim, para a maioria dos Estados ocidentais, e na maior parte do tempo entre 1871 e 1914, uma guerra europeia era uma lembrança histórica ou um exercício teórico para um futuro indefinido. A principal

DA PAZ À GUERRA

função dos exércitos em suas sociedades durante esse período era civil. O serviço militar obrigatório — alistamento — agora era a norma em todas as nações de peso, com exceção da Grã-Bretanha e dos EUA, embora, na verdade, nem todos os rapazes de fato se alistassem; e, com o ascenso dos movimentos de massas socialistas, generais e políticos às vezes ficavam nervosos — erroneamente, como veio a ser evidenciado — ao pensar em pôr armas nas mãos de proletários potencialmente revolucionários. Para os recrutas comuns, mais familiarizados com a servidão do que com as glórias da vida militar, entrar para o exército se transformou em um rito de passagem que marcava a chegada de um garoto à idade adulta, seguido por dois ou três anos de treinamento e trabalho duro, que se tornavam mais toleráveis devido à notória atração que a farda exercia sobre as moças. Para os suboficiais profissionais o exército era um emprego. Para os oficiais, um jogo infantil onde quem brincava eram os adultos, símbolo de sua superioridade em relação aos civis, de esplendor viril e de *status* social. Para os generais era, como sempre, o terreno propício às intrigas políticas e ciúmes relativos à carreira, tão amplamente documentada nas memórias dos chefes militares.

Para os governos e as classes dirigentes, os exércitos eram não só forças para enfrentar inimigos internos e externos, mas também um modo de garantir a lealdade, ou mesmo o entusiasmo ativo, de cidadãos com simpatias inquietantes por movimentos de massas que solapavam a ordem política e social. Junto com a escola primária, o serviço militar era talvez o mecanismo mais poderoso à disposição do Estado visando à inculcação do comportamento cívico apropriado e, não menos importante, à transformação do habitante de um povoado no cidadão (patriota) de uma nação. A escola e o serviço militar ensinaram os italianos a compreender, se não a falar, a língua "nacional" oficial, e o exército fez do espaguete, anteriormente prato regional do sul empobrecido, uma instituição de toda a Itália. Quanto à população civil, o colorido espetáculo público da

A ERA DOS IMPERIOS

exibição militar foi multiplicado para seu divertimento, inspiração e identificação patriótica: paradas, cerimônias, bandeiras e música. O aspecto mais familiar dos exércitos, para os habitantes não militares da Europa, entre 1871 e 1914, era provavelmente a onipresente banda militar, sem a qual era difícil imaginar os parques e os festejos públicos.

Naturalmente, os soldados e, bem mais raramente, os marinheiros de vez em quando desempenhavam suas funções básicas. Podiam ser mobilizados contra desordens e protestos em momentos de perturbações e de crise social. Os governos, especialmente os que precisavam se preocupar com a opinião pública e com seus eleitores, costumavam ser cuidadosos ao confrontar as tropas com o risco de atirar em seus compatriotas: as consequências políticas dos tiros que soldados pudessem disparar contra civis podiam ser muito negativas, e as de sua recusa a fazê-lo podiam ser ainda piores, como ficou patente em Petrogrado, em 1917. Entretanto, as tropas eram mobilizadas com bastante frequência, e o número de vítimas nacionais da repressão militar não foi, de forma alguma, irrelevante nesse período, mesmo nos Estados da Europa central e ocidental, onde não se supunha a iminência da revolução, como a Bélgica e a Holanda. Em países como a Itália tais intervenções podiam ser, de fato, muito substanciais.

Para as tropas, a repressão interna era uma atividade inofensiva, mas as guerras eventuais, especialmente nas colônias, eram mais perigosas. O risco era reconhecidamente mais médico que militar. Dos 274 mil militares americanos mobilizados para a guerra hispano-americana de 1898, houve apenas 379 mortos e 1.600 feridos em combate, porém mais de cinco mil morreram de doenças tropicais. Não admira que os governos apoiassem com tanto entusiasmo as pesquisas em medicina, que no período que nos ocupa conseguiram algum controle sobre a febre amarela, a malária e outros flagelos dos territórios ainda conhecidos como "a tumba do homem branco". A França perdeu uma média de oito oficiais por ano em operações coloniais, entre 1871 e 1908, incluídas as cifras relativas à

DA PAZ À GUERRA

única zona onde houve perdas sérias, Tonkin, onde caiu quase a metade dos 300 oficiais mortos nesses 37 anos.[7] Não é nosso intuito subestimar a seriedade dessas campanhas, sobretudo sabendo-se que as perdas entre as vítimas eram desproporcionalmente pesadas. Mesmo para os países agressores, essas guerras eram tudo menos viagens de lazer. A Grã-Bretanha enviou 450.000 homens à África do Sul em 1899-1902, voltando com um saldo de 29.000 mortos em combate ou como consequência de ferimentos e 16.000 de doenças, o que representou um ônus de 220 milhões de libras esterlinas. Tais custos eram importantes. Contudo, o trabalho do soldado nos países ocidentais era, de longe, consideravelmente menos perigoso que o de certos grupos de trabalhadores civis, como os dos transportes (especialmente por mar) e das minas. Nos três últimos anos das longas décadas de paz, morriam por ano 1.430 mineiros de carvão britânicos, e 165.000 (ou mais de 10% da força de trabalho) sofriam ferimentos. E a taxa de acidentes nas minas de carvão britânicas, embora mais elevada que a belga ou a austríaca, era algo mais baixa que a francesa, cerca de 30% menor que a alemã e não mais de um terço do que a dos EUA.[8] Os que corriam maior risco de vida e de integridade física não usavam farda.

Assim, se deixarmos de lado a guerra britânica na África do Sul, a vida do soldado e do marinheiro de uma grande nação era bastante pacífica, embora não fosse o caso nos exércitos da Rússia czarista, envolvidos em sérias guerras contra os turcos nos anos 1870 e em outra, desastrosa, contra os japoneses em 1904-1905; nem no exército japonês, que lutou vitoriosamente tanto contra a China quanto contra a Rússia. Essa situação ainda pode ser identificada nas memórias e aventuras inteiramente não bélicas daquele imortal ex-membro do famoso 91º Regimento do exército imperial e real austríaco, o bom soldado Schweik (inventado por seu autor em 1911). Os quartéis-generais, naturalmente, prepararam-se para a guerra, como era seu dever. Como de costume, a maioria deles

A ERA DOS IMPÉRIOS

preparou-se para uma versão melhorada da última guerra importante de que os comandantes se lembravam ou que haviam vivido.

Os britânicos, como era natural no caso da maior nação naval, prepararam-se para uma participação apenas modesta na guerra terrestre, embora fosse ficando cada vez mais evidente aos generais que faziam os preparativos para a cooperação com os aliados franceses, nos anos que precederam 1914, que se exigiria muito mais deles. Mas, de maneira geral, foram os civis, e não esses homens, que previram as terríveis transformações da guerra, graças aos avanços da tecnologia militar que os generais — e mesmo alguns almirantes mais abertos à questão tecnológica — demoraram a entender. Friedrich Engels, velho amante de assuntos militares, chamou muitas vezes a atenção sobre suas limitações; mas foi um financista judeu, Ivan Bloch, que, em 1898, publicou em São Petersburgo os seis volumes de seu *Technical, Economic and Political Aspects of the Coming War*, um trabalho profético que predizia o empate militar da guerra de trincheiras, o que levaria a um conflito prolongado cujos custos econômicos e humanos intoleráveis exauririam os beligerantes ou os fariam mergulhar na revolução social. O livro foi rapidamente traduzido para numerosos idiomas, sem qualquer consequência no planejamento militar.

Enquanto apenas alguns observadores civis compreendiam o caráter catastrófico da futura guerra, governos que não o entendiam se lançaram entusiasticamente à corrida, para se equipar com os armamentos cuja nova tecnologia o propiciaria. A tecnologia da morte, já em processo de industrialização em meados do século (veja *A era do capital*, capítulo 4:2), avançou notavelmente nos anos 1880, não apenas devido a uma verdadeira revolução na rapidez e no poder de fogo das armas pequenas e da artilharia, mas também através da transformação dos navios de guerra por meio de motores-turbina, de uma blindagem protetora mais eficaz e da capacidade de carregar muito mais armas. A propósito, até a tecno-

466

DA PAZ À GUERRA

logia da morte civil foi transformada pela invenção da "cadeira elétrica" (1890), embora os algozes de fora dos EUA tenham permanecido fiéis a antigos e comprovados métodos, como o enforcamento e a decapitação.

Uma consequência óbvia foi que os preparativos para a guerra tornaram-se muito mais caros, especialmente porque os Estados competiam uns com os outros para manter a primeira posição ou ao menos para não cair para a última. Essa corrida armamentista começou de maneira modesta no final da década de 1880 e se acelerou no novo século, em particular nos últimos anos antes da guerra. Os gastos militares britânicos permaneceram estáveis nos anos 1870 e 1880, tanto em termos de porcentagem do orçamento total como *per capita* em relação à população. Mas passou de 32 milhões em 1887 para 44,1 milhões de libras esterlinas em 1898-1899, e a mais de 77 milhões em 1913-1914. E o crescimento mais espetacular foi o da Marinha, o que não é surpreendente, pois se tratava da ala de alta tecnologia de guerra, correspondente aos mísseis nos gastos modernos em armamentos. Em 1885, a Marinha custara ao Estado 11 milhões de libras — em torno da mesma ordem de grandeza que em 1860. Em 1913-1914 custou mais de quatro vezes esse montante. No mesmo período, os gastos navais alemães aumentavam de modo ainda mais acentuado, de 90 milhões de marcos por ano em meados da década de 1890 para quase 400 milhões.[9]

Uma consequência de gastos tão elevados foi a necessidade complementar de impostos mais altos ou de empréstimos inflacionários, ou de ambos. Mas uma consequência igualmente óbvia, embora muitas vezes deixada de lado, foi que eles cada vez mais fizeram da morte em prol de várias pátrias um subproduto da indústria em grande escala. Alfred Nobel e Andrew Carnegie, dois capitalistas que sabiam o que os transformara em milionários dos ramos de explosivos e aço, respectivamente, tentaram compensar a situação destinando uma parte de sua riqueza à causa da paz. Nesse sentido foram atípicos. A simbiose entre guerra e produção da guerra

A ERA DOS IMPÉRIOS

transformou inevitavelmente as relações entre governo e indústria, pois, como observou Friedrich Engels em 1892, "como a guerra se tornou um setor da *grande industrie... la grande industrie...** tornou-se uma necessidade política".[10] E, reciprocamente, o Estado tornou-se essencial para certos setores da indústria, pois quem, senão o governo, constitui a clientela dos armamentos? Os bens que essa indústria produziam eram determinados não pelo mercado, mas pela interminável concorrência dos governos, que os fazia procurar garantir para si um fornecimento satisfatório das armas mais avançadas e, portanto, mais eficientes. E mais, o que os governos precisavam não era tanto da produção real de armas, mas sim da capacidade de produzi-las numa escala compatível com uma época de guerra, se fosse o caso; isso quer dizer que eles tinham de zelar para que suas indústrias mantivessem uma capacidade de produção altamente excedente para tempos de paz.

Assim, de uma forma ou de outra, os Estados eram obrigados a garantir a existência de poderosas indústrias nacionais de armamentos, a arcar com boa parte do custo de seu desenvolvimento técnico e a fazer que permanecessem rentáveis. Em outras palavras, tinham de proteger essas indústrias contra os vendavais que ameaçavam os navios da empresa capitalista que singravam os mares imprevisíveis do mercado livre e da livre concorrência. É claro que eles mesmos também podiam se envolver na fabricação de armas, como o fizeram por muito tempo. Mas nesse exato momento os Estados — ou ao menos o Estado liberal britânico — preferiram chegar a um acordo com a empresa privada. Nos anos 1880, os produtores privados de armamento assinaram mais de um terço de seus contratos de fornecimento com as Forças Armadas; nos anos 1890, 46%; nos anos 1900, 60%: o governo, incidentalmente, estava disposto a garantir-lhes dois terços.[11] Não admira que as empresas de armamento

---

* Em francês no original. (N.T.)

DA PAZ À GUERRA

estivessem entre os gigantes da indústria, ou passassem a estar: a guerra e a concentração capitalista caminhavam juntas. Krupp, na Alemanha, o rei dos canhões, empregava 16.000 pessoas em 1873, 24.000 em torno de 1890, 45.000 em torno de 1900 e quase 70.000 em 1912, quando 50.000 das famosas armas Krupp saíram da linha de produção. Na fábrica britânica Armstrong, Whitworth empregava 12.000 homens em suas instalações principais em Newcastle, que passaram a 20.000 — ou mais de 40% de todos os metalúrgicos do Tyneside — em 1914, sem contar os das 1.500 empresas menores que viviam de subempreitadas da Armstrong. Também eram muito rentáveis.

Como o moderno "complexo industrial-militar" dos EUA, essas concentrações industriais gigantescas não teriam sido nada sem a corrida armamentista dos governos. Assim sendo, é tentador responsabilizar tais "mercadores da morte" (a expressão se popularizou entre os pacifistas) pela "guerra de aço e ouro", como a denominou um jornalista britânico. Não era lógico que a indústria de armas incentivasse a aceleração da corrida armamentista, inventando, se necessário, inferioridades nacionais ou "janelas de vulnerabilidade", que podiam ser removidas através de lucrativos contratos? Uma companhia alemã, especializada na fabricação de metralhadoras, conseguiu inserir uma nota no jornal *Le Figaro* para que o governo francês planejasse duplicar seu número de metralhadoras. Como consequência, o governo alemão fez uma encomenda de 40 milhões de marcos de tais armas em 1908-1910, aumentando assim os dividendos da empresa de 20% para 32%.[12] Uma companhia britânica, argumentando que seu governo subestimara de modo grave o programa de rearmamento da Marinha alemã, beneficiou-se com 250.000 libras esterlinas por cada encouraçado encomendado pelo governo britânico, o que duplicou sua construção naval. Pessoas elegantes e pouco visíveis, como o grego Basil Zaharoff, atuando em nome da Vickers (e que mais tarde recebeu o título de cavaleiro pelos serviços prestados aos aliados du-

A ERA DOS IMPÉRIOS

rante a Primeira Guerra Mundial), tomaram as providências necessárias para que a indústria de armamentos das grandes nações vendessem seus produtos menos vitais ou obsoletos a Estados do Oriente Próximo e da América Latina, que já estavam em condições de comprar tais utensílios. Em suma, o comércio internacional moderno da morte já estava bem encaminhado.

Contudo, a guerra mundial não pode ser explicada como uma conspiração de fabricantes de armas, mesmo fazendo os técnicos, com certeza, o máximo para convencer generais e almirantes, mais familiarizados com paradas militares do que com a ciência, de que tudo estaria perdido se eles não encomendassem o último tipo de arma ou navio de guerra. Não há dúvida de que a acumulação de armamento, que atingiu proporções temíveis nos últimos cinco anos anteriores a 1914, tornou a situação mais explosiva. Não há dúvida de que havia chegado o momento, ao menos no verão europeu de 1914, em que a máquina inflexível que mobilizava as forças da morte não poderia mais ser estocada. Porém, a Europa não foi à guerra devido à corrida armamentista como tal, mas devido à situação internacional que lançou as nações nessa competição.

2.

A discussão sobre a gênese da Primeira Guerra Mundial tem sido ininterrupta desde agosto de 1914. Provavelmente correu mais tinta, mais árvores foram sacrificadas para fazer papel, mais máquinas de escrever trabalharam para responder a essa pergunta do que a qualquer outra na História — inclusive talvez o debate em torno da Revolução Francesa. À medida que as gerações se sucediam, que a política nacional e internacional ia sendo transformada, o debate foi ressurgindo. Mal a Europa mergulhara na catástrofe, os beligerantes começaram a se perguntar por

DA PAZ À GUERRA

que a diplomacia internacional não conseguira evitá-la e a atribuir-se mutuamente a responsabilidade. Aqueles que se opunham à guerra iniciaram imediatamente suas análises. A Revolução Russa de 1917, que publicou os documentos secretos do czarismo, acusou o imperialismo como um todo. Os aliados vitoriosos criaram a tese da "culpa de guerra, exclusivamente alemã, pedra angular do tratado de paz de Versalhes de 1919 e geradora de um imenso fluxo de textos documentários e de propaganda histórica a favor e, sobretudo, contra essa tese. Naturalmente, a Segunda Guerra Mundial fez esse debate ser retomado, e ele foi revigorado alguns anos depois, quando tornou a surgir uma historiografia de esquerda na República Federal Alemã, que, ansiosa para romper com as ortodoxias conservadoras e patrióticas nazi-alemãs elaborou sua própria versão da responsabilidade da Alemanha. As discussões sobre os perigos para a paz mundial, que, por motivos óbvios, nunca cessaram após Hiroshima e Nagasaki, procuram inevitavelmente possíveis paralelos entre as origens das guerras mundiais passadas e as perspectivas internacionais atuais. Enquanto os propagandistas preferiram a comparação com os anos anteriores à Segunda Guerra Mundial ("Munique"), os historiadores encontram cada vez mais similitudes entre os problemas dos anos 1980 e 1910. Assim, as origens da Primeira Guerra Mundial eram, uma vez mais, uma questão de importância candente e imediata. Nessas circunstâncias, qualquer historiador que tente explicar, como deve fazer um historiador do nosso período, por que ocorreu a Primeira Guerra Mundial, mergulha em águas profundas e turbulentas.

Contudo, podemos ao menos simplificar essa tarefa eliminando perguntas a que o historiador não tem que responder. A mais importante delas é aquela da "culpa de guerra", que se refere a um julgamento moral e político, mas tem a ver apenas perifericamente com os historiadores. Se estamos interessados em saber por que um século de paz europeia cedeu o lugar a uma época de guerras mundiais, perguntar de quem foi a culpa

A ERA DOS IMPÉRIOS

é tão fútil quanto perguntar se Guilherme, o Conquistador, tinha motivo legal para invadir a Inglaterra e o quanto isso é relevante para o estudo da razão pela qual os guerreiros da Escandinávia partiram para conquistar numerosas áreas da Europa nos séculos X e XI.

É claro que nas guerras as responsabilidades muitas vezes podem ser identificadas. Poucos negariam que nos anos 1930 a atitude da Alemanha era essencialmente agressiva e expansionista e que a de seus adversários era essencialmente defensiva. Ninguém negaria que as guerras de expansão imperial em nossa época, como a Guerra Hispano-Americana de 1898 e a Sul-Africana de 1899-1902, foram provocadas pelos EUA e pela Grã-Bretanha e não por suas vítimas. Seja como for, todo mundo sabe que os governos de todos os Estados do século XIX, por mais preocupados que estivessem com suas relações públicas, consideravam a guerra uma contingência normal da política internacional, e eram honestos o bastante para admitir que bem podiam tomar a iniciativa militar. Os Ministérios da Guerra ainda não se chamavam, eufemisticamente, Ministérios da Defesa.

Contudo, é indubitável que nenhum governo de qualquer uma das grandes potências de antes de 1914 queria uma guerra europeia generalizada, ou mesmo — ao contrário dos anos 1850 e 1860 — um conflito militar restrito com outra grande nação europeia. Isto é conclusivamente demonstrado pelo fato de que nos lugares onde as ambições políticas das grandes nações entravam em conflito direto, ou seja, nas zonas ultramarinas de conquistas e partilhas coloniais, seus numerosos confrontos eram sempre resolvidos por algum acordo pacífico. Até as mais graves dessas crises, as de Marrocos em 1906 e 1911, foram contornadas. Às vésperas de 1914, os conflitos coloniais não pareciam mais colocar problemas insolúveis às várias nações concorrentes — fato que tem sido usado, de modo bastante ilegítimo, como argumento para afirmar que as rivalidades imperialistas foram irrelevantes na deflagração da Primeira Guerra Mundial.

DA PAZ À GUERRA

É evidente que as nações estavam longe de ser pacíficas, quanto menos pacifistas. Elas se prepararam para uma guerra europeia — às vezes erroneamente* — mesmo fazendo seus ministros da Relações Exteriores o máximo para evitar o que eles unanimemente consideravam uma catástrofe. Nos anos 1900, nenhum governo tinha objetivos que, como os de Hitler em 1930, só pudessem ser atingidos por meio da guerra ou da ameaça constante de guerra. Até a Alemanha — cujo comandante do Estado-maior defendeu em vão um ataque antecipado em 1904-1905 contra a França, enquanto sua aliada, a Rússia, estava imobilizada pela guerra e, mais tarde, pela derrota e pela revolução — só usou a oportunidade oferecida pela fraqueza e isolamento temporários da França para fazer avançar suas reivindicações imperialistas sobre Marrocos, um problema administrável em torno do qual ninguém pretendia começar, nem começou, uma guerra importante. Nenhum governo de potências importantes, nem os mais ambiciosos, frívolos e irresponsáveis, queria uma guerra de grandes proporções. O velho imperador Francisco José, ao anunciar a deflagração dessa guerra a seus condenados súditos em 1914, estava sendo totalmente sincero ao dizer "Eu não quis que isso acontecesse" ("*Ich hab es nicht ge-wollt*"), mesmo tendo sido seu governo que, de fato, a provocou.

O máximo que se pode afirmar é que, a partir de um certo ponto do lento escorregar para o abismo, a guerra pareceu tão inevitável que alguns governos decidiram que a melhor coisa a fazer seria escolher o momento mais propício, ou menos desfavorável, para iniciar as hostilidades. Afirma-se que a Alemanha procurou esse momento a partir de 1912, mas dificilmente poderia ter sido antes. Sem dúvida, durante a crise final de 1914 — precipitada pelo irrelevante assassinato de um arquiduque aus-

---

* O almirante Raeder afirmou inclusive que, em 1914, o comando naval alemão não tinha planos para uma guerra contra a Grã-Bretanha.[13]

A ERA DOS IMPERIOS

tríaco por um estudante terrorista, numa cidade de província dos confins dos Bálcãs — a Áustria sabia que corria o risco de uma guerra mundial ao provocar a Sérvia; e a Alemanha, ao decidir dar total apoio à sua aliada, transformou o risco quase numa certeza. "A balança está pendendo contra nós", disse o ministro da Guerra austríaco em 7 de julho. Não era melhor guerrear antes que pendesse mais? A Alemanha seguiu a mesma linha de raciocínio. Apenas nessa linha restrita a pergunta sobre "culpa de guerra" tem algum sentido. Mas como os acontecimentos mostraram no verão de 1914, ao contrário de crises anteriores, a paz fora anulada por todas as nações — até pelos britânicos, que os alemães tinham esperanças parciais de que ficassem neutros, aumentando assim suas chances de derrotar tanto a França como a Rússia.[*] Nenhuma das grandes nações teria dado o golpe de misericórdia na paz, nem mesmo em 1914, se não estivesse convencida de que seus ferimentos já eram mortais.

Portanto, descobrir as origens da Primeira Guerra Mundial não equivale a descobrir "o agressor". Ele repousa na natureza de uma situação internacional em processo de deterioração progressiva, que escapava cada vez mais ao controle dos governos. Gradualmente a Europa foi se dividindo em dois blocos opostos de grandes nações. Tais blocos, fora de uma guerra, eram novos em si mesmos e derivavam, essencialmente, do surgimento no cenário europeu de um Império Alemão unificado, constituído entre 1864 e 1871 por meio da diplomacia e da guerra, à custa dos outros (cf. *A era do capital*, capítulo 4), e procurava se proteger contra seu principal perdedor, a França, através de alianças em tempos de paz, que geraram contra-alianças. As alianças, em si, embora implicassem a possibilidade da guerra, não a tornavam nem certa nem mesmo

---

[*] A estratégia alemã (o "Plano Schlieffen", de 1905) previa um rápido e decisivo ataque contra a França, seguido por um rápido e decisivo ataque contra a Rússia. O primeiro significava a invasão da Bélgica, propiciando assim à Grã-Bretanha uma desculpa para entrar na guerra, com a qual há muito tempo estava efetivamente comprometida.

DA PAZ À GUERRA

provável. Assim, o chanceler alemão Bismarck, que foi o campeão do jogo de xadrez diplomático multilateral por quase trinta anos após 1871, dedicou-se com exclusividade e sucesso à manutenção da paz entre as nações. Um sistema de blocos de nações só se tornou um perigo para a paz quando as alianças opostas consolidaram-se como permanentes, mas especialmente quando as disputas entre eles se transformaram em confrontos inadministráveis. Isto aconteceria no novo século. A pergunta crucial é: por quê?

Contudo, não havia maiores diferenças entre as tensões internacionais que levaram à Primeira Guerra Mundial e as que são subjacentes ao perigo de uma terceira, que as pessoas, nos anos 1980, ainda esperam evitar. Nunca houve, desde 1945, a mínima dúvida quanto aos principais adversários numa terceira guerra mundial: os EUA e a URSS. Mas, em 1880, as coalizões de 1914 não eram previstas. Naturalmente, alguns aliados e inimigos potenciais eram fáceis de discernir. A Alemanha e a França estariam em lados opostos, quanto mais não fosse porque a Alemanha anexara grandes porções da França (Alsácia-Lorena) após sua vitória em 1871. Também não era difícil prever a permanência da aliança entre Alemanha e Áustria-Hungria, forjada por Bismarck após 1866, pois o equilíbrio interno do novo Império Alemão tornou essencial manter vivo o multinacional Império Habsburgo. Sua desintegração em fragmentos nacionais não apenas levaria, como Bismarck bem sabia, à ruína do sistema de Estados da Europa central e oriental, como destruiria também a base de uma "pequena Alemanha" dominada pela Prússia. De fato, ambas as coisas aconteceram após a Primeira Guerra Mundial. O traço diplomático mais permanente do período 1871-1914 foi a "Tríplice Aliança" de 1882, que na verdade era uma aliança Austro-Alemã, já que o terceiro participante, a Itália, logo se afastaria para finalmente se unir ao campo antialemão em 1915.

Uma vez mais era óbvio que a Áustria, envolvida nos turbulentos assuntos dos Bálcãs devido a seus problemas multinacionais, e, mais pro-

A ERA DOS IMPÉRIOS

fundamente que nunca, depois de ter conquistado a Bósnia-Herzegovina em 1878, se achava em oposição à Rússia naquela região.* Embora Bismarck tenha feito o máximo para manter relações estreitas com a Rússia, era previsível que cedo ou tarde a Alemanha seria forçada a escolher entre Viena e São Petersburgo, e que só podia optar por Viena. Ademais, uma vez que a Alemanha tinha desistido da opção russa, como aconteceu no final da década de 1880, era lógico que a Rússia e a França se unissem — como de fato o fizeram em 1891. Friedrich Engels cogitara dessa aliança ainda nos anos 1880, naturalmente dirigida contra a Alemanha. Assim sendo, no início da década de 1890, dois grupos de nações se enfrentavam na Europa inteira.

Embora as relações internacionais tenham ficado mais tensas, não era inevitável uma guerra europeia generalizada, quanto mais não seja porque os problemas que separavam a França da Alemanha (ou seja a Alsácia--Lorena) não tinham interesse para a Áustria, e os que representavam um risco de conflito entre a Áustria e a Rússia (o nível de influência da Rússia nos Bálcãs) eram insignificantes para a Alemanha. Os Bálcãs, observou Bismarck, não valiam os ossos de um único granadeiro pomeraniano. A França não tinha reais brigas com a Áustria, nem a Rússia com a Alemanha. Por isso, os problemas que separavam a França da Alemanha, embora permanentes, dificilmente seriam considerados merecedores de uma guerra pela maioria dos franceses, e os que separavam a Áustria da Rússia, embora — como 1914 mostrou — potencialmente mais graves, só se colocavam intermitentemente. Três problemas transformaram o sistema de aliança numa bomba-relógio: a situação do fluxo internacional, desestabilizado por novos problemas e ambições mútuas entre as nações,

---

* Os povos eslavos do sul estavam em parte na metade austríaca do Império Habsburgo (eslovenos, croatas, dálmatas), em parte na metade húngara (croatas, alguns sérvios), em parte sob administração imperial comum (Bósnia-Herzegovina) e o resto em pequenos reinos independentes (Sérvia, Bulgária e o miniprincipado de Montenegro) ou sob controle turco (Macedônia).

DA PAZ À GUERRA

a lógica do planejamento militar conjunto que congelou os blocos que se confrontavam, tornando-os permanentes, e a integração de uma quinta grande nação, a Grã-Bretanha, a um dos blocos (ninguém se preocupou muito com as tergiversações da Itália, que só era uma "grande nação" por cortesia internacional). Entre 1903 e 1907, para surpresa geral — incluindo a sua própria — a Grã-Bretanha se uniu ao lado antialemão. A origem da Primeira Guerra Mundial pode ser mais bem entendida acompanhando-se o surgimento desse antagonismo anglo-germânico.

A Tríplice Entente foi surpreendente tanto para os inimigos como para os aliados britânicos. No passado, a Grã-Bretanha não tinha tradição nem qualquer motivo permanente de atrito com a Prússia — e o mesmo parecia ser verdade em relação à super-Prússia, conhecida agora como Império Alemão. Por outro lado, a Grã-Bretanha fora antagonista quase automática da França em quase todas as guerras europeias desde 1688. Mesmo isso não sendo mais verdade, quanto mais não fosse porque a França deixara de ser capaz de dominar o continente, o atrito entre os dois países era visivelmente crescente, ao menos porque ambos competiam pelo mesmo território e influência como nação imperialista. Assim, as relações eram pouco amistosas no que tange ao Egito, cujo controle era cobiçado por ambas, mas foi tomado pelos britânicos (junto com o Canal de Suez, financiado pela França). Durante a crise de Fashoda, de 1898, pareceu que haveria derramamento de sangue, pois as tropas coloniais rivais britânicas e francesas se enfrentaram no interior do Sudão. Na divisão da África, os ganhos de um eram, no mais das vezes, à custa do outro. Em relação à Rússia, os impérios britânico e czarista haviam sido antagonistas permanentes na zona dos Bálcãs e do Mediterrâneo da assim chamada "Questão Oriental" e nas áreas, mal definidas porém amargamente disputadas, da Ásia Central e Ocidental que ficavam entre a Índia e as terras do czar: Afeganistão, Irã e as regiões com saída para o Golfo Pérsico.A perspectiva de ver russos em Constantinopla — e portanto no Mediterrâneo — e de uma expansão russa em direção à Índia era um pesadelo constante para os chanceleres britânicos. Os dois países haviam inclusive se enfrentado na única das guerras europeias do século XVIII de que a Grã-Bretanha participou (a Guerra da Crimeia) e nos anos 1870 uma guerra russo-britânica era muito provável.

Dado o modelo consagrado de diplomacia britânica, uma guerra contra a Alemanha era uma possibilidade tão remota que devia ser ignorada. Uma aliança *permanente* com qualquer nação continental parecia incompatível com a manutenção do equilíbrio de poder, que era o principal objetivo da política externa britânica. Uma aliança com a França seria considerada improvável, uma com a Rússia quase impensável. Contudo, o implausível se tornou realidade: a Grã-Bretanha vinculou-se de forma permanente à França e à Rússia contra a Alemanha, resolvendo todas as diferenças com a Rússia, a ponto de concordar com a ocupação, por esta, de Constantinopla — oferta que desapareceu do horizonte com a Revolução Russa de 1917. Como e por que se produziu essa surpreendente transformação?

Aconteceu porque ambos os jogadores, bem como as regras do jogo tradicional da diplomacia internacional, mudaram. Em primeiro lugar, o tabuleiro em que era jogado ficou muito maior. A rivalidade entre as potências, confinada antes em grande medida à Europa e áreas adjacentes (com exceção dos britânicos), era agora global e imperial — fora a maior parte das Américas, destinada com exclusividade à expansão imperial dos EUA pela Doutrina Monroe de Washington. Agora era igualmente provável que as disputas internacionais que tinham que ser resolvidas, para não degenerarem em guerras, ocorressem na África Ocidental e no Congo nos anos 1880, na China no final da década de 1890, no Magreb (1906, 1911) e no corpo em decomposição do Império Otomano, muito mais provavelmente que em torno de qualquer problema na Europa não balcânica. Ademais, agora havia mais dois jogadores: os EUA — que, embora ainda evitando envolvimento com problemas europeus, desen-

DA PAZ À GUERRA

volviam um expansionismo ativo no Pacífico — e o Japão. Na verdade, a aliança britânica com o Japão (1902) foi o primeiro passo rumo à Tríplice Aliança, pois a existência daquela nova potência, que em breve mostraria que podia inclusive derrotar o Império Czarista na guerra, reduziu a ameaça que a Rússia representava para a Grã-Bretanha, fortalecendo assim a posição britânica. Portanto, possibilitou o esvaziamento de antigas disputas russo-britânicas.

A globalização do jogo de poder internacional transformou automaticamente a situação do país, que fora até então a única das grandes potências com objetivos políticos realmente mundiais. Não é exagero dizer que durante a maior parte do século XIX a função da Europa nos cálculos diplomáticos britânicos era ficar quieta, para que a Grã-Bretanha pudesse dar continuidade a suas atividades, principalmente econômicas, no resto do planeta. Esta era a essência da combinação característica de um equilíbrio europeu de poder com a *Pax Britannica*, garantido pela única marinha de dimensões mundiais que controlava todos os oceanos e orlas marítimas do globo. Em meados do século XIX, todas as outras marinhas do mundo, juntas, mal ultrapassavam o tamanho da marinha britânica sozinha. Contudo, no final do século já não era assim.

Em segundo lugar, com o surgimento de uma economia industrial capitalista mundial, o jogo internacional se desenrolava em torno de apostas bastante diferentes. Isso não significa que — adaptando a famosa frase de Clausewitz — a guerra agora fosse apenas a continuação da concorrência econômica por outros meios. Esta opinião tentou os deterministas históricos à época, quanto mais não fosse porque observavam muitos exemplos de expansão econômica por meio de metralhadoras e canhoneiras. Entretanto, era uma simplificação grosseira. Mesmo tendo o desenvolvimento capitalista e o imperialismo responsabilidade na derrapagem descontrolada do mundo em direção a um conflito mundial, é impossível argumentar que muitos dos capitalistas fossem provocadores

A ERA DOS IMPÉRIOS

conscientes da guerra. Qualquer estudo imparcial das publicações do setor de negócios, da correspondência particular e comercial dos homens de negócios, de suas declarações públicas enquanto porta-vozes dos bancos, do comércio e da indústria mostra, de modo bastante conclusivo, que a maioria dos homens de negócios achava a paz internacional vantajosa para eles. De fato, a guerra em si era aceitável somente na medida em que não interferisse nos "negócios como de costume", e a principal objeção do jovem economista Keynes (que ainda não era um reformador radical de sua área) era que a guerra não apenas matava seus amigos, mas também inviabilizava uma política econômica fundamentada nos "negócios como de costume". Havia, naturalmente, expansionistas econômicos belicosos, mas o jornalista liberal Norman Angell exprimia quase com certeza o consenso do mundo dos negócios: a crença de que a guerra beneficiava o capital era *A grande ilusão*, título de seu livro de 1912.

De fato, por que os capitalistas — mesmo os industriais, com a possível exceção dos fabricantes de armas — desejariam perturbar a paz internacional, quadro essencial de sua prosperidade e expansão, se o tecido da liberdade internacional para negociar e o das transações financeiras dependiam dela? Evidentemente, os que foram bem-sucedidos na concorrência internacional não tinham motivos de queixa. Assim como a liberdade de penetrar no mercado mundial não apresenta desvantagem para o Japão hoje, a indústria alemã podia estar bem contente com ela antes de 1914. Os perdedores pediriam, naturalmente, proteção econômica a seus governos, o que é, contudo, muito diferente de pedir guerra. Além disso, o maior dos perdedores potenciais, a Grã-Bretanha, resistiu até contra esses pedidos, e seus interesses econômicos permaneceram, em sua esmagadora maioria, vinculados à paz, apesar do constante temor da concorrência alemã, ruidosamente expressa nos anos 1890, e da penetração já efetiva do capital alemão e americano no mercado interno britânico. Quanto às relações anglo-americanas, podemos inclusive ir mais longe. Se apenas

DA PAZ À GUERRA

a concorrência econômica bastasse para uma guerra, a rivalidade anglo--americana deveria logicamente ter preparado o terreno para um conflito militar — como alguns marxistas do entreguerra ainda pensavam que fosse ocorrer. Contudo, foi precisamente nos anos 1900 que o Estado-maior imperial britânico abandonou até os mais remotos planos de emergência para uma guerra anglo-americana. Daí em diante, essa possibilidade ficou totalmente excluída.

No entanto, o desenvolvimento do capitalismo empurrou o mundo inevitavelmente em direção a uma rivalidade entre os Estados, à expansão imperialista, ao conflito e à guerra.

Após 1870, como os historiadores mostraram,

> a passagem do monopólio à concorrência talvez tenha sido o fator isolado mais importante na preparação da mentalidade propícia ao empreendimento industrial e comercial europeu. Crescimento econômico também era luta econômica — luta que servia para separar os fortes dos fracos, para desencorajar alguns e endurecer outros, para favorecer as nações novas e famintas à custa das antigas. O otimismo em relação a um futuro de progresso indefinido cedeu o lugar à incerteza e a um sentimento de agonia, no sentido clássico do termo. Tudo isso, por sua vez, reforçando e sendo reforçado pelo acirramento das rivalidades políticas, as duas formas de concorrência que surgiam.[14]

A economia mundial deixara totalmente de ser, como o fora em meados do século XIX, um sistema solar girando em torno de uma estrela única, a Grã-Bretanha. Embora as transações financeiras e comerciais do planeta ainda passassem cada vez mais por Londres, a Grã-Bretanha já não era, evidentemente, a "oficina do mundo", nem seu principal mercado importador. Ao contrário, seu declínio relativo era patente. Um certo número de economias industriais nacionais agora se enfrentavam mutuamente. Sob tais circunstâncias a concorrência econômica passou a estar intimamente entrelaçada com as ações políticas, ou mesmo militares, do Estado. O ressurgimento do protecionismo durante a Grande Depressão

A ERA DOS IMPÉRIOS

foi a primeira consequência dessa fusão. Do ponto de vista do capital, o apoio político passaria a ser essencial para manter a concorrência estrangeira a distância, e talvez também essencial em regiões do mundo onde as empresas de economias industriais nacionais competiam umas com as outras. Do ponto de vista dos Estados, a economia passou a ser desde então tanto a base do poder internacional como seu critério. Agora era impossível conceber uma "grande nação" que não fosse ao mesmo tempo uma "grande economia" — transformação ilustrada pelo ascenso dos EUA e pelo enfraquecimento relativo do Império Czarista.

Inversamente, as transformações que ocorreram no poder econômico, que mudaram automaticamente o equilíbrio entre força política e militar, não acarretariam uma redistribuição de papéis no cenário internacional? Esta era uma opinião francamente popular na Alemanha, cujo assombroso crescimento industrial lhe conferiu um peso internacional incomparavelmente maior que o que tivera a Prússia. Não foi por acaso que entre os alemães nacionalistas de 1890, o velho cântico patriótico "O sentinela do Reno", dirigido exclusivamente contra os franceses, perdeu rapidamente terreno diante das ambições globais do "Deutschland über Alles", que se tornou, de fato, o hino nacional alemão, embora ainda não oficialmente.

O que levou essa identificação entre poder econômico e político-militar a ser tão perigosa foram não apenas as rivalidades nacionais pelos mercados mundiais e recursos materiais e pelo controle de regiões, como no Oriente Próximo e Médio, onde os interesses econômicos e estratégicos tantas vezes se sobrepuseram. Bem antes de 1914, a petro-diplomacia já era um fator crucial no Oriente Médio, sendo vitoriosas a Grã-Bretanha e a França, as empresas de petróleo ocidentais (mas ainda não americanas) e um intermediário armênio, Calouste Gulbenkian, que garantiu 5% para si próprio. Inversamente, a penetração econômica e estratégica alemã no Império Otomano já preocupava os britânicos e

DA PAZ À GUERRA

ajudou a situar a Turquia do lado da Alemanha durante a guerra. Mas a novidade da situação residia em que, em virtude da fusão entre economia e política, nem a divisão pacífica das áreas disputadas em "zonas de influência" podia manter a rivalidade internacional sob controle. A única coisa que poderia controlá-la — como sabia Bismarck, que a administrou com incomparável habilidade entre 1871 e 1889 —, era a limitação deliberada de objetivos. Se os Estados pudessem definir seus objetivos diplomáticos com precisão — uma determinada mudança nas fronteiras, um casamento dinástico, uma "compensação" definível pelos avanços de outros Estados — tanto o cálculo como o acordo seriam possíveis. Mas nenhuma das duas excluía — como o próprio Bismarck comprovara entre 1862 e 1871 — o conflito militar controlado.

Mas o traço característico da acumulação capitalista era justamente não ter limite. As "fronteiras naturais" da Standard Oil, do Deutsche Bank, da De Beers Diamond Corporation estavam situadas nos confins do universo, ou antes, nos limites de sua capacidade de expansão. Foi este aspecto dos novos padrões da política mundial que desestabilizou as estruturas da política mundial tradicional. Enquanto o equilíbrio e a estabilidade permaneciam a condição fundamental das nações europeias em suas relações recíprocas, em outros lugares nem as mais pacíficas hesitavam em recorrer à guerra contra os fracos. Tinham sem dúvida, como vimos, o cuidado de manter seus conflitos coloniais sob controle. Estes nunca pareceram constituir *causus belli* para uma guerra de grandes proporções, mas com certeza precipitaram a formação de blocos internacionais e finalmente beligerantes: o que se tornou o bloco anglo-franco-russo começou com o "entendimento cordial" anglo-francês (*Entente Cordiale*) de 1904, essencialmente uma negociação imperialista através da qual os franceses desistiram de reivindicar o Egito, e, em troca, a Grã-Bretanha apoiaria suas reivindicações relativas ao Marrocos — uma vítima na qual a Alemanha também estava de olho. Entretanto, todas as

A ERA DOS IMPÉRIOS

nações, sem exceção, estavam com ânimo expansionista e conquistador. Até a Grã-Bretanha — cuja postura era fundamentalmente defensiva, visto que seu problema era como proteger seu domínio global, até então incontestado, contra os novos intrusos — atacou as repúblicas sul-africanas; ela também não hesitou em pensar em dividir as colônias de outro Estado europeu, Portugal, com a Alemanha. No oceano do planeta, todos os Estados eram tubarões e todos os estadistas sabiam disso.

Mas o que tornou o mundo um lugar ainda mais perigoso foi a equação tácita de crescimento econômico ilimitado e poder político, que veio a ser aceita inconscientemente. Assim, o imperador alemão pediu, nos anos 1890, "um lugar ao sol" para seu Estado. Bismarck poderia ter reivindicado o mesmo — e, de fato, conquistara um lugar muitíssimo mais poderoso no mundo para a nova Alemanha do que a Prússia jamais desfrutara. Contudo, Bismarck podia definir as dimensões de suas ambições evitando cuidadosamente entrar no terreno das zonas sem controle, ao passo que para Guilherme II a frase se tornou um mero *slogan* sem conteúdo concreto. Formulava simplesmente um princípio de proporcionalidade: quanto mais poderosa for a economia de um país, maior será sua população, maior o lugar internacional de seu Estado-nação. Assim, não havia limites teóricos ao lugar que ele podia sentir que lhe cabia. Como dizia a frase nacionalista: "*Heute Deutschland, morgen die ganze Welt*" (Hoje a Alemanha, amanhã o mundo inteiro). Tal dinamismo ilimitado pode ser expresso na retórica política, cultural ou nacionalista-racista: mas o real denominador comum dos três níveis era a necessidade imperiosa de expandir uma economia capitalista maciça, observando suas curvas estatísticas dispararem para cima. Sem isso sua significação seria tão reduzida como, digamos, a dos intelectuais poloneses do século XIX, que acreditavam numa missão messiânica de seu (então não existente) país no mundo.

Em termos práticos, o perigo não era a Alemanha se propor concretamente a tomar o lugar britânico de potência mundial, embora a retó-

DA PAZ À GUERRA

rica da agitação nacionalista alemã tenha prontamente batido na tecla antibritânica. O perigo residia antes em que um poder global exigia uma marinha global, e a Alemanha empreendeu (1897), portanto, a construção de uma grande esquadra de guerra, que tinha a vantagem incidental de representar não os velhos estados alemães, mas exclusivamente a nova Alemanha unificada, com um oficialato que representava não os *junkers* prussianos ou qualquer outra tradição guerreira aristocrática, mas a nova classe média, ou seja, a nova nação. O próprio almirante Tirpitz, paladino da expansão naval, negou ter planejado uma marinha capaz de derrotar a britânica, afirmando que só queria uma força naval ameaçadora o bastante para forçar a Grã-Bretanha a apoiar as suas reivindicações globais e, especialmente, coloniais. Além disso, seria possível esperar-se que um país do porte da Alemanha não tivesse uma marinha à altura de sua importância?

Do ponto de vista britânico, a construção de uma esquadra de guerra alemã — mais que um mero aumento da tensão para sua marinha já por demais comprometida mundialmente e já superada pela soma das esquadras das nações rivais, antigas e modernas — significava o aumento das dificuldades em manter, sequer, seu objetivo mais modesto: o de ser mais forte que as duas outras maiores marinhas combinadas (o "padrão duas potências"). Ao contrário de todas as outras, as bases da esquadra alemã estavam inteiramente no Mar do Norte, de frente para a Inglaterra.

Seu objetivo não podia ser outro senão o conflito com a marinha britânica. Do ponto de vista britânico, a Alemanha era essencialmente um poder continental e, como importantes estudiosos da geopolítica como *Sir* Halford Mackinder destacaram (1904), as grandes nações desse tipo já têm vantagens substanciais em relação a uma ilha de tamanho médio. Os interesses marítimos alemães legítimos eram visivelmente marginais, ao passo que o Império Britânico dependia profundamente de suas rotas marítimas, e de fato deixara os continentes (exceto a Índia) aos exércitos

A ERA DOS IMPÉRIOS

de Estados cujo elemento era a terra. Mesmo se a esquadra de guerra alemã não fizesse absolutamente nada, inevitavelmente imobilizaria navios britânicos, dificultando, ou até impossibilitando, o controle naval britânico sobre águas consideradas vitais — como o Mediterrâneo, o Oceano Índico e a orla do Atlântico. O que para a Alemanha era um símbolo de *status* internacional e de ambições mundiais indefinidas, para o Império Britânico era uma questão de vida ou morte. As águas americanas podiam — e foram em 1901 — ser deixadas a cargo de um país amigo, os EUA; as águas do Extremo Oriente foram deixadas a cargo dos EUA e do Japão porque, à época, ambos eram nações com interesses puramente regionais, que de qualquer maneira não pareciam incompatíveis com os britânicos. A marinha alemã, mesmo como marinha regional, o que não mais pretendia ser, era uma ameaça tanto para as ilhas britânicas como para a posição mundial do Império Britânico. A Grã-Bretanha defendeu ao máximo a preservação do *status quo* e a Alemanha sua modificação — inevitavelmente, mesmo se não intencionalmente, à custa da Grã-Bretanha. Nessas circunstâncias e dada a rivalidade econômica entre as indústrias dos dois países, não admira que a Grã-Bretanha considerasse a Alemanha o mais provável e perigoso de seus adversários potenciais. Era lógico que se aproximasse da França e — uma vez o perigo russo minimizado pelo Japão — da Rússia, ainda mais porque a derrota russa destruíra, pela primeira vez na memória das pessoas ainda vivas, o equilíbrio entre as nações do continente europeu que os chanceleres britânicos tinham dado por certo durante tanto tempo. Este fato revelou que a Alemanha era a força militar dominante na Europa, de longe, a mais temível. Esses foram os antecedentes da surpreendente Tríplice Entente anglo-franco-russa.

A divisão da Europa nos dois blocos hostis levou quase um quarto de século, da formação da Tríplice Aliança (1882) à configuração da Tríplice Entente (1907). Não precisamos acompanhar o período, ou os

DA PAZ À GUERRA

acontecimentos subsequentes, através do labirinto de todos os seus detalhes. Estes apenas demonstram que o atrito internacional no período do imperialismo era global e endêmico, que ninguém — ainda menos os britânicos — sabia muito bem em que direção as contracorrentes dos interesses, temores e ambições, suas e de outras nações, os estavam levando, e, embora o sentimento de que estariam levando a Europa rumo a uma guerra importante fosse generalizado, nenhum dos governos sabia muito bem o que fazer a esse respeito. Falharam inúmeras tentativas de romper o sistema de blocos, ou ao menos de mitigá-lo por meio de aproximação entre os blocos: entre Grã-Bretanha e Alemanha, Alemanha e Rússia, Alemanha e França, Rússia e Áustria. Os blocos, fortalecidos por planos inflexíveis de estratégia e mobilização, tornaram-se mais rígidos; o continente foi incontrolavelmente arrastado para a batalha por meio de uma série de crises internacionais que, após 1905, cada vez mais eram solucionadas por "malabarismo político" — isto é, pela ameaça da guerra.

A partir de 1905, a desestabilização da situação internacional, como consequência da nova vaga de revoluções na periferia das sociedades plenamente "burguesas", acrescentou material inflamável novo a um mundo que já estava prestes a pegar fogo. Houve a Revolução Russa de 1905, que deixou o Império Czarista temporariamente incapacitado, encorajando a Alemanha a insistir em suas reivindicações no Marrocos, intimidando a França. Berlim foi forçada a recuar na Conferência de Algeciras (janeiro de 1906) devido ao apoio britânico à França, em parte porque uma guerra de grandes proporções por causa de um problema puramente colonial era pouco atraente politicamente, em parte porque a marinha alemã ainda se sentia excessivamente fraca para enfrentar uma guerra contra a marinha britânica. Dois anos depois, a Revolução Turca destruiu os acordos, cuidadosamente construídos, que visavam ao equilíbrio internacional no sempre explosivo Oriente Próximo. A Áustria aproveitou a oportunidade para anexar formalmente a Bósnia-Herzegovina (que

A ERA DOS IMPÉRIOS

anteriormente apenas administrava), precipitando assim uma crise com a Rússia, resolvida apenas com a ameaça de um apoio militar alemão à Áustria. A terceira grande crise internacional, em torno do Marrocos em 1911, tinha reconhecidamente pouco a ver com a revolução e tudo a ver com o imperialismo — e com as duvidosas operações de homens de negócios piratas que perceberam suas múltiplas possibilidades. A Alemanha enviou uma canhoneira disposta a se apoderar do porto de Agadir, ao sul do Marrocos, no intuito de obter alguma "compensação" dos franceses por seu "protetorado" iminente sobre o Marrocos, mas foi forçada a recuar pelo que pareceu ser uma ameaça britânica, a de ir à guerra do lado dos franceses. É irrelevante se isso foi mesmo proposital ou não.

A crise de Agadir demonstrou que quase todo confronto entre duas potências importantes agora as levava à beira da guerra. Quando prosseguiu o desmoronamento do Império Turco — com a Itália atacando e ocupando a Líbia em 1911, e a Sérvia, a Bulgária e a Grécia empreendendo a expulsão dos turcos da península balcânica em 1912 — todas as nações estavam imobilizadas, tanto pela relutância em antagonizar um aliado potencial como a Itália, até então não comprometida com nenhum dos dois lados, como pelo medo de serem arrastadas a problemas incontroláveis pelos Estados balcânicos. Em 1914 ficou provado que tinham razão. Congeladas na imobilidade, viram a Turquia ser quase empurrada para fora da Europa e uma segunda guerra entre os Estados pigmeus balcânicos vitoriosos redesenhar o mapa dos Bálcãs em 1913. O máximo que as potências europeias conseguiram foi criar um Estado independente na Albânia (1913) — sob o príncipe alemão de costume, embora os albaneses que se preocupavam com o assunto preferissem um aristocrata inglês independente que mais tarde inspirou as novelas de aventuras de John Buchan. A crise balcânica seguinte foi precipitada em 28 de junho de 1914, quando o herdeiro do trono austríaco, o arquiduque Francisco Fernando, visitou a capital da Bósnia, Sarajevo.

DA PAZ À GUERRA

O que tornou a situação ainda mais explosiva foi que, justamente nesse período, a política interna das principais potências empurrou sua política externa para a zona de perigo. Como vimos, após 1905 os mecanismos políticos que serviam para administrar estavelmente os regimes começaram visivelmente a ruir. Tornou-se cada vez mais difícil controlar, e ainda mais absorver e integrar, as mobilizações e contramobilizações dos súditos em via de se transformarem em cidadãos democráticos. A própria política democrática encerrava um elemento de alto risco, até num Estado como a Grã-Bretanha, que mantinha a verdadeira política externa cuidadosamente oculta, não apenas no Parlamento como também de parte do gabinete liberal. O que fez a crise de Agadir avançar de uma ocasião de conchavo político potencial a uma confrontação de soma zero foi um discurso público de Lloyd George, que parecia não deixar à Alemanha outra opção além da guerra ou do recuo. A política não democrática era pior ainda. Seria possível não afirmar "que as principais causas da trágica deflagração europeia de julho de 1914 foram a incapacidade de as forças democráticas da Europa central e oriental controlarem os elementos militaristas de suas sociedades e a rendição dos autocratas, não a seus súditos democráticos leais, mas a seus conselheiros militares irresponsáveis"?[15] E, pior que tudo, os países que estavam enfrentando problemas internos insolúveis não se sentiriam tentados a apostar na solução propiciada por um triunfo externo, especialmente quando seus conselheiros militares lhes diziam que, desde que a guerra era certa, o melhor momento para agir era agora?

Certamente, não era o caso na Grã-Bretanha e na França, apesar de seus problemas. Foi provavelmente o caso na Itália, embora, felizmente, o aventureirismo italiano sozinho não pudesse deflagrar a guerra mundial. Foi o caso na Alemanha? Os historiadores continuam discutindo sobre o efeito da política interna alemã na sua política externa. Parece claro que (como em todas as outras nações) a agitação de direita nas bases incenti-

A ERA DOS IMPÉRIOS

vou e ajudou a corrida armamentista competitiva, especialmente no mar. Afirmou-se que a inquietação dos trabalhadores e o avanço eleitoral da social-democracia fizeram as elites dirigentes se interessarem em desarmar o problema interno por meio do êxito externo. Sem dúvida, havia muitos conservadores que, como o duque de Ratibor, pensavam que era necessária uma guerra para restaurar a antiga ordem, como em 1864-1871.[16] Provavelmente essa ideia não fez nada mais do que tornar os civis menos céticos em relação aos argumentos de seus generais belicosos. Foi o caso na Rússia? Sim, na medida em que o czarismo, restaurado após 1905 com modestas concessões à liberalização política, viu provavelmente no apelo ao nacionalismo da Grande Rússia e à glória da força militar sua estratégia mais promissora, com o intuito de renascer e se fortalecer. De fato, se não fosse pela lealdade firme e entusiástica das Forças Armadas, a proximidade de uma revolução teria sido maior em 1913-1914 que em qualquer outro momento, entre 1905 e 1917. Contudo, em 1914 a Rússia com toda certeza não queria a guerra. Mas, graças a alguns anos de preparação militar, temida pelos generais alemães, a Rússia podia contemplar uma guerra em 1914, o que, evidentemente, não teria sido possível alguns anos antes.

Entretanto, havia uma nação que não podia senão apostar sua existência no jogo militar, porque sem ele parecia condenada: a Áustria-Hungria, dilacerada desde meados da década de 1890 por problemas nacionais cada vez mais inadministráveis, dos quais os dos eslavos do sul pareciam ser os mais recalcitrantes e perigosos, por três motivos. Primeiro, porque não só causavam transtornos — como as outras nacionalidades politicamente organizadas no império multinacional, que disputavam vantagens umas às outras —, como também complicavam as coisas ao pertencer tanto ao governo de Viena — linguisticamente flexível — quanto ao de Budapeste — implacavelmente magiar. A agitação dos eslavos do sul na Hungria, além de transbordar para a Áustria, agravou as sempre difíceis relações en-

490

DA PAZ À GUERRA

tre as duas metades do império. Segundo, porque o problema dos eslavos da Áustria não podia ser desenraizado da política balcânica e, na verdade, ambos estavam ainda mais entrelaçados desde a ocupação da Bósnia, em 1878. Ademais, já existia um Estado independente eslavo do sul, a Sérvia (sem contar Montenegro, um homérico pequeno Estado montanhoso de pastores de cabras hostis, pistoleiros e príncipes-bispos apreciadores das inimizades feudais e sangrentas e da composição de épicos heroicos), o que podia ser uma tentação para os eslavos do sul dissidentes no império. Terceiro, porque a derrocada do Império Otomano praticamente condenou o Império Habsburgo, salvo se este pudesse demonstrar, sem sombra de dúvida, que ainda era uma grande nação nos Bálcãs, onde ninguém podia se meter.

Até o fim de seus dias, Gavrilo Princip, o assassino do arquiduque Francisco Fernando, não conseguiu acreditar que sua minúscula iniciativa tivesse ateado fogo ao mundo. A crise final de 1914 foi tão completamente inesperada, tão traumática e, vista retrospectivamente, tão persistente porque foi essencialmente um incidente na política austríaca que exigia, na opinião de Viena, que se "desse uma lição na Sérvia". A atmosfera internacional parecia calma. Nenhum Ministério das Relações Exteriores esperava problemas em junho de 1914, e personalidades públicas há décadas eram assassinadas com uma certa frequência. Em princípio, ninguém nem se preocupou com o fato de uma grande nação intervir pesadamente num vizinho pequeno e problemático. Desde então cerca de cinco mil livros foram escritos para explicar o aparentemente inexplicável: como, dentro de pouco mais de cinco semanas após Sarajevo, a Europa se encontrava em guerra.* A resposta imediata parece agora tão clara como simples: a Alemanha decidiu dar apoio total à Áustria, ou seja, não acalmar a situação. O

---

* Com exceção da Espanha, Escandinávia, Holanda e Suíça, todos os Estados europeus finalmente se envolveram, como também o Japão e os EUA.

491

A ERA DOS IMPÉRIOS

resto seguiu-se inexoravelmente. Pois, em 1914, *qualquer* confronto entre os blocos em que se esperasse que um dos dois lados recuasse os levava à beira da guerra. Além de um certo ponto, as mobilizações inflexíveis das forças militares, sem as quais tal confronto não mereceria credibilidade, não podiam retroceder. A "desmobilização" não poderia mais desmobilizar, mas apenas destruir. Em 1914, *qualquer* incidente, por mais aleatório que fosse — até a ação de um terrorista estudantil ineficaz num canto perdido do continente — podia levar a esse confronto, se alguma nação isolada, presa ao sistema de bloco e contrabloco, escolhesse levá-lo a sério. Assim, a guerra chegou e, em circunstâncias comparáveis, chegaria outra vez.

Em suma, as crises internas e internacionais nos últimos anos anteriores a 1914 fundiram-se. A Rússia uma vez mais ameaçada pela revolução social, a Áustria desafiada pela desintegração de um império múltiplo não mais controlável, e até a Alemanha polarizada e talvez ameaçada pelo imobilismo devido a suas divisões políticas — todos eles pendiam para o lado de seus militares e suas soluções. Até a França, unida por uma relutância a pagar impostos e, portanto, a conseguir as verbas necessárias para um rearmamento maciço (era mais fácil prolongar outra vez o serviço militar para três anos), elegeu em 1913 um presidente que conclamou à vingança contra a Alemanha e emitiu ruídos belicosos, fazendo eco aos generais que agora, com otimismo assassino, abandonavam uma estratégia defensiva por um assalto ofensivo do outro lado do Reno. Os britânicos preferiam os navios de guerra aos soldados; a marinha sempre fora popular, uma glória nacional passível de ser aceita pelos liberais como protetora do comércio. As cicatrizes navais tinham charme político, ao contrário da reforma do exército. Poucos, mesmo entre seus políticos, perceberam que os planos para uma guerra conjunta com a França implicavam um exército maciço e finalmente a convocação, e de fato não tinham em vista nada além de uma guerra basicamente naval e comercial. Contudo, embora o governo britânico tenha se mantido pacífico até

DA PAZ À GUERRA

o último momento — ou antes, recusou-se a tomar posição temendo uma divisão do governo liberal — ele não podia pensar em ficar fora da guerra. Felizmente, a invasão alemã da Bélgica, há muito preparada pelo plano Schlieffen, propiciou a Londres uma cobertura moral para necessidades diplomáticas e militares.

Mas como reagiriam as massas da Europa a uma guerra que não podia senão ser uma guerra de massas, já que todos os beligerantes, salvo os britânicos, prepararam-se para lutar com exércitos de recrutas de enormes dimensões? Em agosto de 1914, antes mesmo da deflagração das hostilidades, 19 milhões — e potencialmente 50 milhões — de homens armados estavam frente a frente, de um lado e de outro das fronteiras.[17] Qual seria a atitude dessas massas quando convocadas e qual seria o impacto da guerra entre os civis, especialmente se, como alguns militares argutamente suspeitavam — embora quase não levando o dado em conta em seus planos —, a guerra não terminasse rapidamente? Os britânicos eram particularmente sensíveis a esse problema, pois dispunham apenas de voluntários para reforçar seu exército regular modesto de 20 divisões (comparado com 74 da França, 94 da Alemanha e 108 da Rússia), porque as classes trabalhadoras eram sustentadas sobretudo com alimentos despachados de navio do ultramar, o que era extremamente vulnerável a um bloqueio, e porque nos anos imediatamente anteriores à guerra o governo enfrentara agitação e tensão sociais inéditas na memória das pessoas vivas à época, e uma situação explosiva na Irlanda.[18] "A atmosfera de guerra", pensou o ministro liberal John Morley, "não pode ser propícia à ordem em um sistema democrático que está à beira do espírito de 1848".* Mas a atmosfera interna das outras nações também era de natureza a inquietar seus governos. É um erro pensar que, em 1914, os governos

---

* Paradoxalmente, o medo dos possíveis efeitos da fome na classe operária britânica sugeriu aos estrategistas navais a possibilidade de desestabilizar a Alemanha através de um bloqueio que levaria a fome a seu povo. Isto foi de fato tentado com sucesso considerável durante a guerra.[19]

A ERA DOS IMPÉRIOS

se precipitaram à guerra para desativar suas crises sociais internas. No máximo, calcularam que o patriotismo minimizaria as resistências mais graves e a não cooperação.

Nisso eles estavam certos. A oposição liberal, humanitária e religiosa à guerra sempre fora insignificante na prática, embora nenhum governo (com a exceção eventual da Grã-Bretanha) estivesse disposto a reconhecer uma recusa a prestar serviço militar por objeção de consciência. Os movimentos trabalhista e socialista organizados, em seu conjunto, opunham-se ardentemente ao militarismo e à guerra, e o Partido Trabalhista e a Internacional Socialista inclusive se engajaram, em 1907, numa greve geral internacional contra a guerra, mas políticos teimosos não levaram o fato muito a sério, embora um extremista de direita tenha assassinado o grande líder e orador socialista francês Jean Jaurès poucos dias antes da guerra, quando ele tentava desesperadamente salvar a paz. Os principais partidos socialistas foram contra essa greve, poucos acreditavam que fosse viável e, de qualquer maneira, como Jaurès reconheceu, "uma vez deflagrada a guerra, não podemos fazer mais nada".[20] Como vimos, o ministro do Interior da França nem se incomodou em prender os perigosos militantes antiguerra, dos quais a polícia preparara cuidadosamente uma lista nesse intuito. A dissidência nacionalista não demonstrou imediatamente ser um fator grave. Em suma, a convocação do governo ao alistamento não enfrentou uma real resistência.

Mas os governos se enganaram em um ponto crucial: foram pegos totalmente de surpresa, assim como os que se opunham à guerra, pela extraordinária vaga de entusiasmo patriótico com que seus povos pareciam mergulhar num conflito no qual ao menos 20 milhões de pessoas seriam mortas ou feridas, sem contar os incalculáveis milhões de nascimentos que deixaram de acontecer e o excesso de mortes civis devido à fome e à doença. As autoridades francesas previam de 5% a 13% de deserção: na verdade apenas 1,5% se esquivou ao recrutamento em 1914. Na

494

DA PAZ À GUERRA

Grã-Bretanha, onde havia a mais forte oposição política à guerra e onde ela estava profundamente enraizada na tradição, tanto na liberal quanto na trabalhista e socialista, o número de voluntários nas primeiras oito semanas foi de 750.000, e mais um milhão nos oito meses seguintes.[21] Os alemães, como previsto, nem sonharam em desobedecer às ordens. "Como alguém vai poder dizer que não amamos nossa pátria quando após a guerra tantos milhares de nossos bons companheiros de partido dizem 'fomos condecorados por heroísmo'?". Assim escreveu um militante social-democrata alemão, tendo recebido a Cruz de Ferro em 1914.[22] Na Áustria, não foi só o povo dominante que foi abalado por uma breve onda de patriotismo. Como reconheceu o líder socialista austríaco Victor Adler, "mesmo entre as nacionalidades, lutar na guerra era uma espécie de libertação, uma esperança de que algo diferente viria".[23] Até na Rússia, onde haviam sido previstos um milhão de desertores, todos, salvo poucos milhares dos 15 milhões, obedeceram à convocação. As massas seguiram as bandeiras de seus respectivos Estados e abandonaram os líderes que se opuseram à guerra. Na verdade, deles restavam poucos, ao menos em público. Em 1914, os povos da Europa foram alegremente massacrar e ser massacrados, por pouco tempo, no entanto. Após a Primeira Guerra Mundial isso nunca mais acontecera.

O momento os surpreenderá, porém não mais pelo fato da guerra, ao qual a Europa se habituaria, como alguém que vê uma tempestade se aproximando. De certo modo sua chegada foi amplamente sentida como uma libertação e um alívio, sobretudo pelos jovens da classe média — homens, muito mais que mulheres — embora menos pelos operários e menos ainda pelos camponeses. Como uma tempestade, ela rompeu o abafamento da espera e limpou o ar. Significou o fim da superficialidade e da frivolidade da sociedade burguesa, do tedioso gradualismo da melhoria do século XIX, da tranquilidade e da ordem pacífica que era a utopia liberal para o século XX, e que Nietzsche denunciara profeticamente, junto com a

495

"pálida hipocrisia administrada por mandarins".[24] Após uma longa espera no auditório, significou a abertura da cortina para o início de um drama histórico grandioso e empolgante do qual o público descobriu ser o elenco. Significou decisão.

O fato de a guerra ter sido o momento da transposição de uma fronteira histórica — uma daquelas raras datas que marcam a periodização da civilização humana — teria sido reconhecido como algo mais que uma conveniência pedagógica? Provavelmente sim, apesar da esperança muito disseminada numa guerra curta, num retorno previsível à vida normal e à "normalidade" retrospectivamente identificada a 1913, presente em tantas das opiniões registradas de 1914. Até as ilusões dos jovens patriotas e militaristas que mergulharam na guerra como num elemento novo, "como nadadores na pureza saltando",[25] implicaram mudanças profundas. O sentimento da guerra como fim de uma época era talvez mais forte no mundo da política, embora poucos tivessem uma consciência tão clara como o Nietzsche dos anos 1880 da "era de guerras, levantes [*Umstürze*], explosões monstruosas [*ungeheure*]" que começara,[26] ainda menos numerosos foram os de esquerda que, interpretando a seu próprio modo a guerra, nela viam esperança, como Lenin. Para os socialistas a guerra era uma catástrofe dupla e imediata, pois, como movimento dedicado ao internacionalismo e à paz, foi subitamente reduzido à impotência, e a vaga de união nacional e patriotismo sob a direção das classes dirigentes tomou conta, embora momentaneamente, dos partidos e até do proletariado com consciência de classe dos países beligerantes. Entre os estadistas dos antigos regimes houve ao menos um que reconheceu que tudo mudara. "As lâmpadas estão se apagando na Europa inteira", disse Edward Grey ao ver as luzes da sede do governo inglês apagadas na noite em que a Grã-Bretanha e a Alemanha entraram em guerra. "Não as veremos brilhar outra vez em nossa existência."

Temos vivido, desde agosto de 1914, no mundo de guerras, levantes e explosões monstruosas que Nietzsche profeticamente anunciou. É isto

DA PAZ À GUERRA

que envolve a era anterior a 1914 com a névoa da nostalgia, uma tênue idade de ouro, de ordem e de paz, de perspectivas não problemáticas. Tais projeções passadas de bons velhos tempos imaginários pertencem à história das últimas décadas do século XX, e não das primeiras. Os historiadores dos dias anteriores ao apagar das luzes não pensavam nelas. Sua preocupação central, que perpassa este livro, deve ser a de entender e mostrar como a era da paz, da civilização burguesa confiante e cada vez mais próspera, e dos impérios ocidentais, carregava inelutavelmente dentro de si o embrião da era da guerra, da revolução e da crise que marcou seu fim.

EPÍLOGO

> "Wirklich, ich lebe in finsteren Zeiten!
> Das arglose Wort ist toricht. Eine glatte Stirn
> Deutet auf Unempfindlichkeit hin. Der Lachende
> Hat die furchtbare Nachricht
> Nur noch nicht empfangen."
>
> Bertolt Brecht, 1937-1938[1]

> "As décadas precedentes foram, pela primeira vez, percebidas como uma longa idade de ouro, de avanço constante, quase ininterrupto. Exatamente como disse Hegel, só começamos a entender uma era quando as cortinas vão se fechar sobre ela ("a coruja de Minerva só abre suas asas ao anoitecer"); assim, só podemos chegar a reconhecer abertamente seus traços positivos ao entrarmos na era subsequente, cujos problemas agora queremos destacar pintando-a de cores fortemente contrastantes com a anterior."
>
> Albert O. Hirschman, 1986[2]

1.

Se a palavra "catástrofe" fora mencionada pelos membros da classe média europeia antes de 1913, quase com certeza seria relacionada a um dos poucos acontecimentos traumáticos em que homens e mulheres com eles viram-se envolvidos no decorrer de uma vida longa e, em geral, tranquila: como o incêndio do Karltheater, em Viena, em 1881, durante uma apresentação dos *Contos de Hoffman* de Offenbach, no qual perderam-se

A ERA DOS IMPÉRIOS

quase 1.500 vidas, ou o naufrágio do *Titanic* com número equivalente de vítimas. As catástrofes muito maiores que atingiram a vida dos pobres — como o terremoto de 1908 em Messina, muito mais grave que o modesto tremor de São Francisco (1905), ao qual, contudo, deu-se muito mais importância — e as contínuas ameaças à vida, à integridade física e à saúde que sempre atormentaram a existência das classes trabalhadoras ainda hoje chamam menos a atenção do público.

Após 1914, o mundo sugeria, sem sombra de dúvida, outras e maiores calamidades, até aos mais imunes a elas em suas vidas pessoais. A Primeira Guerra Mundial acabou não sendo "os últimos dias da humanidade", como Karl Kraus a chamou em seu quase drama de denúncia; mas ninguém que tenha vivido uma vida adulta, tanto antes como depois de 1914-1918, em qualquer lugar da Europa e, cada vez mais, em amplas áreas fora do mundo europeu, poderia deixar de observar que os tempos haviam mudado dramaticamente.

A mudança mais óbvia e imediata foi que agora a história mundial se desenrolava, evidentemente, através de uma série de convulsões sísmicas e cataclismos humanos. A ideia de progresso ou mudança contínua nunca se mostrou tão pouco plausível como durante a vida dos que passaram pelas duas guerras mundiais, por dois períodos globais de revoluções após cada guerra, pela descolonização generalizada e em parte revolucionária, por duas expulsões em massa de povos que culminaram em genocídio e ao menos uma crise econômica cuja gravidade foi suficiente para despertar dúvidas sobre o próprio futuro dos setores do capitalismo ainda não derrubados pela revolução — levantes que afetaram continentes e países bastante distantes da zona de guerra e convulsão política europeia. Uma pessoa nascida, digamos, em 1900 teria passado por tudo isso diretamente — ou através dos meios de comunicação de massa que tornaram os fatos imediatamente acessíveis — antes de atingir a idade da aposentadoria. E, é claro, o perfil histórico configurado por convulsões continuaria.

EPÍLOGO

Antes de 1914, as únicas quantidades medidas em milhões, fora as da astronomia, eram praticamente as populações dos países e os dados da produção, do comércio e das finanças. A partir de 1914, acostumamo-nos a ter números de vítimas de tais magnitudes: as guerras, mesmo localizadas (Espanha, Coreia, Vietnã) — as maiores fazem dezenas de milhões —, o número dos que são levados à imigração forçada ou ao exílio (gregos, alemães, muçulmanos no subcontinente indiano, *kulaks*), e até o dos massacrados em genocídios (armênios, judeus), sem contar os que morrem por causa da fome e das epidemias. Como tais magnitudes humanas fogem a um registro preciso ou como a mente humana não consegue compreendê--las, elas são discutidas acaloradamente. Mas os debates giram em torno de *milhões* a mais ou a menos. Essas cifras astronômicas também não podem ser cabalmente explicadas, e ainda menos justificadas, pelo rápido crescimento da população mundial em nosso século. A maioria delas se refere a áreas onde ela não estava crescendo tão depressa assim.

Hecatombes nessa escala estavam além do alcance da imaginação do século XIX, e as que ocorreram se situavam no mundo do atraso ou da barbárie, fora do âmbito do progresso e da "civilização moderna", e estavam, com certeza, destinadas a recuar diante do avanço universal, embora desigual. As atrocidades do Congo e da Amazônia, de proporções modestas pelos padrões modernos, chocaram tanto a Era dos Impérios — como testemunha o livro *O coração das trevas*, de Joseph Conrad — só porque eram, manifestamente, regressões do homem civilizado à selvageria. O estado de coisas a que nos acostumamos, no qual a tortura voltou a fazer parte dos métodos policiais em países que se orgulham de seu grau de civilidade, teria não apenas repugnado a opinião política como teria sido considerado, com razão, uma recaída na barbárie, o que foi contra todas as tendências históricas de desenvolvimento observáveis desde meados do século XVIII.

Após a catástrofe maciça de 1914 e, cada vez mais, os métodos da barbárie se tornaram parte integrante e esperada do mundo civilizado, tanto que encobriram os avanços contínuos e notáveis da tecnologia e da capacidade humana de produzir e inclusive as inegáveis melhorias na organização social humana em muitos lugares do mundo, até que se tornasse impossível ignorá-los no decorrer do grande salto para a frente da economia mundial, no terceiro quartel do século XX. Em termos de melhoria material da humanidade como um todo, para não mencionar sua compreensão e seu controle da natureza, os argumentos a favor de uma visão da história do século XX como progresso são, na verdade, mais convincentes do que no caso do século XIX. Pois mesmo se europeus morreram e fugiram aos milhões, os sobreviventes estavam se tornando mais numerosos, mais altos, mais sadios e viviam mais tempo. A maioria vivia melhor. Mas os motivos por que perdemos o hábito de pensar em nossa história como progresso são óbvios. Embora o progresso do século XX seja inegável, as previsões não sugerem um ascenso contínuo, mas a possibilidade, talvez até a iminência, de alguma catástrofe: outra e mais letal guerra mundial, um desastre ecológico, uma tecnologia cujo triunfo torne o mundo inabitável para a espécie humana, ou qualquer outra forma atual que o pesadelo possa revestir. A experiência nos ensinou, em nosso século, a viver na expectativa do apocalipse.

Mas para os membros do mundo burguês instruído e próspero que viveram nessa era de catástrofe e convulsão social, não parece se tratar, em primeira instância, de um cataclismo fortuito, algo como um furacão generalizado que devastasse tudo à sua passagem. Parecia ser dirigido especificamente contra sua ordem social, política e moral. Seu resultado provável, que o liberalismo burguês não tinha como evitar, era a revolução social das massas. Na Europa a guerra gerou não só a ruína ou a crise de todos os Estados e regimes a leste do Reno e na borda ocidental dos Alpes, mas também o primeiro regime que empreendeu, deliberada e sistematicamente, a transformação dessa ruína na derrubada geral do capitalismo, na destruição da burguesia e na construção de uma sociedade socialista: o regime bolchevique,

EPÍLOGO

que chegou ao poder na Rússia com o desmoronamento do czarismo. Como vimos, os movimentos de massa do proletariado teoricamente dedicados a esse objetivo já existiam na maior parte do mundo desenvolvido, embora os políticos dos países parlamentares tenham concluído que ali não constituíam uma real ameaça para o *status quo*. Mas a combinação da guerra à derrocada e à Revolução Russa tornaram o perigo iminente e quase irresistível.

O perigo do "bolchevismo" dominou não só a história dos anos imediatamente posteriores à Revolução Russa de 1917, como toda a história do mundo desde então. Inclusive, por muito tempo, deu a seus conflitos internacionais a aparência de uma guerra civil e ideológica. No final do século XX, ele ainda domina a retórica do confronto entre as superpotências, ao menos unilateralmente, embora até o olhar mais superficial perceba que os anos de 1980 não combinam com a imagem de uma revolução mundial única prestes a esmagar o que o jargão internacional chamou de "economias de mercado desenvolvidas", ainda menos se orquestrada a partir de um centro único e com vistas à construção de um único sistema socialista monolítico, sem vontade ou capacidade de coexistir com o capitalismo. A história do mundo desde a Primeira Guerra Mundial tomou forma à sombra de Lenin, real ou imaginário, como a história do mundo ocidental no século XIX tomou forma à sombra da Revolução Francesa. Em ambos os casos, acabou saindo da sombra, mas não totalmente. Da mesma maneira que os políticos, mesmo em 1914, especulavam sobre se o espírito reinante no pré-guerra lembrava 1848, assim nos anos 1980 cada derrubada de algum regime em algum lugar do Ocidente ou do Terceiro Mundo evoca esperanças ou temores do "poder marxista".

O mundo não se tornou socialista, embora em 1917-1920 isso fosse considerado possível, ou mesmo inevitável a longo prazo, não só por Lenin como também, por algum tempo, pelos que representavam e governavam regimes burgueses. Durante alguns meses, até os capitalistas

503

europeus, ou ao menos seus porta-vozes intelectuais e administradores, pareciam resignados à eutanásia, pois estavam diante de movimentos operários socialistas imensamente fortalecidos depois de 1914 e que, na verdade, em alguns países como a Alemanha e a Áustria, constituíam a única força organizada e capaz de apoiar o Estado, que havia sobrevivido à ruína dos antigos regimes. Qualquer coisa era melhor que o bolchevismo, até a desistência pacífica. Os longos debates (sobretudo em 1919) sobre em que medida as economias deviam ser socializadas, como deviam ser socializadas e quanto devia ser concedido ao novo poder do proletariado não eram apenas manobras táticas para ganhar tempo. Só o aparentaram quando ficou provado que o período de grave perigo, real ou imaginário, para o sistema fora tão breve que, afinal de contas, nada de drástico precisava ser feito.

Retrospectivamente podemos ver que o susto foi exagerado. O momento de revolução mundial potencial passou, deixando atrás de si apenas um regime comunista num país extraordinariamente enfraquecido e atrasado, cujo principal trunfo era a vastidão de seu território e de seus recursos, que o transformariam numa superpotência política. Também deixou atrás de si um potencial considerável de revolução anti-imperialista, modernizadora e camponesa, à época sobretudo na Ásia, que reconhecia suas afinidades com a Revolução Russa, e as parcelas dos movimentos socialista e trabalhista pré-1914, agora divididos, que arriscavam a sorte com Lenin. Nos países industrializados, esses movimentos comunistas geralmente representavam uma minoria dos movimentos de trabalhadores antes da Segunda Guerra Mundial. Como o futuro demonstraria, as economias e sociedades das "economias de mercado desenvolvidas" eram notavelmente resistentes. Caso contrário, dificilmente poderiam ter emergido sem revolução social dos cerca de trinta anos de vagalhões históricos que poderiam ter feito navios em más condições naufragarem. O século XX foi cheio de revoluções sociais, e outras ainda podem ocorrer antes

EPÍLOGO

de seu término; mas as sociedades industriais desenvolvidas foram mais imunes a elas que quaisquer outras, salvo quando a revolução lhes chegou como subproduto de uma derrota ou conquista militar.

Assim, a revolução poupou os principais bastiões do capitalismo mundial, embora por um momento até seus defensores pensassem estar prestes a desabar. A antiga ordem repeliu o assalto. Mas conseguiu afastá--lo — *tinha* de consegui-lo — transformando-se em algo muito diferente do que era em 1914. Pois, após essa data, diante do que um eminente historiador liberal chamou de "crise mundial" (Elie Halevy), o liberalismo burguês ficou totalmente perplexo. Podia renunciar ou ser varrido. Ou podia se assimilar a algo como os partidos social-democratas "reformistas", não bolcheviques, não revolucionários que, de fato, surgiram na Europa como a principal garantia da continuidade social e política após 1917 e, por conseguinte, deixaram de ser partidos de oposição para se tornarem governo, efetivo ou potencial. Em suma, podia desaparecer ou se tornar irreconhecível. Mas sob sua forma antiga ele não tinha mais nenhuma chance.

Giovanni Giolitti (1842-1928), da Itália, é um exemplo do primeiro destino. Como vimos, ele fora notavelmente bem-sucedido na "administração" da política italiana do início do século XX: conciliando e domesticando os trabalhadores, comprando apoio político, mudando de posição e negociando, concedendo, evitando confrontos. Na situação socialmente revolucionária de seu país no pós-guerra, tais táticas falharam totalmente. A estabilidade da sociedade burguesa foi recuperada por meio de gangues armadas de "nacionalistas" e fascistas da classe média, numa verdadeira guerra de classes contra um movimento de trabalhadores incapaz de fazer uma revolução. Os políticos (liberais) os apoiaram, com a vã esperança de poder integrá-los a seu sistema. Em 1922, os fascistas assumiram o governo, após o que a democracia, o Parlamento, os partidos e os antigos políticos liberais foram eliminados. O caso italiano foi apenas um entre

A ERA DOS IMPÉRIOS

muitos. De 1920 a 1939, os sistemas democráticos parlamentares praticamente desapareceram na maioria dos Estados europeus, comunistas ou não. Os fatos falam por si mesmos. O liberalismo na Europa parecia condenado por uma geração.

John Maynard Keynes, também discutido anteriormente, é um exemplo da segunda escolha, ainda mais interessante por ter apoiado o Partido Liberal Britânico a vida toda e ser um membro consciente do que ele chamava de sua classe, "a burguesia instruída". Como jovem economista, Keynes fora quase a quintessência da ortodoxia. Ele pensava, com razão, que a Primeira Guerra Mundial era tão inútil como incompatível com a economia liberal e com a civilização burguesa. Como consultor profissional dos governos de guerra posteriores a 1914, foi favorável à menor interrupção possível dos "negócios como de costume". Uma vez mais, de modo bastante lógico, achava que o grande líder de guerra (liberal) Lloyd George estava levando a Grã-Bretanha à ruína econômica ao subordinar todo o resto à conquista da vitória militar.[*] Ficou horrorizado, mas não surpreso, ao ver boa parte da Europa e do que ele considerava civilização europeia ruir sob o peso da derrota e da revolução. Concluiu, outra vez acertadamente, que um tratado de paz politicamente irresponsável imposto pelos vencedores comprometeria as chances de recuperar a estabilidade capitalista da Alemanha, e portanto da Europa, em bases liberais. Entretanto, diante do desaparecimento irremediável da *belle époque* do pré-guerra, de que ele tanto desfrutara em companhia de seus amigos de Cambridge e Bloomsbury, Keynes dedicou, a partir daí, todo seu considerável brilho intelectual, sua criatividade, seu estilo e sua capacidade de persuasão a encontrar uma maneira de salvar o capitalismo de si mesmo.

Como decorrência, acabou revolucionando a ciência econômica, a ciência social mais ligada à economia de mercado da Era dos Impérios

---

[*] A atitude foi, naturalmente, muito diferente em relação à Segunda Guerra Mundial, travada contra a Alemanha nazista.

EPÍLOGO

e que evitara incorporar o sentimento de crise, táo evidente em outras ciências sociais. A crise, primeiro política e depois econômica, serviu de base para Keynes repensar a ortodoxia liberal. Ele se tornou o paladino de uma economia administrada e controlada pelo Estado, que, apesar da evidente dedicação de Keynes ao capitalismo, teria sido considerada a antessala do socialismo por todos os ministros das Finanças de todas as economias industriais desenvolvidas anteriores a 1914.

Keynes merece destaque porque formulou o que seria a maneira mais intelectual e politicamente influente de dizer que a sociedade capitalista só poderia sobreviver se os Estados capitalistas controlassem, administrassem e até planejassem boa parte do perfil geral de suas economias, transformando-as, se necessário, em economias mistas público-privadas. Após 1944, a lição foi adotada por ideólogos e governos reformistas, social-democratas e radicais que lhe deram continuidade com entusiasmo, caso não fossem, como na Escandinávia, pioneiros independentes dessas ideias. A lição de que o capitalismo nos termos liberais pré-1914 estava morto foi quase universalmente aprendida no período das duas guerras mundiais e da recessão mundial, até por aqueles que se recusavam a lhe dar novos rótulos teóricos. Durante os quarenta anos que se seguiram ao início da década de 1930, os defensores teóricos de uma economia de livre concorrência pura foram uma minoria isolada, além dos homens de negócios, cujo ponto de vista sempre lhes torna difícil reconhecer os interesses preferenciais de seu sistema como um todo, na medida em que concentram suas mentes nos interesses preferenciais de sua empresa ou atividade específica.

A lição tinha que ser aprendida, porque a alternativa à época da Grande Recessão dos anos 1930 não era uma recuperação induzida pelo mercado, mas a derrocada. Não se tratava, como pensavam cheios de esperança os revolucionários, da "crise final" do capitalismo, mas foi provavelmente a única crise econômica até então, na história de um sistema econômico, que funciona essencialmente através de flutuações cíclicas, que de fato pôs em perigo o sistema.

507

A ERA DOS IMPÉRIOS

Assim, os anos entre o início da Primeira e as sequelas da Segunda Guerra Mundial foram um período de crise e convulsões extraordinárias na História. A melhor maneira de considerá-lo é como uma era em que o modelo mundial da Era dos Impérios ruiu sob o impacto de explosões que ela mesma gerara em silêncio durante os longos anos de paz e prosperidade. O que ruiu é evidente: o sistema mundial liberal e a sociedade burguesa do século XIX como norma à qual, por assim dizer, qualquer tipo de "civilização" aspirava. Foi, afinal de contas, a era do fascismo. Qual seria o perfil do futuro? Este só ficou claro em meados do século e, mesmo então, o desenrolar dos fatos, embora talvez previsível, era tão diferente daquele com que as pessoas tinham se acostumado na era das convulsões, que elas demoraram quase uma geração para identificar o que estava acontecendo.

2.

O período, ainda em curso, que sucedeu a essa era de ruína e transição é, provavelmente, o mais revolucionário já vivido pela espécie humana, em termos de transformações sociais que afetam os homens e mulheres comuns do mundo — crescendo a uma taxa que nem a história anterior do mundo em processo de industrialização conheceu. Pela primeira vez desde a Idade da Pedra, a população mundial estava deixando de ser composta por pessoas que viviam da agricultura e da pecuária. Em todas as regiões do mundo, exceto (ainda) a África ao sul do Saara e o quadrante sul da Ásia, os camponeses agora eram minoria, nos países desenvolvidos uma ínfima minoria. Esse deslocamento ocorreu durante uma única geração. Por conseguinte, o mundo — não apenas os antigos países "desenvolvidos" — tornou-se urbano, enquanto o desenvolvimento econômico, inclusive a grande industrialização, era internacionalizado

508

EPÍLOGO

ou globalmente redistribuído de um modo inconcebível antes de 1914. A tecnologia contemporânea, graças ao motor de combustão interna, ao transistor, à calculadora de bolso, ao onipresente avião, para não falar da modesta bicicleta, penetrou nos confins mais recônditos do planeta, aos quais o comércio tem acesso de uma forma que poucos teriam imaginado, mesmo em 1939. As estruturas sociais, ao menos nas sociedades desenvolvidas do capitalismo ocidental, foram dramaticamente abaladas, inclusive as domésticas e familiares tradicionais. Retrospectivamente é possível agora reconhecer o quanto daquilo que fez a sociedade burguesa do século XIX funcionar foi, na verdade, herança e produção de um passado que seu próprio processo de desenvolvimento destruiria. Tudo isso aconteceu num espaço de tempo incrivelmente curto pelos padrões históricos — cabe na memória dos homens e mulheres nascidos durante a Segunda Guerra Mundial — em decorrência do *boom* mais maciço e extraordinário de expansão econômica mundial de todos os tempos. Um século depois do *Manifesto comunista*, de Marx e Engels, seus prognósticos dos efeitos econômicos e sociais do capitalismo pareciam se cumprir — mas não, apesar de um terço da humanidade ser governado por seus discípulos, a derrubada do capitalismo pelo proletariado.

Nesse período, a sociedade burguesa do século XIX e tudo que dela decorria já pertenciam a um passado que não determinava mais o presente de maneira imediata, embora, é claro, tanto o século XIX como o final do século XX façam parte do mesmo período longo da transformação revolucionária da humanidade — e da natureza —, que se tornou notoriamente revolucionária no último quartel do século XVIII. Os historiadores observarão a estranha coincidência que consiste no fato de o *superboom* do século XX ter ocorrido exatamente cem anos após o grande *boom* de meados do século XIX (1850-1873, 1950-1973) e, por conseguinte, o período de problemas econômicos mundiais do final do século XX, que começou em 1973, ter tido início justamente cem anos

A ERA DOS IMPÉRIOS

após a Grande Depressão, onde o presente livro começou. Mas não há relação entre esses fatos, salvo se alguém descobrir algum mecanismo cíclico do movimento econômico que possa produzir uma repetição cronológica tão exata; e isso é bastante improvável. A maioria de nossos contemporâneos não quer nem precisa se reportar a 1880 para explicar o que está conturbando o mundo nos anos 1980 e 1990.

Contudo, o mundo do fim do século XX ainda é moldado pelo século burguês e pela Era dos Impérios em particular, tema deste livro. Moldado em sentido literal. Assim, por exemplo, os acordos financeiros mundiais, que deviam constituir o quadro internacional do *boom* global do terceiro quartel deste século, foram negociados, em meados da década de 1940, por homens que já eram adultos em 1914 e eram totalmente regidos pela experiência dos últimos 25 anos da desintegração da Era dos Impérios. A última geração de estadistas ou líderes nacionais que já eram adultos em 1914 morreu na década de 1970 (por exemplo, Mao, Tito, Franco, De Gaulle). Porém, o que é mais significativo é que o mundo de hoje foi moldado pelo que poderíamos chamar de paisagem histórica que a Era dos Impérios e sua derrocada deixaram como saldo.

O elemento mais óbvio dessa herança é a divisão do mundo em países socialistas (ou que afirmam sê-lo) e o resto. A sombra de Karl Marx preside à vida de mais de um terço da espécie humana em virtude dos fatos que tentamos esquematizar nos capítulos 3, 5 e 12. Quaisquer que tenham sido os prognósticos para o futuro da massa continental que se estende dos mares da China ao meio da Alemanha, mais algumas áreas na África e nas Américas, é bastante correto dizer que os regimes que afirmam cumprir as previsões de Karl Marx possivelmente não teriam figurado entre os previstos antes do surgimento de movimentos de massa de trabalhadores socialistas, cujo exemplo e ideologia inspirariam, por sua vez, movimentos revolucionários em regiões atrasadas e dependentes ou coloniais.

510

EPÍLOGO

Outro elemento obviamente herdado é a própria globalização do modelo político mundial. Se as Nações Unidas do final do século XX englobam uma maioria de Estados numericamente considerável do que veio a ser chamado de Terceiro Mundo (e, incidentalmente, Estados que não estão em bons termos com as nações "ocidentais"), é porque eles são, em sua esmagadora maioria, relíquias da divisão do mundo entre as nações imperiais da Era dos Impérios. Assim, a descolonização do Império Francês gerou cerca de vinte novos Estados, a do Império Britânico muitos mais; e, ao menos na África (que, no momento em que este livro foi escrito consistia de mais de cinquenta entidades nominalmente independentes e soberanas), todos eles reproduziram as fronteiras traçadas pela conquista e pela negociação interimperialista. Uma vez mais, se não fosse pelo desenrolar dos fatos naquele período, seria problemático esperar que a grande maioria desses países tratasse das questões relativas a seus estratos instruídos e governos, em inglês e francês, no final do século XX.

Uma herança um tanto menos óbvia da Era dos Impérios é o fato de todos esses Estados serem descritos, e muitas vezes se autodescreverem, como "nações" . Isso não se deve apenas, como tentei mostrar, ao fato de a ideologia da "nação" e do "nacionalismo", produto europeu do século XIX, poder ser usada como ideologia de libertação colonial e como tal ser importada pelos membros das elites ocidentalizadas dos povos coloniais, mas também porque, como foi demonstrado no capítulo 6, o conceito do "Estado-nação", nesse período, passou a estar ao alcance de grupos de *qualquer* tamanho que escolhessem nomear assim a si mesmos, ao contrário do que ocorria em meados do século XIX, quando os pioneiros do "princípio da nacionalidade" partiam do princípio de que o conceito se aplicava apenas a povos médios ou grandes. A maioria dos Estados que surgiram no mundo desde o final do século XIX (e que receberam, a partir do presidente Wilson, o *status* de "nações") tinha população e/ou dimensões modestas e, muitas vezes, no início da

A ERA DOS IMPÉRIOS

descolonização, diminutas.* Na medida em que o nacionalismo se disseminou fora do Velho Mundo "desenvolvido", ou na medida em que a política não europeia foi assimilada ao nacionalismo, a herança da Era dos Impérios ainda está presente.

Ela está igualmente presente na transformação das relações familiares ocidentais tradicionais e, especialmente, na emancipação da mulher. Sem dúvida essas transformações têm-se desenrolado numa escala muitíssimo mais gigantesca que nunca desde meados do século, mas, na verdade, foi durante a Era dos Impérios que a "nova mulher" se revelou pela primeira vez como um fenômeno significativo e que os movimentos políticos e sociais de massa dedicados, entre outros temas, à emancipação da mulher se tornaram forças políticas: notadamente os movimentos trabalhistas e socialistas. Os movimentos de mulheres no Ocidente podem ter inaugurado uma fase nova e mais dinâmica nos anos 1960, talvez em boa medida como resultado do grande aumento da entrada de mulheres, especialmente as casadas, no mercado de trabalho remunerado fora de casa, mas tratase só de uma fase de um acontecimento histórico importante, cuja trajetória se inicia no período que nos ocupa e, para fins práticos, não antes.

Ademais, como este livro tentou deixar claro, a Era dos Impérios assistiu ao nascimento da maioria dos fatores que ainda caracterizam a sociedade urbana moderna de cultura de massas, das formas internacionais de esporte para espectadores à imprensa e cinema. Mesmo tecnicamente os meios de comunicação de massa modernos não constituem inovações fundamentais, apenas aperfeiçoamentos que tornaram as duas invenções básicas criadas na Era dos Impérios mais universalmente acessíveis: a reprodução mecânica do som e a fotografia em movimento. A continuidade entre a era de Jacques Offenbach e o presente não é comparável à do jovem Fox, de Zukor, Goldwyn e "A voz do dono".

---

* Doze Estados africanos do início da década de 1980 tinham populações de menos de 600.000 habitantes, e dois, de menos de 100.000.

EPÍLOGO

3.

Não é difícil descobrir outros aspectos de nossas vidas que ainda são configurados pelo século XIX em geral e pela Era dos Impérios em particular, ou que constituem sua continuação. Nenhum leitor duvidaria da extensão da lista. Mas será esta a principal reflexão sugerida por um olhar retrospectivo sobre a história do século XIX? Ainda é difícil, senão impossível, voltar olhos inexpressivos para aquele século que criou a história mundial, porque ele criou a economia mundial capitalista moderna. Para os europeus, ele está particularmente carregado de emoção porque, mais que qualquer outro, ele foi a era europeia na história mundial e, para os britânicos, foi uma época única, pois a Grã-Bretanha foi seu cerne, não só do ponto de vista econômico. Para os norte-americanos, foi o século em que os EUA deixaram de fazer parte da periferia europeia. Para os povos dos demais países do mundo, foi a era em que toda a história passada, por mais longa e notável que fosse, foi necessariamente interrompida. O que lhes aconteceu, ou o que fizeram a partir de 1914, está implícito no que lhes aconteceu entre a primeira revolução industrial e 1914.

Foi um século que transformou o mundo — não mais que o nosso próprio século, mas de modo mais notável na medida em que, então, tais transformações revolucionárias e contínuas eram novas. Voltando os olhos para trás, podemos ver esse século da burguesia e da revolução surgir no horizonte como a esquadra de Nelson preparando-se para a ação, até no que não vemos: a tripulação raptada que a conduzia, pouco numerosa, pobre, açoitada e bêbada, vivendo de bolachas bichadas. Olhando retrospectivamente podemos reconhecer que aqueles que o fizeram e, cada vez mais, as crescentes massas que dele participaram no Ocidente "desenvolvido" sabiam que ele estava destinado a realizações extraordinárias e pensavam que sua missão era resolver todos os principais problemas da humanidade, remover todos os obstáculos que se interpunham à sua solução.

513

A ERA DOS IMPÉRIOS

Nunca antes ou depois os homens e mulheres práticos nutriram expectativas tão elevadas, tão utópicas em relação à vida no planeta: paz universal, cultura universal por meio de um único idioma mundial, ciência que não só tentasse responder, mas que de fato respondesse às perguntas mais fundamentais sobre o universo, a emancipação da mulher de toda sua história passada, a emancipação de toda a humanidade através da emancipação dos trabalhadores, a liberação sexual, uma sociedade de abundância, um mundo onde cada um colaborasse segundo suas capacidades e recebesse conforme sua necessidade. Não se tratava apenas de sonhos de revolucionários. A utopia vinda do progresso estava, sob aspectos fundamentais, embutida no século. Oscar Wilde não estava brincando quando disse que não valia a pena ter um mapa do mundo onde não figurasse a Utopia. Estava falando em nome de Cobden, o do livre comércio, bem como em nome de Fourier, o socialista, no do presidente Grant como no de Marx (que não rejeitou os objetivos utópicos, mas apenas suas estratégias), no de Saint-Simon, cuja utopia do "industrialismo" não pode ser reportada nem ao capitalismo nem ao socialismo, porque afirmava pertencer a ambos. Mas o que as utopias mais características do século XIX tinham de novo era que para elas a história *não* seria interrompida.

Os burgueses esperavam uma era de melhoria infindável — material, intelectual e moral — através do progresso liberal; os proletários, ou os que diziam falar em nome deles, a esperavam pela revolução. Mas ambos esperavam o mesmo. E o esperavam não por meio de um automatismo histórico, mas de esforço e de luta. Os artistas que exprimiram com mais profundidade as aspirações culturais do século burguês e se tornaram, por assim dizer, as vozes articuladoras de seus ideais foram aqueles como Beethoven, que era visto como o gênio que lutou até a vitória, cuja música superou as forças obscuras do destino, cuja sinfonia coral culminou no triunfo do espírito humano liberto.

EPÍLOGO

Na Era dos Impérios houve, como vimos, vozes — tão profundas como influentes nas classes burguesas — que previram resultados dife rentes. Mas, de maneira geral, aos olhos da maioria dos ocidentais, a era parecia mais próxima das promessas do século que qualquer outra anterior. De sua promessa liberal, através da melhoria material, da educação e da cultura; de sua promessa revolucionária, por meio do surgimento da força de massas e das perspectivas de um triunfo futuro inevitável dos novos movimentos trabalhistas e socialistas. Para alguns, como este livro tentou mostrar, a Era dos Impérios foi de inquietude e temor crescentes. Para a maioria dos homens e mulheres do mundo transformado pela burguesia foi, quase certamente, uma era de esperança.

É sobre essa esperança que agora podemos refletir retrospectivamente. Ainda podemos partilhá-la, mas já não sem ceticismo e incerteza. Fomos testemunha da realização de muitas promessas de utopia que não deram os resultados esperados. Não estamos vivendo uma época em que, nos países mais avançados, as comunicações modernas, os meios de transporte e as fontes de energia eliminaram a distinção entre cidade e campo, coisa que um dia foi considerada possível apenas numa sociedade que tivesse resolvido praticamente todos os seus problemas? O que decididamente a nossa não fez. O século XX conheceu muitos momentos de libertação e êxtase social que tiveram excesso de confiança em sua própria permanência. Há lugar para a esperança, pois os seres humanos são animais que esperam. Há lugar, inclusive, para grandes esperanças, pois, apesar das aparências e dos preconceitos em contrário, as verdadeiras realizações do século XX em termos de progresso material e intelectual — o progresso moral e cultural é antes questionável — são extraordinariamente impressionantes e bastante inegáveis.

Há ainda lugar para a maior de todas as esperanças, a da criação de um mundo no qual homens e mulheres livres, emancipados do medo e da necessidade material, viverão juntos uma vida boa numa boa socie-

A ERA DOS IMPÉRIOS

dade? Por que não? O século XIX nos ensinou que o desejo da sociedade perfeita não é satisfeito por algum projeto predeterminado para o modo de vida, seja ele mórmon, owenista* ou outro; e podemos desconfiar que mesmo se um projeto novo desse tipo viesse a ser o perfil do futuro, nós não saberíamos, ou não estaríamos em condições de determinar, hoje, qual seria. A função da busca da sociedade perfeita não é pôr um ponto final na História, mas abrir suas possibilidades desconhecidas e incognoscíveis a todos os homens e mulheres. Neste sentido, a estrada que leva à utopia não está interrompida, felizmente, para a espécie humana.

Mas, como sabemos, ela pode ser bloqueada: pela destruição universal, por uma volta à barbárie, pela dissolução das esperanças e valores a que o século XIX aspirou. O século XX nos ensinou que isso é possível. A História, divindade que preside a ambos os séculos, já não dá aos homens e mulheres acostumados a pensar a garantia inabalável de que a humanidade tomará o rumo da terra prometida, qualquer que seja a maneira como esta foi concebida; menos ainda o modo de alcançá-la. Pode aparecer de diferentes maneiras. Sabemos que é possível, porque vivemos no mundo criado pelo século XIX, e sabemos que, por mais titânicas que tenham sido suas realizações, elas não foram o esperado ou sonhado à época.

Contudo, embora não possamos mais acreditar que a História nos assegura o resultado certo, também sabemos que não nos garante o errado. Ela nos oferece a opção, sem nenhuma estimativa clara da probabilidade de nossa escolha. Os indícios de que o mundo será melhor no século XXI não são negligenciáveis. Se o mundo conseguir não se autodestruir, a probabilidade será bastante grande. Mas não chegará à certeza. A única certeza que podemos ter em relação ao futuro é que ele surpreenderá até mesmo aqueles que puderam ver mais longe.

---

* Referente a Robert Owen (1771-1858), utópico inglês. (N.T.)

TABELA 1
Estados e populações — 1880-1914 (em milhões de habitantes)

		1880	1914
I/Re	* Reino Unido	35,3	45
Rp	* França	37,6	40
I	* Alemanha	45,2	68
I	* Rússia	97,7	161 (1910)
I/Re	* Áustria	37,6	51
Re	* Itália	28,5	36
Re	Espanha	16,7	20,5
Re, 1908 Rp	Portugal	4,2	5,25
Re	Suécia	4,6	5,5
Re	Noruega	1,9	2,5
Re	Dinamarca	2,0	2,75
Re	Holanda	4,0	6,5
Re	Bélgica	5,5	7,5
Rp	Suíça	2,8	3,5
Re	Grécia	1,6	4,75
Re	Romênia	5,3	7,5
Re	Sérvia	1,7	4,5
Re	Bulgária	2,0	4,5
Re	Montenegro	–	0,2
Re	Albânia	0	0,8
I	Finlândia (na Rússia)	2,0	2,9
Rp	EUA	50,2	92,0 (1910)
I	Japão	c. 36	53
I	Império Otomano	c. 21	c. 20
I	China	c. 420	c. 450

Outros Estados, por ordem de grandeza da população:

Mais de 10 milhões	Brasil, México
5-10 milhões	Pérsia, Afeganistão, Argentina
2-5 milhões	Chile, Colômbia, Peru, Venezuela, Sião
Menos de 2 milhões	Bolívia, Cuba, Costa Rica, Rep. Dominicana, Equador, El Salvador, Guatemala, Haiti, Honduras, Nicarágua, Panamá, Paraguai, Uruguai

---

* I = império, Re = reino, Rp = república
* As grandes nações da Europa.

TABELA 2
Urbanização da Europa no século XIX (1800-1890)

	Número de cidades (10.000 habitantes ou mais)			População urbana total (porcentagem)		
	1800	1850	1890	1800	1850	1890
Europa	364	878	1709	10	16,7	29
Norte e Oeste[1]	105	246	543	14,9	26,1	43,4
Central[2]	135	306	629	7,1	12,5	26,8
Mediterrânea[3]	113	292	404	12,9	18,6	22,2
Oriental[4]	11	34	133	4,2	7,5	18
Inglaterra/Gales	44	148	356	20,3	40,8	61,9
Bélgica	20	26	61	18,9	20,5	34,5
França	78	165	232	8,8	14,5	25,9
Alemanha	53	133	382	5,5	10,8	28,2
Áustria/Boêmia	8	17	101	5,2	6,7	18,1
Itália	74	183	215	14,6	20,3	21,2
Polônia	3	17	32	2,4	9,3	14,6

[1] Escandinávia, Reino Unido, Holanda, Bélgica
[2] Alemanha, França, Suíça
[3] Itália, Espanha, Portugal
[4] Áustria/Boêmia, Polônia
Fonte: Jan de Vries, *European Urbanisation 1500-1800*, Londres, 1984, quadro 3.8.

TABELA 3
Emigração: Países de povoamento europeu — 1871-1911
(em milhões de pessoas)

Anos	Total	Grã-Bretanha/ Irlanda	Espanha/ Portugal	Alemanha/ Áustria	Outros
1871-1880	3,1	1,85	0,15	0,75	0,35
1881-1890	7,0	3,25	0,75	1,8	1,2
1891-1900	6,2	2,15	1,0	1,25	1,8
1901-1911	11,3	3,15	1,4	2,6	4,15
	27,6	10,4	3,3	6,4	7,5

Imigração (milhões de pessoas)

Anos	Total	EUA	Canadá	Argentina/ Brasil	Austrália/ N. Zelândia	Outros
1871-1880	4,0	2,8	0,2	0,5	0,2	0,3
1881-1890	7,5	5,2	0,4	1,4	0,3	0,2
1891-1900	6,4	3,7	0,2	1,8	0,45	0,25
1901-1911	14,9	8,8	1,1	2,45	1,6	0,95
	32,8	20,5	1,9	6,15	2,5	1,7

Baseado em A. M. Carr Saunders, *World Population*, Londres, 1936. A diferença entre os totais da emigração e da imigração advertem o leitor sobre a falta de confiabilidade desses cálculos.

TABELA 4
Educação no mundo (analfabetismo)

1850	Países com taxa de analfabetismo baixa: inferior a 30% dos adultos	Taxa de analfabetismo média: 30-50%	Taxa de analfabetismo alta: mais de 50%
	Dinamarca	Áustria	Hungria
	Suécia	Terras tchecas	Itália
	Noruega	França	Portugal
	Finlândia	Inglaterra	Espanha
	Islândia	Irlanda	Romênia
	Alemanha	Bélgica	Todos os balcânicos e Grécia
	Suíça	Austrália	Polônia
	Holanda		Rússia
	Escócia		EUA (não brancos)
	EUA (brancos)		Resto do mundo
1913	Países com taxa de analfabetismo baixa inferior a 10%	Média: 10-30%	Alta: mais de 30%
	(os citados acima)	Norte da Itália	Hungria
	França	Noroeste da	Centro e sul da Itália
	Inglaterra	Iugoslávia	Portugal
	Irlanda	(Eslovênia)	Espanha
	Bélgica		Romênia
	Áustria		Todos os balcânicos e Grécia
	Austrália		Rússia
	Nova Zelândia		EUA (não brancos)
			Demais países do mundo

TABELA 5
Universidades

	1875	1913
América do Norte	c.360	c.500
América Latina	c.30	c.40
Europa	c.110	c.150
Ásia	c.5	c.20
Australásia	2	c.5
África	0	c.5

MODERNIDADE

Papel de jornal usado em diferentes regiões do mundo, c. 1880

Fonte: Calculado a partir de M. G. Mulhall, *The Progress of the World Since the Beginning of the Nineteenth Century*, Londres, 1880, reimpressão de 1971, p. 91.

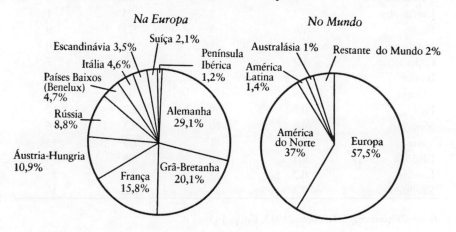

Na Europa:
- Escandinávia 3,5%
- Suíça 2,1%
- Itália 4,6%
- Península Ibérica 1,2%
- Países Baixos (Benelux) 4,7%
- Rússia 8,8%
- Alemanha 29,1%
- Áustria-Hungria 10,9%
- França 15,8%
- Grã-Bretanha 20,1%

No Mundo:
- Australásia 1%
- Restante do Mundo 2%
- América Latina 1,4%
- América do Norte 37%
- Europa 57,5%

Telefones no mundo em 1912

Fonte: *Weltwirtschaftliches Archiv*, 1913, l/h, p. 43.

Em milhares de unidades
Total mundial 12.453
Estados Unidos 8.362
Europa 3.239

- África 0,3%
- Restante do mundo 4,3%
- América do Sul 1%
- Ásia 1,3%
- Europa 26%
- Estados Unidos 67,1%

TABELA 6
O progresso do telefone: algumas cidades
(telefones por 100 habitantes)

	1895	Ordem	1911	Ordem
Estocolmo	4,1	1	19,9	2
Christiania (Oslo)	3	2	6,9	8
Los Angeles	2	3	24	1
Berlim	1,6	4	5,3	9
Hamburgo	1,5	5	4,7	10
Copenhague	1,2	6	7	7
Boston	1	7	9,2	4
Chicago	0,8	8	11	3
Paris	0,7	9	2,7	12
Nova York	0,6	10	8,3	6
Viena	0,5	11	2,3	13
Filadélfia	0,3	12	8,6	5
Londres	0,2	13	2,8	11
São Petersburgo	0,2	14	2,2	14

Fonte: Weltwirtschaftliches Archiv, 1913, I/ii, p. 143.

IMPERIALISMO

TABELA 7
Estados independentes e possessões em 1913 (% da área mundial)

América do Norte	32%
América Central e do Sul	92,5%
África	3,4%
Ásia	70% excluindo a Rússia asiática
	43,2% incluindo a Rússia asiática
Oceania	0%
Europa	99%

Fonte: Calculado com dados de *League of Nations International Statistical Yearbook*, Genebra, 1926.

TABELA 8
Investimentos britânicos no exterior: distribuição percentual

	1860-1870	1911-1913
Império Britânico	36	46
América Latina	10,5	22
EUA	27	19
Europa	25	6
Outros	3,5	7

Fonte: C. Feinstein, cit. in M. Battatt Brown, *After Imperialism*, Londres, 1963, p. 110.

TABELA 9
Produção mundial das principais matérias-primas tropicais
1880-1910 (em milhares de toneladas)

	1880	1900	1910
Banana	30	300	1.800
Cacau	60	102	227
Café	550	970	1.090
Borracha	11	53	87
Fibra de algodão	950	1.200	1.770
Juta	600	1.220	1.560
Oleaginosas	–	–	2.700
Cana-de-açúcar bruta	1850	3.340	6.320
Chá	175	290	360

Fonte: P. Bairoch, *The Economic Development of the Third World Since 1900*, Londres, 1975, p. 15.

VIDA ECONÔMICA

TABELA 10
Produção e comércio mundiais
1781-1971 (1913 = 100)

	Produção	Comércio	
1781-1790	1,8	2,2	(1780)
1840	7,4	5,4	
1870	19,5	23,8	
1880	26,9	38	(1881-1885)
1890	41,1	48	(1891-1895)
1900	58,7	67	(1901-1905)
1913	100,0	100	
1929	153,3	113	(1930)
1948	274,0	103	
1971	950,0	520	

Fonte: W. W. Rostow, *The World Economy: History and Prospect*, Londres, 1978, Apêndices A e B.

TABELA 11
Frete marítimo: tonelagem (só navios de mais de 100 toneladas)
(em milhares de toneladas)

	1881	1913
Total mundial	18.325	46.970
Grã-Bretanha	7.010	18.696
EUA	2.370	5.429
Noruega	1.460	2.458
Alemanha	1.150	5.082
Itália	1.070	1.522
Canadá	1.140	1.735*
França	840	2.201
Suécia	470	1.047
Espanha	450	841
Holanda	420	1.310
Grécia	330	723
Dinamarca	230	762
Áustria-Hungria	290	1.011
Rússia	740	974

*Domínio britânico Fonte: Mulhall, *Dictionary of Statistics*, Londres, 1881, e Liga das Nações, *International Statistics Yearbook 1913*, Quadro 76.

CORRIDA ARMAMENTISTA

Gastos militares das grandes potências
(Alemanha, Áustria-Hungria, Grã-Bretanha, Rússia, Itália e França) — 1880-1914
(mL = milhões de libras esterlinas)

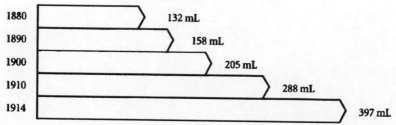

Fonte: *The Times Atlas of World History*, Londres, 1978, p. 250.

TABELA 12
Exércitos (em milhares)

	1879		1913	
	Paz	Mobilizados	Paz	Mobilizados
Grã-Bretanha	136	c.600	160	700
Índia	c.200	–	249	
Áustria-Hungria	267	772	800	3.000
França	503	1.000	1.200	3.500
Alemanha	419	1.300	2.200	3.800
Rússia	766	1.213	1.400	4.400

TABELA 13
Marinhas (em número de navios de guerra)

	1900	1914
Grã-Bretanha	49	64
Alemanha	14	40
França	23	28
Áustria-Hungria	6	16
Russia	16	23

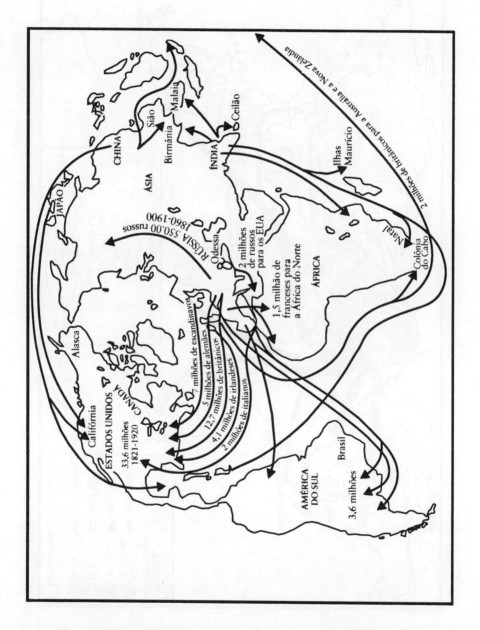

Mapa 1 Migrações internacionais. 1820-1910 (Fonte: *Times Atlas of World His*)

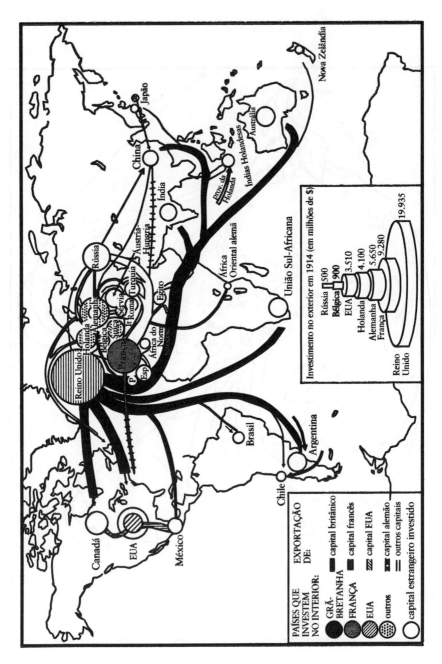

Mapa 2 Movimentos de capital: 1875-1914.

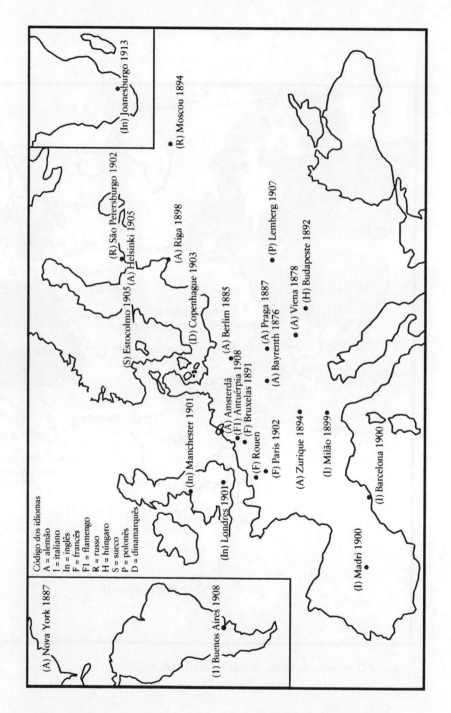

Mapa 3 Ópera e nacionalismo: apresentações de Siegfried, de Wagner, 1875-1914.

Mapa 4 O mundo dividido: impérios em 1914.

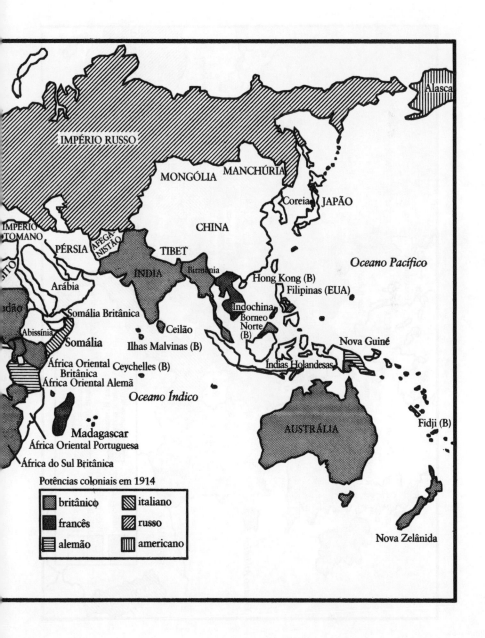

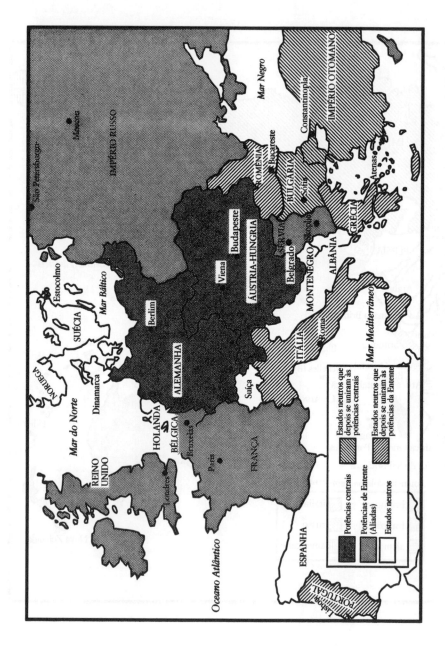

Mapa 5 Europa em 1914.

NOTAS

Introdução

1. P. Nora, in Pierre Nora (org.), *Les lieux de la mémoire*, vol. I, *La République* (Paris, 1984), p. XIX.
2. G. Barraclough, *An Introduction to Contemporary History* (Londres, 1964), p. I.

1. A revolução centenária

1. Finlay Peter Dunne, *Mr. Dooley Says* (Nova York, 1910), p. 46-47.
2. M. Mulhall, *Dictionary of Statistics* (Londres, ed. de 1892), p. 573.
3. P. Bairoch, "Les grandes tendances des disparités économiques nationales depuis la Révolution Industrielle", in *Seventh International Economic History Congress, Edimburgh 1978: Four "A" Themes* (Edimburgo, 1978), p. 175-186.
4. Veja V. G. Kiernan, *European Empires from Conquest to Collapse* (Londres, 1982), p. 34-36; e D. R. Headrick. *Tools of Empire* (Nova York, 1971), *passim*.
5. Peter Flora, *State, Economy and Society in Western Europe, 1815-1975: A Data Handbook*, I (Frankfurt, Londres e Chicago, 1983), p. 78.
6. W. W. Rostow, *The World Economy: History and Prospect* (Londres, 1978), p. 52.
7. Hilaire Belloc, *The Modern Traveller* (Londres, 1898), p. VI.
8. Para os dados em questão, veja P. Bairoch et al., *The Working Population and Its Structure* (Bruxelas, 1968).
9. H. L. Webb, *The Development of the Telephone in Europe* (Londres, 1911).
10. P. Bairoch, *De Jéricho à México: Villes et Économies dans l'Histoire* (Paris, 1985,) parte C, *passim* quanto aos dados.
11. *Historical Statistics of the United States, from Colonial Times to 1957* (Washington, 1960), censo de 1890.
12. Carlo Cipolla, *Literacy and Development in the West* (Harmondsworth, 1969), p. 76.
13. Mulhall, op. cit., p. 245.
14. Calculado a partir de ibidem, p. 546; ibidem, p. 549.
15. Ibidem, p. 100.
16. Roderick Floud, "Wirtschaftliche und soziale Einflüsse auf die Körpergrossen von Europäern seit 1750", *Jahrbuch für Wirtschaftsgeschichte* (Berlim Oriental, 1985), II, p. 93-118.
17. Georg V. Mayr, *Statistik und Gesellschafislehre*, II: *Bevolkerungsstatistik*, 2 (Tübingen, 1924), p. 427.

A ERA DOS IMPÉRIOS

18. Mulhall, op. cit., "Post Office", "Press", "Science".
19. *Cambridge Modern History* (Cambridge, 1902), I, p. 4.
20. John Stuart Mill, *Utilitarianism, On Liberty and Representative Government* (ed. Everyman, 1910), p. 73.
21. John Stuart Mill, "Civilisation", in *Dissertations and Discussions* (Londres, s.d.,) p. 130.

2. Uma economia mudando de marcha

1. A. V. Dicey, *Law and Public Opinion in the Nineteenth Century* (Londres, 1905), p. 245.
2. Citado em E. Maschke, "German Cartels from 1873-1914", in F. Crouzet, W. H. Chaloner e W. M. Stern (orgs.), *Essays on European Economic History* (Londres, 1969), p. 243.
3. De "Die Handelskrisen und die Gewerkschaften", reed. in *Die langen Wellen der Konjunktur. Beitrage zur Marxistischen Konjunktur und Krisentheorie von Parvus, Karl Kautsky, Leon Trotski und Ernest Mandel* (Berlim, 1972), p. 26.
4. D. A. Wells, *Recent Economic Changes* (Nova York, 1889), p. 1-2.
5. Ibidem, p. VI.
6. Alfred Marshall, *Official Papers* (Londres, 1926), p. 98-99.
7. C. R. Fay, *Cooperation at Home and Abroad* (1908, reed. Londres, 1948), I, p. 49 e 114.
8. Sidney Pollard, *Peaceful Conquest: The Industrialization of Europe 1760-1970* (Oxford, 1981), p. 259.
9. Cálculo baseado em F. X. v. Neumann-Spallart, *Übersichten der Weltwirthschaft, Jg. 1881-1970* (Stuttgart, 1884), p. 153 e 185.
10. P. Bairoch, "Città/Campagna", in *Enciclopedia Einaudi*, III (Turim, 1977), p. 89.
11. Veja D. Landes, *Revolution in Time* (Harvard, 1983), p. 289.
12. *Harvard Encyclopedia of American Ethnic Groups* (Cambridge, Massachusetts, 1980), p. 750.
13. O livro de William era originalmente composto de uma série de artigos alarmistas publicados na imperialista *New Review*, de W. E. Henley. Também foi um ativista do movimento contra os estrangeiros.
14. C. P. Kindleberger, "Group Behavior and International Trade", *Journal of Political Economy*, n. 59, (fev. 1951), p. 37.
15. P. Bairoch, *Commerce extérieur et développement économique de l'Europe au XIXe siècle* (Paris-Haia, 1976), pp. 309-311.
16. (Folke Hilgerdt), *Industrialization and Foreign Trade*, ed. Liga das Nações (Genebra, 1945), p. 13, 132-134.
17. H. W. Macrosty, *The Trust Movement in British Industry* (Londres, 1907), p. I.
18. William Appleman Williams, *The Tragedy of American Diplomacy* (Cleveland e Nova York, 1959), p. 44.
19. Bairoch, *De Jéricho à México*, p. 288.
20. W. Arthur Lewis, *Growth and Fluctuations 1870-1913* (Londres, 1978), anexo IV.
21. Ibidem, p. 275.
22. John R. Hanson II, *Trade in Transition: Exports from the Third World 1840-1900* (Nova York, 1980), p. 55.
23. Sidney Pollard, "Capital Exports 1870-1914: Harmful or Beneficial?", *Economic History Review*, n. XXXVIII (1985), p. 492.

NOTAS

24. Eram *Lloyd's Weekly* e *Le Petit Parisien*.
25. P. Mathias, *Retailing Revolution* (Londres, 1967).
26. Segundo as estimativas de J. A. Lesourd e Cl. Gérard, *Nouvelle Histoire Économique I: Le XIXe siècle* (Paris, 1976), p. 247.

3. A era dos impérios

1. Citado em Wolfgang J. Mommsen, *Max Weber and German Politics 1890-1920* (Chicago, 1984), p. 77.
2. Finlay Peter Dunne, *Mr. Dooley's Philosophy* (Nova York, 1900), p. 93-94.
3. V. I. Lenin, "Imperialism, the Latest Stage of Capitalism", originalmente publicado em meados de 1917. As edições posteriores (póstumas) da obra usam a palavra "superior" (*highest*) em vez de "última" (*latest*).
4. J. A. Hobson, *Imperialism* (Londres, 1902), prefácio; (ed. de 1938), p. XXVII.
5. *Sir* Harry Johnston, *A History of the Colonization of Africa by Alien Races* (Cambridge, 1930); (1.ª ed. 1913), p. 445.
6. Michael Barratt Brown, *The Economics of Imperialism* (Harmondsworth, 1974), p. 175; a respeito do vasto e, para nossos objetivos, excessivamente sofisticado debate sobre o tema, veja Pollard, "Capital Exports 1870-1914", loc. cit.
7. W. G. Hynes, *The Economics of Empire: Britain, Africa and the New Imperialism, 1870-1895* (Londres, 1979), *passim*.
8. Citado em D. C. M. Platt, *Finance, Trade and Politics: British Foreign Policy 1815-1914* (Oxford, 1968), p. 365-366.
9. Max Beer, "Der neue englische Imperialismus", in *Neue Zeit*, n. XVI (1898), p. 304. Com uma abordagem mais geral, B. Semmel, *Imperialism and Social Reform: English Social-Imperial Thought 1895-1914* (Londres, 1960).
10. J. E. C. Bodley, *The Coronation of Edward VII: A Chapter of European and Imperial History* (Londres, 1903), p. 153 e 201.
11. Burton Benedict et al., *The Anthropology of World's Fairs: San Francisco's Panama Pacific International Exposition of 1915* (Londres e Berkeley, 1983), p. 23.
12. *Dictionnaire de Spiritualité* (Paris, 1979), X, "Mission", p. 1.398-1.399.
13. *Encyclopedia of Missions* (Nova York e Londres 1904, 2.ª ed.,) anexo IV, p. 838-839.
14. Rudolf Hilferding, *Das Finanzkapital* (Viena, 1909), 2.ª ed. 1923, p. 470.
15. P. Bairoch, "Geographical Structure and Trade Balance of European Foreign Trade from 1800 to 1970", *Journal of European Economic History*, n. 3 (1974), p. 557-608; *Commerce extérieur et développement économique de l'Europe au XIXe siècle*, p. 81.
16. P. J. Cain e A. G. Hopkins, "The Political Economy of British Expansion Overseas, 1750-1914", *Economic History Review*, n. XXXIII (1980), p. 463-490.
17. J. E. Flint, "Britain and the Partition of West Africa", in J. E. Flint e G. Williams (orgs.), *Perspectives of Empire* (Londres, 1973), p. III.
18. C. Southworth, *The French Colonial Venture* (Londres, 1931), tabela anexa 7. Entretanto, o dividendo médio das empresas que operavam nas colônias francesas naquele ano foi de 4,6%.

535

A ERA DOS IMPÉRIOS

19. M. K. Gandhi, *Collected Works, I: 1884-1896* (Nova Délhi), 1958.
20. A respeito da incursão inusitadamente bem-sucedida do budismo no Ocidente, veja Jan Romein, *The Watershed of Two Eras* (Middletown Connecticut), 1978, p. 501-503, e a exportação de devotos indianos, em grande medida por meio das figuras de primeira linha da teosofia. Entre eles Vivekananda (1863-1902), do "Vedanta", pode reivindicar o lugar de primeiro guru comercial do Ocidente moderno.
21. R. H. Gretton, *A Modern History of the English People, II, 1899-1910* (Londres, 1913), p. 25.
22. W. L. Langer, *The Diplomacy of Imperialism, 1890-1902* (Nova York, 1968), p. 387 e 448. Com uma abordagem mais geral, H. Gollwitzer, *Die gelbe Gefahr: Geschichte eines Schlagworts: Studien zum imperialistischen Denken* (Göttingen, 1962).
23. Rudyard Kipling, "Recessional", in R. *Kipling's Verse, Inclusive Edition 1885-1918* (Londres, s.d.,) p. 377.
24. Hobson, op. cit., 1938, p. 314.
25. Veja H. G. Wells, *The Time Machine* (Londres, 1895).
26. H. G. v. Schulze-Gaevernitz, *Britischer Imperialismus und englischer Freihandel zu Beginn des 20. Jahrhunderts* (Leipzig, 1906).

4. A política da democracia

1. Gaetano Mosca, *Elementi di scienza política* (1895), tr. *The Ruling Class* (Nova York, 1939), p. 333-334.
2. Robert Skidelsky, *John Maynard Keynes*, I (Londres, 1983), p. 156.
3. Edward A. Ross, "Social Control, VII: Assemblage", *American Journal of Sociology*, II 1896-1897, p. 830.
4. Entre os trabalhos então aparecidos, *Elementi di scienza politica*, de Gaetano Mosca (1858-1941); *Industrial Democracy* (1897), de Sidney e Beatrice Webb; *Democracy and the Organization of Political Parties* (1902), de M. Ostro Gorski (1854-1919); *Zur Soziologie des Parteiwesens in der modernen Demokratie (Political Parties)* (1911), de Robert Michels (1876-1936); *Reflexions on Violence* (1908), de Georges Sorel (1847-1922).
5. Hilaire Belloc, *Sonnets and Verse* (Londres, 1954), p. 151: "On a General Election", Epigrama XX.
6. David Fitzpatrick, "The Geography of Irish Nationalism", *Past and Present*, 78 (fev. 1978), p. 127-129.
7. H. -J. Puhle, *Politische Agrarbewegungen in kapitalistischen Industriegesellschaften* (Göttingen, 1975), p. 64.
8. G. Hohorst, J. Kocka e G. A. Ritter, *Sozialgeschichtliches Arbeitsbuch: Materialen zur Statistik des Kaiserreichs 1870-1914* (Munique, 1975) p. 177.
9. Michels, op. cit. (Stuttgart, 1970), parte VI, cap. 2.
10. R. F. Foster, *Lord Randolph Churchill, a Political Life* (Oxford, 1981), p. 395.
11. C. Benoist, *L'Organization du suffrage universel: la crise de l'état moderne* (Paris, 1897).
12. C. Headlam (org.) *The Milner Papers* (Londres, 1931-1933), II, p. 291.
13. T. H. S. Escott, *Social Transformations of the Victorian Age* (Londres, 1897), p. 166.

NOTAS

14. Flora, op. cit., cap. 5.
15. Calculado com base em Hohorst, Kocka e Ritter, op. cit., p. 179.
16. Gary B. Cohen, *The Politics of Ethnic Survival: Germans in Prague 1861-1914* (Princeton, 1981), p. 92-93.
17. Graham Wallas, *Human Nature in Politics* (Londres, 1908), p. 21.
18. David Cannadine, "The Context, Performance and Meaning of Ritual: The British Monarchy and the 'Invention of Tradition', c. 1820-1977", em E. J. Hobsbawm e T. Ranger (orgs.) *The Invention of Tradition* (Cambridge, 1983), p. 101-164.
19. A distinção provém de *The English Constitution*, de Walter Bagehot, publicado primeiramente na *Fortnightly Review* (1865-1867), como parte do debate sobre a Segunda Carta de Reforma, i.e., sobre se seria ou não concedido aos trabalhadores o direito ao voto.
20. Rosemonde Sanson, *Le 14 Juillet: fête et conscience nationale, 1789-1975* (Paris, 1976), p. 42, sobre os motivos das autoridades de Paris, ao combinar divertimentos populares com cerimônias públicas.
21. Hans-Georg John, *Politik und Turnem: die deutsche Turnerschaft als nationale Bewegung in deutschen Kaiserreich von 1870-1914* (Ahrensberg bei Hamburg, 1976), p. 36-39.
22. "I bellieve it will be absolutely necessary that you should prevail on our future masters to learn their letters" ("Creio que será absolutamente necessário que o senhor prevaleça sobre nossos futuros mestres, a fim de que aprendam letras"). (Debate sobre a Terceira Leitura da Carta de Reforma, *Parliamentary Debates*, 15 de julho de 1867, p. 1549, col. 1). Esta é a versão original da frase que se tornou familiar em sua versão abreviada.
23. Cannadine, op. cit., p. 130.
24. Wallace Evan Davies, *Patriotism on Parade* (Cambridge, Mass., 1955), p. 218-222.
25. Maurice Dommanget, *Eugène Pottier, membre de la Commune et chantre de l'Internationale* (Paris, 1971), p. 138.
26. V. I. Lenin, *Estado e Revolução*, parte I, seção 3.

5. Trabalhadores do mundo

1. Recordações do trabalhador Franz Rehbein, em 1911. De Paul Gohre (org.), *Das Leben eines Landarbeiters* (Munique, 1911), cit. em W. Emmerich (org.), *Proletarische Lebensläufe*, I (Reinbeck, 1974), p. 280.
2. Samuel Gompers, *Labour in Europe and America* (Nova York e Londres, 1910), p. 238-239.
3. *Mit uns zieht die neue Zeit: Arbeiterkultur in Österreich 1918-1934* (Viena, 1981).
4. Sartorius v. Waltershausen, *Die italienischen Wanderarbeiter* (Leipzig, 1903), p. 13, 20, 22 e 27. Devo esta referência a Dirk Hoerder.
5. Bairoch, *De Jericho à Mexico*, p. 385-386.
6. W. H. Schröder, *Arbeitergeschichte und Arbeiterbewegung: Industriearbeit und Organisationsverhalten im 19. und frühen 20. Jahrhundert* (Frankfurt e Nova York, 1978), p. 166-167 e 304.
7. Jonathan Hughes, *The Vital Few: American Economic Progress and its Protagonists* (Londres, Oxford e Nova York, 1973), p. 329.
8. Bairoch, "Città/Campagna", p. 91.

A ERA DOS IMPÉRIOS

9. W. Woytinsky, *Die Welt in Zahlen, II: Die Arbeit* (Berlim, 1926), p. 17.
10. *Warum gibt es in den Vereinigten Staaten keinen Sozialismus?* (Tübingen, 1906).
11. Jean Touchard, *La Gauche en France depuis 1900* (Paris, 1977), p. 62; Luigi Cortesi, *Il Socialismo Italiano tra riforme e rivoluzione: Dibatti congressuali del Psi 1892-1921* (Bari, 1969), p. 549.
12. Maxime Leroy, *La Coutume Ouvriere* (Paris, 1913), 1, p. 387.
13. D. Crew, *Bochum: Sozialgeschichte einer Industriestadt* (Berlim e Viena, 1980), p. 200.
14. Guy Chaumel, *Histoire des cheminots et de leurs syndicats* (Paris, 1948), p. 79, n. 22.
15. Crew, op. cit., p. 19, 70, 25.
16. Yves Lequin, *Les Ouvriers de la région lyonnaise, I; La Formation de la classe ouvrière régionale* (Lyon, 1977), p. 202.
17. A primeira vez em que foi registrada a utilização de *big business* (*OED*, suplemento, 1976), ocorreu em 1912, nos EUA; *Grossindustrie* apareceu antes, mas talvez se tenha tornado mais comum durante a Grande Depressão.
18. O memorandum de Askwith é citado em H. Pelling, *Popular Politics and Society in Late Victorian Britain* (Londres, 1968), p. 147.
19. Maurice Dommanget, *Histoire du Premier Mai* (Paris, 1953), p. 252.
20. W. L. Guttsman, *The German Social-Democratic Party 1875-1933* (Londres, 1981), p. 96.
21. Ibidem, p. 160.
22. *Mit uns zieht die neue Zeit: Arbeiterkultur in Österreich 1918-1934: Eine Ausstellung der Österreichischen Gesellschaft für Kulturpolitik und des Meidlinger Kulturkreises*, 23 jan. 30 ago. 1981 (Viena), p. 240.
23. Constituição do Partido Trabalhista inglês.
24. Robert Hunter, *Socialist at Work* (Nova York, 1908), p. 2.
25. Georges Haupt, *Programm und Wirklichkeit: Die Internationale Sozialdemokratie vor 1914* (Neuwied, 1970), p. 141.
26. Talvez ainda mais popular, a anticlerical *Pfaffenspiegel*, de Corvin (H. J. Steinberg, *Sozialismus und deutsche Sozialdemokratie: Zur Ideologie der Partei vor dem ersten Weltkrieg*, Hannover, 1967, p. 139). O Congresso do SPD (Parteitag) de 1902 observa que apenas a literatura anticlerical do partido realmente vende. Assim, em 1898, o *Manifesto* teve uma edição de 3 mil exemplares, e o *Christenthum und Sozialismus*, de Bebel, 10 mil exemplares; em 1901-1904, o *Manifesto* foi editado em 7 mil exemplares e o *Christenthum* em 57 mil exemplares.
27. K Kautsky, *La Questione Agraria* (Milão, 1959), p. 358. A citação é do início da parte II, 1, c.

6. Bandeiras desfraldadas: nações e nacionalismo

1. Devo essa citação do escritor italiano F. Jovine (1904-1950) a Marta Petrusewicz, da Universidade de Princeton.
2. H. G. Wells, *Anticipations* (Londres, 5.ª ed., 1902), p. 225-226.
3. Alfredo Rocco, *What Is Nationalism and What Do the Nationalists Want?* (Roma, 1914).
4. Veja em Georges Haupt, Michel Lowy e Claudie Weill, *Les Marxistes et la question nationale 1848-1914: études et textes* (Paris, 1974).

NOTAS

5. E. Brix, *Die Umgangsprachen in Altösterreich zwischen Agitation und Assimilation: Die Sprachenstatistik in den zisleithanischen Volkszählungen 1880-1910* (Viena, Colônia e Graz, 1982), p. 97.

6. H. Roos, *A History of Modern Poland* (Londres, 1966), p. 48.

7. Lluis Garcia i Sevilla, "Llengua, nació i estat al diccionario de la reial academia espanyola", *L'Avenç*, Barcelona (16.05.1979), p. 50-55.

8. Hugh Seton-Watson, *Nations and States* (Londres, 1977), p. 85.

9. Devo essa informação a Dirk Hoerder.

10. *Harvard Encyclopedia of American Ethnic Groups*, "Naturalization and Citizenship", p. 747.

11. Benedict Anderson, *Imagined Communities: Reflections on the Origins and Spread of Nationalism* (Londres, 1983), p. 107-108.

12. C. Bobinska e Andrzej Pilch (orgs.), *Employment-seeking Emigrations of the Poles World-Wide XIX and XX C.* (Cracóvia, 1975), p. 124-126.

13. Wolfgang J. Mommsen, *Max Weber and German Politics 1890-1920* (Chicago, 1984), p. 54 e ss.

14. Lonn Taylor e Ingrid Maar, *The American Cowboy* (Washington DC, 1983) p. 96-98.

15. Hans Mommsen, *Nationalitätenfrage und Arbeiterbewegung* (Schriften aus dem Karl-Marx-Haus, Trier, 1971), p. 18-19.

16. *History of the Hungarian Labour Movement. Guide to the Permanent Exhibition of the Museum of the Hungarian Labour Movement* (Budapeste, 1983), p. 31 e ss.

17. Marianne Heiberg, "Insiders/Outsiders; Basque Nationalism", *Archives Européennes de Sociologie*, XVI (1975), p. 169-193.

18. A. Zolberg, "The Making of Flemings and Walloons: Belgium 1830-1914", *Journal of Interdisciplinary History*, V (1974), p. 179-235; H. -J. Puhle," Baskischer Nationalismus im Spanischen Kontext", in H. A. Winkler (org.), *Nationalismus in der Welt von Heute* (Gottingen, 1982), especialmente p. 60-65.

19. *Enciclopedia Italiana*, "Nazionalismo".

20. Peter Hanak, "Die Volksmeinung während den letzten Kriegsjahren in Osterreich-Ungaro", in R. G. Plaschka e K. H. Mack (orgs.) *Die Auflösung des Habsburgerreiches: Zusammenbruch und Neuorientierung im Donauraum* (Viena, 1970), p. 58-67.

7. Quem é quem ou as incertezas da burguesia

1. William James, *The Principles of Psychology* (Nova York, 1950), p. 291. Devo essa referência a Sanford Elwitt.

2. H. G. Wells, *Tono-Bungay* (1909; Modern Library), p. 249.

3. Lewis Mumford, *The City in History* (Nova York, 1961), p. 495.

4. Mark Girouard, *The Victorian Country House* (New Haven e Londres, 1979), p. 208-212.

5. W. S. Adams, *Edwardian Portraits* (Londres, 1957), p. 3-4.

6. Esse é um tema básico de Carl A. Schorske, *Fin-de-Siècle Vienna* (Londres, 1980).

7. Thorstein Veblen, *The Theory of the Leisure Class: An Economic Study of Institutions* (1899). Ed. revista, Nova York, 1959.

8. W. D. Rubinstein, "Wealth, Elites and the Class Structure of Modern Britain", *Past & Present*, 76 (ago. 1977), p. 102.

A ERA DOS IMPÉRIOS

9. Adolf v. Wilke, *Alt-Berliner Erinnerungen* (Berlim, 1930), p. 232 e ss.
10. W. L. Guttsman, *The British Political Elite* (Londres, 1963), p. 122-127.
11. Touchard, op. cit., p. 128.
12. Theodore Zeldin, *France, 1848-1945* (Oxford, 1973), I, p. 37; D. C. Marsh, *The Changing Social Structure of England and Wales 1871-1961* (Londres, 1958), p. 122.
13. G. A. Ritter e J. Kocka, *Deutsche Sozialgeschichte. Dokumente und Skizzen. Band II 1870-1914* (Munique, 1977), p. 169-170.
14. Paul Descamps, *L'Éducation dans les Écoles Anglaises* (Paris, 1911), p. 67.
15. Zeldin, op. cit., I, p. 612-613.
16. Ibidem, II, p. 250; H. U. Wehler, *Das deutsche Kaiserreich 1871-1918* (Göttingen, 1973), p. 126: Ritter e Kocka, op. cit., p. 341-343.
17. Ritter e Kocka, op. cit., p. 327-328 e 352; Arno Meyer, *The Persistence of the Old Regime: Europe to the Great War* (Nova York, 1981), p. 264.
18. Hohorst, Kocka e Ritter, op. cit., p. 161; J. J. Mayeur, *Les Débuts de la IIIe République 1871-1898* (Paris, 1973), p. 150; Zeldin, op. cit., II, p. 330: Mayer, op. cit., p. 262.
19. Ritter e Kocka, op. cit., p. 224.
20. Y. Cassis, *Les Banquiers de la City a l'époque Edouardienne 1890-1914* (Genebra, 1984).
21. Skidelsky, op. cit., I, p. 84.
22. Crew, op. cit., p. 26.
23. G. v. Schmoller, *Was verstehen wir unter dem Mittelstande? Hat er im 19. Jahrhundert zu oder abgenommen?* (Göttingen, 1907).
24. W. Sombart, *Die deutsche Volkswirthschaft im 19. Jahrhundert und im Anfang des 20. Jahrhunderts* (Berlim, 1903), p. 534 e 531.
25. Pollard, "Capital Exports 1870-1914", p. 498-499.
26. W. R. Lawson, *John Bull and His Schools: A Book for Parents, Ratepayets and Men of Business* (Edimburgo e Londres, 1908), p. 39. Segundo sua estimativa, "a classe média propriamente dita" estava em aproximadamente meio milhão.
27. John R. de S. Honey, *Tom Brown's Universe: The Development of the Victorian Public School* (Londres, 1977).
28. W. Raimond Baird, *American College Fraternities: a descriptive analysis of the Society System of the Colleges of the United States with a detailed account of each fraternity* (Nova York, 1890), p. 20.
29. Mayeur, op. cit., p. 81.
30. Escott, op. cit., p. 202-203.
31. *The Englishwoman's Year-Book* (1905), p. 171.
32. Escott, op. cit., p. 196.
33. Isso pode ser verificado na Victoria County History, para esse condado.
34. *Principles of Economics* (Londres, 8.ª ed., 1920), p. 59.
35. Skidelsky, op. cit., p. 55-56.
36. P. Wilsher, *The Pound in Your Pocket 1870-1970* (Londres, 1970), p. 81, 96 e 98.
37. Hughes, op. cit., p. 252.
38. A. Sartorius v. Waltershausen, *Deutsche Wirtschaftsgeschichte 1815-1914* (2.ª ed., Iena, 1923), p. 521.
39. Citado em W. Rosenberg, *Liberais in the Russian Revolution* (Princeton, 1974), p. 205-212.

NOTAS

40. Por exemplo, em *Man and Superman, Misalliance.*
41. Robert Wohl, *The Generation of 1914* (Londres, 1980), p. 89, 169 e 16.

8. A nova mulher

1. H. Nunberg e E. Federn (orgs.), *Minutes of the Vienna Psychoanalytical Society, I: 1906-1908* (Nova York, 1962), p. 199-200.
2. Citado em W. Ruppert (org.), *Die Arbeiter: Lebensformen, Alltag und Kultur* (Munique, 1986), p. 69.
3. K. Anthony, *Feminism in Germany and Scandinavia* (Nova York, 1915), p. 231.
4. *Handwörterbuch der Staatswissenschaften* (Iena, ed. de 1902), "Beruf ", p. 626, e "Frauenarbeit", p. 1.202.
5. Ibidem, "Hausindustrie", p. 1.148 e 1.150.
6. Louise Tilly e Joan W. Scott, *Women, Work and Family* (Nova York, 1978), p. 124.
7. *Handwörterbuch*, "Frauenarbeit", p. 1.205-1.206.
8. Para a Alemanha: Hohorst, Kocka e Ritter, op. cit., p. 68, n. 8; para a Inglaterra, Mark Abrams, *The Condition of the British People 1911-1945* (Londres, 1946), p. 60-61; Marsh, op. cit., p. 127.
9. Zeldin, op. cit., II, p. 169.
10. E. Cadbury, M. C. Matheson e G. Shann, *Women's Work and Wages* (Londres, 1906), p. 49 e 129. O livro descreve as condições de trabalho em Birmingham.
11. Margaret Bryant, *The Unexpected Revolution* (Londres, 1979), p. 108.
12. Edmée Charnier, *L'Évolution intellectuelle féminine* (Paris, 1937), p. 140 e 189. Veja também H.-J. Puhle, "Warum gibt es so wenige Historikerinnen?", *Geschichte und Gesellschaft*, 7 Jg. (1981), especialmente p. 373.
13. Rosa Leviné-Meyer, *Leviné* (Londres, 1973), p. 2.
14. Primeira tradução em inglês em 1891.
15. Caroline Kohn, *Karl Kraus* (Stuttgart, 1966), p. 259, n. 40; J. Romein, *The Watershed of Two Eras*, p. 604.
16. Donald R. Knight, *Great White City, Shepherds Bush, London: 70th Anniversary, 1908-1978* (New Barnet, 1978), p. 26.
17. Devo esse ponto a um aluno do dr. S. N. Mukherjee, da Universidade de Sydney.
18. Claude Willard, *Les Guesdites* (Paris, 1965), p. 362.
19. G. D. H. Cole, *A History of the Labour Party from 1914* (Londres, 1948), p. 480; Richard J. Evans, *The Feminists* (Londres, 1977), p. 162.
20. Woytinsky, op. cit., II, fornece a base para esses dados.
21. Calculado a partir de *Men and Women of the Time* (1895).
22. Para o feminismo conservador, veja também E. Halévy, *A History of the English People in the Nineteenth Century* (ed. 1961), VI, p. 509.
23. Acerca desses desenvolvimentos, veja S. Giedion, *Mechanisation Takes Command* (Nova York, 1948), passim; para a citação, p. 520-521.
24. Rodelle Weintraub (org.), *Bernard Shaw and Women*, Pennsylvania State University, 1977 p. 3-4.

541

A ERA DOS IMPÉRIOS

25. Jean Maitron e Georges Haupt (orgs.), *Dictionnaire biographique du mouvement ouvrier international: L'Autriche* (Paris, 1971), p. 285.
26. T. E. B. Howarth, *Cambridge between Two Wars* (Londres, 1978), p. 45.
27. J. P. Nettl, *Rosa Luxemburg* (Londres, 1966), I, p. 144.

9. As artes transformadas

1. Romain Rolland, *Jean Christophe in Paris* (trad. Nova York, 1915), p. 120-121.
2. S. Laing, *Modern Science and Modern Thought* (Londres, 1896), p. 230-231, l.ª ed. 1885.
3. F. T. Marinetti, *Selected Writings*, ed. R. W. Flint (Nova York, 1971), p. 67.
4. Peter Jelavich, *Munich and Theatrical Modernism: Politics, Playwriting and Performance 1890-1914* (Cambridge, Mass., 1985), p. 102.
5. O termo foi cunhado por M. Agulhon, "La statuomanie et l'histoire", *Ethnologie Française* 3-4, 1978.
6. John Willett, "Breaking Away", *New York Review of Books*, 28.05.1981, p. 47-49.
7. *The Englishwoman's Year-Book*, 1905, "Colonial journalism for women", p. 138.
8. Entre outras coleções que fizeram fortuna com a sede de autodidatismo e cultura na Grã--Bretanha, podemos citar *Camelot Classics* (1886-1891), os trezentos e tantos volumes de *Cassell's National Library* (1886-1890 e 1903-1907), *Cassell's Red Library* (1884-1890), *Sir John Lubbock's Hundred Books*, publ. por Routledge (também editor de *Modern Classics* desde 1897), a partir de 1891, *Nelson's Classics* (1907-); os *Sixpenny Classics* só duraram de 1905 a 1907 — e *Oxford's World's Classics*. A editora *Everyman* (1906-) merece ser citada por ter publicado um clássico moderno importante, o *Nostromo*, de Joseph Conrad, em seus primeiros cinquenta títulos, entre *History of England*, de Macaulay, e *Life of Sir Walter Scott*, de Lockhart.
9. Georg Gottfried Gervinus, *Geschichte der poetischen Nationalliteratur der Deutschen*, 5 vols., 1.836-1.842.
10. F. Nietzsche, *Der Wille zur Macht*, in *Sämtliche Werke* (Stuttgart, 1965), IX, p. 65 e 587.
11. R. Hinton Thomas, *Nietzsche in German Politics and Society 1890-1918* (Manchester, 1984), destaca — pode-se dizer que acentua demais — a motivação que ele representava para os libertários. Entretanto, e apesar de Nietzsche não gostar dos anarquistas (cf. *Jenseits von Gut und Böse Samtliche Werke*, VII, p. 114, 125), nos círculos anarquistas franceses de 1900 "on discute avec fougue Stirner, Nietzsche et surtout Le Dantec" ("discute-se acaloradamente Stirner, Nietzsche e sobretudo Le Dantec") (Jean Maitron, *Le Mouvement Anarchiste en France*, Paris, 1975, I, p. 421).
12. Eugenia W. Herbert, *Artists and Social Reform: France and Belgium 1885-1898* (Newhaven, 1961), p. 21.
13. Patrizia Dogliani, *La "Scuola delle Redute": L'Internazionale Giovanile Socialista dalla fine dell ottocento alla Prima Guerra Mondiale* (Turim, 1983), p. 147.
14. G. W. Plechanov, *Kunst und Literatur* (Berlim Oriental), 1955, p. 295.
15. J. C. Holl, *La Jeune Peinture Contemporaine* (Paris, 1912), p. 14-15.
16. "On the spiritual in art", cit. in *New York Review of Books*, 16.02.1984, p. 28.
17. Cit. in Romein, *Watershed of Two Eras*, p. 572.

542

NOTAS

18. Karl Marx, *The Eighteenth Brumaire of Louis Bonaparte*.
19. Max Raphael, *Von Monet zu Picasso, Grundzüge einer Aesthetik und Entwicklung der Modernen Malerei* (Munique, 1913).
20. É digno de nota o papel dos países que dispõem de imprensa fortemente democrática e populista, mas não de um grande público de classe média, na evolução das caricaturas políticas modernas. Sobre a importância da Austrália nesse sentido, veja a introdução de E. J. Hobsbawm em *Communist Cartoons*, de "Espoir" e outros (Londres, 1982), p. 3.
21. Peter Bächlin, *Der Film als Ware* (Basileia, 1945), p. 214, n. 14.
22. T. Balio (org.), *The American Film Industry* (Madison, Wis., 1985), p. 86.
23. G. P. Brunetta, *Storia del cinema italiano 1895-1945* (Roma, 1979), p. 44.
24. Balio, op. cit., p. 98.
25. *Ibidem*, p. 87; *Mit uns zieht die Neue Zeit*, p. 185.
26. Brunetta, op. cit., p. 56.
27. Luigi Chiarini, "Cinematography", in *Encyclopedia of World Art* (Nova York, Londres e Toronto, 1960), III, p. 626.

10. Certezas solapadas: as ciências

1. Laing, op. cit., p. 51.
2. Raymond Pearl, *Modes of Research in Genetics* (Nova York, 1915), p. 159. O trecho é reimpressão de uma conferência de 1913.
3. Bertrand Russell, *Our Knowledge of the External World as a Field for Scientific Method in Philosophy* (Londres, ed. 1952), p. 109.
4. Carl Boyer, *A History of Mathematics* (Nova York, 1968), p. 82.
5. Bourbaki, *Éléments d'histoire des mathématiques* (Paris, 1960), p. 27. O grupo de matemáticos que publicava sob esse pseudônimo estava interessado na história de sua área basicamente relacionada a seu próprio trabalho.
6. Boyer, op. cit., p. 649.
7. Bourbaki, op. cit., p. 43.
8. F. Dannemann, *Die Naturwissenschaften in ihrer Entwicklung und ihrem Zusammenhange* (Leipzig e Berlim, 1913), IV, p. 433.
9. Henry Smith Williams, *The Story of Nineteenth-Century Science* (Londres e Nova York, 1900), p. 231.
10. Ibidem, p. 230-231.
11. Ibidem, p. 236.
12. C. C. Gillispie, *The Edge of Objectivity* (Princeton, 1960), p. 507.
13. Cf. Max Planck, *Scientific Autobiography and other Papers* (Nova York, 1949).
14. J. D. Bernal, *Science in History* (Londres, 1965), p. 630.
15. Ludwig Fleck, *Genesis and Development of a Scientific Fact* (Chicago, 1979; original de Basileia, 1935), p. 68-69.
16. W. Treue e K. Mauel (orgs.), *Naturwissenschaft, Technik und Wirtschaft im 19. Jahrhundert*, 2 vols. (Göttingen, 1976), I, p. 271-274 e 348-356.
17. Nietzsche, *Der Wille zur Macht*, livro IV, p. ex. p. 607-609.

543

A ERA DOS IMPÉRIOS

18. C. Webster (org.), *Biology, Medicine and Society 1840-1940* (Cambridge, 1981), p. 225.
19. Ibidem, p. 221.
20. Como sugerem os seguintes títulos: A. Ploetz e F. Lentz, *Deutsche Gesellschaft für Rassenhygiene*, 1905 ("Sociedade Alemã para a Higiene Racial"), o da revista da mesma Sociedade *Archiv für Rassen- und Gesellschaftsbiologie* ("Arquivos de Biologia Racial e Social"); G. F. Schwalbe, *Zeitschrift für Morphologie und Anthropologie, Erb- und Rassenbiologie* (1899: "Revista de Morfologia, Antropologia, Genética e Biologia Racial"). Cf. J. Sutter, *L'Eugénique: Problemes-Méthodes-Résultats* (Paris, 1950), p. 24-25.
21. Kenneth M. Ludmerer, *Genetics and American Society: A Historical Appraisal* (Baltimore, 1972), p. 37.
22. Citado em Romein, *op. cit.*, p. 343.
23. Webster, op. cit., p. 266.
24. Ernst Mach, in *Neue Österreichische Biographie*, I (Viena, 1923).
25. J. J. Salomon, *Science and Politics* (Londres, 1973), p. XIV.
26. Gillispie, op. cit., p. 499.
27. Nietzsche, *Wille zur Macht*, Vorrede, p. 4.
28. Ibidem, aforismos, p. 8.
29. Bernal *(op. cit.*, p. 503) estima que em 1896 "toda a tradição da ciência" era mantida por talvez 50 mil pessoas no mundo inteiro, das quais 15 mil faziam pesquisa. O número aumentou: entre 1901 e 1915, foram diplomadas só nos EUA cerca de 74 mil pessoas em ciências da natureza e formaram-se 2.577 doutores em ciências da natureza·e engenharia — D. M. Blank e George J. Stigler, *The Demand and Supply of Scientific Personnel* (Nova York, 1957), p. 5-6.
30. G. W. Roderick, *The Emergence of a Scientific Society* (Londres e Nova York, 1967), p. 48.
31. Frank R. Pfetsch, *Zur Entwicklung der Wissenschaftspolitik in Deutschland 1750-1914* (Berlim, 1974), p. 350 e ss.
32. Os prêmios foram adiados para 1925, compensando assim algum atraso no reconhecimento das realizações dos jovens brilhantes dos últimos anos que precederam a guerra de 1914.
33. Joseph Ben-David, "Professions in the Class Systems of Present-Day Societies", in *Current Sociology*, 12, 1963-1964, p. 262-269.
34. Paul Levy, *Moore: G. E. Moore and the Cambridge Apostles* (Oxford, 1981), p. 309-311.

11. Razão e sociedade

1. Rolland, op. cit., p. 222.
2. Nunberg e Federn, op. cit., II, p. 178.
3. Max Weber, *Gesammelte Aufsätze zur Wissenschaftslehre* (Tübingen, 1968), p. 166.
4. Guy Vincent, *L'École primaire française: Étude sociologique* (Lyon, 1980), p. 332, n. 779.
5. Anil Seal, *The Emergence of Indian Nationalism* (Cambridge, 1971), p. 249.
6. Vivekananda, *Works*, parte IV, cit. in *Sedition Committee 1918: Report*, (Calcutá, 1918), p. 17 n.
7. R. M. Goodridge, "Nineteenth Century Urbanisation and Religion: Bristol and Marseille, 1830-1880", *Sociological Yearbook of Religion in Britain*, I (Londres, 1969), p. 131.

NOTAS

8. "La bourgeoisie adhere au rationalisme, l'instituteur au socialisme" — Gabriel Le Bras, *Études de sociologie religieuse*, 2 vols. (Paris, 1955-1956), I, p. 151.

9. A. Fliche e V. Martin, *Histoire de l'Église. Le Pontificat de Pie IX*, 2.ª ed. (Paris, 1964), p. 130.

10. S. Bonnet, C. Santini e H. Barthélemy, "Appartenance politique et attitude réligieuse dans l'immigration italienne en lorraine sidérurgique", *Archives de Sociologie des Réligions*, 13, 1962, p. 63-66.

11. R. Duocastella, "Géographie de la pratique réligieuse en Espagne", *Social Compass*, XII, 1965, p. 256; A. Leoni, *Sociologia e geografia religiosa di una Diocesi: saggio sulla pratica religiosa nella Diocesi di Mantova* (Roma, 1952), p. 117.

12. Halévy, op cit., V, p. 171.

13. Massimo Salvadori, *Karl Kautsky and the Socialist Revolution* (Londres, 1979), p. 23-24.

14. Sobre esse episódio veja *Marx-Engels Archiv*, org. D. Rjazanov (reed. Erlangen, 1971). II, p. 140.

15. As discussões mais completas sobre a expansão do marxismo não existem em versão inglesa. Cf. E. J. Hobsbawm "La diffusione del Marxismo, 1890-1905", in *Studi Storici* XV, 1974, p. 241-269; *Storia del marxismo*, II: *Il marxismo nell'età della Seconda Internazionale*, Turim, 1979, p. 6-110, artigos de F. Andreucci e E. J. Hobsbawm.

16. Sem falar na irmã do líder socialista Otto Bauer que, sob outro nome, é figura de destaque das anotações psicanalíticas de Freud. Veja Ernst Glaser, *Im Umfeld des Austromarxismus*, Viena, 1981, *passim*.

17. E. v. Böhm-Bawerk, *Zum Abschluss des Marxschen Systems* (Berlim, 1896), foi, por muito tempo, o mais vigoroso crítico ortodoxo de Marx. Böhm-Bawerk foi chefe de gabinete da Áustria por três vezes nesse período.

18. Walter Bagehot, *Physic and Politics*, originalmente publicado em 1872. A ed. de 1887 foi feita por Kegan Paul.

19. Otto Hintze, Über individualistische und kollektivistiche Geschichtsauffassung", in *Historische Zeitsehrift*, 78, (1897), p. 62.

20. Veja, em particular, a longa polêmica de G. v. Below, "Die neue historische Methode", *in Historische Zeitschrif*, 81, 1898, p. 193-273.

21. Schorske, op. cit., p. 203.

22. William McDougall (1871-1938), *An Introduction to Social Psychology* (Londres, 1908).

23. William James, *Varieties of Religious Belief* (Nova York, ed. 1963), p. 388.

24. E. Gothein, "Gesellschaft und Gesellschaftswissenschaft", in *Handwörterbuch der Staatswissenschaften* (Iena, 1900), IV, p. 212.

12. Rumo à revolução

1. D. Norman (org.), *Nehru, The First Sixty Years*, I (Nova York, 1965), p. 12.

2. Mary Clabaugh Wright (org.), *China in Revolution: The First Phase 1900 1915* (New Haven, 1968), p. 118.

3. *Collected Works*, IX, p. 434.

4. *Selected Works* (Londres, 1936), IV, p. 297-304.

5. Para comparação entre as duas revoluções iranianas, veja Nikki R. Keddie, "Iranian Revolutions in Comparative Perspective", in *American Historical Review*, 88, 1983, p. 579-598.

A ERA DOS IMPÉRIOS

6. John Lust, "Les Sociétés Secretes, les mouvements populaires et la Revolution de 1911", in J. Chesneaux et al. (orgs.), *Mouvements populaires et sociétés secrétes en Chine aux XIXᵉ et XXᵉ siècles* (Paris, 1970), p. 370.
7. Edwin Lieuwen, *Arms and Politics in Latin America* (Londres e Nova York, ed. 1961), p. 21.
8. Sobre a transição, veja o cap. 3 de M. R. Roy's *Memoirs* (Bombaim, Nova Délhi, Calcutá, Madras, Londres e Nova York, 1964).
9. Friedrich Katz, *The Secret War in Mexico: Europe, The United States and the Mexican Revolution* (Chicago e Londres, 1981), p. 22.
10. Hugh Seton-Watson, *The Russian Empire 1801-1917* (Oxford, 1967), p. 507.
11. P. I. Lyashchenko, *History of the Russian National Economy* (Nova York, 1949), p. 453, 468 e 520.
12. Ibidem, p. 528-529.
13. Michael Futrell, *Northern Underground: Episodes of Russian Revolutionary Transport and Communication through Scandinavia and Finland* (Londres, 1963), passim.
14. M. S. Anderson, *The Ascendancy of Europe 1815-1914* (Londres, 1972), p. 266.
15. T. Shanin, *The Awkward Class* (Oxford, 1972), p. 38 n.
16. Retomo os argumentos de L. Haimson, em seus artigos pioneiros "Problem of Social Stability in Urban Russia 1905-17", in *Slavie Review*, 23, 1964, p. 619-642 e 24, 1965, p. 1-22.

13. Da paz à guerra

1. Fürst von Bülow, *Denkwürdigkeiten*, I (Berlin) 1930, p. 415-416.
2. Carta de Bernard Shaw a Clement Scott, 1902, in G. Bernard Shaw, *Collected Letters 1898-1910* (Londres, 1972), p. 260.
3. Marinetti, op. cit., p. 42.
4. *Leviatã*, parte I, cap. 13.
5. *Wille zur Macht*, loc. cit., p. 92.
6. Georges Hallpt, *Socialism and the Great War: The Collapse of the Second International*, Oxford, 1972, p. 220 e 258.
7. Gaston Bodart, *Losses of Life in Modern Wars* (Carnegie Endowment for International Peace, Oxford, 1916), p. 153 e ss.
8. H. Stanley Jevons, *The British Coal Trade*, Londres, 1915, p. 367-368 e 374.
9. W. Ashworth, "Economic Aspects of Late Victorian Naval Administration", in *Economic History Review*, XXII, 1969, p. 491.
10. Carta de Engels a Danielson, de 22.09.1892, in Marx-Engels, *Werke*, XXXVIII (Berlin, 1968), p. 467.
11. Clive Trebilcock, "'Spin-off' in British Economic History: Armaments and Industry, 1760-1914", in *Economic History Review*, XXII, 1969, p. 480.
12. Romein, op. cit., p. 124.
13. Almirante Raeder, *Struggle for the Sea* (Londres, 1959), p. 135 e 260.

NOTAS

14. David Landes, *The Unbound Prometheus* (Cambridge, 1969), p. 240-241.
15. D. C. Watt, *A History of the World in the Twentieth Century* (Londres, 1967), I, p. 220.
16. L. A. G. Lennox (org.), *The Diary of Lord Bertie of Thame 1914-1918* (Londres, 1924), p. 352 e 355.
17. Chris Cook e John Paxon, *European Political Facts 1848-1918* (Londres, 1978), p. 188.
18. Norman Stone, *Europe Transformed 1878-1918* (Londres, 1983), p. 331.
19. A. Offner, "The Working Classes, British Naval Plans and the Coming of the Great War", in *Past & Present*, 107, maio 1985, p. 204-226, discute extensamente o assunto.
20. Haupt, op. cit., p. 175.
21. Marc Ferro, *La Grande Guerre 1914-1918* (Paris, 1969), p. 23.
22. W. Emmerich (org.), *Proletarische-Lebensläufe* (Reinbek 1975), II, p. 104.
23. Haupt, op. cit., p. 253 n.
24. *Wille zur Macht*, p. 92.
25. Rupert Brooke, "Paz", in *Collected Poems of Rupert Brooke* (Londres, 1915).
26. *Wille zur Macht*, p. 94.

Epílogo

1. Bertolt Brecht, "An die Nachgeborenen", in *Hundert Gedichte 1918-1950* (Berlim Oriental, 1955), p. 314.
2. Arbert O. Hirchman, *The Political Economy of Latin American Development: Seven Exercises in Retrospection* (Centro de Estudos EUA-México, Universidade da Califórnia, San Diego, dez. 1986), p. 4.

BIBLIOGRAFIA COMPLEMENTAR

"Viver com centavos lhe fornecerá todos os fatos", escreveu o poeta W. H. Auden sobre o tema de suas reflexões. Hoje é mais difícil, mas todos os que quiserem descobrir ou relembrar os principais acontecimentos da história do século XIX devem ler este livro junto com um dos diversos textos didáticos escolares ou universitários básicos, como o de Gordon Craig, *Europe 1815-1914*, 1971, e também pode ser útil consultar trabalhos de referência como o de Neville Williams, *Chronology of the Modern World*, 1969, que traz a relação dos principais acontecimentos em várias áreas para cada ano, desde 1763. Dentre os livros didáticos que abordam o período enfocado neste livro, merecem recomendação os primeiros capítulos de James Joll, *Europe Since 1870*, várias edições, e Norman Stone, *Europe Transformed 1878-1918*, 1983. D. C. Watt, *History of the World in the Twentieth Century*, vol. I: 1890-1918, 1967, tem como ponto forte as relações internacionais. Os trabalhos do autor deste livro — *A era das revoluções 1789-1848* e *A era do capital 1848-1875* — constituem a base do presente volume, que dá prosseguimento ao estudo do século XIX iniciado nos anteriores.

Existem atualmente numerosos quadros mais ou menos impressionistas, ou antes pontilhistas, da Europa e do mundo, nas últimas décadas que antecederam 1914, dos quais o de Barbara Tuchman, *The Proud Tower*, 1966, é o mais difundido. Edward R. Tannenbaum, *1900. The Generation before the Great War*, 1976, é menos conhecido. O que eu prefiro, em parte por ter recorrido maciçamente à sua erudição enciclopédica, em parte porque partilho uma tradição intelectual e uma ambição

A ERA DOS IMPÉRIOS

histórica com o autor, é o último livro de Jan Romein, *The Watershed of Two Eras: Europe in 1900*, 1976.

Há uma série de trabalhos coletivos ou enciclopédicos, ou compêndios de referência, que abarcam temas do período que enfocamos e muitos outros. O importante volume (XII) da *Cambridge Modern History* não deve ser recomendado, mas os da *Cambridge Economic History of Europe* (vols. VI e VII) contêm estudos excelentes. A *Cambridge History of the British Empire* representa um estilo de história obsoleto e inútil, mas as histórias da África, da China e especialmente da América Latina merecem sua inclusão na historiografia do final do século XX. Dentre os atlas históricos, destaca-se o *Times Atlas of World History*, 1978, compilado sob a direção de um historiador original e criativo, G. Barraclough, e o *Atlas of Modern History*, ed. Penguin, é muito útil. O *Chambers Biographical Dictionary* contém dados breves sobre um número surpreendente de pessoas de todos os tempos, até o presente, em um único volume. O *Dictionary of Statistics* (ed. 1898, reimpr. 1969), de Michael Mulhall, continua indispensável para o século XIX. O compêndio moderno essencial, basicamente econômico, é o de B. Mitchell, *European Historical Statistics*, 1980. Peter Flora (ed.), *State, Economy and Society in Western Europe 1815-1975*, 1983, contém muita informação sobre política institucional e administrativa, educação e outros temas. O trabalho de Jan Romein, *The Watershed of Two Eras*, não foi concebido como uma obra de referência, mas pode ser consultado como tal, especialmente em questões de cultura e ideias.

Sobre um tema de particular importância para o período, a melhor fonte ainda é I. Ferenczi e W. F. Wilcox (orgs.), *International Migration*, 2 vols., 1929-1931. Com relação a um tópico de interesse permanente, G. McEvedy e R. Jones, *An Atlas of World Population History*, 1978, é oportuno. Algumas obras de referência sobre temas mais especializados são mencionadas sob título à parte. Quem quiser saber como o século XIX via a si mesmo às vésperas da Primeira Guerra Mundial deve consultar a

BIBLIOGRAFIA COMPLEMENTAR

11ª edição da *Encyclopaedia Britannica*, em sua última edição britânica, de 1911, que, devido à sua excelência, ainda pode ser encontrada em algumas boas bibliotecas de referência de qualidade.

HISTÓRIA ECONÔMICA

Para breves introduções à história econômica do período, podemos citar: W. Woodruff, *Impact of Western Man: A Study of Europe's Role in the World Economy 1750-1960*, 1966, e W. Ashworth, *A Short History of the International Economy Since 1850*, várias edições. *A Cambridge Economic History of Europe*, vols. VI e VII, e C. Cipolla (org.) *The Fontana Economic History of Europe*, vols. IV e V, partes 1 e 2, 1973-1975, são empreendimentos coletivos cuja qualidade vai de boa a notável. O trabalho de Paul Bairoch, *The Economic Development of the Third World Since 1900*, 1975, supera essa classificação. Dentre os muitos trabalhos úteis desse autor, poucos dos quais, infelizmente, traduzidos, o P. Bairoch e M. Levy-Leboyer (orgs.), *Disparities in Economic Development Since the Industrial Revolution*, 1981, contém material relevante. A. Milward e S. B. Saul, *The Economic Development of Continental Europe 1780-1870*, 1973, e *The Development of the Economies of Continental Europe 1850-1914*, 1979, são muito mais que apenas livros didáticos universitários. Sobre o período que abordamos, citemos S. Pollard e C. Holmes (orgs.), *Documents of European Economical History*, vol. II: Industrial Power and National Rivalry 1870-1914, 1972. D. S. Landes, *The Unbound Prometheus*, várias edições, é, de longe, a melhor e mais instigante abordagem das questões tecnológicas. Sidney Pollard, *Peaceful Conquest*, 1981, integra a história da industrialização britânica à continental.

Sobre questões econômicas importantes do período, veja as discussões sobre o tema B9 ("Da empresa familiar à administração profissional")

A ERA DOS IMPÉRIOS

do Oitavo Congresso Internacional de História Econômica (Budapeste, 1982). São pertinentes: Alfred D. Chandler, *The Visible Hand: The Management Revolution in American Business,* 1977, e Leslie Hannah, *The Rise of the Corporate Economy,* 1976. Os trabalhos a seguir discutem outros tópicos importantes para a economia da época: A. Maizels, *Industrial Growth and World Trade,* W. Arthur Lewis, *Growth and Fluctuations 1870-1913,* 1978, Herbert Feis, *Europe, the World's Banker,* reimpressão de original de 1930, e M. de Cecco, *Money and Empire: The International Gold Standard 1890-1914,* 1914.

SOCIEDADE

Os camponeses eram maioria no mundo, e T. Shanin (org.), *Peasants and Peasants Societies,* 1971, é uma excelente introdução ao seu mundo; do mesmo autor, *The Awkward Class,* 1972, aborda o campesinato russo; Eugene Weber, *Peasants into Frenchmen,* 1976, esclarece muitos pontos relativos aos franceses; o texto de Max Weber "Capitalism and Rural Society in Germany", *in* H. Gerth e C. Wright Mills, *From Max Weber,* numerosas edições, p. 363-385, é mais amplo do que seu título sugere. A antiga pequena burguesia é discutida em G. Crossick e H. G. Haupt (org.), *Shopkeepers and Master Artisans in 19th Century Europe,* 1984. Hoje em dia há uma vasta literatura sobre a classe operária, mas os trabalhos quase sempre se restringem a um país, uma categoria ou setor de atividade. Abordando uma área mais ampla, ao menos em parte, temos: Peter Steams, *Lives of Labor,* 1971, Dick Geary, *European Labor Protest 1848-1939,* 1981, Charles, Louise e Richard Tilly, *The Rebellious Century 1830-1930,* 1975, e E. J. Hobsbawm, *Trabalhadores,* 1964 e outras edições, e *Mundos do trabalho,* 1984. São ainda menos numerosos os estudos que abordam os trabalhadores no contexto de suas relações com outras classes. David Crew, *Town in the Ruhr: A Social History of Bochum*

BIBLIOGRAFIA COMPLEMENTAR

1860-1914, 1979, é um deles. O estudo clássico sobre a transformação dos camponeses em operários é F. Znaniecki e W. I. Thomas, *The Polish Peasant in Europe and America*, 1984, 1ª ed. em 1918.

Os estudos comparativos sobre a classe média ou a burguesia são ainda menos frequentes, embora os estudos ou histórias nacionais sobre o tema hoje sejam, felizmente, mais comuns. O livro de Theodore Zeldin, *France 1848-1945*, 2 vols., 1973, contém muito material sobre esse e outros aspectos da sociedade, mas nenhuma análise. Os primeiros capítulos de R. Skidelsky, *John Maynard Keynes*, vol. I — 1880-1920, 1983, constitui um estudo de caso de mobilidade social, por meio de uma combinação de acumulação e diplomas; e vários estudos de William Rubinstein, sobretudo em *Past and Present*, esclarecem de maneira mais genérica a burguesia britânica. A mobilidade social em geral é discutida com autoridade por Hartmut Kaelble, em *Social Mobility in the 19th and 20th Centuries: Europe and America in Comparative Perspective*, 1985. O trabalho de Arno Mayer, *The Persistence of the Old Regime*, 1982, é, em boa medida, comparativo, e contém material de valor; baseia-se numa tese controvertida, notadamente sobre as relações entre as classes média e alta. Como sempre, os romances e peças do século XIX nos dão a melhor imagem dos mundos da aristocracia e da burguesia. A cultura e a política como instrução de um estrato burguês são belamente usados na obra de Carl E. Schorske, *Fin-de-siècle Vienna*, 1980.

O grande movimento pela emancipação da mulher gerou uma boa quantidade de literatura histórica de qualidade variável, mas não há um único livro satisfatório sobre o período. Embora sua preocupação básica e histórica não seja o mundo desenvolvido, o livro de Ester Boserup, *Women's Role in Economic Development*, 1970, é importante. A obra de Louise Tilly e Joan W. Scott, *Women, Work and Family*, 1978, é fundamental; veja também a seção "Sexual division of labor and industrial capitalism" na excelente revista de estudos sobre a mulher *Signs*, 1981. Há um capítulo sobre a mulher em T. Zeldin, *France 1848-1945*. Poucas

A ERA DOS IMPÉRIOS

histórias nacionais contêm uma abordagem da problemática da mulher. Sobre o feminismo há uma vasta bibliografia. Richard J. Evans (que escreveu um livro sobre o movimento na Alemanha) aborda o tema do ponto de vista comparativo em *The Feminists: Women's Emancipation Movements in Europe, America and Australia 1840-1920*, 1977. Contudo, muitos dos aspectos não políticos em que a situação da mulher mudou, normalmente para melhor, e suas relações com outros movimentos além da esquerda da época, não foram pesquisados sistematicamente. Sobre as principais mudanças demográficas, veja D. V. Glass e E. Grebenik. "World Population, 1800-1950", em *Cambridge Economic History of Europe*, vol. IV, 1965, e C. Cipolla, *The Economic History of World Population*, 1962. Um trabalho profundo de J. Hajnal sobre as diferenças históricas entre o modelo de casamento da Europa ocidental e outros figura em D. V. Glass e D. E. C. Eversley (orgs.), *Population in History*, 1965.

Os livros de Anthony Sutcliffe, *Towards the Planned City 1780-1914*, 1981, e de Peter Hall, *The World Cities*, 1966, constituem introduções modernas à urbanização do século XIX; o de Adna F. Weber, *The Growth of Cities in the Nineteenth Century*, 1897 e reimpressões recentes, é um estudo da época que conserva sua importância.

Sobre a religião e as igrejas, o trabalho de Hugh McLeod, *Religion and the People of Western Europe*, 1974, é breve e lúcido. O de autoria de D. E. Smith, *Religion and Political Development*, 1970, volta-se mais para o mundo não europeu, em relação ao qual o trabalho de W.C. Smith, *Islam in Modern History*, 1957, embora antigo, continua sendo importante.

IMPÉRIO

O texto básico da época sobre o imperialismo é J. A. Hobson, *Imperialism*, 1902, com muitas edições subsequentes. Quanto ao debate sobre o tema, veja Wolfgang Mommsen, *Theories of Imperialism*, 1980, e R. Owen e

BIBLIOGRAFIA COMPLEMENTAR

B. Sutcliffe (orgs.), *Studies in the Theory of Imperialism*, 1972. A conquista de colônias é esclarecida no livro de Daniel Headrick, *Tools of Empire: Technology and European Imperialism in the Nineteenth Century*, 1981, e no maravilhoso trabalho de V. G. Kiernan, *The Lords of Human Kind*, 1972, de longe o melhor estudo das "European attitudes to the outside world in the imperial age", seu subtítulo ("Atitudes europeias em relação ao mundo exterior na era imperial"). Sobre a economia do imperialismo, veja P. J. Cain, *Economic Foundations of British Ovetseas Expansion 1815-1914*, 1980, A. G. Hopkins, *An Economic History of West Africa*, 1973, e o trabalho antigo, porém valioso, de Herbert Feis, já mencionado, bem como J. F. Rippy, *British Investments in Latin America 1822-1949*, 1959, e — do lado americano — o estudo de Charles M. Wilson sobre a United Fruit, *Empire in Green and Gold*, 1947.

Sobre a visão dos que formularam as políticas, veja J. Gallagher e R. F. Robinson, *Africa and the Victorians*, 1958, e D. C. M. Platt, *Finance, Trade and Politics in British Foreign Policy 1815-1914*, 1968. Em relação às implicações e raízes nacionais do imperialismo, consulte Bernard Semmel, *Imperialism and Social Reform*, 1960, e, para os que não leem alemão, H. U. Wehler, "Bismarck's Imperialism 1862-1890", *in Past and Present*, n. 48, 1970. Sobre alguns efeitos do império nos países-alvo, veja Donald Denoon, *Settler Capitalism*, 1983, Charles Van Onselen, *Studies in the Social and Economic History of the Witwatersrand 1886-1914*, 2 vols., 1982 e — um ponto deixado em segundo plano — Edward Bristow, *The Jewish Fight Against White Slavery*, 1982. Thomas Pakenham, *The Boers War*, 1979, constitui uma imagem nítida da maior das guerras imperiais.

POLÍTICA

Os problemas históricos decorrentes da política popular só podem ser estudados país por país. Contudo, um pequeno número de trabalhos com uma abordagem geral pode ser útil. Algumas pesquisas contemporâneas

A ERA DOS IMPÉRIOS

foram indicadas nas notas do capítulo 4. Dentre estas, a de Robert Michel, *Political Parties*, várias edições, ainda é interessante, porque se baseia numa abordagem rigorosa do tema. O trabalho de Eugene e Pauline Anderson, *Political Institutions and Social Change in Continental Europe in the Nineteenth Century*, 1967, é útil no que se refere ao crescimento do aparelho do Estado; Andrew McLaren, *A Short History of Electoral Systems in Western Europe*, 1980, é exatamente o que diz ser; Peter Kohler, F. Zacher e Martin Partington (orgs.), *The Evolution of Social Insurance 1881-1981*, 1982, infelizmente só abarca a Alemanha, a França, a Grã-Bretanha, a Áustria e a Suíça. Em termos de dados coletados para referência sobre temas relevantes, o trabalho mais completo é, de longe, o de Peter Flora, *State, Economy and Society in Western Europe*, anteriormente citado. E. J. Hobsbawm e T. Ranger (orgs.), *A invenção das tradições*, 1983, trata das reações não institucionais à democratização da política, especialmente os ensaios de D. Cannadine e E. J. Hobsbawm. Hans Roger e Eugen Webet (orgs.). *The European Right: A Historical Profile*, 1965, é um guia para a parte do leque político não discutida no texto, exceto, incidentalmente, a vinculada ao nacionalismo.

Sobre a emergência dos movimentos trabalhistas e socialistas, a obra padrão de referência é G. D. H. Cole, *A History of Socialist Thought*, III, partes 1 e 2, "The Second International", 1956. A de James Joll, *The Second International 1889-1914*, 1974, é mais breve; W. Guttsman, *The German Social-Democratic Party 1875-1933*, 1981, é um estudo da maior importância sobre o "partido de massa" clássico; Georges Haupt, *Aspects of International Socialism 1889-1914*, 1986, e M. Salvadori, *Karl Kautsky and the Socialist Revolution*, 1979, constituem boas introduções às esperanças e ideologias. J. P. Nettl, *Rosa Luxemburg*, 2 vol., 1967, e Isaac Deutscher, *Life of Trotsky*, vol. 1: *The Prophet Armed*, 1954, veem o socialismo com os olhos de participantes eminentes.

Sobre o nacionalismo, os capítulos pertinentes de meus livros *A era das revoluções* e *A era do capital* podem ser consultados. Ernest Gellner,

556

BIBLIOGRAFIA COMPLEMENTAR

Nations and Nationalism, 1983, é uma análise recente do fenômeno, e Hugh Seton-Watson, *Nations and States*, 1977, é enciclopédico. M. Hroch, *Social Preconditions of National Revival in Europe*, 1985, é fundamental. Sobre a relação entre nacionalismo e movimentos trabalhistas, veja meu ensaio "What Is the Worker's Country?", *in Mundos do trabalho*, 1984. Embora aparentemente interessem apenas aos especialistas, os estudos sobre o País de Gales em D. Smith e H. Francis, *A People and a Proletariat*, 1980, são de suma importância.

HISTÓRIA CULTURAL E INTELECTUAL

H. Stuart Hughes, *Consciousness and Society*, numerosas edições, é a mais conhecida introdução às transformações de ideias nesse período; George Lichtheim, *Europe in the Twentieth Century*, 1972, embora publicado como um livro sobre história geral, aborda essencialmente as questões intelectuais. Como todos os trabalhos desse autor, é uma obra densa porém imensamente compensadora. Jan Romein, *The Watershed of Two Eras* (já citado), fornece uma quantidade infindável de material. Quanto às ciências, C. C. Gillispie, *On the Edge of Objectivity*, 1960, que abrange um período muito mais extenso, é uma introdução sofisticada. O campo é vasto demais para um estudo breve — C. C. Gillispie (org.), *Dictionary of Scientific Biography*, 16 vols., 1970-1980, e Philip P. Wiener (org.), *Dictionary of the History of Ideas*, 4 vols., 1973-1974, são excelentes obras de referência; W. F. Bynum, E. J. Browne e Roy Porter (orgs.), *Dictionary of the History of Science*, 1981, e o *Fontana Dictionary of Modern Thought*, 1977, são bons e sucintos. Sobre a física, área crucial, Roinald W. Clark, *Einstein, the Life and Times*, 1971, pode ser completado por R. McCormmach (org.), *Historical Studies in the Physical Sciences*, vol. II, 1970, quanto à assimilação da relatividade. O romance do mesmo autor *Night Thoughts of a Classical Physicist*, 1982,

A ERA DOS IMPÉRIOS

é uma boa evocação do cientista convencional médio e, incidentalmente, dos acadêmicos alemáes. C. Webster (org.), *Biology, Medicine and Society 1840-1940*, 1981, pode iniciar o leitor no mundo da genética, da eugenia, da medicina e das dimensões sociais da biologia.

As obras de referência sobre artes, muito numerosas, não costumam demonstrar muita percepção histórica: a *Encyclopedia of World Art* é muito útil para as artes visuais; no *New Grave Dictionary of Music*, 16 vols., 1980, nota-se que foi escrito por especialistas para outros especialistas. Os estudos gerais da Europa referentes ao período em torno de 1900 costumam conter muito material sobre as artes do período (por exemplo, Romein). As histórias gerais das artes colocam-se como uma questão de gosto, quando não são meras crônicas. Arnold Hauser, *The Social History of Art*, 1958, é uma versão marxista totalmente rígida. W. Hofmann, *Turning-Points in Twentieth Century 1890-1917*, 1969, é interessante, mas também discutível. O vínculo entre William Morris e o modernismo é destacado por N. Pevsner, *Pioneers of the Modern Movement*, 1936. Mark Girouard, *The Victorian Country House*, 1971, e *Sweetness and Light (The Queen Anne Movement 1860-1900)*, 1977, tem como ponto forte a vinculação entre arquitetura e estilos de vida de classe. Roger Shattuck, *The Banquet Years: The Origins of the Avantgarde in France 1885 to World War One*, ed. revista 1967, é instrutivo e divertido. Camilla Gray, *The Russian Experiment in Art 1863-1922*, 1971, é excelente. Sobre o teatro e, na verdade, sobre a vanguarda de um dos mais importantes centros europeus, P. Jelavich, *Munich and Theatrical Modernism*, 1985. Roy Pascal, *From Naturalism to Expressionism: German Literature and Society 1880-1918*, 1973, deve ser recomendado.

Entre os livros que procuram integrar as artes à sociedade contemporânea e a outros segmentos intelectuais, Romein e Tannenbaum, como sempre, devem ser consultados. Stephen Kern, *The Culture of Time and Space 1880-1918*, 1983, é ousado e instigante. O leitor deve julgar se é também convincente.

BIBLIOGRAFIA COMPLEMENTAR

Sobre as principais tendências nas ciências humanas e sociais, J. A. Schumpeter, *History of Economic Analysis*, várias edições desde 1954, é enciclopédico e pesado: apenas como referência. Uma leitura atenta de G. Lichtheim, *Marxism*, 1961, é compensadora. Os sociólogos, sempre com tendência a refletir sobre o que é a sua disciplina, também pesquisaram sua história. Os artigos no verbete "Sociology" da *International Encyclopedia of the Social Sciences*, 1968, vol. XV, dão uma orientação. Não é fácil fazer um levantamento da história da historiografia em nosso período, a não ser o de Georges Iggers, *New Directions in European Historiography*, 1975. Entretanto, o verbete "History" da *Encyclopedia of the Social Sciences*, org. por E. R. A. Seligman, 1932 — que em muitos pontos não foi superada pela *International Encyclopedia* de 1968 — dá uma boa ideia de seus debates. É de autoria de Henri Bern e Lucien Febvre.

HISTÓRIAS NACIONAIS

A bibliografia restrita à língua inglesa é adequada para países que usam essa língua, e (em boa medida graças ao vigor dos estudos sobre o leste da Ásia nos EUA) não é inadequada para o Extremo Oriente, mas omite, evidentemente, a maior parte dos melhores e mais abalizados trabalhos sobre a maioria dos países europeus.

Um bom texto sobre a Grã-Bretanha é R. T. Shannon, *The Crisis of Imperialism 1865-1915*, 1974, sendo seus pontos fortes os temas culturais e intelectuais, mas George Dangerfield, *The Strange Death of Liberal England*, 1ª ed. 1935, com seus cinquenta anos de idade e seus erros na maioria dos detalhes, ainda é a maneira mais instigante de começar a observar a história da nação nesse período. A obra de Elie Halévy, *A History of the English People in the Nineteenth Century, 1895-1915*, vols. IV e V, é ainda mais velha, mas é o produto de um contemporâneo notavelmente

A ERA DOS IMPÉRIOS

inteligente, erudito e observador. Para leitores que desconhecem totalmente a história britânica, o ideal é R. K. Webb, *Modern Britain from the Eighteenth Century to the Present*, 1969.

Felizmente, alguns excelentes manuais franceses foram traduzidos. J. M. Mayeur e M. Reberioux, *The Republic from its Origins to the Great War 1871-1914*, 1984, é a melhor história sucinta que há; Georges Dupeaux, *French Society 1789-1970*, 1976, também deve ser recomendado. T. Zeldin, *France 1848-1945*, 1973, é enciclopédico (salvo quanto aos temas econômicos) e arguto; Sanford Elwitt, *The Third Republic Defended: Bourgeois Reform in France 1880-1914*, 1986, analisa a ideologia dos governantes da república; o notável trabalho de Eugene Weber, *Peasants into Frenchmen*, analisa uma das maiores realizações da república.

As obras alemãs foram menos traduzidas, embora felizmente disponhamos de H. U. Wehler, *The German Empire 1871-1918*, 1984; pode ser utilmente completado por um livro antigo de autoria de um marxista muito competente de Weimar, Arthur Rosenberg, *The Birth of the German Republic*, 1931. Gordon Craig, *German History 1867-1945*, 1981, é abrangente. Volker Berghahn, *Modern Germany, Society, Economics and Politics in the Twentieth Century*, 1986, oferece um panorama mais geral. Para ajudar a entender a política alemã: J. J. Sheehan, *German Liberalism in the Nineteenth Century*, 1974; Carl Schorske, *German Social Democracy 1905-1917*, 1955 — é antigo, porém perspicaz —, e Geoffrey Eley, *Reshaping the German Right*, 1980 —, polêmico.

Para a Áustria-Hungria, C. A. Macartney, *The Habsburg Empire*, 1968, é o relato geral que melhor convém: R. A. Kann, *The Multinational Empire: Nationalism and National Reform in the Habsburg Monarchy 1848-1918*, 2 vols., 1970, é exaustivo e, às vezes, extenuante. Para os que puderem consegui-lo, o livro de H. Wickham Steed, *The Habsburg Monarchy*, 1913, é o que um jornalista talentoso e bem informado teria visto à época: Steed era correspondente do *Times*. *Fin-de-siècle*, de Carl Schorske, aborda tanto a política como a cultura. Vários textos de Ivan

BIBLIOGRAFIA COMPLEMENTAR

Berend e George Ranki, dois excelentes historiadores húngaros da economia, relatam e analisam a Hungria em particular e a Europa centro-oriental em geral, com bons resultados.

Não há uma boa bibliografia sobre a Itália no período que nos interessa, para os que não leem italiano. Há algumas histórias gerais, como a de Denis Mack-Smith, *Italy: A Modern History*, 1969, autor cujos trabalhos mais importantes abordam períodos anteriores e posteriores. O livro de Christopher Seton Watson, *Italy from Liberalism to Fascism 1871-1925*, 1967, é menos vivo que o velho, porém relevante, do grande filósofo Benedetto Croce, *History of Italy 1871-1915*, 1929, que omite, contudo, a maioria das coisas que não interessam a um pensador idealista e muitas das que interessam a um historiador moderno. Sobre a Espanha, no entanto, os leitores ingleses dispõem de duas obras gerais de destaque: a densa, porém imensamente compensadora, de Raymond Carr, *Spain 1808-1939*, 1966, e a maravilhosa, ainda que "não científica", de Gerald Brenan, *The Spanish Labyrinth*, 1950. A história dos povos e Estados dos Bálcãs é tratada em vários trabalhos de J. e/ou B. Jelavich, por exemplo: Barbara Jelavich, *History of the Balkans*, vol. II sobre o século XX (publicado em 1983); mas não posso me impedir de chamar a atenção para o de Daniel Chirot, *Social Change in a Peripheral Society; The Creation of a Balkan Colony*, 1976, que analisa o destino trágico do povo romeno, e o de Milovan Djilas, *Land Without Justice*, 1958, que recria o mundo dos bravos montenegrinos. O trabalho de Stanford J. Shaw e E. K. Shaw, *History of the Ottoman Empire and Modern Turkey*, vol. II: 1808-1975, 1977, é abalizado, mas não propriamente empolgante.

Seria enganoso sugerir que as histórias gerais de outros países europeus publicadas em inglês são realmente satisfatórias, embora a situação seja bem diferente em relação a monografias (por exemplo, na *Scandinavian Economic History Review* ou outros periódicos).

As *Cambridge Histories* da África, América Latina e China — todas publicadas para o período que nos interessa — dão uma boa orientação

A ERA DOS IMPÉRIOS

sobre os respectivos continentes ou regiões; o livro de John K. Fairbank, Edwin O. Reischauer e Albert M. Craig, *East Asia: Tradition and Transformation*, 1978, aborda todos os países do Extremo Oriente e, incidentalmente, fornece (caps. 17-18, 22-23) uma introdução útil à história moderna do Japão, sobre o qual pode-se consultar, num enfoque mais geral, J. Whitney Hall, *Japan: From Prehistory to Modern Times* (ed. de 1986), John Livingston et al., *The Japan Reader*, vol. I: 1800-1945, 1974, e Janet E. Hunter, *A Concise Dictionary of Modern Japanese History*, 1984. Os que não são especialistas em estudos orientais e estão interessados na vida e na cultura japonesas podem apreciar o livro de Edward Seidensticker, *Low City, High City: Tokyo from Edo to Earthquake... 1867-1923*, 1985. A melhor introdução à Índia moderna é de autoria de Judith M. Brown, *Modern India*, 1985, que contém uma boa bibliografia.

Alguns trabalhos sobre a China, o Irã, o Império Otomano, a Rússia e outras regiões em ebulição são indicados sob o título "Revoluções".

Por algum motivo há escassez de boas introduções à história dos EUA no século XX, embora não haja escassez de manuais universitários de todo tipo, ou de reflexões sobre a natureza do americano, e há uma montanha de monografias. A versão atualizada de um livro antigo e confiável, S. E. Morison, H. S. Commager e W. E. Leuchtenberg, *The Growth of the American Republic*, 6ª ed., 1969, ainda é melhor que a maioria. Contudo, o de George Kennan, *American Diplomacy 1900-1950*, 1951, ed. ampliada em 1984, deve ser recomendado.

REVOLUÇÕES

Sobre perspectivas comparadas das revoluções do século XX, veja Barrington Moore, *The Social Origins of Dictatorship and Democracy*, 1965; é um clássico e inspirou Theda Scocpol, *States and Revolutions*, 1978.

BIBLIOGRAFIA COMPLEMENTAR

Eric Wolf, *Peasant Wars of the Twentieth Century*, 1972, é importante; E. J. Hobsbawm, "Revolution", *in* Roy Porter e M. Teich (orgs.), *Revolution in History*, 1986, é um breve estudo comparativo dos problemas. A historiografia da Rússia czarista, sua derrocada e revolução, é vasta demais mesmo para uma lista breve e superficial. É mais fácil citar que ler o livro de Hugh Seton-Watson, *The Russian Empire 1801-1917*, 1967; e o de Hans Rogger, *Russia in the Age of Modernisation 1880-1917*, 1983, fornece dados. T. G. Stavrou (org.), *Russia under the Last Tsar*, 1969, contém ensaios de diversos autores sobre vários tópicos. P. Lyashchenko, *History of the Russian National Economy*, 1949, deve ser completado com as partes pertinentes da *Cambridge Economic History of Europe*. Sobre o campesinato russo, Geroid T. Robinson, *Rural Russia under the Old Regime*, 1932 e frequentes reimpressões desde então, é a melhor maneira de começar, embora não seja atualizado. O trabalho extraordinário e nada fácil de Teodor Shanin, *Russia as a Developing Society*, vol. I: *Russia's Turn of Century*, 1985, e vol. II: *Russia 1905-1907: Revolution as a Moment of Truth*, 1986, tenta ver a revolução do ponto de vista de sua influência na história russa subsequente e à luz desta. A obra de L. Trotski, *History of the Russian Revolution*, várias edições, oferece uma visão comunista de um participante, cheia de inteligência e verve. A edição inglesa do trabalho de Marc Ferro, *The Russian Revolution of February 1917*, contém uma bibliografia oportuna.

A bibliografia em língua inglesa sobre a outra grande revolução, a chinesa, também está aumentando, embora sua esmagadora maioria aborde o período a partir de 1911. O livro de J. K. Fairbank, *The United States and China*, 1979, é realmente uma breve história moderna da China. Do mesmo autor, *The Great Chinese Revolution 1800-1985*, 1986, é ainda melhor. O trabalho de Franz Schurmann e Orville Schell (org.), *China Readings, I: Imperial China*, 1967, proporciona os antecedentes; o de F. Wakeman, *The Fall of Imperial China*, 1975, cumpre o que seu título

A ERA DOS IMPÉRIOS

promete. V. Purcell, *The Boxer Rising*, 1963, é o relato mais completo desse episódio. Mary Clabaugh Wright (org.), *China in Revolution: The First Phase 1900-1915*, 1968, pode ser uma introdução dos leitores a estudos mais monográficos.

Sobre as transformações de outros impérios orientais antigos, a obra de Nikki R. Keddie, *Roots of Revolution: An Interpretive History of Modern Iran*, 1981, é abalizada. Sobre o Império Otomano, Bernard Lewis, *The Emergence of Modern Turkey*, 1961, ed. revista em 1969, e D. Kushner, *The Rise of Turkish Nationalism 1876-1908*, 1977, podem ser completados com N. Berkes, *The Development of Secularism in Turkey*, 1964, e Roger Owen, *The Middle East in the World Economy*, 1981.

Em relação à única real revolução que teve lugar fora do contexto imperialista no período que nos ocupa, a mexicana, dois trabalhos podem servir de introdução: os primeiros capítulos de Friedrich Katz, *The Secret War in Mexico*, 1981 — ou o capítulo do mesmo autor da *Cambridge History of Latin America* —, e John Womack, *Zapata and the Mexican Revolution*, 1969. Ambos os autores são excelentes. Não há uma introdução da mesma qualidade à tão controvertida história da libertação nacional da Índia. O livro de Judith Brown, *Modern India*, 1985, proporciona o melhor começo, e o de A. Maddison, *Class Structure and Economic Growth in India and Pakistan Since the Mughals*, 1971, fornece os antecedentes econômicos e sociais. Para os que querem uma amostra dos trabalhos mais monográficos, há o de C. A. Bayly — brilhante indianista —, *The Local Roots of Indian Politics: Allahabad 1880-1920*, 1975, e o de L. A. Gordon, *Bengal: The Nationalist Movement 1876-1940*, 1974, sobre a região mais radical.

Sobre as regiões islâmicas, fora da Turquia e do Irã, não há muito o que recomendar. P. J. Vatikiotis, *The Modern History of Egypt*, 1969, pode ser consultado, mas o livro do famoso antropólogo E. Evans-Pritchard, *The Sanusi of Cyrenaica*, 1949, é mais divertido. Foi escrito para informar os

BIBLIOGRAFIA COMPLEMENTAR

comandantes britânicos que estavam lutando nesses desertos durante a Segunda Guerra Mundial.

PAZ E GUERRA

Uma boa introdução recente aos problemas relativos à origem da Primeira Guerra Mundial é a de James Joll, *The Origins of the First World War*, 1984. O livro de A. J. P. Taylor, *The Struggle for Mastery in Europe*, 1954, é antigo, porém excelente no que se refere às complicações da diplomacia internacional. Os de Paul Kennedy, *The Rise of the Anglo-German Antagonism 1860-1914*, 1980, Zara Steiner, *Britain and the Origins of the First World War*, 1977, F. R. Bridge, *From Sadowa to Sarajevo: The Foreign Policy and the Approach of War*, 1973, constituem bons exemplos de monografias recentes. O livro de Geoffrey Barradough, *From Agadir to Armageddon: The Anatomy of a Crisis*, 1982, é um trabalho de um dos historiadores mais originais de sua época. Sobre a guerra e a sociedade em geral, William H. McNeil, *The pursuit of Power*, 1982, é instigante; quanto ao período específico abordado neste livro, Brian Bond, *War and Society in Europe 1870-1970*, 1983; sobre a corrida armamentista do pré-guerra, Norman Stone, *The Eeastern Front 1914-1917*, 1978, caps. 1-2. Marc Ferro, *The Great War*, 1973, é um bom resumo do impacto da guerra. Robert Wohl, *The Generation of 1914*, 1979, discute alguns dos que aguardavam ansiosamente a guerra; Georges Haupt, *Aspects of International Socialism 1871-1914*, 1986, discute os que tinham a posição oposta — e, com particular brilho, a posição de Lenin em relação à guerra e à revolução.

Nota: Esta lista bibliográfica complementar partiu do princípio de que os leitores dominam apenas o inglês. Infelizmente, é provável que seja o caso hoje em dia no mundo anglo-saxão. Também parte do princípio de que, se os leitores estiverem suficientemente interessados, consultarão as numerosas publicações acadêmicas especializadas na área de história.

565

ÍNDICE REMISSIVO

Action Française, 251, 408
Açúcar, 71, 108-109, 123
Adams, família, 291
Aden, 114
Adenauer, Konrad, 16
Adler, Alfred, 401, 409n
Adler, Victor, 210, 351, 409n, 462, 495
Administração científica, 77, 79, 333
Adolescentes: burguesia, 273
Adultério, 320
Aeronáutica, 53
África do Sul: ouro, 81, 105, 108, 113, 125, 130, 288
África, norte da, 57, 134, 432
África: colônias na, 45, 99, 101; divisão das colônias, 99, 113-115, 477; cristianismo na, 128; influência na arte social, 345
Agricultura na Europa, 42; e Depressão, 65, 81, 147; declínio na Grã-Bretanha, 70-71, 82-83, 89-90; e o protecionismo, 72; crescimento mundial, 83-84; trabalho, 183; organização do proletariado agrícola, 199
Albânia, 37, 229, 488, 517
Alemanha; agricultura, 42; Estado-nação, 250; consumo, 42, expectativa de vida, 54; desenvolvimento econômico e industrial, 64, 75, 82, 482; tarifas, 67, 70, 77; cooperativismo, 67; cartéis, 77; concentração econômica, 93; Império colonial, 101, 114, 127; sufrágio universal, 141; social-democracia, 151, 154, 168, 188, 208, 215, 408-412; formas de expressão nacional, 171-174, 226, 238; "pequena", 172, 175, 475; sindicalismo, 195; número de judeus, 249; criação,

250; serviço militar, 253; antagonismo de classes, 24; corpo de oficiais da reserva, 275; estudantes universitários, 276-280; habitantes das cidades, 283; burguesia liberal na, 294-296; indústrias domésticas, 306-307; trabalho feminino, 309-314; ensino de ciências na, 384-386, 395-398; responsabilidades pela Primeira Guerra Mundial, 470-476, 489-493; antagonismo e rivalidades com a Grã-Bretanha, 477-478, 484-489; posição internacional, 486; marinha de guerra, 484-489; o Marrocos, 487-488; bloqueio à, 493n; apoio popular à guerra, 495
Alexandre II, czar da Rússia, 449
Alfabetização, 48-49, 56, 61, 236, 245; veja também Educação, Analfabetos
Alsácia-Lorena, 229, 475-476
Amazônia: atrocidades, 107, 501
América Latina, 45, 54, 59, 65, 89, 100, 109, 125-126, 133, 154, 161, 163, 300, 435, 440-441, 470, 520, 521, 523, 550, 561
Amsterdã, 42, 197, 355
Amundsen, Roald, 32
Analfabetos, 38, 46n, 48-49, 237
Anarquismo, 73, 163, 190, 199n, 211, 332, 353
Anticlericalismo, 210, 225, 326, 332, 406
Antiga Ordem dos Hibérnicos (Irlanda), 152
Antissemitismo, 147, 249-250, 252; na Rússia, 450
Antitruste, lei-1890 (EUA), 77
Apollinaire, Guillaume, 362
Apóstolos: pequena sociedade de discussão de Cambridge, 399

A ERA DOS IMPÉRIOS

Arabi Pasha, 437
Argélia francesa, 436
Argentina: raça, 59; imigração, 65, 242; exportação para a Grã-Bretanha, 71; produção de trigo, 88; Partido Trabalhista na, 110; crises na, 112; investimentos na, 124; trabalho imigrante italiano, 183; aristocracia, 268, 276
Aristóteles, 140
Armamentos, 466-468
Armênia, 255
Arquitetos, número de, 270
Arquitetura, 353-354
Art nouveau (Jugendstil), 347-348, 351, 354-355, 357-361
Arts-and-crafts, movimento, 346, 351, 353-354, 359, 364
Aspirador de pó, 90, 333
Aspirina, 90
Assiette au Beurre (revista), 145
Associação Atlética Gaélica, 152
Associação de Detentores de Debêntures Estrangeiras, 125
Associação do aço do Reno-Westfália. 276
Associação Terra e Trabalho (Irlanda), 152
Átatürk, Kemal, 434
Átomo(s), 73, 375, 375n, 394
Atrocidades, 501
Austrália: democracia na, 47, 141; exportação para a Grã-Bretanha, 71; a seca na (1895-1902), 85; Partido Trabalhista na, 110, 188; política de imigração branca, 121
Áustria: sufrágio universal, 141; Partido do Povo, 149; movimentos nacionais, 156, 174, 230; declínio do Liberalismo na, 170; Social-Democratas na, 216; lutas sobre a língua, 246-247; indústria doméstica, 306; mulheres social-democratas na, 327; declaração de guerra à Sérvia, 462, 474, 490-492; Alianças, 475; apoio popular à guerra, 495; *veja também* Império Habsburgo

Austro-Marxistas, 227, 409
Automóvel(is), 23, 39, 53, 90, 204, 284
Avant-garde (artes): Artes eruditas, 22, 27, 134, 346, 350, 356-358, 360-365; e o balé russo, 341; e cinema, 367-369, 371
Azéglio, Mássimo D', 237
Azev, Evno, F., 449n

Bacia do Donets, 88
Baku, 88, 451
Bakunin, Mikhail Aleksandrovich, 212
Balabanoff, Angelica, 329, 346n
Bálcãs, 38, 67, 161, 177, 237, 251, 431, 461, 474, 475,-477, 488, 491, 561
Balé russo, 341, 346, 371
Balmaceda, José Manuel, 126n
Bancos, 75, 78-79, 90, 125, 265, 272, 275, 480
Barcelona: "semana trágica" (1909), 176
Barney, Natalie, 332
Barres, Maurice, 251, 294
Basco, Partido Nacional, 230, 245
Bascos: língua, 231, 247; e a Igreja Católica, 254
Bateson, William, 387, 391
Bauhaus, 353, 359
Bebel, August, 185, 250, 325, 332; *A mulher e o socialismo*, 325
Becquerel, Jean, 382
Bedford Park (Londres), 261
Beecham, *Sir* Thomas, 291
Beethoven, Ludwig van, 514
Behaviorismo, 414
Behrens, Peter, 359
Bekhterev, Vladimir Mikhailovich, 414
Belfast, 176, 193
Bélgica: agricultura, 42; economia, 74; império colonial, 99, 112, 113; direito ao voto, 141, 143; católicos na, 150, 175; tumultos operários, 160, 206; Partido Trabalhista, 188; a questão da língua, 246-247; Plano Schlieffen, 474n, 493; *veja também* Flamengos

568

ÍNDICE REMISSIVO

Belle époque, 21, 81, 85, 95, 138, 177, 249, 260, 265, 288, 422, 506
Benes, Edvard, 256
Bengala, 324, 439
Benjamin, Walter, 358
Bennet, Arnold, 341
Benoist, C.: *A organização do sufrágio universal,* 159
Bens de consumo, 68, 78, 91, 184, 303, 345
Benz, Carl Friedrich, 53
Berenson, Bernard, 343
Berlage, Hendrik Petrus, 355, 359
Berlim, 44, 75, 169n, 174, 187, 202, 224, 261, 317, 344, 367, 487
Berlim, Congresso de (1878), 250
Bermudas, 114
Bernhardi, Friedrich A. J. von: *Germany and the Next War,* 390
Bernhardt, Sarah, 370
Bernstein, Eduard, 165, 213
Besant, Annie, 329, 332, 438
Bicicleta, 90, 92, 319, 509
Bimetalismo, 69
Binet, Alfred, 414
Biologias: e teorias sociais, 386-387, 391
Biométrica, 390
Birmingham, 42
Bismarck, príncipe Otto von: e as massas eleitorais, 142-144; anticlericalismo, 150, 161; e a frágil oposição, 161; considerações sobre a suspensão da constituição, 162-163; programa de Seguro Social, 167; em "ferro e sangue", 296; mantém a paz mundial, 475, 483; e o Império Habsburgo, 475
Bizet, Georges: *Carmen,* 350
Blackpool: iluminações, 172
Bloch, Ivan: *Technical, Economic and Political Aspects of the Coming War,* 466
Blok, Aleksandr Aleksandrovich, 362
Bochum, 201, 277
Boêmia, 255

Boers, Guerra dos (Guerra Sul-Africana), *1899-1902:* e o ouro, 112, 125; oposição à, 121; e os liberais, 168; recrutamento para, 253; dificuldades da, 460; baixas britânicas na, 465; causas, 472
Bohm-Bawerk, Eugen von, 410
Bohr, Niels, 23
Bolcheviques, bolchevismo, 255, 399, 450, 454-455, 502-505
Boldini, Giovanni, 343
Bombaim: população, 42
Bon Marché (loja), 55
Borodin, Aleksandr Porfirevich, 40
Borracha, 58, 88, 107, 109, 111, 127n
Bósnia, 488, 491
Bourbaki (nome coletivo), 376
Bourguiba, Habib, 436
Brahmo Samaj, 405
Brancusi, Constantin, 335
Branting, Karl Hjalmar, 210
Brasil, 36, 45, 47, 59, 65, 98, 109, 129, 242, 345, 404, 441
Brooke, Rupert, 297
Brouwer L. E. J., 377, 393
Bruant, Aristide: *Belleville-Menilmontant* (canção), 223
Bryan, William Jennings, 69, 157
Buenos Aires, 41, 88, 125, 365
Bukovina, 38
Bulgária, 37, 42, 167, 170, 229, 236, 476n, 488
Bund (judaico), 233, 255
Bund der Landwirte (Alemanha), 152
Burguesia: e capitalismo, 24-26, capítulo 7 *passim;* cultura, 26-28; e o progresso, 59-61; e a democratização, 139-140, 263-266; declínio da, 159; e pacto revolucionário, 163, 502; e divergência com o proletariado, 240-242; comportamento político, 263-264; prosperidade da, 263-266; e a família, 265, 293; definição da, 267; aristocracia rural, 267-268, 274;

A ERA DOS IMPÉRIOS

crises e reações, 401-403, 414; Revolução Russa de 1905, 450-456; e as mudanças do pós-guerra, 503-510, 513-515; *veja também* Classes Médias
Burns, John, 176n

Cabot, família (Boston), 264
Cacau, 108, 111, 121
Café, 108-109, 111
Calcutá, 41
Califórnia: Califórnia Branca (política), 121
Camponeses, trabalhadores agrícolas: alfabetização, 49; prosperidade, 55; revoltas, 66; força política, 147; emigração, 184; e o salário, 218-220; rejeitados pelos nacionalistas, 244-245; mulheres, 304-307; e a Revolução Russa, 452, as minorias, 508; *veja também* Kulaks
Canadá, 47, 81, 84, 88, 100, 107, 112, 124, 126
Cánovas del Castillo, Antonio, 160-161, 163n
Cantor, Georg, 376
Capitalismo: e a sociedade burguesa, 24-26; e o otimismo, 27; e o imperialismo, 28; internacionalismo, 73; competição e monopolismo, 77-79, 90; e o colonialismo, 102-105, 110-113, 117, 122; aceitação da democracia, 178-179; e a guerra, 478-482; ajustes pós-revolucionários e a guerra, 503-508
Carestia, 55
Caribe: colonialismo, 101
Carne: preço, 108; produto ultramarino, 87
Carnegie, Andrew, 167, 292, 467
Carnot, Sadi, 163n
Carpenter, Edward, 332
Cartel do Carvão do Reno e da Westfália, 77
Caruso, Enrico, 341
Carvão: importância, 51; trabalho nas minas, 186; sociedades comerciais, 196-198, 205; acidentes nas minas, 465
Casamentos, 302, 304-310, 333-337; *veja também* Famílias, Mulheres

Catástrofes, 500
Católica, Igreja Romana: frente ao progresso, 57; bispos negros e brancos, 120-121; e a política dos movimentos de massa, 148-150; sindicatos tolerados, 193-195, e os grupos nacionais, 242-246, 254; a mulher, 326-327; reações contrárias, 405-408; *veja também* Anticlericalismo
Cézanne, Paul, 357; *Natureza morta com cebolas*, 392
Chá, 108
Chagall, Marc, 346
Chaliapin, Fedor, 341
Chamberlain, Joseph, 384
Chandler, Alfred: *The Visible Hand*, 21, 552
Chanel, Coco, 338
Chaplin, Charlie, 365
Charpentier, Gustave: *Louise*, 351
Chess Players, The (filme de Satyajit Ray), 132
Chile, 108-109, 126n, 182
China: economia, 36; como Estado, 46; tortura na, 48; revolução, 422-425, 428-431; imperialismo ocidental, 429-430
Churchill, *Lord* Randolph, 158n
Churchill, Winston, 16, 131, 182
Cidades e centros, 41; habitantes, 77, 252; imigração para, 169, 183; classes trabalhadoras, 181-183
Cidades-jardim, 262
Ciência, 373-399; e ciências sociais, 408-414
Cinema, 22, 39, 86, 90, 92, 340, 365, 367-372, 512
Classes médias: capítulo 7 *passim,* prosperidade, 94-95; efeitos do imperialismo nas, 189: ameaçadas, 203-205, 245, 279, 281-283, 286-289; assimilação das outras classes, 239; apoio ao nacionalismo, 243-246, 253; estilo de vida, 259-267, 274-276, 282-283; casas, 259-266; definição e categoria, 266-272, 276-278, 284, 286-289; ocupações, 267-272; mobilização social, 271, 277; educação, 272-274, 277; e o esporte, 273, 280, 284-286;

ÍNDICE REMISSIVO

números, 277-279, 283; e os servidores domésticos, 282; salários e despesas, 288-289; carreiras, 290-291; as expectativas e a política, 293-297; padrão familiar, 301-303; mulheres, 314-317, 323-326; *veja também* Burguesia

Classes sociais: e a democracia, 139-141, 144-147; consciência, 190-195, 202-205, 207-210; negação da existência, 266; *veja também* Burguesia, Classes Médias, Classes Trabalhadoras

Classes trabalhadoras: capítulo 5 *passim;* ascensão das, 25-26; agitação, 80; e a distribuição da riqueza, 92; força política, 98, 181-183, 185-191; diferenças e divisões, 191-196, 198; organização das, 198-199, 206-211, 220-244; relações com a classe média, 202-205; Estados-nação, 205-207; ideologia e revolução social, 210-213, 215-218; solidariedade, 217, 222-223: maioria, 218-220; e a questão nacional, 226-229; restrições aos trabalhadores estrangeiros, 241-242; esportes, 284-286; e a revolução, 422-423, 452-457, 501-503

Clausewitz, Carl von, 479

Clemenceau, Georges, 137

Clube dos Ciclistas Operários, 210

Clydeside, 44

Cobden, Richard, 514

Cobre, 108

Coletivismo, 93, 146, 167

Colette, 328, 392

Colômbia, 100

Colonialismo: capítulo 3 *passim;* expansão do, 98-104; capitalismo monopolista, 104-106; e abastecimento ou suprimento de matérias-primas, 107-109; necessidades de novos mercados, 112-114; motivo estratégico-político, 114-121; radical condenação ao, 120; resultados econômicos, 126; e assimilação, 239; dissolvimento, 437-438, 510-511

Comércio: Depressão, 63-82; ciclos, 83-85; *boom* econômico, 84-88; produtos primários: desenvolvimento dos países no setor, 124

Comitê de Representação Trabalhista (Grã--Bretanha), 166

Comitê para a União e o Progresso (Jovens Turcos), 58, 432

Compagnie Française de l'Afrique Occidentale, 127

Companhia Armstrong (Whitworth), 187, 469

"Compromisso" de 1867, 229n, 230

Comte, Auguste, 129, 418, 433, 441

Comunas (Rússia), 446, 453

Comunicação de massa, 92, 500, 512

Comunistas, partidos, 22

Concílio do Vaticano, 1870, 148

Conferência de Algeciras, 487

Congo, 106, 112, 121, 478, 501

Congresso Internacional de Estatística, 1873, 230

Congresso Mundial (Universal) para a Paz, 461

Congresso Nacional Indiano, 438

Connolly, James, 227

Conrad, Joseph, 133, 346; O *coração das trevas,* 501

Constantinopla (Istambul), 14, 41, 424, 477-478

Construtivismo, 356

Conway, Katherine, 330

Cooperativas, 67, 147, 188, 210, 217

Corão, Sagrado, 57, 426

Coreia, 100-101, 115, 428, 501

Cornualha, 117n, 192

Coroações, 118-119, 171

Corradini, Enrico, 251

Corrupção (governo), 157-159

Creighton, Mandell, 56

Crianças: trabalho, 303, 309; *veja também* Taxa de natalidade

A ERA DOS IMPÉRIOS

Crimeia, guerra, *ver* Guerra da Crimeia
Crise Baring, 1890, 126
Crise de Agadir, 1911, 488-489
Cristianismo: e o colonialismo, 120, 128; *veja também* Igreja Católica Romana
Croce, Benedetto, 410, 418, 561
Cromer, Evelyn Baring, primeiro conde de, 437
Cromwell, Oliver, 153n
Crossley, John, 262
Cuba, 47, 99-100, 109, 123
Cubismo, 356, 361-363
Curie, Marie (Sklodkowska-Curie), 300, 329
Custos, 63, 68, 85, 370, 465-466
Czernowitz (Cernovtsi), 39

Daimler, Gottlieb, 53
Dalmácia, 38
Danças, 318, 365
Darío, Rubén, 347
Darwin, Charles, 69, 349, 386, 390, 399, 403
Darwinismo, 374, 389-390; social, 387, 390, 404, 423
Debussy, Claude, 341, 347
Delius, Frederick, 291
Democracia: capítulo 4 *passim;* e a burguesia liberal, 26-27; Estados-nação, 45-46; progresso para a, 57, 93, 139-144; compatibilidade com o capitalismo, 178
Democrata, Partido (EUA), 243
Democrata-Cristão, Partido, 149
Depressão (1930), 510
Depressão, a Grande, 63-82
Depretis, Agostino, 161
Deroulède, Paul, 251
Desenvolvimento Intelectual, QI, 414
Dia do Império (Inglaterra), 118
Diaghilev, Serge, 363, 371
Diamantes, 105, 108, 125, 130
Díaz, Porfirio, 404, 441-444
Dicey, A. V., 63, 93, 167-168
Dictionary of Modern Thought, 16

Dietrich, Marlene, 295n
Dinamarca: camponeses, 42; desenvolvimento da economia, 43; democracia na, 46; modernização da agricultura, 66; cooperativas, 67; exportações britânicas, 71; colônias e territórios dependentes, 102; sufrágio universal, 141; voto nominal, 143; apoio socialista ao governo, 166; mortalidade infantil, 301
Disraeli, Benjamin, 142
Dobrogeanu-Guerea, Alexandru, 346n
Dongen, Kees Van, 346
Dostoievski, Fedor, 40
Dreiser, Theodore, 341
Dreyfus, capitão Alfred: caso, 19, 147, 161, 164, 166, 240, 251, 407, 409
Dublin, 176, 227
Duhem, Pierre, 393
Durkheim, Émile, 145, 153, 418-420
Duveen, barão Joseph, 289

Edison, Thomas Alva, 53
Educação: massa, 49, 246; e identidade nacional, 236-237; e a linguagem, 243-246; da classe média, 273, 277-279, 283; das mulheres, 280, 314-322; e os "antigos camaradas", 280; e a cultura, 239-241; popular, 402-403
Egito, 14-15, 35, 115-116, 121, 125, 357, 432, 437-438, 477, 483
Einstein, Albert, 23, 374, 379, 381, 392, 394, 399, 416
Eletricidade, 53
"Eleição Cáqui", 1900, 168
Elen, Gus, 223n
Eletromagnetismo, 380, 382
Elgar, *Sir* Edward, 173, 341
Elizabeth, imperatriz da Áustria, 163n
Ellis, Havelock, 332, 343, 416
Empregos domésticos, 200, 324
Engels, Friedrich, 178, 213, 332, 408-409; e a guerra, 461, 468, 476; *Origem da família,*

572

ÍNDICE REMISSIVO

da propriedade privada e do Estado, 334;
veja também Manifesto comunista
Englishwoman's Year-Book, 329n
Ensor, James, 347, 352
Entente Cordiale (França-Inglaterra), 483
Entretenimento, popular, 365-366
Escândalo Marconi (Inglaterra), 1913, 158
Escócia, universidades, 278n
Escola: e a identidade nacional, 236-238; e
    a língua, 247-248, *veja também* Escolas
    públicas
Escolas públicas (Inglaterra), 276, 285
Escravidão, 47; *veja também* Servidão
Espanha, 48, 55, 67, 99, 101, 115, 106-161,
    163, 168, 170, 199n, 214, 217, 230, 234,
    345, 347, 427, 441, 491n, 501, 561
Esportes, 128, 209, 240, 284-286, 319
Estados Unidos: desenvolvimento econô-
    mico, 39, 64, 82; Estados-nação, 46;
    democracia nos, 46-47, 141; eletricidade,
    51; consumo de massa, 54; progresso
    idealizado, 56; tarifas, 77; populismo,
    66, 67-70, 147; cooperativas, 64; trus-
    tes, 77, 276; incerteza econômica, 93;
    colonialismo, 99-103, 113-117, 125,
    478, serviço civil federal, 158n; bem-
    -estar social, 167-169; expressões nacio-
    nalistas, 169, 260; trabalho, 183-187,
    sindicatos, 196; socialismo, 165; língua
    inglesa, 237-239; imigrantes, 239-245;
    casamentos com a aristocracia europeia,
    268; fraternidades colegiais, 279-280;
    cinema, 367-372; política chinesa de
    "abrir as portas", 428-429; e o México,
    440-444; possibilidade de guerra com a
    Inglaterra, 481; poder econômico, 482;
    Marinha de Guerra, 485; *veja também*
    Guerra Hispano-Americana
Estanho, 107, 109, 111-112, 117n
Estatísticas morais, 56
Estátua da Liberdade, 19, 357
Estatura humana, 55

Éter luminífero, 379
Etiópia, 46, 98-100, 114, 251, 436
Eton College, 277, 279
Eugenia, 136, 387-389, 558
Europa: desenvolvimento econômico, 33-41;
    população, 39-41; cultura dominante,
    39; Estados-nação, 45-46; democracias
    na, 179
Everyman's Library, 343, 349
Evolução, 386, 390; *veja também* Darwinismo
Execuções, 467
Exércitos, 464
Exposição internacional anglo-francesa,
    1907-1908, 322

Fabiana, Sociedade, Fabianismo, 121, 214,
    290, 315
Fackel (revista), 145
Famílias: burguesas, 265, 293; padrão de vida,
    300-306; e a posição das mulheres, 331-
    337; transformações sociais, 507-510
Fascismo, 153, 179, 228, 251, 253, 508
Fashoda, crise de, 1898, 477
Federação Alemã de Corais Operários, 210
Federação dos Trabalhadores da Terra (Itália),
    199n
Feminismo, 313-314, 316, 324, 326,
    330-332; *veja também* Mulheres
Fenianos, 254
Férias, 288, 319; *veja também* Lazer
Ferrer, Francisco, 164
Ferro e aço: produção, 83, 447
Ferrovias: desenvolvimento, 52, 90-91, 106-
    108; investimentos, 112; sindicatos,
    197-199; estações, 348, 360; na Rússia,
    447, 451
Filantropia, 292
Filipinas, 99, 136
Filoxera, 66
Finlândia, 38, 141-142, 206, 237, 331, 398
Física, 373-375, 378-385, 394, 399
Flamenga, língua, 246-249

A ERA DOS IMPÉRIOS

Flamengos e os Flandres, 175, 238, 245, 246; *veja também* Bélgica

Fontane, Theodor: *Der Stechlin*, 276

Fontes de energia, 51, 84, 515

Ford, Henry, 90-91, 186

Forster, E. M., 290; *Passagem para a Índia*, 438

Fourier, Charles, 332, 514

Fox, William, 368

França: agricultura, 42; Estados-nação, 46; analfabetos na, 49; progresso na, 67; tarifas, 67, 70, 76; cooperativas agrícolas, 67; império colonial, 99-101, 127-128; colônias submissas a, 120; importações coloniais, 127n; sufrágio universal masculino, 141; judeus na, 146-147, 249; continuidade e número de governos, 46; escândalos, 158; minoria privilegiada, 161; 14 de julho, 171-174; agitações e golpes, 175-178, 198; representação do Partido Socialista, 189; sindicatos na, 195-197; socialismo na, 220-222; médicos na, 270; classe média e educação, 273; estabilidade populacional, 302-304; trabalho feminino, 419; desestabilização da Igreja Católica, 406-408; e a Primeira Guerra Mundial, 462, 475, 492; alianças, 477, 478, 487; descolonização, 511; *veja também* Dreyfus, Alfred

France, Anatole, 47

Francisco Fernando, arquiduque da Áustria, 488, 491

Francisco José, imperador austro-húngaro, 175, 473

Franco Bahamonde, general Francisco, 16, 510

Franklin, Benjamin, 32

Frederick, Christine, 333

Freud, Sigmund, 299, 319n, 333, 374, 409n, 413, 415-417; *Interpretação dos sonhos*, 392

Funcionalismo, 360

Futebol, 285

Gaélico, língua, 249, 346

Galileu Galilei, 403

Galton, *Sir* Francis, 388

Gambetta, Léon, 271

Gandhi, Mohandas Karamchand (Mahatma), 16, 129-130, 439

Gaudí, Antonio, 348

Gaulle, Charles de, 16, 510

Genética, 374, 377, 387-391

George, Stefan, 290

Geórgia (Rússia), 255

Gervinus, Georg Gottfried, 349

Ghadr, Partido (Índia), 439

Ghent, 200, 245

Gibraltar, 114

Gilbert, W. S., e Sullivan, *Sir* Arthur: *Patience*, 351

Giolitti, Giovanni, 143, 159, 166, 505

Gissing, George, 345

Gladstone, Willian Ewart, 144, 155

Godel, Kurt, 378

Gogh, Vincent van, 200, 342, 352

Gótico, O, 353, 360

Grã-Bretanha: e a economia mundial, 28; agricultura, 42, 66, 71-72; Estado-nação, 46; poder da maquinaria, 52; livre comércio, 70-72; exportação de capital, 70; importação de alimentos, 70-72; dominação industrial, 72; competição e declínio, 82-83; flutuação salarial, 85; investimento ultramarino, 66-67, 111, 124-126; comércio, 92, 124; império colonial, 98, 124-126, 436-438; atitude colonial, 118; sistema democrático, 141, 151; escândalos, 158; serviço militar voluntário, 176, 252-253; crises constitucionais, 177; sindicatos na, 194-195; rebeliões dos trabalhadores, 204-206; aristocracia agrícola, 268, 276; educação compulsória, 278; trabalho masculino, 309-311; cientistas profissionais, 397; e a Pérsia, 426-427; independência e nova dominação, 436-438; e a Primeira Guerra Mundial, 472-474, 494; alianças

ÍNDICE REMISSIVO

e blocos de poder, 476-478, 483; controle marítimo, 479, 485-488, 492; economia do pré-Guerra, 479-483; exércitos, 491-493; descolonização, 511-512
Grande Guerra; *ver* Primeira Guerra Mundial
Grant, general Ulysses S., 514
Greene, Graham, 48
Greves, 162, 165, 176, 192, 196-198, 203, 206, 211, 451-452
Grey, *Sir* Edward, 496
Griffith, D. W., 370
Gris, Juan, 346
Gropius, Walter, 363
Grosz, Otto, 333
Guerra da Crimeia, 445, 461, 478
Guerra dos Boxers, 1900, 429
Guerras; *ver* Guerra dos Boers; Primeira Guerra Mundial; Guerra Russo-Japonesa; Guerra Hispano-Americana
Guilherme I, 172
Guilherme II, 136, 172, 268, 484
Gulbenkian, Calouste, 482
Gutenberg, Johann, 403

Habsburgo, Império (Austro-Húngaro): e a Turquia, 37; Estados-nação, 46; sufrágio e votação, 151; compromisso de 1867, 229n, 230; e a questão linguística, 246-247; movimentos socialista e trabalhista, 253; nacionalismo, 256-258; trabalho masculino, 304n; e a Primeira Guerra Mundial, 422, 474-475, 491; e a revolução, 423-425; e a Polônia, 448n; e os eslavos do sul, 491; *veja também* Áustria; Hungria
Haia, Conferências de Paz de, 461
Halevy Elie, 505
Hamburgo, 127n, 209, 224, 299
Hamsun, Knut, 352
Hannover, 154
Hardy, G. H., 377, 399
Hardy, Thomas, 341
Hardy-Weinberg, lei de (matemática), 377

Hauptmann, Gerhart, 341, 352
Heals (fabricantes de móveis), 351
Hebraica, língua, 231, 248-249
Heimat (seriado da TV alemã), 234n
Helphand, A. L. ("Parvus"), 63, 82, 215, 346n, 410
Henckel von Donnersmarck, príncipe, 271
Hertz, Heinrich, 380, 382
Herzl, Theodor, 230, 233, 255
Hilbert, David, 376-377
Hilferding, Rudolf, 215, 410
Hirschfeld, Magnus, 416
Hispano-Americana, Guerra, 1898, 115, 168, 464, 472; minas da Cornualha, 117n; imigrantes indianos, 130; dominação, 436
Historische Zeitschrift, 412
Hitler, Adolf, 16, 135, 174, 250, 256, 295, 387, 473
Ho Chi Minh, 16
Hobbes, Thomas, 460
Hobson, J. A., 103, 111, 138
Holanda: agricultura, 42; império colonial, 102, 115, 127; resistência à democratização, 142; colégio eleitoral privilegiado, 143; partidos católicos, 150; e o nacionalismo indonésio, 239; mortalidade infantil, 301
Hollywood (EUA), 370-372; *veja também* Cinema
Home rule (Irlanda), 177
Homossexuais, 333
Honduras, 73, 87, 126n
Hong Kong, 428
Horta, Victor, barão, 348, 355, 359
Howard, Ebenezer, 354
Hume, Allan Octavian, 438
Hungria, 14, 48, 84, 86, 143, 229n, 243, 248, 336n, 490; *veja também* Império Habsburgo
Husserl, Edmund: *Logische Untersuchungen*, 392-393
Huysmans, Joris Karl, 353

A ERA DOS IMPÉRIOS

Ibsen, Henrik, 292, 300, 319, 341, 349, 352
Ídiche, língua, 232
Iglesias, Pablo, 185
Imperadores, 98, 103
Imperialismo: e capitalismo, 27-28, 103-105, 109-113, 116, 122; e a Depressão comercial, 81; eficácia econômica, 93; governos, 98; desenvolvimento do, 98-103; conceito de, 102-103; e o marxismo, 103; social, 117; e o patriotismo, 118, 169; impacto mundial, 120-138; e a criação de novas elites, 126-132; e a ocidentalização, 126-133; interesse das colônias pelo Ocidente, 133; incertezas do, 134-138; e as pesquisas médicas, 384-385; declínio e os novos Estados, 509-512
Impérios, capítulo 3 *passim; veja também* Imperialismo
Imprensa, 144, 344-345, 366, 399, 432n, 512; *veja também* Comunicação de Massa e Jornais
Impressionismo (arte), 357
Independente Trabalhista, Partido (Inglaterra), 176
Índia: indústrias na, 42, 182; posição no Império Britânico, 115; ocidentalização, 129; interesses ocidentais, 134; rebeliões políticas e religiosas, 405; movimento de independência, 438, 456
Indochina, 100, 428
Indonésia, 100
Indústria: distribuição mundial, 42; concentração e trustes, 77-78; administração científica, 77; crescimento mundial, 83; e o trabalho, 182-188
Internacionais: Primeira (marxista), 208, 449; Segunda (comunista), 63, 121, 165, 207-208, 255
Internacional comunista; *ver* Internacionais
"Internacional" (hino), 174
Intuição: e a ciência, 375-378
Irlanda: emigração da, 67; queda populacional, 74, 303; nacionalismo, 150, 156, 160, 174, 229, 254-255; divisão da classe trabalhadora, 192-194; e a língua gaélica, 249; e o catolicismo, 254; rebeliões na, 437

Isaacs, Rufus (posteriormente, primeiro marquês de Reading), 158
Istambul, *ver* Constantinopla
Itália: Estados-nação, 46, 229n, 237, 251; pobreza na, 48; desenvolvimento do Estado, 48; tarifas, 70, 76; emigração da, 76, 242; colonialismo, 98-99, 101, 114; cidadania, 143; partido socialista, 189, 242; sindicatos, 195, 199n; derrota frente à Etiópia, 251; alianças e blocos de poder, 475-477; ocupação da Líbia, 488; aventura militar, 489; mudanças pós-guerra, 503

James, família, 291
James, Henry, 40, 346
James, William, 259, 415
Janácek, Leos, 341
Japão: na economia mundial, 39; industrialização no, 43; Estados-nação, 45; aceitação pelo ocidente, 58; raça, 59; governantes, 98; império colonial, 98-101, 117; ocidentalização do, 134; ocidentalização da arte, 135, 344-345, 357-358; parlamentarismo, 143; preservação do império, 425; guerra contra a Rússia (1904-5), 426, 451, 460, 465; expulsão dos russos da Manchúria, 428; aliança de 1902 com a Inglaterra, 478; marinha, 486
Jaurès, Jean, 210, 494
Jevons, W. S., 414
Jogos Olímpicos, 285; *veja também* Esportes
Jornada de oito horas/dia, 206, 218
Jornais, 23, 181, 366
Joyce, James, 14, 348
Judeus: diferenças de classe, 59; imigração controlada, 72n; e o declínio do liberalismo, 173; apoio ao socialismo,

576

ÍNDICE REMISSIVO

220-224; sionismo, 227-233, 239, 255; e a língua hebraica, 230-232; e a cultura vienense, 262; e o movimento revolucionário russo, 449; emigrantes para a Palestina, 453; *veja também* Antissemitismo; Dreyfus, Alfred
Jugendstil, ver Art nouveau
Jung-Wien, 351

Kahnweiler, Daniel Henry, 363
Kandinsky, Vassily, 356, 402
Kautsky, Karl, 214, 215, 227, 243, 408-410
Kelvin, William Thomson, barão, 374
Keynes, John Maynard: época de, 16; experiência e educação, 277; pai, 288; e a burguesia, 351; seguidores, 399; e a guerra, 480, 506; adaptação à situação do pós-Guerra, 506
Kipling, Rudyard, 133, 135-136
Klimt, Gustav, 321
Klondike, 81
Kodak, mocinha, 172
Kokoschka, Oskar, 363
Kollontai, Alexandra, 329
Kollwitz, Kathe, 352
Kondratiev, Nikolai Dmitrievich, 82-84
Korngold, Erich Wolfgang, 372
Krafft-Ebing, Richard von: *Psychopathia Sexualis,* 416
Kraus, Karl, 145, 290, 321, 355, 399, 500
Krupp, Alfred, 272, 385, 469
Krupp, Indústrias, 187
Kuhn, Thomas, 385
Kulaks (Rússia), 455, 4501; *veja também* Camponeses
Kuliscioff, Anna, 329, 346n
Kulturkampf, 161

Lá, 111
Ladies Home Journal, 333
Laemmle, Carl, 368
Lagerlof, Selma, 328, 341

Lalique, René J., 355
Land League (Irlanda), 437
Lawrence, D. H., 333
Lazer, 36, 265, 350, 353, 364, 371, 465; *veja também* Esportes
Le Bon, Gustave, 417
Le Corbusier (C. E. Jeanneret), 359
Leconte de Lisle, Charles Marie, 353
Lehar, Franz, 341
Lei Mann (EUA), 331
Lenin, V. I. (Ulyanov): época de, 16; sobre o imperialismo, 28, 102-103, 122; sobre a república democrática, 179; e a teoria socialista, 218; e a questão nacional, 227; e o amor-livre, 332; o sucesso e a teoria revolucionária, 450, 453-455, 503-504; e a Revolução de 1905, 452; e a Primeira Guerra Mundial, 496; e o desenvolvimento do pós-Guerra Mundial, 503-504; *Materialismo e empiriocriticismo,* 399
Leoncavallo, Ruggiero, 341
Leopoldo II, rei da Bélgica, 113
Letônia, 255
Levante da Páscoa, 1916 (Irlanda), 437
Leverhulme, William H. Lever, *Lord,* 269
Lex Arons, 1898 (Alemanha), 409
Liberal, Partido (Grã-Bretanha), 121, 150, 165, 245
Liberalismo: ascensão do, 24, 26; e os Estados, 72-73; a teoria econômica, 72-73; anti--imperialismo, 116-118; e o Protestantismo, 150; declínio, 166-172; Alemão, 294-296; burguesia, 294-296; aceitação pelos "reformistas" Social-Democratas, 504-505
Libéria, 46, 100
Liberty (fabricante de tecidos), 351
Líbia, 488
Liège (Bélgica), 200
Liga de Restrição à Imigração (EUA), 241
Liga Gaélica, 231
Liga Irlandesa Unida, 152

A ERA DOS IMPÉRIOS

Liga Pan-Germânica, 241, 295
Linguagem: e o nacionalismo, 228-232, 238-239, 242-247; imigrações, 242-243; políticas oficiais, 242-247
Linguísta, 411, 413; *veja também* Linguagem
Lion, 202
Lipchitz, Jacques, 346
Lipton, *Sir* Thomas, 92, 269
Lisboa, 44
Livre comércio, 64, 71, 76, 102, 251, 514; *veja também* Tarifas
Livre-pensamento, 403-404, 409
Lloyd George, David, 158, 175, 177, 230, 257, 489, 506
Lloyds Bank, 79
Lojas de Departamentos, 55, 124, 147
Londres, 44, 89, 202; como centro comercial, 71-72, 89
Loos, Adolf, 359
Lorentz, H. A., 380-381
Loti, Pierre, 133
Lowe, Robert, 173n
Lowell, família (Boston), 264
Lueger, Karl, 149, 162, 165
Luís Filipe, rei da França, 140
Lukács, Georg, 290
Luxemburgo, Rosa, 215, 227, 245, 300, 328-329, 335, 346n, 410

Macau, 428
MacDonald, James Ramsay, 211
Mac-Dougall, William, 415
Mach, Ernst, 380, 392-394, 399, 409n
Mackenzie, Fred A.: *American Invaders*, 76
Mackinder, *Sir* Halford, 485
Mackintosh, Charles Rennie, 359
Madero, Francisco, 443
Maeterlinck, Maurice, 347, 353
Mahler, Gustav, 341, 363
Mallarmé, Stéphane, 353
Malta, 114
Malthus, Thomas, 389

Manaus (Brasil), 58
Manchúria, 100, 428
Manifesto comunista (Marx & Engels), 215, 509
Mann, Heinrich, 295
Mann, Thomas, 264, 290, 295, 341, 349
Mao Tsetung, 16, 510
Marinetti, F. T., 297, 339, 459
Marinha Mercante: navios a vela e vapor, 53; Grã-Bretanha e a economia mundial, 70, 89
Marrocos, 36, 46, 98, 100-101, 423, 426-427, 429, 437, 472-473, 483, 487; *veja também* Crise de Agadir
"Marselhesa" (hino), 174
Marshall, Alfred: *Princípios de Economia,* 65, 288
Martin du Gard, Roger, 341
Martyn, Caroline, 330
Marx, Eleanor, 329
Marx, Karl, e o marxismo: e os ciclos econômicos, 82; e o imperialismo, 103-104, 122; dominação internacional, 165; mudanças ideológicas, 165; na república democrática, 178; dominação dos partidos socialistas, 193, 213, 214; influenciando os trabalhadores, 209-219, 402-403; e a revolução, 217; os camponeses, 218; e o socialismo científico, 395-396, 403, 408-412; na Índia, 406; método intelectual, 409-413; e a história econômica, 412-413; e a sociologia, 418-420; e a Rússia, 448-449; influência global, 508; e a utopia, 514
Masaryk, Thomas, 242
Mascagni, Pietro, 341; *Cavalleria Rusticana,* 350
Massas, as: e a democracia, 140-150; e a religião, 149-151; ideologia, 151; e a Primeira Guerra Mundial, 174-178; educação das, 405-406; e a revolução, 422; *veja também* Classes trabalhadoras

ÍNDICE REMISSIVO

Matemática, 375-378, 383-385, 390, 393, 394, 412
Matéria-prima: origem e abastecimento, 39, 109, 127
Maurras, Charles, 408
Max Planck Gesellschaft (outrora Kaiser Wilhelm-Gesellschaft), 383
Maxwell, James Clerck, 380
May, Karl, 133, 461
Mayer, Louis B., 368
Mazzini, Giuseppe, 228
McKinley, William, 70, 163n
Medici Society (Inglaterra), 343
Médicos: número de, 270
Melba, Dame Nellie, 341
Melbourne (Austrália), 42
Méline, Félix-Jules, 70
Men and Women of the Time, 328
Mencheviques, 255, 454-455
Mendel, Gregor Johann, 390, 392
Menger, Carl, 413-414
Merill, Stuart, 345
Mermaid Series, 343
Messina, terremoto de, 1908, 500
Metternich, Clemens von, 38
Meunier, Constantin, 348
México: modernização, 58, 440-442; revolução, 422-423, 435, 456
Michels, Robert, 145, 155, 419
Michelson, A. A., 380-381
Middlesbrough, 187, 201
Milão, 42, 162, 368
Mill, John Stuart, 60, 430
Millerand, Alexandre, 222
Milner, Alfred, visconde, 159
Mineração e minerais, 42, 138, 185, 192, 195, 201, 205; *veja também* Carvão
Missionário, 120, 128, 132
Möbius, Paul Julius, 321
Moda, 20, 214, 298, 318, 320, 337-338, 340, 342-343, 347, 354, 359, 363, 388, 396, 398, 402, 412, 418

Modernismo (arte), 22, 148, 348, 353, 361, 362, 558; *veja também Avant-garde*
Modigliani, Amedeo, 346
Monopólio, 74, 77-78, 91, 164, 191, 193, 204, 226, 237, 407, 426, 481; *veja também* Capitalismo
Monroe, doutrina (EUA), 101, 115, 478
Montesquieu, Charles de Secondat, barão de: *Cartas persas*, 132
Moore, G. E., 399
Moradia: burguesa, 259-262
Moreas, Jean (Yannis Papadiamantópoulos), 345
Morgan, Johan Pierpont, 167, 281, 289
Morley, E. W., 380
Morley, John, 176n, 493
Mórmon, 156n, 516
Morozov, Savva, 293, 343
Morris, William, 349, 351, 353-354
Morrison, Arthur: A *child of Jago*, 223
Mortalidade: índice de, 300
Morte em Veneza (filme de Visconti), 265
Mosca, Gaetano, 139, 418
Mozart, Wolfgang Amadeus, 52, 291
Mulheres: capítulo 8 *passim* trabalho, 92-94, 303-312, 511; sufrágio, 140-141, 310-313, 220, 333-336; educação da classe média, 280, 312-317; esportes, 284-286; burguesia, 291-294, 296, 312-313; emancipação, 299-338, 511-512; condições, 302-307; consumidoras, 312-316, 320-321; liberdade social, 317-319; conduta sexual e liberação 318-319, 329-333; posição no lar, 323-325; envolvimento político, 325-328; ocupações e empreendimentos, 326-327; futuro, 332-334; e a família, 333-335; e a religião, 404
Munch, Edvard, 352
Munique, 42, 333
Music-hall, 224
Música, 173, 341, 345-346, 348, 361, 365, 372, 388, 464, 514

A ERA DOS IMPÉRIOS

Mussolini, Benito, 16
Muthesius, Hermann, 359

Nacional-Socialista, 255-256
Nações Unidas, 12, 179, 511
Não conformismo (religião), 150 e n, 176
Napoleão Bonaparte, 35, 56, 239, 337, 448
Napoleão III, imperador da França, 98, 100
Narodniks (populistas russos), 446, 449
Natalidade: controle, 303-304, 332, 388n;
taxas de, 300-301
Naturalismo, 352, 358
Natureza e eugenia, 346-347
Naumburg-Merseburg (Alemanha), 208
Nehru, Jawaharlal, 16, 421
Neopositivismo, 392-394, 412
Neue Zeit (jornal), 351
New English Arts Club, 344, 351
Newall, Bertha Philpotts, 335
Nice (França), 229
Nietzsche, Friedrich: e os valores do século
XIX, 294, 357; o espírito alemão, 350; a
modernidade, 352; e as artes, 362; crises
e expectativas, 396, 398; a chegada da
guerra, 461, 496; *Assim falou Zaratustra*,
321; *Vontade de poder*, 136, 387
Nijinsky, Vaslav Fomich, 341
Nitratos, 109, 126n
Nobel, Alfred, 467
Nobel, prêmio, 40, 43, 328-329, 347, 384,
389, 398, 461
Nordau, Max: *Degeneration*, 395
Norman, Angell, 261, 480
Noruega, 73, 141-142, 237, 277, 331, 336,
403
Nova Délhi, 137
Nova Zelândia, 47, 67, 107, 110, 112, 141-
142, 147, 183, 331
Novos Estados nacionais, 229-230, 244
Nutrição, 54

Oceania, *ver* Pacífico
Oklahoma, 220

Oligopólio, 77-78, 122
"Ondas longas" — *Long Waves* (ciclos econô-
micos), 82
Ópera, 50, 58, 88, 341, 350, 362
Operários Colecionadores de Selos, 210
Operários Criadores de Coelhos, 210
Oriente Próximo, conhecido como, 37, 470,
482, 487
Ornamento, 359, 361
Ortodoxa, Igreja, 150
Ostrogorski, M., 145
Ostwald, Wilhelm, 393; *Química Inorgânica*,
392
Otto, rei da Bavária, 236
Ouro: preço da prata, 68-69; novas reservas,
81; origem, 107-108; e a Guerra dos
Boers, 112; a expansão imperialista, 125
Oxford, universidade de, 277, 407

Pacífico e Oceania, 114-115, 124, 128, 135,
357
Pacífico, Guerra do, 126n
Padrão: modo de vida, 35, 81, 301, 303, 324
Padrão-ouro, 157
Pahlevi, Dinastia (Irã), 427
Paine, Tom, 403
Panamá, Canal do, 100
Panamá, escândalo, 1892-93 (França), 147,
158
Pannekoek, A., 411
Paraguai, 87
Pareto, Vilfredo, 145, 418-420
Paris: população, 40; Comuna de, 1871, 140
Parnell, Charles Stewart, 151, 155
Parti Ouvrier Français, 327
Parvus, *ver* Helphand, A. L.
Pascin, Jules, 346
Pathé, Charles, 368
Patriotismo, 118, 148, 226, 228, 235, 237,
250, 252-254, 256, 433, 459, 494, 495-
496; *veja também* Primeira Guerra Mundial
Pavlov, I., 414
Pearson, Karl, 388, 391

ÍNDICE REMISSIVO

Pearson, Weetman, 441
Peary, almirante Robert Edwin, 32
Pensilvânia, 44, 244
Pequena burguesia, 1462, 204, 267, 282-283, 325, 337; *veja também* Burguesia e Classes Médias
Pequim, 41, 132, 428
Perret, Auguste, 359
Persa, Império, 45; revolução, 423, 456
Peru, 108, 126n
Pessimismo, 159, 163, 339, 355, 395n, 396
Petrogrado, *ver* S. Petersburgo
Petróleo, 51, 77, 106-107, 109, 433, 441-442, 448, 482
Picasso, Pablo, 342, 346, 348, 363, 374
Pickford, Mary, 368
Pilsudski, Josef, 234
Pio X, papa, 148
Planck, Max, 23, 374, 379, 383, 385, 392
Plekhanov, Georgii Valentinovich, 351, 356
Plutocracia, 22, 204, 284
Poesia, 238, 290, 339, 346, 362
Poincaré, Henri, 377, 394
Polônia: questão nacional, 229, 234, 243, 255; migração para, 217; Partido Socialista, 240; movimento pela libertação (Rússia), 447
Pomerânia, 169
População, 27, 33-34, 38, 42, 48, 51, 54, 74n, 82, 87, 91-92, 141, 152, 168-169, 184, 186, 218, 220, 234, 240, 246, 249, 267, 270, 275, 278, 282, 287, 301, 303, 304n, 341, 368, 370, 398, 406, 432, 435, 441, 445, 447, 451, 463, 467, 484, 501, 508, 511
Populismo (EUA), 66, 157, 350, 370, 434, 449
Populistas (Rússia); *ver* Narodniks
Porto Rico, 99-100
Portugal, 39, 48, 67n, 99, 101, 115, 124, 428, 484
Pós-impressionistas, 342

Positivismo, 129, 358, 392-393, 404, 412, 433; *veja também* Neopositivismo
Pós-modernismo, 23
Potemkim (encouraçado russo), 452
Potemkin, 452
Pound, Ezra, 346
Povo, Partido do (Austrália), 149, 219
Praga, 170, 215, 333
Prata, 68-69
Primeira Guerra Mundial: ruptura natural da história, 20-21; competição econômica, 88-90, 99-101; e o nacionalismo, 171, 250-255; e o movimento trabalhista, 196; a decadência chinesa, 428-429; iminência, 460-462, 494-496; armamentos e programação, 466-471, 473; origens, 468-475, 477, 488-492; alianças e blocos de poder, 473-478, 486; e a situação econômica mundial, 477-480; efeitos, 496-500
Primeiro de Maio, 207-208, 216
Prinčip, Gavrilo, 491
Produto nacional bruto, 34, 35n
Professores, 131, 172, 201, 220, 235-237, 247, 383, 385, 403, 406-407, 410
Profissões, 49, 209, 260, 273, 329, 336, 414, 432
Progresso, 25-26, 40, 45, 51, 54, 56-61, 146, 163, 179, 181, 183, 203, 210, 215, 221, 238, 247, 249, 294-295, 298, 304, 326, 337, 349, 374-376, 380, 383, 385-386, 391, 394, 396, 402, 406-409, 411, 423, 433, 440, 444, 481, 500, 514-515
Proletariado; *ver* Classes trabalhadoras
Promenade, Concertos (Londres), 343
Propaganda, 105, 119, 144, 172, 218, 236, 253, 257, 315, 332, 344, 471
Protecionismo, 72, 76-77, 93, 113, 127, 481; *veja também* Livre Comércio; Tarifas
Protestantismo, 150-151
Proust, Marcel, 332, 341, 416
Prússia, 142, 154, 169, 273, 475, 477, 482, 484

A ERA DOS IMPÉRIOS

Psicanálise, 319n, 374, 413, 415
Psicologia, 172, 321, 402, 409n, 414-415, 417
Puccini, Giacomo, 341; *Tosca*, 392

Quakers, 275
Quântica, teoria, 383, 392
Quem é quem, 272n
Questão agrária, 218
Questão Oriental, 461, 477; *veja também* Bálcãs
Químicos, 397

Raça, 59, 387-388
Radek, Karl, 346n
Radiotelegrafia, 51
Raeder, almirante Erich, 473n
Raiffeisen (Alemanha), 67
Raphael, Max, 361
Rappoport, Angelo S., 346n
Rathenau, Walter, 363
Ratibor, duque de, 490
Ray, Satyajit, 132
Reação, 66, 76-77, 162, 175, 203, 222, 240, 244, 251, 283, 340, 401, 455
Recrutamento, 185, 494
Reforma, as leis da (Inglaterra), 144
Reger, Max, 341
Relatividade, 378-379, 381-382, 392, 399
Religião: reação, 401, 455; resistência, 429
Renan, Ernest, 294
Republicanismo, 430
Republicano, Partido (EUA), 160
Rerum Novarum (Encíclica), 149
Révolte, La (jornal), 353
Revolução Americana, centésimo aniversário, 31, 220
Revolução Francesa, 1889 (centenário), 25, 28, 31, 35, 129, 226, 233, 311, 337, 344n, 456, 457, 470, 503
Revolução: capítulo 12 *passim;* e as mudanças sociais, 212; e a extensão da cidadania,

171; tolerância, 332; erupção, 214; socio logia da, 419; âmbito da, 502
Rhodes, Cecil, 117
Richthofen, irmãs, 333
Rilke, Rainer Maria, 290, 362
Rimski-Korsakov, Nicolai Andreievich, 40
Riqueza, distribuição da, 47
Ritz, César, 289
Roanne (França), 203
Rockefeller, John D., 167, 289, 292
Roentgen, Wilhelm Conrad, 382
Rohmer, Sax, 133
Roland-Hols, Henrietta; 329
Rolland, Romain, 339, 341, 401
Romano, Império, 37, 424-245, 434
Roosevelt, Franklin Delano, 16
Roosevelt, Theodore, 169, 241n, 281
Rosebery, Archibald Philin Primrose, quinto conde de, 153n, 289
Ross, *Sir* Ronald, 384
Rostant, Edmond: *L'Aiglon*, 392
Rothschild, casa de, 75
Rousseau, Henri (Douanier), 119
Rousseau, Jean-Jacques, 153
Rousseau, Waldeck, 166
Roy, M. N., 440
Ruhr, 44, 196
Ruskin, John, 130
Russell, Bertrand, 373, 376, 378, 393, 399; *Principia Mathematica* (Whitehead)
Rússia (Império Russo): e a Turquia, 36; divisão da Europa e Ásia, 36; empreendimentos culturais, 48-49; Estados-nação, 45-49; desenvolvimento do Estado, 45; analfabetos na, 48; fome, 54, 446; desenvolvimento industrial, 55, 204; imperialismo, 103-106, 122; revolução 1905, 70n, 100, 125, 140-141, 143, 162-163, 167, 407, 414; democratização, 150, 179; os camponeses, 149, 445-451, 457, 495, 506; religião e as políticas religiosas, 153; Duma, 162, 453; os votos da classe

ÍNDICE REMISSIVO

operária, 211; calendário, 207n; questão nacional, 229, 234; revolução 1917, 256, 418, 435, 452, 490, 501, 503; mortalidade infantil, 301; e a Primeira Guerra Mundial, 427, 429, 433, 435, 444, 470, 498, 501, 504; e a Pérsia, 427; na Manchúria, 428; condições pré-revolucionárias, 441-442; produção de grãos, 445; movimentos revolucionários, 449-450; efeitos mundiais da revolução de 1917, 471; antagonismos com a Grã-Bretanha, 477; na Tríplice Entente, 477, 483, 486; apoio popular à guerra Russo-Japonesa, Guerra, 426, 451; Rutenos, 244

Rutherford, Ernest, barão, 398

Ryba-Seidl, Amalie, 335

Saboia (França), 229

Saint-Simon, Claude Henri de, conde, 514

Salários, 68, 79, 183n, 201, 278, 282, 307-308

Salisbury, Robert Gacosne-Cecil, terceiro marquês de, 141, 277

Sammlungspolitik, 166

Sanger, Margaret, 332

Santa Bernardette de Lourdes, 326

São Francisco, terremoto de 1905, 19, 500

São Petersburgo (posteriormente Petrogrado, depois Leningrado), 187, 452, 455 466, 476

Sarajevo, 488, 491

Sargento, John Singer, 343

Saussure, Fernand de, 413

Schindler (Mahler), Alma, 363

Schmoller, Gustav von, 278

Schneider, P. & J., 304n

Schnitzler, Arthur, 416

Schönberg, Arnold, 342, 361, 363, 372

Schreiner, Olive, 332

Schulze-Gaevernitz, H. G. von, 138

Schumpeter, Josef Alois, 83, 272n

Schweik, o bom soldado (personagem ficcional), 465

Scott, capitão Robert Falcon, 32

Secularização, 407-408

Sérvia, 229n, 462, 474, 476n, 488, 491

Serviço público e burocracia, 158, 168, 175, 237, 246, 260, 282, 456

Servidão, 47, 263, 445, 463; abolição 1861 (Rússia), 445

Seurat, Denis, 357

Sexo: fora do casamento, 56; e a emancipação da mulher, 285; Freud e o, 416

Shaw, George Bernard, 297, 300, 334, 348, 459, 461; *Arms and the man*, 461

Shaw, Norman, 261

Shchukin, P. L, 343

Sibelius, Jan, 341

Sicília, 66

Simplicissimus (jornal), 145

Sindicalismo revolucionário, 214

Sindicatos de ofício: Depressão agrícola, 89; resistência, 178; divisão da classe trabalhadora, 204; Grã-Bretanha, 177; organização dos, 194-198, 207, 407; sindicalismo industrial, 205-206; mulher, 324-325, 332

Sionismo, 230-231, 233, 240, 248, 255, 257

Smith, Adam, 73, 80, 93, 141; *A riqueza das nações*, 73

Social Revolucionários (Rússia), 25, 53, 190, 217, 332, 449

Social-Cristão, Partido (Áustria), 149, 162, 164

Social-Democracia, Partido (Alemanha), 215; poder, 161-164, 182-185, 207-211, 214; e a revolução, 208-215; o marxismo, 214-215, 409-410; e as mulheres, 325

Socialismo, socialista: ascensão e desenvolvimento, 22, 25, 65, 156-159, 185-190; e o setor privado, 94; preponderância europeia, 121-122; tolerar governantes, 164-167; e o republicanismo democrático, 175-178; organização do protelariado, 197-199, 202-205; campanha pelo sufrágio universal, 203-206; e a revolução so-

A ERA DOS IMPÉRIOS

cial, 209-216; a base proletária, 217-222;
e o progresso, 219-221; e o nacionalismo,
253-256; e a mulher, 323-331
Sociedade teosófica, 405
Sociologia, 145, 153, 266-267, 411, 412n,
417-420
Sombart, Werner, 275n, 278, 416
Sorel, Georges, 145, 298
Soutine, Haim, 346
Soviete, 452
Spencer, Herbert, 294, 418
Stacy, Enid, 330
Stalin, Josef Vissarionovich (Dzhugashvili),
16, 227, 448
Standard Oil Company, 77, 281, 442, 483
Stolypin, Peter Arkadevich, 455
Stopes, Marie, 332
Strauss, Richard, 341, 351, 362; *Salomé,* 351
Stravinsky, Igor, 342
Strindberg, August, 321, 352
"Subúrbios-jardim", 262
Sudão, 116, 131, 432, 477
Sudoeste africano alemão (atual Namíbia),
436
Suécia, 49, 64, 70n, 88, 91, 102, 123, 141,
176, 206, 210, 236, 317, 327, 328, 336
Sufrágio, mulheres, 325, 331
Suíça, 32, 42, 46, 54n, 71, 74, 86, 91, 138,
141, 143, 168, 288, 306, 317, 336n,
398, 491n
Sullivan, Louis, 351, 359
Sun Yat-sen, 430-431
Suttner, Bertha von, 329
Syllabus of Errors, 1864, 148
Synge, John MiUington, 348

Taaffe, Eduard, Count von, 161
Taiwan (Formosa), 100, 115, 428
Tanger, 427
Tarde, Gabriel, 417
Tarifas, 66, 70; *veja também* Livre Comércio;
Protecionismo

Tata company (Índia), 43
Taylor, F. W. (e o taylorismo), 79
Tchaikovski, Peter Ilyich, 40
Tchecoslováquia, 244, 255, 336
Tchecov, Anton, 40, 293, 341: O *jardim de
cerejeiras,* 293
Teatros de Ópera, 50, 58, 86
Tecnologia, 23, 35, 41, 43, 46, 48, 51, 52, 53,
60, 63, 68, 90-91, 108, 119, 132, 185,
221, 273, 282, 295, 312, 340, 348, 354,
358-360, 361, 363, 367, 375
Telefones, 43, 521, 522
Telégrafo, 23, 32, 90
Teresa de Lisieux, Sta., 326
Thompson, J. J., 379
Tibete, 100, 428
Tiffany, Louis Confort, 355
Tilak, Bal Ganghadar, 439
Tirol, 349
Tirpitz, Almirante Alfred von, 485
Titanic (navio), 19, 500
Tito, Josip Broz, 16, 510
Tolstoi, Levon, conde, 40, 130
Torneio Real anual (Londres), 172
Tortura, 48, 113, 501
Toulouse-Lautrec, Henri de, 172, 365
Trabalhista, Partido (Austrália), 188
Trabalhista, Partido (Grã-Bretanha), fundação,
153; representação parlamentar e pacto
com os liberais, 166, 211; e o naciona-
lismo liberal, 244, burguesia e o poder
político, 264-265
Trabalho doméstico, 304-310, 333
Trabalho: mulheres, 94, 304-313; movimento,
182-186; e os partidos socialistas, 186-
190; as crianças e o, 303, 308-310; *veja
também* Sindicatos de Ofício, Classes
trabalhadoras
Tradição: invenção da, 171
Transiberiana, ferrovia, 32, 447, 451
Transporte: sindicatos, 223
Trigo, 66, 71, 84, 88, 445

ÍNDICE REMISSIVO

Tríplice Aliança (Alemanha-Áustria-Itália), 475, 479, 486
Tríplice Entente (Inglaterra-França-Rússia), 477, 486
Troeltsch, Ernst, 418
Trotski, Leon B., 452
Trotter, Wilfred, 417
Trustes (comerciais), 77, 276
Tuchman, Barbara: *The proud tower*, 21
Tunísia, 436
Turati, Filippo, 210
Turner *(associações de ginástica)*, 250
Turquia, *ver* Império
Twain, Mark, 40
Tyneside, 44, 470
Tzu-hsi, imperador da China, 428

UFA films, 370
Ulster: protestantes, 150 177; divisão das classes trabalhadoras, 190
Umberto, rei da Itália, 163n
United Fruit Company, 109
United States Steel, 77, 276
Universidades, 274, 277, 278-280, 295, 317, 346, 407; *veja também* Educação
Uruguai, 87, 109-110, 112
Utah, 156n
Utopia, 515-516

Vapor: energia do, 32, 35, 195; barcos a, 51-53, 89, 114, 269
Vaticano, 148, 161; *veja também* Igreja Católica Romana
Vaughan Williams, Ralph, 341
Veblen, Thorstein, 265, 289, 418
Vegetais, óleos, 109
Velde, Renry Clemens van de, 348, 359
Verhaeren, Emile, 347
Verne, Júlio, 395
Versalhes, Tratado de, 1919, 311, 471
Vickers, companhia, 187, 469
Vida, expectativa de, 54
Vielé-Griffin, Francis, 345

Viena: população, 44; divisão da classe trabalhadora, 193; bairros proletários, 201-202; bairros burgueses, 261; cultura, 264; secessão, 356; incêndio no Karltheater, 499
Vila, Pancho, 443
Vinho, filoxera, 66
Virgem Maria, 326, 401
Vitalismo, 389
Vítor Emanuel, monumento a, 357
Vitória, rainha, 136, 172, 236
Vivekananda, Swami, 405
Vries, Hugo de, 390

Wagner, Otto, 359
Wagner, Richard, 341-342, 350-351, 359-360
Wallas, Graham, 171
Walras, Léon, 414
Wanamakers (lojas), 55
Warner Brothers (corporação cinematográfica), 368, 372
Wassermann, August von, 384
Watson, J. B., 414
Webb, Sidney e Beatrice, 290, 300, 328-329, 419
Weber, Max, 97, 145, 240, 272n, 275n, 282, 295, 333, 401, 416, 418-420
Wedekind, Frank, 416
Weiner, Werkstatte, 355
Weininger, Otto: *Sex and Character*, 321
Weizmann, Chaim, 255
Wells, D. A., 65
Wells, H. G., 138, 225, 259, 341
Werfel, Franz, 363
Westermarck, Edward Alexander: *History of Human Marriage*, 334
Western Federation of Miners (EUA), 192
Whiteley's Universal Emporium, 55
Whitman, Walt, 40
Wilde, Oscar, 332, 345, 348, 351, 353, 514
Williams, E. E.: *Made in Germany*, 76
Williams, R. Vaughan, *ver* Vaughan Williams, Ralph
Wilson, escândalo (França), 1885, 158

A ERA DOS IMPÉRIOS

Wilson, Woodrow, 228, 511
Wimborne, *Lady*, 289
Wister, Owen, 241n
Wittgenstein, Ludwig, 399
Wollstonecraft, Mary, 336
Women's Social and Political Union (suffragettes),
331
Woolf, Virginia, 290
World's Classics, 343
Wundt, Wilhelm, 414

Xenofobia, 146, 240-242, 249, 250-251,
429-430

Yeats, William Butler, 348, 362, 402

Zabern *affair*, 164
Zaharoff, *Sir* Basil, 469
Zanardelli, Giuseppe, 166
Zapata, Emiliano, 442, 444
Zasulich, Vera, 329
Zenon, 378n
Zola, Émile, 352, 370

Este livro foi composto na tipografia Adobe Garamond Pro,
em corpo 12/16, e impresso em
papel off-white no Sistema Cameron da
Divisão Gráfica da Distribuidora Record.